CW00407793

Letras Hispánicas

Poesía varia

Letras Hispánicas

Francisco de Quevedo

Poesía varia

Edición de James O. Crosby

VIGÉSIMA EDICIÓN

CÁTEDRA

LETRAS HISPÁNICAS

1.ª edición, 1981
20.ª edición, 2019

Ilustración de cubierta: Miguel Ángel Campano

© Ediciones Cátedra (Grupo Anaya, S. A.), 1981, 2019
Juan Ignacio Luca de Tena, 15. 28027 Madrid
Depósito legal: M. 45.912-2008
ISBN: 978-84-376-0266-0
Printed in Spain

Índice

7

Prefacio

Los poetas con los cascos obedecemos a la
luna, con los pies al sol (QUEVEDO, carta a
Sancho de Sandoval, 19 de enero, 1635).

¿Otra edición de la poesía de Quevedo?

Su poesía es de primerísima calidad: más humana y moderna que la de Góngora, más fuertemente reconcentrada y aguda que la de Lope. A nosotros nos importa escuchar tal voz, y divulgarla a un público muy amplio.

Pero ¿no la conocemos ya?

Importa conocerla tal y como la expresó él. Y no sólo comprender con exactitud las palabras que escribió, sino también los grupos o series de poemas que dotó él de coherencia y unidad, o que respondían a cierto estado de ánimo suyo en un momento determinado. Para esta tarea hemos aprovechado ciertos textos manuscritos e impresos de la poesía de Quevedo que, además de su valor literario, son documentos de alto interés para conocer no sólo al poeta, sino también a la persona (me refiero al «Heráclito cristiano», y a lo que fue una serie íntegra de «Silvas»). Importa permitirles a ellos hablar con nosotros; es decir: respetar su integridad. Existen testimonios del propio Quevedo sobre el referido «Heráclito» y las «Silvas», así como el de un íntimo amigo suyo

11

sobre el plan de la edición de su obra poética[1]. Interesa escucharlos y respetarlos.

Cuando la carrera de un poeta abarca casi medio siglo de actividad, el lector tiene curiosidad por saber algo del desarrollo progresivo de su arte, basándose en las fechas de sus poemas. En el caso de Quevedo, faltan fechas para las dos terceras partes de la obra poética; pero como queda explicado en la Introducción, las últimas investigaciones sobre su cronología permiten que se ofrezca al lector alguna idea de lo que fueron los poemas tempranos, en contraste con los tardíos.

Por otra parte, conocemos la forma, o sea, la clasificación por géneros de poemas, con la que quiso Quevedo presentar su obra poética a nosotros, su público. Oigamos a Josef Antonio González de Salas, el amigo con quien el poeta, en «continua comunicación», trató mucho estas cuestiones en sus últimos años, el mismo amigo a quien le tocó preparar la edición de la poesía de Quevedo después de la muerte de éste: «Concebido había Nuestro Poeta el distribuir las Especies todas de sus Poesías en Clases diver-

---

[1] Los textos son el manuscrito del «Heráclito», propiedad de Eugenio Asensio (taraceado con otras versiones en las ediciones modernas, como explica J. P. Manley, págs. 25-26 de su artículo citado a continuación en la Bibliografía); el manuscrito parcialmente autógrafo de las «Silvas», propiedad de la Biblioteca Nacional de Nápoles (la numeración de los poemas por su mismo autor ha sido deshecha en las ediciones modernas, como se ve en H. Ettinghausen, «Un nuevo manuscrito...», pág. 222); y la serie íntegra de las mismas silvas, preparada en parte por el amigo de Quevedo y editor de su poesía, y publicada en *Las tres Musas últimas castellanas* (págs. 132-215; en las páginas 124-125 hay otra lista con numeración distinta; para más detalles, véanse dos estudios míos, «A New Edition...», pág. 333, y «Has Quevedo's Poetry...», pág. 634). Los referidos testimonios se encuentran en las cartas preliminares del «Heráclito», en las indicaciones autógrafas en el manuscrito de las «Silvas», y en una carta de Quevedo en la que habla de éstas, y que citamos en nuestro comentario sobre el poema número 138. El referido plan de la edición lo comentamos en los párrafos que siguen.

12

sas, a quien las Nueve Musas diesen sus Nombres, apropiándose a los Argumentos la profesión que se hubiese destinado a cada una... Admití yo, pues, el dictamen de Don Francisco, si bien con mucha mudanza, así en las Profesiones que se aplicasen a las Musas (en que los Antiguos propios estuvieron muy varios), como en la distribución de las Obras que en aquellos rasgos primeros e informes, él delineaba... Los títulos... que preceden a cada poesía... [son] míos, pues siendo ellos muy breves, dan grande luz para la noticia del argumento que contiene cada una... En suma, con estas asperezas hemos erigido este Español Parnaso. Que Hemos, digo, y al término quita la envidia o la disonancia nuestra antigua y nunca contenciosa Amistad (... de don Francisco, digo, y de mí...), continuada en mutua así y benigna correspondencia, ... que tan promiscuas tuvimos las operaciones del ingenio»[2].

Tal es la historia de la confección de *El Parnaso español*, edición que contiene unos 600 poemas de Quevedo, todos ellos genuinos, y cuya impresión fue tan cuidadosa que apenas tiene erratas. La labor de González de Salas fue concienzuda y continuada, pues se extiende, como dice él, a «cada una» de las poesías, que presentó casi siempre de acuerdo con las últimas revisiones de Quevedo, y con un título bien razonado. De esta edición me he servido como base de la presente antología, sin encontrar motivo para cambiar los textos ni los títulos. En cuanto al orden de los poemas, sabemos que la idea de las nueve musas responde a la voluntad del poeta, pero la distribución de los poemas en ellas se debe al amigo y concienzudo editor. También sabemos que a veces Quevedo se preocupaba mucho por el

---

[2] Quevedo, *El Parnaso español*, editado por González de Salas (Madrid, 1648), «Prevenciones al lector», hojas 5r, 5v y 7r, y una nota en la pág. 458 (todas las palabras que cito de González de Salas en este Prefacio y en la Introducción provienen de estas hojas. Sobre este libro y sus reproducciones modernas, véase la Bibliografía).

orden de sus poemas[3], y que no podemos nosotros presumir de conocerle a él y su poesía mejor que González de Salas. La clasificación de los poemas se halla en el índice general.

Por otra parte, me he permitido seguir una línea editorial que previno González de Salas, sin querer entrar en ella: «*Los Equívocos,* que vulgarmente se llaman, y las *Alusiones* suyas [de Quevedo], son tan frecuentes y multiplicados aquéllos y éstas en un solo Verso, y aun en una palabra, que es bien infalible que mucho número, sin advertirse, se haya de perder». La verdad de esta afirmación me la ha enseñado el estudio de la poesía de Quevedo que tuve que hacer para llevar a cabo la anotación de la presente antología. He llegado a ver, como González de Salas, que la poesía satírica de Quevedo es enormemente alusiva: que además de los conocidos equívocos, o juegos de palabras, él poseía como nadie la capacidad de presentar contextos y situaciones al lector, sin mencionarlos directamente. Y como la alusión depende siempre de lo que ya sabe de antemano el lector, éste tiene la sensación de haber participado en la creación de las imágenes que está leyendo.

También creo, con González de Salas, que Quevedo supo «multiplicar... en un solo Verso, y aun en una palabra» los equívocos y las alusiones, de tal manera que «mucho número» de ellos los pasamos nosotros los lectores «sin advertirlos» (es muy fácil entender la coherencia del sentido literal de los versos de Quevedo sin darse cuenta de los equívocos, y aún menos, de las alusiones). Y si de esta manera se han perdido equívocos y alusiones, ¿no se ha perdido, también sin advertir, lo mejor y más característico de la poesía de Quevedo?

---

[3] Sobre este punto, véase el testimonio autógrafo descubierto por Henry Ettinghausen, «Un nuevo manuscrito...», págs. 220-223 (artículo citado en la Bibliografía).

Mi propósito ha sido precisamente «advertir» al lector de los equívocos y las alusiones, mediante un juego comprensivo de anotaciones explicativas a cada poema. También esto lo previno y comprendió González de Salas: «Aunque fuera diligencia prolija el notarlos [los equívocos y las alusiones], la ejecutara yo con menos resistencia, si no recelara que [a] los Advertidos Presuntuosos [les] sucediera ofenderse, si alguna vez por ventura se les avisara [yo] de agudeza que hubieran ya percibido; sin tomar [ellos] en recompensa las que, sin sentirse, muchas veces se les pasaran. De donde aún quedo con escrúpulo, si pequé».

Introducción

Nació Francisco de Quevedo Villegas en 1580, y murió
en 1645, a la edad de sesenta y cinco años. Sus padres, Pedro Gómez de Quevedo Villegas y María Santibáñez de Quevedo, fueron de la Montaña de Santander, pero vivían en Madrid, donde el padre desempeñaba el cargo de secretario de la reina Ana María, mujer de Felipe II, y la madre, el de dama de honor. El joven Quevedo estudió en el Colegio Imperial de los Jesuitas, en la capital, y luego pasó a la Universidad de Alcalá de Henares y también a la de Valladolid cuando residía allí la corte (1601-1606).

Fue en Valladolid y en 1603 cuando recogió Pedro Espinosa materiales para la antología que él preparó de las *Flores de poetas ilustres de España;* incluyó en ella unos 17 poemas de Quevedo, testimonio de la fama que se había granjeado ya un poeta que apenas tenía veintitrés años de edad. Estos poemas son de índole muy variada, pero cada uno anuncia un tema o género o vena que iba a seguir el poeta a lo largo de su carrera. Nos parece que tal grupo puede servir de introducción o «Prólogo poético» a la obra total.

Por otra parte, algunos de estos poemas son de interés especial porque más tarde el poeta los revisó, y el cotejo de una y otra versión nos revela la creación paulatina de su arte. Imprimo siempre las revisiones de los poemas tempranos, atento a la última voluntad del autor, y también al hecho de que en sus últimos años, Quevedo no quería que se divulgaran las versiones primitivas de sus poemas sin las revisiones, según nos indica González de Salas.

La década de 1603 a 1613 fue para el joven Quevedo una época de actividad literaria tan fructífera como diversa. Compuso su única novela *(La vida del Buscón)*, cuatro *Sueños* y diversas sátiras breves en prosa; obras de erudición bíblica como, por ejemplo, su comentario *Lágrimas de Jeremías castellanas*, de investigación histórica y lingüística como la *España defendida*, y de teoría y práctica políticas como el *Discurso de las privanzas*. También escribió poesía de índole igualmente variada como la prosa (sabemos que datan de estos años unos 75 poemas, y probablemente muchos más). En la primera mitad del año de 1613, o poco antes, Quevedo sufrió cierta crisis espiritual o moral, que le ocasionó un sentimiento profundo y doloroso de arrepentimiento. Quiso dar voz a dicho sentimiento en una serie de poemas que tituló «Heráclito cristiano» (se alude a la imagen tradicional del «filósofo que lloraba»), y que dedicó a su tía con una breve explicación del referido sentimiento. Con esta serie de poemas he querido formar la segunda sección de nuestra antología, siguiendo la doble trayectoria personal y profesional del poeta (en el «Heráclito» se ve claramente el desarrollo de su arte, en comparación con algunos de los poemas escritos en 1603 o antes).

El «Heráclito» viene a cerrar una época de actividad literaria: en el verano o el otoño de 1613 se marchó Quevedo para Sicilia, invitado por su amigo Pedro Téllez Girón, duque de Osuna y virrey de aquella isla. A lo largo de seis años, Quevedo se dedicó a la actividad diplomática y política, sirviendo al duque de agente y de confidente, y haciendo numerosos viajes a Madrid como encargado de los negocios de Sicilia, y más tarde de los de Nápoles, adonde había sido promovido el virrey.

En 1620 el duque de Osuna perdió el favor del rey, y fue encarcelado; también Quevedo sufrió dos veces la prisión por sus actividades como agente del duque, en 1621 y 1622. De allí en adelante se dedicó a las letras, sin dejar de tomar parte en la política. Completó la serie de los *Sueños* («El sueño de la Muerte», 1621); escribió tratados políticos (*Política de Dios*, 1626 y 1635), morales (*Virtud militante*, 1635), y dos sátiras extensas (*Discurso de todos los diablos*, 1628, y *La hora de todos*, 1635). Tomó parte muy activa en la controversia sobre el patronato de España (*Memorial por el patronato de Santiago* y *Su espada por Santiago*, 1628), año en que sufrió de nuevo la prisión. Posteriormente, sacó a luz en dos ediciones importantes la poesía de Fray Luis de León y la de Francisco de la Torre (1631), así como nuevos tratados morales (*La cuna y la sepultura*, 1634), y otros políticos (*Carta al serenísimo Rey de Francia*, 1635).

Entre 1620 y 1639 pasó Quevedo largos meses de estudio y composición literaria en el pueblo de La Torre de Juan Abad, cerca de Villanueva de los Infantes en la parte sur de La Mancha, donde tenía una casa y ciertas rentas. De esta actividad solitaria descansaba de vez en cuando con unos periodos de residencia en Madrid, donde se hospedaba en una posada, o en casa de algún amigo. La noche del 7 de diciembre de 1639, Quevedo se encontraba en la casa de su amigo el duque de Medinaceli, cuando entraron dos alcaldes de Corte y le prendieron a toda prisa, metiéndole en un coche y llevándole en seguida a la ciudad de León, donde le encarcelaron en un calabozo subterráneo del convento de San Marcos. El motivo fue la sospecha, por parte del privado del rey Felipe IV, de cierta actividad política internacional. Las condiciones de la prisión fueron crueles y duraron hasta que aquel privado perdió el favor del rey, en el verano de 1643. Luego soltaron a Quevedo, y volvió a Madrid, donde pasó un año. A mediados de 1644 se trasladó a la Torre de Juan Abad, y allí, o en el pueblo cercano de Villanueva de los Infantes, se quedó hasta que murió, el 8 de septiembre de 1645.

A partir de 1613, cuando firmó Quevedo la dedicatoria del «Heráclito cristiano» y se marchó para Sicilia, son relativamente pocos los poemas suyos que podemos fechar con seguridad; insuficientes, a todas luces, para servir de base a una antología por orden cronológico (véase en el Índice el artículo «fechas»). Como queda indicado en el Prefacio, he optado por otro plan: presentar una selección de la poesía editada por González de Salas en *El Parnaso español* de 1648, respetando la clasificación temática y también el orden de los poemas.

Por falta de espacio, *El Parnaso* incluyó tan sólo seis de las nueve musas en las que Quevedo había repartido su obra poética; las otras tres quedaron para otro libro, que preparaba González de Salas cuando le sorprendió la muerte en 1651. Los papeles de Quevedo y de Salas pasaron entonces al sobrino del poeta, Pedro Aldrete Quevedo Villegas, quien sacó en 1670 las tres musas que faltaban, en una edición titulada *Las tres musas últimas castellanas*. De esta edición son fidedignos los textos que ya González de Salas había preparado; los otros revelan mucho descuido (contienen algunos poemas apócrifos, otros faltos de versos y otros que se han repetido sin que el editor se diera cuenta)[1]. De esta edición he seleccionado unos 13 poemas, que complementan de manera significativa los del *Parnaso* de 1648, y cuya autenticidad está fuera de duda.

Desde los años de la estancia de la corte en Valladolid, los poemas de Quevedo fueron tan populares que los lectores hacían constantemente copias manuscritas y se las pasaban de unos a otros. Algunos poemas se perdieron y otros

---

[1] Sobre la confección de *Las tres musas*, véase mi artículo «La huella de González de Salas...», citado en la Bibliografía.

no los pudo recoger González de Salas, o no quiso aventurarse a someterlos a la censura eclesiástica. Existen hoy muchas copias contemporáneas, y otras hechas después de la muerte del poeta, de las cuales he sacado una docena de poemas, ya por su valor intrínseco, ya porque ilustran la suerte y la popularidad de cierto tipo de poesía no incluida en las colecciones impresas.

Se cierra esta antología con una especie de «Epílogo poético», compuesto de dos poemas muy tardíos, que son los últimos para los cuales tenemos fechas. El primero es una sátira muy viva de ciertas costumbres de la sociedad madrileña, escrita basándose en lo que recordaba Quevedo tras tres años de prisión en San Marcos: atestigua de manera elocuente su capacidad para la actividad creativa en unas condiciones sumamente adversas. El otro es una bella canción al desengaño, revisada en 1645, unos ocho meses antes de su muerte, según nos informa su sobrino, Pedro Aldrete, quien afirmó que «puede servirle de inscripción sepulcral».

Al lector general

Este libro se dirige explícitamente al lector general que no conoce la literatura del Siglo de Oro español, pero que quiere saborear poesía de primerísima calidad. A él me dirijo en las notas y los comentarios que acompañan a cada poema, esperando que le sirvan de guía constante e invariable, y más directamente útil que una larga introducción. En la redacción de las notas, creo que he pecado por de más, guiándome por la esperanza de que el público de este libro no se limite a España, sino que pueda abarcar el Nuevo Mundo y el extranjero (en verdad, creo que poesía española de tan alta calidad merece tal divulgación). Por otra parte, no doy por entendido que todos los lectores conozcan bien las doctrinas y las tradiciones de la Iglesia católica, ni que todos se pongan a leer este libro de cabo a rabo, poema por poema (de nuevo, probablemente he pecado por de más en la anotación). En fin, espero que mediante las reacciones de los lectores, lleguemos a saber si interesa este tipo de edición de la obra de Quevedo.

Al que por primera vez ensaya la lectura de la poesía de Quevedo, le sugiero que hay algunos poemas más fáciles que otros (pero no por esto menos característicos de su autor). Pueden servir de introducción los poemas del «Heráclito cristiano», que expresan de manera íntimamente personal el arrepentimiento que sentía en ese momento el autor (números 16-30), o los de la Musa Primera, sobre asuntos heroicos (números 31-34), así como los poemas de devoción religiosa de la Musa Nona (números 141-146). Pueden servir igualmente de introducción algunas poesías satíricas, como, por ejemplo, «Poderoso caballero es don Dinero» (número 15), el «Testamento de don Quijote» (número 127), «Pavura de los Condes de Carrión» (número 130) y «Erase un hombre a una nariz pegado» (número 97). Menos fáciles, a mi parecer, son los poemas de las Musas Segunda y Tercera. Entre los más difíciles, pero también geniales por su agudeza, su ingenio y su calidad sumamente alusiva son las letrillas de la Musa Quinta, y los sonetos y romances satíricos de la Sexta. Aquí, en mi opinión, y en los poemas amorosos del «Canto a Lisi» (números 71-83), es donde brilla como nunca el sumo talento literario de Quevedo.

Para facilitar la lectura, he modernizado la grafía de los textos poéticos, y también la puntuación. Los clásicos eran más pródigos que nosotros en el uso de las mayúsculas, pero como no creo que esto dificulte la lectura, he tenido a bien conservarlas, sabiendo que señalan a veces las palabras importantes, y que también ofrecen alguna idea del aspecto tipográfico de los impresos poéticos contemporáneos del autor. De hecho, las costumbres actuales no son rígidas, como se ve, por ejemplo, en un libro como *Homenaje,* de Jorge Guillén, donde el número de mayúsculas excede a la imaginada «norma». Van entre corchetes los títulos de los poemas, porque, como se explica en el Prefacio, no son de Quevedo.

Se completa esta antología con un índice alfabético de las palabras comentadas en las notas. Espero que éste sirva para poner al alcance de lectores y estudiosos una porción del caudal léxico de Quevedo. Por la índole de este libro, no se documentan muchas de mis afirmaciones y explicaciones, ni se comentan de manera exhaustiva ni histórica los personajes y oficios que componen el mundo satírico de Quevedo. De todo esto encontrará el estudioso documentación abundante y múltiples índices alfabéticos en la edición que estoy completando ahora de la versión manuscrita de los *Sueños* de Quevedo. Por otra parte, casi toda mi información léxica procede de los vocabularios impresos de las obras de Cervantes y Góngora, del mecanografiado de las de Quevedo, y de cuatro diccionarios y un refranero, todos bien conocidos por los especialistas[1].

Es un gran placer expresar mi gratitud a los que me han ayudado en la confección de este libro, tanto directa como indirectamente. Primero, agradezco a mi buen amigo Jorge González Larramendi la colaboración crítica y la enorme ayuda bibliográfica que me ha prestado a lo largo de la tarea. También agradezco a Pilar Barrett y a Manuel Santayana la ayuda que me ofrecieron en la redacción de las notas, y a mi colega la profesora Florence L. Yudin las sugerencias y consejos que me ha dado en numerosas conversaciones sobre la obra poética de Quevedo. A la gran generosidad de don Eugenio Asensio debo una fotocopia completa del precioso manuscrito contemporáneo del «Heráclito cristiano» de Quevedo, que es de su propiedad. Al vicepresidente Robert A. Fisher, de la Florida International University, agradezco el interés y el apoyo profesional expresados en el permiso sabático que me proporcionó el tiempo necesario

---

[1] Los diccionarios son el de la Real Academia Española, en un tomo; el de la misma Academia, «de Autoridades», publicado entre 1726 y 1739, y asequible en una edición facsímil, Madrid, 1963 [1992²¹]; el *Tesoro de la lengua castellana* de Sebastián de Covarrubias, publicado en 1611, ed. M. de Riquer, Barcelona, 1943; y el magnífico *Diccionario crítico etimológico de la lengua castellana,* de Joan Corominas, Madrid, 1954-1957, 4 tomos. El refranero es el de Gonzalo Correas, compilado en 1627, ed. Academia Española, Madrid, 1924, y ed. Louis Combet, Burdeos, 1967. El vocabulario de Quevedo por Carlos Fernández Gómez se describe en mi *Guía bibliográfica para el estudio de Quevedo.* El vocabulario de Cervantes es el del mismo compilador, y el de Góngora, el de Bernardo Alemany y Selfa. En las notas cito el *Quijote* por la ed. de M. de Riquer, Barcelona, 1968.

para crear este libro. Dicho libro se ha beneficiado también de la labor previa de José Manuel Blecua, quien ha llevado a cabo la enorme tarea de recoger un número crecido de manuscritos poéticos de Quevedo, y de estudiar su relación con los impresos. De él he dependido para la filiación de diversas versiones de los poemas de Quevedo, y también para los textos de 12 poemas que se han conservado en diversas copias manuscritas (núms. 147-149, y 151-159).

Bibliografía

NOTA PRELIMINAR

Hace cincuenta años, las obras en prosa y verso de Quevedo se leían solamente en los tres tomos de la Biblioteca de
Autores Españoles, publicados a mediados del siglo XIX. En 1932
Luis Astrana Marín recogió gran cantidad de manuscritos e
impresos antiguos, y sacó a luz un tomo de prosa y otro de
verso (Madrid, Aguilar). Pero Astrana ni quiso ni supo poner
en orden los materiales, ni explicar las relaciones entre múltiples versiones de una sola obra, ni identificar la fuente de los
textos que reprodujo.

En 1963, José Manuel Blecua publicó una edición de la poesía de Quevedo en un tomo, Barcelona, Planeta, fruto del estudio
de muchos manuscritos e impresos. Esta edición supera a la de
Astrana, porque Blecua sí supo poner en orden los textos e identificar siempre el manuscrito o el impreso del cual había sacado
cada poema. También evitó las fechas arbitrarias que Astrana había asignado a muchos poemas.

Pasados seis años, Blecua sacó a luz entre 1969 y 1971 una
edición que reproduce todas las variantes que arrojan 166 manuscritos de la poesía de Quevedo (*Obra poética,* Madrid, Castalia, 3 tomos). Esta edición representa un avance enorme sobre
todas las anteriores en el sentido bibliográfico y textual. Pero aún
no aporta cuanto esperaban los lectores (véanse los estudios citados en la nota 1 a pie de página de mi Prefacio, y también el estudio de Evelyn P. Lytle, así como las fotocopias del manuscrito
original del «Heráclito cristiano», que reproduzco).

De las obras en prosa de Quevedo, algunas se han editado de acuerdo con los mejores textos antiguos: *La vida del Buscón* (1965), la *Política de Dios* (1966), *La cuna y la sepultura* (1969), el *Discurso de todos los diablos* (1970) y cuatro pequeñas «obras festivas» (1970 y 1975). Tenemos también una edición fidedigna de la antigua versión impresa de los *Sueños* (1973), y otra, no tanto, de los impresos de *La hora de todos* (1975). También una edición del precioso manuscrito autógrafo de la *Virtud militante* (1985) por Alfonso Rey, y otras de algunas de las obras festivas por Felipe C. R. Maldonado, Pablo Jauralde Pou y Manuel Ortuño. Pierre Geneste, Pierre Dupont y Jean Bourg han estado a cargo de una edición comentada de los textos impresos de *La hora de todos,* y yo de las versiones manuscritas de los *Sueños* y del manuscrito de *La hora de todos.*

A mi modo de ver, el editor de una edición como la presente debe citar ediciones de la prosa de Quevedo que los lectores puedan consultar con relativa facilidad (poco le ayuda al lector tener referencias a ediciones publicadas hace treinta años, y existentes hoy en poquísimas bibliotecas, y que tienen paginación única). Por lo tanto, procuro siempre incluir en mis citas la parte y el capítulo de la obra, y cuando ésta no ha sido editada de acuerdo con textos buenos, cito por la edición de la Biblioteca de Autores Españoles, que tiene paginación invariable, y que está al alcance de casi todos los lectores.

A) *Manuscritos y ediciones de las obras de Quevedo*

Buscón, El (véase *Vida del Buscón, La*).

Capitulaciones de la vida de la Corte (véase Koepe, Swanhildt). *La culta latiniparla,* BAE, XLVIII, págs. 418-422; Astrana Marín, 1932, págs. 652-656; Buendía, págs. 373-377.

La cuna y la sepultura, ed. de Luisa López Grigera, Madrid, Real Academia Española, 1xxi, 1969, 197 págs. Anejos del *Boletín de la Real Academia Española,* tomo XX.

Discurso de todos los diablos, o Infierno enmendado, BAE, XXIII, págs. 359-379 (con el título «El entremetido, la dueña y el soplón»); Astrana Marín, págs. 197-225; Buendía, págs. 197-226.

Hay también edición crítica, de Jürgen Wahl, Bochum, Facultät für Philologie der Ruhruniversitäät Bochum, 1970, 182 págs.

España defendida, ed. de R. Selden Rose, en el *Boletín de la Real Academia de la Historia,* LXVIII, Madrid, 1916, págs. 515-543 y 629-639; LXIX (1916), págs. 140-182 (texto de acuerdo con el manuscrito autógrafo); Astrana, págs. 273-301; Buendía, págs. 488-526.

Epistolario completo, ed. de Luis Astrana Marín, Madrid, Reus, 1946, xlix, 824 págs. Diversas cartas de Quevedo se publicaron en las *Obras* de Quevedo (BAE, t. XLVIII), y en las *Obras en prosa* editadas por Astrana Marín y por Felicidad Buendía.

Flores de poetas ilustres de España, ed. de Pedro Espinosa, Valladolid, Luis Sánchez, 1605, págs. 204 y ss. Ejemplar de la Biblioteca de la Universidad de Illinois (Urbana), en la que también hay un ejemplar de la edición moderna de Juan Quirós de los Ríos y Francisco Rodríguez Marín, Sevilla, 1896. Del referido ejemplar de la edición de 1605 he sacado los textos del «Prólogo poético» de la presente antología.

«Gracias y desgracias del ojo del culo», Astrana, 1932, págs. 45-48; Buendía, 1958, págs. 95-98; Fernández-Guerra no quiso reproducir el texto en la BAE, teniéndolo por «desvergonzado y sucio sobre todo encarecimiento» (XXIII, pág. 484).

«Heráclito cristiano» [1613], copia manuscrita contemporánea, que ocupa los folios 57 a 71 inclusive de un tomo de miscelánea, propiedad de don Eugenio Asensio, a cuya amabilidad debo la fotocopia que he utilizado.

«La hora de todos y la Fortuna con seso» [1636; ed. 1650], BAE, XXIII, págs. 384-425; Astrana Marín, págs. 226-270; Buendía, págs. 226-280. Hay edición de Luisa López Grigera, Madrid, Castalia, 1975, 229 págs., Clásicos Castalia, número 67 (de esta última importa ver la reseña publicada en la *Revista de Filología Española,* de Pablo Jauralde Pou).

KOEPE, Swanhildt, *Textkritische ausgabe einiger schrijien der «Obras festivas» von Francisco de Quevedo,* Colonia, Inaugural-Dissertation zur Erlangung des Doktorgrades der Philosophischen Fakultät der Universität zu Kóln, 1970, 293 págs. Ejemplares: Crosby, Stanford University (California). Comprende una Introducción general (págs. 1-18) y sendas ediciones críticas, cada una con su estudio textual, de las *Capitulaciones de la vida de la Corte y oficios entretenidos en ella* (19-165), la *Premática del Tiempo* (págs. 166-222), y el *Papel de las cosas corrientes en la Corte por abecedario* (págs. 223-257), una serie de descripciones bibliográficas (págs. 258-291) y una bibliografía general (págs. 292-293).

Lágrimas de Jeremías castellanas, ed. de Edward M. Wilson y José Manuel Blecua, Madrid, Consejo Superior de Investigaciones Científicas, 1953, cxliv, 177 págs.; *Revista de Filología Española,* Anejo LV.

Memorial a una academia: Estudio bibliográfico ,y textual, y una edición crítica, por Luisa López Grigera, en el *Homenaje a la memoria de don Antonio Rodríguez-Monino, 1910-1970,* Madrid, Castalia, 1975, págs. 398-404.

Obra poética, ed. de José Manuel Blecua, Madrid, Castalia, 1969-1971, 3 vols. (sobre esta edición, véase la nota preliminar a esta Bibliografía).

Obras completas, t. I: Poesía original, ed. de José Manuel Blecua, Barcelona, Planeta, 1963, 1.461 págs. Sobre esta edición, véase mi reseña en la *Hispanic Review,* XXXIV (1966), págs. 328-337. Posteriormente, Blecua publicó una edición revisada a fondo, con nueva numeración de poemas, Barcelona, Planeta, 1968, clvii, 1.545 págs. Esta ha sido reimpresa a plana y renglón en 1971, y la numeración de los poemas corresponde exactamente a la de la *Obra poética* de Blecua.

Obras completas... en prosa, ed. de Luis Astrana Marín, Madrid, Aguilar, 1932, 1.620 págs. Hay reseña muy severa de Américo Castro, *Revista de Filología Española, XXI* (1934), páginas 171-178. En cada reimpresión (1941 y 1945) se ha cambiado totalmente la paginación.

Obras completas en prosa, ed. de Felicidad Buendía, Madrid, Aguilar, 1958, 1.790 págs. Edición que aumenta los errores de la de Astrana Marín.

Obras de don Francisco de Quevedo Villegas. Poesías, edición de Florencio Janer, Biblioteca de Autores Españoles, tomo LXIX, Madrid, Atlas, 1953, xxiii, 599 págs. Edición descuidada, pero que conserva el orden antiguo de los poemas.

Obras [en prosa] de don Francisco de Quevedo Villegas, ed. de
Aureliano Fernández-Guerra y Orbe, en dos tomos de la Biblioteca de Autores Españoles; t. XXIII, Madrid, Atlas, 1946,
cxxxv, 551 págs.; y t. XLVIII, Madrid, Atlas, 1951, xlii, 687 págs.
Edición anticuada, publicada por primera vez a mediados del
siglo XIX, pero más divulgada y más asequible a los lectores
que la de Astrana Marín o la de Felicidad Buendía (las reim-
presiones de esta Biblioteca son fototipográficas, de manera
que nunca cambia la numeración de páginas).

Obras festivas (véase Koepe, Swanhildt, y el *Memorial a una Academia*).

Obras manuscritas de don Francisco Quevedo Villegas, manuscrito
de mi propiedad, letra del siglo XVIII, 297 folios, y un folio
sin numerar que forma parte del Índice. De este manuscrito
he copiado el texto de «Antoñuela la Pelada» (véase la descripción pormenorizada en el artículo de Crosby y Holman).

Papel de las cosas corrientes en la Corte (véase Koepe, Swanhildt).

*El Parnaso español, monte en dos cumbres dividido, con las nueve
Musas castellanas, donde se contienen poesías de don Francisco
de Quevedo Villegas, caballero de la Orden de Santiago, y señor
de la Torre de Juan Abad, que con adorno y censura, ilustradas y
corregidas, salen ahora de la librería de don Josef Antonio González de Salas,* Madrid, Pedro Coello, 1648, 7 hojas, 1 lámina,
666 págs, y 9 hojas de índices. He utilizado una fotocopia del
ejemplar de la Biblioteca de Menéndez Pelayo, en Santander.

Poemas escogidos, ed. de José Manuel Blecua, Madrid, Castalia,
1972, 384 págs. Antología fundada en los textos de la *Obra
poética* editada por Blecua.

Poesía original (véase *Obras completas, t. I: Poesía original*).

Política de Dios, gobierno de Cristo, ed. de James O. Crosby, Madrid y Urbana, Castalia y la Prensa Universitaria de Illinois,
1966, 604 págs.

«Premáticas y aranceles generales», BAE, XXIII, págs. 429-431;
Astrana Marín, 1932, págs. 25-30; Buendía, 1958, páginas 68-74.

Premática del Tiempo (véase Koepe, Swanhildt).

Providencia de Dios, BAE, XLVIII, págs. 166-211; Astrana, 1932,
págs. 1067-1082; Buendía, 1958, págs. 1387-1456.

Sueños y discursos, ed. de Felipe C. R. Maldonado, Madrid, Castalia, 1972, 251 págs. Clásicos Castalia. Reproduce con toda fidelidad el texto de la primera edición de los *Sueños,* Barcelona, 1627.

«Tasa de las hermanitas del pecar», Astrana Marín, 1932, páginas 44-45; Buendía, 1958, págs. 93-94. Fernández Guerra dice que «pocos rasgos de Quevedo (si pudiera prescindirse de lo moral y provechoso al apreciarlos) iguálanse [a la "Tasa"] en novedad, en gracejo, en soltura y en ocurrencias y comparaciones felices» (BAE, XXIII, pág. 432); pero no quiso publicar el texto, por razones análogas a las expresadas en el caso de las «Gracias y desgracias del ojo del culo».

Las tres Musas últimas castellanas. Segunda cumbre del Parnaso español de don Francisco de Quevedo y Villegas, caballero de la Orden de Santiago, señor de la villa de la Torre de Juan Abad. Sacadas de la librería de don Pedro Aldrete Quevedo y Villegas, Madrid, Mateo de la Bastida, 1670, 9 hojas, 359 págs. y 4 hojas. He utilizado un ejemplar de mi propiedad.

La vida del buscón llamado don Pablos, ed. de Fernando Lázaro Carreter, Salamanca, Universidad de Salamanca, 1965, lxxviii, 285 págs. Acta Salmanticensia, Facultad de Filosofía y Letras, tomo XVIII, núm. 4.

B) *Bibliografías de la crítica sobre Quevedo*

CROSBY, James O., *Guía bibliográfica para el estudio de Quevedo,* Londres, Grant and Cutler, 1976, 140 págs. Research Bibliographies and Checklists, tomo 13. Pretende recoger todo lo que se ha escrito sobre Quevedo a partir del año de 1700 e incluye las reseñas y resúmenes de libros y de artículos, y la situación de ejemplares de materiales difíciles de localizar. Con gusto repito que es un placer ofrecer a los estudiosos fotocopias de los papeles que poseo.

SOBEJANO, Gonzalo, «Bibliografía de Quevedo», en su libro *Francisco de Quevedo,* Madrid, Taurus, 1978, págs. 381-389. A la *Guía* de Crosby agrega no sólo lo que se publicó posteriormente, sino también algunas fichas que se me habían escapado. (Sobre el contenido del libro de Sobejano, véase la lista de obras de «Crítica general», a continuación.)

C) *Biografías*

Astrana Marín, Luis, *La vida turbulenta de Quevedo,* Madrid, Gran Capitán, 1945, 622 págs. No lleva ninguna documentación, y repite muchas de las leyendas falsas del primer biógrafo de Quevedo, Pablo Tarsia; hay reseña muy severa de Javier Cruzado García en el *Boletín de la Biblioteca de Menéndez Pelayo,* XXI, Santander, 1945, págs. 537-544.

Blecua, José Manuel, capítulo I de la Introducción a su edición de la *Poesía original* de Quevedo, Barcelona, Planeta, 1968, páginas ix-lx. Resumen biográfico que evita la reproducción de las leyendas de Tarsia, y que tiene en cuenta las investigaciones históricas anteriores (es quizá el único biógrafo moderno que no repite la leyenda de la estancia de Quevedo en Venecia en 1618, refutada por mí en «Quevedo's Alleged Participation in the Conspiracy of Venice», *Hispanic Review,* XXIII, 1955, 259-273, y por Carlos Seco, «El marqués de Bedmar y la Conjuración de Venecia de 1618», *Revista de la Universidad de Madrid,* IV, 1955, pág. 334, nota; véase también Giorgio Spini, «La congiura degli spagnoli contro Venezia del 1618», *Archivio Storico Italiano,* CVII, 1949, págs. 17-53, y CVIII, 1950, págs. 159-175.

D) *Crítica general sobre Quevedo y su poesía*

(Este apartado se completa con la «Lista de estudios sobre poemas determinados de la presente antología» y la «Lista de poemas».)

Agenjo Bullón, Xavier, «La poesía de Quevedo a tres años vista de su cuarto centenario», *Arbor,* Madrid, tomo XCVII, núm. 378, Madrid, junio de 1977, págs. 27 [171] a 42 [186] (tiene paginación doble).

Alarcos García, Emilio, «El dinero en las obras de Quevedo», Valladolid, Universidad de Valladolid, 1942, 95 págs. Discurso de apertura del curso 1942-1943 de la Universidad de Valladolid. También está en su libro *Homenaje,* Valladolid, Editorial Sever-Cuesta, 1965, págs. 375-442.

ALBERTI, Rafael, «Don Francisco de Quevedo, poeta de la muerte», en *Revista Nacional de Cultura,* XII, Caracas, 1960, págs. 6-23.

ALBORG, Juan Luis, «Quevedo», en su libro *Historia de la literatura española,* tomo II: *Época barroca,* Madrid, Gredos, 1967, capítulo XI, págs 591-659. Contiene un estudio minucioso sobre Quevedo.

ALONSO, Dámaso, «El desgarrón afectivo en la poesía de Quevedo», en su libro *Poesía española,* Madrid, Gredos, 1950, págs. 531-618. Estudio de importancia fundamental, del cual he hecho un índice en la Lista de estudios sobre poemas determinados.

AYALA, Francisco, «Hacia una semblanza de Quevedo», *La Torre,* Puerto Rico, LVII (1967), págs. 89-116. También en forma de libro, Santander, 1969, 51 págs.; y con el título «Quevedo: notas para una semblanza», en *Cuadernos del Idioma,* Buenos Aires, año II, núm. 7 (1966-1967), págs. 5-32.

BELLINI, Giuseppe, *Quevedo y la poesía hispanoamericana del siglo XX. Vallejo, Carrera Andrade, Paz, Neruda, Borges,* traducción al español por J. Enrique Ojeda, Nueva York, Eliseo Torres and Sons, 1976, 145 págs.

BORGES, Jorge Luis, «Grandeza y menoscabo de Quevedo», *Revista de Occidente,* año II, núm. XVII, Madrid, noviembre de 1924, págs. 249-255.

— «Quevedo», Otras inquisiciones (1937-1952), Buenos Aires, 1952, págs. 46-54. También en las *Obras completas* de Borges, Buenos Aires, 1960.

CARILLA, Emilio, *Quevedo (entre dos centenarios),* Tucumán, Universidad Nacional de Tucumán, 1949, 236 págs.

— «Quevedo y el parnaso español», *Boletín de la Academia Argentina de Letras,* XVII (1948), págs. 373-408. También está en su libro *Estudios de literatura española,* Tucumán, 1958, págs. 147-178.

CASTRO, Américo, *De la edad conflictiva: Crisis de la cultura española en el siglo XVII,* Madrid, Taurus, 1972, 268 págs. Sobre la actitud de Quevedo frente al tema del honor, véanse las págs. 25, 45, 65, 70-73, 119, 217-218 y 233.

CORTÁZAR, Celina S. de, *La poesía de Quevedo,* Buenos Aires, Centro Editor de América Latina, 1968, 61 págs. (Enciclopedia Literaria, XXX). Excelente introducción a la poesía de Quevedo.

CROSBY, James O., «A New Edition of Quevedo's Poetry», *Hispanic Review,* XXXIV (1966), págs. 328-337. Artículo-reseña sobre la edición de la *Poesía original* (1963) y las cuestiones editoriales que presenta.

— «La huella de González de Salas en la poesía de Quevedo editada por Aldrete», en el *Homenaje a don Antonio Rodríguez-Moñino,* Madrid, Castalia, 1966, t. I, págs. 111-123. Explica cómo la edición de *Las tres musas últimas castellanas,* publicada en 1670 por Pedro Aldrete, se confeccionó en parte sobre los papeles preparados y editados por Josef Antonio González de Salas, y señala las secciones de *Las tres musas* que merecen dicha calificación.

— *En torno a la poesía de Quevedo,* Madrid, Castalia, 1967, 268 págs. El capítulo VI versa sobre la cronología de la poesía de Quevedo; sobre el capítulo I, véase a continuación la Lista de estudios sobre poemas determinados. En el capítulo IX se reproduce el contrato para la publicación de *El Parnaso español,* editado por Josef Antonio González de Salas, Madrid, 1648.

— «Has Quevedo's Poetry Been Edited?», *Hispanic Review,* XLI (1973), págs. 627-638. Examina los criterios editoriales y su aplicación a los textos en la edición de la *Obra poética* de Quevedo.

CUDLIPP, William Samuel, III, *Quevedo's Indebtedness to Four Latin Authors of the Silver Age.* Tesis doctoral de la Universidad de Wisconsin (Madison), 1974, 213 págs. Hay resumen en el *Dissertation Abstracts International,* núm. 11a (1975), pág. 7297, núm. 75-07573. Los autores latinos son Juvenal, Marcial, Persio y Séneca, y el estudio es minucioso.

DE LEY, Margo, «The *Romances* of Francisco de Quevedo», 44 págs. mecanografiadas, con dos apéndices. Tesis de licenciatura, Universidad de Illinois, Urbana, 1965. Clasificación de los 161 romances de Quevedo.

make it through this year if it kills you outright

ETTINGHAUSEN, Henry, *Francisco de Quevedo and the Neostoic Movement,* Oxford, Oxford University Press, 1972, 178 págs.

FUCILLA, Joseph G., «Quevedo», en su libro *Estudios sobre el petrarquismo en España,* Madrid, CSIC, 1960, págs. 195-209. Señala las fuentes italianas de diversos poemas de Quevedo.

GARCIASOL, Ramón de, «La poesía de Francisco de Quevedo», *El Nacional,* Caracas, 23 de febrero de 1956.

— *Quevedo,* Madrid, Espasa-Calpe, 1976, 176 págs. Colección Austral, núm. 1.608.

GÓMEZ QUINTERO, Ela R., *Quevedo, hombre y escritor en conflicto con su época,* Miami, Florida, Ediciones Universal, 1978, 132 págs. También en forma de tesis doctoral de la Universidad de Nueva York (Nueva York), 1974, 312 págs. Hay resumen en *Dissertation Abstracts International,* XXXV, número 10A (1975), pág. 6665, núm. 75-09661.

GREEN, Otis H., *Courtly Love in Quevedo,* Boulder, Colorado, University of Colorado Press, 1952, 82 págs. Hay traducción por Francisco Ynduráin, *El amor cortés en Quevedo,* Zaragoza, Librería General, 1955, 140 págs.

GREVING, Carole Ann Novak, *The Metaphysical Poetry of Francisco de Quevedo and John Donne: Ontological Preoccupations and Microcosms of Love.* Tesis doctoral de la Universidad de Massachusetts (Amherst), 1975, 237 págs. Hay resumen en *Dissertation Abstracts International,* XXXVI, número 6A (1975), pág. 3687, núm. 75-27576.

GUILLEN, Jorge, «Al margen de Quevedo. Obsesión», y «La vieja y don Francisco», *Papeles de Son Armadans,* Palma de Mallorca, XXX (1963), págs 335-336. Son dos poemas que aparecen también en su libro *Aire nuestro,* Milán, All'Insegna del Pesce d'Oro, 1968, con otros cinco poemas: «Hora de la verdad», «Regino Soler», «Ofrecimiento del tesoro», «Hay quien discurre así» y «Hora de las diferencias» (págs. 1136-1141). En el libro de Guillén, *Y otros poemas,* Buenos Aires, Sudamericana, 1973, hay otros dos poemas sobre Quevedo, titulados «Concertillo» (pág. 251) y «Quevedo» (págs. 252-253); el último poema encierra un mundo de interpretaciones críticas.

GUILLÉN VILLANA, Benilde, «El tiempo en la poesía española», en *Estudios literarios dedicados al profesor Mariano Baquero Goya-*

nes, ed. de Victorino Polo y Francisco Javier Díez de Revenga, Murcia, Imprenta Sucesores de Nogués, 1974, págs. 157-174. Sobre el tema de la brevedad del tiempo en Quevedo, véanse las págs. 161-164 y 172.

HOOVER, Louise E., *John Donne and Francisco de Quevedo: Poets of Love and Death.* Tesis doctoral de la Universidad de Carolina del Norte (Chapel Hill), 1972, 216 págs. Hay resumen en *Dissertation Abstracts International,* XXXIII, núm. 4A (1972), pág. 1683, núm. 72-248000. Ha sido publicado con el mismo título, Chapel Hill, University of North Carolina Press, 1978, xxix, 226 págs.

IBÉRICO RODRÍGUEZ, M., «El tema del río: Variaciones sobre un tema de Quevedo», *Mercurio Peruano,* Lima, año XLI, tomo LII, núm. 466, marzo-abril de 1967, págs. 69-75.

IFFLAND, James, *Quevedo and the Grotesque.* Tesis doctoral de Brown University (1977), 831 págs. Hay resumen en *Dissertation Abstracts International,* t. XXXVIII, núm. 8, febrero de 1978, pág. 4869A, núm. 77-32602. Se ha publicado la primera parte en un tomo: *Quevedo and the Grotesque,* Londres, Tamesis, 1978, 174 págs.

JAURALDE POU, Pablo, «La poesía de Quevedo», en *Estudios sobre literatura y arte,* t. II, Granada, Universidad de Granada, 1979, págs. 187-208.

KELLEY, Emilia N. (véase Navarro de Kelley, Emilia).

LAÍN ENTRALGO, Pedro, «La vida del hombre en la poesía de Quevedo», en *Cuadernos Hispanoamericanos,* número I, Madrid, 1948, págs. 63-101. También en su libro *Vestigios: ensayos de crítica y amistad,* Madrid, Epesa, 1948, págs. 17-46, y en *La aventura de leer,* Madrid, Col. Austral, 1956, págs. 11-47.

LERNER, Lía S., «Martial and Quevedo: Re-Creation of Satirical Patterns», *Antike und Abendland, XXIII,* Berlín y Nueva York, 1977, págs. 122-142.

— «Notas sobre el retrato literario en la obra satírica de Quevedo», *Revista del Instituto,* año I, fascículo 1, Buenos Aires, Instituto Nacional Superior del Profesorado Joaquín V. González, enero-diciembre de 1974, págs. 87-104.

— «Supervivencia y variación de imágenes clásicas en la obra satírica de Quevedo», *Lexis,* tomo II, número 1, Departamento de Humanidades, Universidad Pontificia Católica del Perú, Lima, julio de 1978, págs. 27-56.

— *Quevedo: discurso y representación,* Pamplona, Eunsa, 1986.

LEVISI, Margarita, «La expresión de la interioridad en la poesía de Quevedo», *Modern Language Notes,* LXXXVIII, Baltimore, Maryland, 1973, págs. 355-365.

LYTLE, E. P. (véase la Lista de estudios sobre poemas determinados), Apéndice A.

MANLEY, J. P. (véase la Lista de estudios sobre poemas determinados), Apéndice A.

MARICHAL, Juan, «Quevedo: El escritor como 'espejo' de su tiempo», en su libro *La voluntad de estilo: Teoría e historia del ensayismo hispánico,* Barcelona, Seix Barral, 1957, págs. 149-162.

MAS, Amédée, *La Caricature de la femme, du manage et de l'amour dans l'oeuvre de Quevedo,* París, Ediciones Hispanoamericanas, 1957, 415 págs.

MONTESINOS, Jaime A., *La pasión amorosa de Quevedo: El ciclo de sonetos a Lisi.* Tesis de la Universidad de Nueva York (Nueva York), 1972. Hay resumen en el *Dissertation Abstracts International,* XXXIII, núm. 11A (1973), págs. 6368-6369, núm. 73-11740.

— «Quevedo en el amor como sentimiento y expresión», *El Guacamayo y la Serpiente,* núm. 11, Cuenca, Colombia, 1977, págs. 3-17.

MOORE, Roger Gerald, *A Stylistic Study of the Love-Poetry of Quevedo.* Tesis doctoral de la Universidad de Toronto, Canadá, 1975. Hay resumen en el *Dissertation Abstracts International,* XXXVII, núm. 10A (1977), pág. 6529A.

— *Towards a Chronology of Quevedo's Poetry,* Fredericton, New Brunswick, Canadá, York Press, 1977, 60 págs. Libro basado en la tesis doctoral de Moore.

NAUMANN, Walter, «'Staub, Entbrannt in Liebe': Das Thema von Tod und Liebe bei Properz, Quevedo, und Goethe», *Arcadia,* III (1968), págs. 157-172. Sobre Quevedo, las págs. 162-168. Hay traducción al español por Gonzalo Sobejano, en su libro *Francisco de Quevedo,* págs. 326-342.

NAVARRO DE KELLEY, Emilia, *La poesía metafísica de Francisco de Quevedo.* Tesis doctoral de la Universidad de Tulane, Louisiana, 1970, 164 págs. Hay resumen en *Dissertation Abstracts*

International, t. XXXI, número 9, marzo de 1971, pág. 4721A, núm. 71-8059. Ha sido publicado con el título de *La poesía metafísica de Quevedo,* Madrid, Guadarrama, 1973, 226 págs.

OLIVARES, Julián, Jr., *The Love Poetry of Quevedo: An Aesthetic and Existential Study.* Tesis doctoral de la Universidad de Texas en Austin (Texas), 1977, 382 págs. Hay resumen en el *Dissertation Abstracts International,* XXXVIII, núm. 12, Parte I (1978), pág. 7327A.

OROZCO PARDO, Ana, «Quevedo, poeta», en *Góngora y Quevedo, poetas,* por Emilio Orozco Pardo y Ana Orozco Pardo, Madrid, La Muralla, Colección Literatura Española en Imágenes, 1975, págs. 45-86.

PADILLA, Raúl H., «La poesía amorosa de Quevedo», *Boletín de Filología Española,* núms. 42-45 (1972), págs. 133-143.

PINNA, Mario, *La lirica di Quevedo,* Padua, Liviana Editrice in Padova, 1968, 192 págs. Hay una Introducción de 56 págs., seguida de los textos de 58 poemas con sendas traducciones al italiano.

— «La lirica di Quevedo nei *Poemas metafísicos*», *Annali della Scuola Normale Superiore di Pisa* (Pisa), Serie 2, XXXVII (1968), págs. 141-161.

POZUELO YVANCOS, José María, «Aspectos del neoplatonismo amoroso de Quevedo», *Home-naje al Profesor Muñoz Cortés,* Murcia, 1976, págs. 547-568.

— «Aproximación crítica a la lírica amorosa de Quevedo», *Anales de la Universidad de Murcia,* XXXII, Curso 1973-1974 (publicado en 1977), págs. 65-106.

— *La lírica amorosa de Quevedo; Estudio de crítica estilística,* Murcia, Facultad de Filosofía y Letras, Universidad de Murcia, 1977, 32 págs.

— *El lenguaje poético de la lírica amorosa de Quevedo,* Murcia, Secretariado de Publicaciones de la Universidad de Murcia, 1979, 362 págs.

PRICE, R. M., Prólogo y notas a *An Anthology of Quevedo's Poetry,* Manchester, Manchester University Press, 1969, 36, 137 págs. Contiene una Introducción excelente sobre la poesía de Quevedo.

ROIG DEL CAMPO, José A., «La muerte en la poesía de Quevedo», *Humanidades,* XIX, núm. 46, Comillas, 1967, págs. 79-101.

41

ROTHE, Arnold, *Quevedo und Seneca: Untersuchungen zu den Frühschriften Quevedos,* Ginebra y París, Librairie Droz, 1965, 117 págs.

SALILLAS, Rafael, «Poesía rufianesca: jácaras y bailes», *Revue Hispanique,* XIII, París, 1905, págs. 18-75. Tiene muchas referencias a Quevedo.

SCHALK, Fritz, «Quevedo's imitaciones de Marcial'», *Festschrift für H. Tiemann,* Hamburgo, 1959, págs. 202-212.

SCHWARTZ LERNER, Lía (véase Lerner, Lía S.).

SNELL, Ana María, *Acción simbólica en la poesía de Quevedo: Sonetos y letrillas a la luz de la lingüística.* Tesis doctoral de la Johns Hopkins University, Baltimore, 1976, 232 págs. Hay resumen en el *Dissertation Abstracts International,* XXXVII, número 3A (1976), págs. 2161-2162, núm. 76-22951.

SOBEJANO, Gonzalo, *Francisco de Quevedo,* Madrid, Taurus, 1978, 389 págs. Libro de gran utilidad, en el que el autor ha recogido los mejores estudios sobre Quevedo, clasificándolos por temas generales («Imágenes», «Pensamiento», «Prosa» y «Poesía»). En la «Lista de estudios sobre poemas determinados, Apéndice A, señalo los que recogió Sobejano. «Sobre la poesía metafísica de Quevedo», *Tláloc,* núm. 1, Nueva York, 1971, págs. 15-18.

TERRY, Arthur, «A Note on Metaphor and Conceit in the Siglo de Oro», *Bulletin* of *Hispanic Studies,* XXXV, Liverpool, 1958, págs. 211-222.

VERES D'OCÓN, Ernesto, «La anáfora en la lírica de Quevedo», *Boletín de la Sociedad Castellonense de Cultura,* XXV, Castellón de la Plana, 1949, págs. 289-303. También está en su *Estilo y vida entre dos siglos,* Valencia, Editorial Bello, Biblioteca Filológica, 1976, cap. 5, págs. 137-155.

— «Notas sobre la enumeración descriptiva en Quevedo», en *Saitabi,* IX, Valencia, 1949, págs. 27-50.

WALTERS, D. G., *Creative Processes in the Love Poetry of Quevedo. Attitudes of the Moralist and the Lover towards the Amatory Experience: An Analysis of the «Heráclito cristiano» and the «Poem to Lisi».* Tesis doctoral de la University College, Cardiff, Gales, 1974. Referencia sacada de la bibliografía de «Theses in Hispanic Studies Approved for Higher Degrees by

British and Irish Universities, 1972-1974», *Bulletin of Hispanic Studies,* LII (1975), pág. 332, núm. 561.

WILSON, Edward M., «Quevedo for the Masses», *Atlante,* III, Londres, 1955, págs. 151-166. Sobre varios poemas de Quevedo que se publicaron en pliegos sueltos. Hay traducción al español, de Sara Struuck, titulada «Quevedo para las masas», en el libro de Wilson *Entre las jarchas y Cernuda,* Barcelona, Ariel, 1977, págs. 273-297.

— «Spanish and English Poetry of the Seventeenth Century», *Journal of Ecclesiastical History,* IX (1958), págs. 38-53.

YNDURÁIN, Francisco, «El pensamiento de Quevedo». Discurso de apertura del curso 1954-1955, Zaragoza, Universidad de Zaragoza, 1954, 50 págs.

YOUNG, Gerald Paul, *Imagery in Quevedo's Love Poetry.* Tesis doctoral de la Universidad de La Florida, Gainesville, La Florida, 1974, 186 págs. Hay resumen en el *Dissertation Abstracts International,* XXXVI, núm. 2A (1975), pág. 929, número 75-16467.

ZAMUDIO DE PREDAN, Josefa A., «Las denominaciones de la muerte en los sonetos de Quevedo», en las *Actas de la II Asamblea Interuniversitaria de Filosofía y Literaturas Hispánicas,* Bahía Blanca, Argentina, Universidad Nacional del Sur, 1968, págs. 246-248.

ZARDOVA, Concha, «El tema del sueño en la poesía de Quevedo», *Sin Nombre,* año I, vol. I, núm. 2, San Juan, 1970, páginas 15-27.

ZAVALA, Iris M., «La muerte en la poesía de Quevedo. Tema del siglo XX», en su libro *La angustia y la búsqueda del hombre en la literatura,* México, Cuadernos de la Falcultad de Filosofía, Letras y Ciencias de la Universidad Veracruzana, 1965, págs. 41-60.

Poesía varia

D, fran.co de quebedo

Prólogo poético (1603)

Nota preliminar

Aquí presento 15 poemas escritos por Quevedo antes de cumplir los veintitrés años de edad, y recogidos por Pedro Espinosa para la antología titulada *Flores de poetas ilustres de España*. Son de índole muy diversa, pero cada uno señala un aspecto de lo que iba a ser una obra poética genial. Realmente, estos poemas juveniles revelan la destreza y la agudeza con las que ya manejaba Quevedo el lenguaje: unos son breves y reconcentrados; otros, más extensos, atestiguan el vigor extendido; casi todos nos muestran su capacidad de sorprender y deleitar al lector con comparaciones inesperadas, y de avivar el ingenio de éste mediante imágenes cuya yuxtaposición crea alusiones a otros contextos (poemas 1, 2, 4-10 y 15).

También se ve su capacidad de escribir poesía seria, delicada y profundamente bella, que expresa sus preocupaciones por cuestiones morales, como la avaricia, la codicia o el adulterio, y la relación entre el dinero y los valores humanos; sus dotes de observar la naturaleza y de representarla; y su habilidad de crear cierta correspondencia armoniosa entre el hombre y la naturaleza (poemas 2, 3, 11, 13 y 15). Como literato de su época, nos transmite sus versiones de un caudal riquísimo de tradiciones literarias, sean los mitos grecolatinos (Diana y Acteón, Dafne y Apolo, Jasón el Argonauta), la sátira clásica (en este caso, el poeta romano Marcial), o algún personaje tan netamente hispánico como la Celestina (poemas 3, 7, 8, 11 y 12). Sin embargo, al igual que Cervantes en el *Quijote* y Luis de Góngora en sus romances y letrillas, Quevedo no dejó de burlarse de dichas tradiciones en unas parodias que expresaban su conciencia de la realidad humana, y su cinismo (poemas 8 y 15, menos fuertes que otros posteriores). Conforme a los prejuicios raciales, económicos y jerárquicos de su sociedad, se burlaba de los judíos y de ciertos oficios relacionados con ellos, como los médicos, los sastres y los boticarios; de las viejas, las alcahuetas y las mujeres feas y flacas; y de los necios (poemas 1, 4-7, 9 y 10). Por fin, Quevedo tenía necesariamente que entrar de vez en cuando en la lisonja obligatoria de aquel entonces (poema 14).

Por las razones expresadas en la Introducción, incluyo en esta sección las revisiones que hizo Quevedo posteriormente de algunos de sus poemas; nos enseñan cómo le acompañó siempre una fuerte voluntad de creación artística. De todas las áreas importantes que abarca la poesía de Quevedo, falta aquí tan sólo la de la poesía amatoria. En otro sentido, falta también la calidad verdaderamente genial de la poesía de su madurez.

Los textos de los poemas reproducidos a continuación los he copiado directamente de un ejemplar de las *Flores de poetas ilustres,* de Espinosa. Como los poemas están esparcidos sin orden a lo largo de dicha antología, me he permitido ordenarlos nuevamente, de acuerdo con dos criterios: 1) colocar primero los poemas relativamente cortos, y por último los más largos y los que ofrecen múltiples versiones; y 2) entremezclar los poemas humorísticos con otros más serios, a fin de brindar al lector la diversidad del poeta en esta pequeña muestra de su obra juvenil.

Cuando un poema carece de título, he confeccionado uno, siguiendo en lo posible las normas de la época (tal es el caso en los números 2, 4, 5, 9, 11a, 12a, 13a y 14a; el del 3 es de González de Salas). Todos los títulos, de cualquier editor que sean, van entre corchetes para indicar que no son de Quevedo. Para los textos de los poemas revisados me he servido de *El Parnaso español* (1648), editado por González de Salas.

1

[A un Cristiano
nuevo junto al altar de san Antón]*

Aquí yace Mosén Diego,
A santo Antón tan vecino
Que huyendo de su cochino
Vino a parar en su fuego.

---

* *Cristiano nuevo:* mote despectivo aplicado a los judíos y moros convertidos al catolicismo.

1 *Aquí yace:* se entiende que Mosén Diego fue enterrado en una iglesia (costumbre antigua), y como nos indican el título y el verso 2, *junto al altar de san Antón.*

Mosén: título aplicado a los curas aragoneses y catalanes, a diferencia de los castellanos y los *cristianos viejos* (éstos eran los de ascendencia más «pura»).

Diego: en el contexto de las referidas alusiones a cristianos nuevos, este nombre nos recuerda la palabra antigua, *judiego* (por «cosa judía»).

2 *santo Antón:* símbolo antiguo del ayuno, y de la resistencia a las tentaciones más fuertes; en España, vino a ser patrón de todas las enfermedades, y también símbolo amenazador de ellas. (El santo era ermitaño residente en el desierto de Egipcia, que meditaba y ayunaba mucho, y, según la leyenda, peleaba con los demonios y las tentaciones que le asaltaban en forma de bestias salvajes. En España, los religiosos de la Orden de San Antonio Abad solían mantener muchos hospitales generales en los que profesaban curar todas las enfermedades, por lo cual el santo era tenido por patrón de ellas. Por otra parte, con «santantones», o sea, cuadros del santo ardiendo en llamas, se solía amenazar con enfermedades a los delincuentes.)

3 *huyendo de su cochino:* «huyendo de san Antón» como símbolo de las enfermedades; «huyendo de comer», como el santo; y con alusión a los cristianos nuevos, «huyendo de comer tocino», y «huyendo de falsificar su dieta». (El poeta emplea el cochino como símbolo del santo, basándose en una costumbre muy antigua de representar a este último en los cuadros con un lechón a su pie, como imagen de la contemplación a la que se dedicaba en el desierto. Como modismo, la frase «el cochino de san Antón» se aplicaba a los que decían que no comían, pero que eran muy gordos.)

4 *su fuego:* cualquier enfermedad grave, y también el *fuego de San Antón, fuego del Santo,* o *fuego grande,* una enfermedad epidémica que hizo grandes estragos desde el siglo X al XVI, y que era una especie de gangrena, o morti-

COMENTARIO

Poemita que nos revela la gran capacidad que tenía el joven Quevedo para el uso artístico de la alusión. La coherencia y el sentido de este poema no dependen de la significación literal del conjunto de las palabras, sino de las alusiones que encierra cada palabra, y de las relaciones entre dichas alusiones y las de las otras palabras. El humor resulta ser agudo porque el poeta despierta en la conciencia del lector actitudes y prejuicios que existen allí, y sugiere nuevas relaciones entre ellos, y nuevas palabras para representarlos. Nótese que Quevedo no tiene que decir 'judío', y que tampoco es necesaria la frase 'cristiano nuevo' en el título, porque la idea se expresa en los vv. 1 y 3.

---

ficación total de algún miembro, acompañada de un ardor abrasador. Claro que como metáfora tradicional, dicho *fuego* representaba las fuertes tentaciones que padecía el santo.

2

[A un avariento]

En aqueste enterramiento
Humilde, pobre y mezquino,
Yace envuelto en oro fino
Un hombre rico avariento.

Murió con cien mil dolores,   5
Sin poderlo remediar,
Tan sólo por no gastar
Ni aun hasta malos humores.

COMENTARIO

La sátira de los avarientos se remonta al Antiguo Testamento y
a la literatura griega, y seguía siendo tema popular a lo largo del
Renacimiento europeo. Quevedo se burlaba de ellos frecuentemente, por sus «ansias y congojas», sus «duelos» y su «rabia»
(a este motivo corresponde la imagen de los *dolores,* verso 5; compárese el poema 30 a continuación). También se divertía Quevedo con imágenes grotescas de los objetos que los avarientos que-
rían «guardar», como, por ejemplo, los referidos *humores* de sus
propios cuerpos, las fiestas, los días de trabajo y, en una parodia
deliciosa, los diez mandamientos de Dios (ésta se halla en el «Sueño
del juicio final», *Sueños y discursos,* ed. de Felipe Maldonado, pág. 81).

---

1 *aqueste:* este.

2-3 Por fuera se veía la mezquindad del avariento, y por dentro, su
caudal de *oro fino;* hay analogía con la figura tradicional del avariento
rico que se viste de manera muy pobre.

8 *humores:* según los antiguos, los líquidos que pertenecían a la constitución interna del cuerpo, tales como la sangre, la cólera, la flema y la melancolía. Se creía que se mantenía la salud y la hermosura mediante la purga
de los malos humores. Pero el avariento del poemita de Quevedo no
quería gastar ni siquiera los malos humores y, por lo tanto, se murió.

3

[Sepulcro de Jasón, el Argonauta.]
[Habla en él un pedazo de la Entena
de su Nave, en cuya figura se supone
esta Prosopopeya]*

Mi madre tuve entre ásperas montañas,
Si inútil con la edad soy seco leño;
Mi sombra fue regalo a más de un sueño,
Supliendo al jornalero sus cabañas.

Del viento desprecié sonoras sañas,   5
Y al encogido Invierno el cano ceño,
Hasta que a la segur, villano dueño
Dio licencia de herirme las entrañas.

Al mar di remos, y a la patria fría
De los granizos velas; fui el primero   10
Que acompañó del hombre la osadía.

---

* *Jasón el Argonauta:* en la época de la guerra de Troya, capitán de la
nave Argos, y de la jornada peligrosísima en la que recobró el vellocino
de oro del reino de Colchas (su historia la relatan Ovidio, Diodoro Sícu-
lo, Séneca y otros).

entena: antena («la barra larga, o pértiga [vara larga], que atraviesa el
mástil de la nave, a donde se ata la vela», *Covarrubias*).

prosopopeya: personificación (supone el poeta que la entena es el monumento sepulcral, y que habla a los vivos a manera de epitafio de Jasón).

3 *regalo:* dádiva, comodidad o descanso para la persona.

6 *cano ceño:* fruncimiento de cejas canosas.

7 *segur:* hacha grande.

villano: entiéndase tanto rústico como grosero.

9 *a patria... velas:* entiéndase, di velas a la patria fría de los granizos.

10-11 *fui... osadía:* léase: fui el que primero acompañó al hombre en
su osadía. Por la fragilidad de sus barcos, y la falta de instrumentos de
navegación, los antiguos no se atrevían a alejarse mucho del litoral.

54

¡Oh amigo caminante, oh pasajero,
Dile blandas palabras este día
Al polvo de Jasón mi marinero!

Comentario

Posteriormente a la redacción de este poema, Quevedo hizo
una serie de pequeños cambios en el texto que nos enseñan su
interés en pulir su obra y su capacidad para lograr una expresión
más apretada y, por lo tanto, una comunicación más limpia, más
directa y más rica con el lector. Como explicamos en el Prólogo,
esta sección de nuestra antología reproduce las versiones que había redactado Quevedo en el año de 1603, o antes. Pero el respeto a la última voluntad del autor, tal y como nos la ha comunica-
do su amigo y editor, Josef Antonio González de Salas, nos obliga
a reproducir los referidos cambios, que, por cierto, no carecen de
interés, ya que nos enseñan de manera concreta un aspecto importante de su labor creativa. Verso 1: [*léase:*] en ásperas. 4. las
cabañas. 6. [*se omitió* «el»]. 9. [*se omitió* «y»]. 10. vela; fui ligero. 11. [*el verso entero:*] Tránsito a la soberbia y osadía. (De *El
Parnaso español,* pág. 157. Para las múltiples versiones de otros
poemas, véase el artículo «Versiones» en el Índice).

En el mundo poético de Quevedo, roza este soneto temas importantes que se repiten en diversos contextos, como, por ejemplo, el mar, los barcos, los héroes militares, los mitos antiguos, los
epitafios y los elogios de las personas que han muerto (para las
citas, véase el Índice a continuación).

---

12 *¡Oh... caminante, oh pasajero:* bello recuerdo de la costumbre de los
poetas antiguos de dirigirse en los epitafios a los caminantes (por ley, los
romanos enterraban los difuntos fuera de las ciudades, y muchas veces al
borde de las calzadas, donde construían monumentos impresionantes;
compárense los poemas 54a y 161).

4

[Anima a los boticarios con el ejemplo de la Magdalena]

Llegó a los pies de Cristo Magdalena,
De todo su vivir arrepentida;
Y viéndole a la mesa, enternecida,
Lágrimas derramó en copiosa vena.

Soltó del oro crespo la melena,   5
Con orden natural entretejida,
Y deseosa de alcanzar la vida,
Con lágrimas bañó su faz serena.

Con un vaso de ungüento los sagrados
Pies de Jesús ungió, y él diligente   10
La perdonó (por paga) sus pecados.

Y pues aqueste ejemplo veis presente,
¡Albricias, boticarios desdichados,
Que hoy da la gloria Cristo por ungüente!

1-11 *Magdalena:* María Magdalena, prostituta que se arrepintió y se hizo amiga y devota de Cristo, Recuerda Quevedo la narración de san Lucas (7, 37; 8, 2), según la cual María Magdalena se acercó a la mesa de Cristo, le lavó los pies con sus lágrimas, los secó con su cabello y se los ungió con ungüento fino (bálsamo o pomada con que lavaban y refrescaban los antiguos la piel). Introduce el poeta alguna variante en esta historia.

4 *copiosa vena:* abundantemente.

7 *vida:* la de la salvación.

8 *bañó:* entiéndase que ella se bañó su propia cara.

13 *¡Albricias!:* exclamación del portador de buenas noticias.

14 *ungüente:* ungüento.

COMENTARIO

Los boticarios eran objeto de muchísima crítica y sátira en tiempos de Quevedo por adulterar y confeccionar mal las medicinas (la calificación de *desdichados* no indica la severidad de dicha sátira). Por no existir hoy tal preocupación, a nosotros nos sorprende la importancia que concede aquí el poeta a los boticarios. También nos sorprende que a un soneto de aparente devoción religiosa (vv. 1-11), le dé el poeta una conclusión satírica que roza con la falta de respeto religioso. De hecho, algunas personas relacionadas con la publicación de las *Flores de poetas ilustres* de Espinosa lograron mandar quitar este poema de muchos de los ejemplares de dicha antología, sustituyéndolo por uno de otro autor: tan rápidamente se inquietaban las autoridades por los escritos de Quevedo. Por otra parte, el proceder de Quevedo en este poema es análogo al que empleaba característicamente en los chistes: es el de presentar al lector cierta imagen, y en seguida parodiarla, o destruirla mediante cierta conexión lingüística (véanse, por ejemplo, el poema 8, v. 35, y el 9, v. 33).

5

[Epitafio de un médico,
en que habla la Muerte]

Yacen de un home en esta piedra dura
El cuerpo yermo y las cenizas frías:
Médico fue, cuchillo de natura,
Causa de todas las riquezas mías.

Y ahora cierro en honda sepultura   5
Los miembros que rigió por largos días;
Y aun con ser Muerte yo, no se la diera,
Si dél para matarle no aprendiera.

COMENTARIO

El tema del médico que mata al enfermo es antiquísimo: ya en
la *Antología griega* se burlaban los poetas del efecto mortífero de
cualquier contacto con un médico, siquiera tocarle, soñar con él, ni
recordar su nombre. Repitieron estos motivos los satíricos latinos,
y el tema gozaba de gran popularidad a lo largo de la Edad Media y del Renacimiento. En España, Quevedo era quien satirizaba
más que nadie a los médicos, llamándoles «Calavera», «Herodes»,
«licenciado Venenos», «martirologio», «oficio de difuntos», «la peste», «verdugos», etc. (véanse los poemas citados en el Índice).

---

1 *home:* hombre.
3 *cuchillo de natura:* metáfora para la muerte (véase nuestro comentario).
natura: toda la naturaleza.
4 *riquezas mías:* las de la muerte, o sea, los cadáveres.
7-8 *no... aprendiera:* «Si de él yo no hubiera aprendido a matar, no le
podría yo dar la muerte».

6

[A una vieja que traía
una muerte de oro]*

No sé a cuál crea de los dos,
Viéndoos, Ana, cual os veis:
Si vos la muerte traéis,
O si os trae la muerte a vos.

Queredme la muerte dar   5
Por que mis males remate:
Que en mí tiene hambre que mate,
Y en vos no hay ya qué matar.

COMENTARIO

Igual que los médicos, las viejas merecieron el encono especial
de Quevedo en su obra satírica (véase el Índice).

---

* *muerte de oro:* collar o broche de oro, cuya forma representaba la
muerte.

1 *los dos:* se refiere al pensamiento del v. 3 y al del v. 4.

2 *cual os veis:* entiéndase «tan vieja y cercana a la muerte».

3 *la muerte:* el broche de oro.

4 *la muerte:* la de verdad.

5 «Dame tu broche.»

6 *porque:* para que. (Tradicionalmente, se decía que la muerte remata-
ba los males de un individuo, de manera que con este verso, la afirmación
sencilla del v. 5 se convierte aquí en chiste.)

7 *en mí... mate:* «en mí hay hambre, o sea, codicia, la cual la muerte
(la de oro) puede matar».

8 *Y... matar:* «en vos ni siquiera queda nada vivo».

7

[A Celestina]*

Yace en esta tierra fría,
Digna de toda crianza,
La vieja cuya alabanza
Tantas plumas merecía.

No quiso en el cielo entrar   5
A gozar de las estrellas,
Por no estar entre doncellas
Que no pudiese manchar.

---

* *Celestina:* vieja alcahueta de los amores de Calixto y Melibea, en la
comedia de Fernando de Rojas (1499), muy popular a lo largo del Renacimiento español.
2 *crianza:* atención, cortesía.
4 «Merecía Celestina la alabanza de las plumas de los poetas, y merecía
también ser emplumada» (castigo propio del alcahuete: untaban al individuo con grasa, y luego lo envolvían en plumas menuditas y lo exponían
al público por las calles).
7-8 (El oficio de Celestina era el de vender doncellas.)

8

[De Dafne y Apolo, fábula]

Delante del Sol venía
Corriendo Dafne, doncella
De estremada gallardía,
Y en ir delante tan bella,
Nueva Aurora parecía.   5

Cansado más de cansalla
Que de cansarse a sí Febo,
A la amorosa batalla
Quiso dar principio nuevo,
Para mejor alcanzalla.   10

Más viéndola tan cruel,
Dio mil gritos doloridos,
Contento el amante fiel
De que alcancen sus oídos
Las voces, ya que no él.   15

Mas envidioso de ver
Que han de gozar gloria nueva
Las palabras en su ser,
Con el viento que las lleva
Quiso parejas correr.   20

1-2 Apolo, dios del Sol, se enamoró de la ninfa Dafne, y la persiguió.
A los gritos de la ninfa, su padre, Peneo, dios de los ríos, la convirtió en
laurel para que escapara así de Apolo (Ovidio, *Metamorfosis,* I, vv. 452-567).

6 *cansalla:* cansarla. (Aquí, y en los vv. 26-30, se nota el aspecto burlesco del poema; en otros, como 96-110, la ternura.)

7 *Febo:* nombre griego de Apolo.

16-18 Apolo tiene envidia de sus *gritos, voces* y *palabras* porque éstos
han llegado a Dafne, a quien *han de gozar... en su ser.*

Pero su padre, celoso,
En su curso cristalino
Tras ella corrió furioso,
Y en medio de su camino
Los atajó sonoroso.   25

El Sol corre por seguilla,
Por huir corre la estrella;
Corre el llanto por no vella,
Corre el aire por oílla,
Y el río por socorrella.   30

Atrás los deja arrogante,
Y a su enamorado más,
Que ya por llevar triunfante
Su honestidad adelante,
A todos los deja atrás.   35

Mas viendo su movimiento,
Dio las razones que canto,
Con dolor y sin aliento,
Primero al correr del llanto
Y luego al volar del viento: 40

«Di, ¿por qué mi dolor creces
Huyendo tanto de mí
En la muerte que me ofreces?

21-22 Peneo, dios de los ríos y padre de Dafne.

25 *Los atajó:* detuvo los referidos gritos, voces y palabras de Apolo.

35 *los deja atrás* porque en un sentido literal corre más rápido que ellos, y en un sentido figurado, porque quien lleva delante su honestidad dejará atrás a todo el mundo.

37 «Dio Apolo las razones que canto yo, el poeta».

41 *creces:* acrecientas (aquí es verbo transitivo).

Si el Sol y luz aborreces,
Huye tú misma de ti.   45

»No corras más, Dafne fiera,
Que en verte huir furiosa
De mí, que alumbro la Esfera,
Si no fueras tan hermosa,
Por la noche te tuviera.   50

»Ojos que en esa beldad
Alumbráis con luces bellas
Su rostro y su crueldad,
Pues que Sois los dos estrellas,
Al Sol que os mira, mirad.   55

»¡En mi triste padecer
Y en mi encendido querer,
Dafne bella, no sé cómo
Con tantas flechas de plomo
Puedes tan veloz correr!   60

»Ya todo mi bien perdí;
Ya se acabaron mis bienes;

44-45 En un sentido literal, Dafne aborrece al Sol, que es Apolo; y en
otro figurado, ella es tan hermosa que se parece al sol.

46 *fiera:* cruel (como en el v. 53).

50 (Quien huye de la luz del sol se acerca a la noche; pero no se puede
comparar a Dafne con la noche, porque ella es demasiado hermosa.)

55 (En un sentido literal, Apolo pide que Dafne lo mire; y en otro figurado, el Sol alumbra el cosmos con su «mirada» brillante, y pide que
las estrellas no dejen de reflejar su luz, o sea, «mirarlo» a él.)

59 *flechas de plomo:* Cupido, el joven dios del amor, llevaba en su aljaba
flechas con puntas de oro, que enamoraban, y otras con puntas de plomo,
que ahuyentaban. Dice Ovidio que Cupido había herido a Dafne con una
de éstas, y a Apolo con una de aquéllas *(Metamorfosis,* I, vv. 468-473). Alude
Quevedo burlonamente al peso de las de plomo.

61 *bien:* felicidad.

Pues hoy corriendo tras ti,
Aun mi corazón, que tienes,
Alas te da contra mí».   65

A su oreja esta razón,
Y a sus vestidos su mano,
Y de Dafne la oración,
A Júpiter soberano
Llegaron a una sazón.   70

Sus plantas en sola una
De Lauro se convirtieron;
Los dos brazos le crecieron,
Quejándose a la Fortuna
Con el ruido que hicieron.   75

Escondióse en la corteza
La nieve del pecho helado,
Y la flor de su belleza
Dejó en la flor un traslado
Que al lauro presta riqueza.   80

De la rubia cabellera
Que floreció tantos Mayos,

---

65 (El corazón de Apolo da alas a Dafne porque vuela el Sol por el
cielo, y se entiende que quien vuela, tiene alas.)
67 *su mano:* la de Apolo, a punto de alcanzar a Dafne.
69 *Júpiter:* en la versión de Ovidio, llamaba Dafne a su padre, Peneo; en
la del autor griego Partenio, a Zeus, o sea, Júpiter *(Erótica,* capítulo XV);
y en otras versiones, a todos los dioses.
70 *a una sazón:* a la vez.
71 *plantas:* las de los pies. (Aquí comienza la metamorfosis de Dafne.)
74 *la Fortuna:* diosa de la suerte entre los antiguos, e imagen frecuente
en la literatura medieval.
77 *nieve... helado:* imágenes de la blancura, la pureza y el desamor.
79 *traslado:* muda, cambio.
82 *tantos Mayos:* tantas primaveras.

Antes que se convirtiera,
Hebras tomó el Sol por rayos,
Con que hoy alumbra la Esfera.   85

Con mil abrazos ardientes
Ciñó el tronco el Sol, y luego,
Con las memorias presentes,
Los rayos de luz y fuego
Desató en amargas fuentes.   90

Con un honesto temblor,
Por rehusar sus abrazos,
Se quejó de su rigor,
Y aun quiso inclinar los brazos,
Por estorbarlos mejor.   95

El aire desenvolvía
Sus hojas, y no hallando
Las hebras que ver solía,
Tristemente murmurando
Entre las ramas corría.   100

El río, que esto miró,
Movido a piedad y llanto,
Con sus lágrimas creció,
Y a besar el pie llegó
Del árbol divino y santo.   105

Y viendo caso tan tierno,
Digno de renombre eterno,
La reservó en aquel llano

---

84 *hebras:* en un sentido literal, hilos, y en otro figurado, cabellos.
93 *rigor:* se refiere al del Sol.
95 *estorbarlos* (los abrazos).

De sus rayos el Verano,
Y de su hielo el Invierno.   110

COMENTARIO

Los mitos clásicos, tan leídos y tan imitados a lo largo del Renacimiento, inspiraban en Quevedo unas veces el respeto artístico, y otras veces unas parodias tan cínicas como profundamente
humanas (véase, por ejemplo, el poema núm. 108, así como otros
citados en el Índice, s. v. «mitos»).

109-110 Efectivamente, el laurel es un árbol siempre verde.

9

[Letrilla satírica]

Que el viejo que con destreza
Se ilumina, tiñe y pinta,
Eche borrones de tinta
Al papel de su cabeza;
Que enmiende a naturaleza   5
En sus locuras protervo;
Que amanezca negro cuervo,
Durmiendo blanca paloma,
Con su pan se lo coma.

Que la vieja de traída   10
Quiera ahora distraerse,
Y que quiera moza verse
Sin servir en esta vida;
Que se case persuadida
Que concebirá cada año,   15
No concibiendo el engaño
Del que por mujer la toma,
Con su pan se lo coma.

1-2 *el viejo que... se... tiñe:* tema satírico muy frecuente en tiempos de
Quevedo.

2 *se ilumina:* «se ilustra», se pinta.

3-4 *tinta... papel:* (por el contraste del negro sobre el blanco).

6 *protervo:* tenaz en lo perverso; soberbio.

7-8 *negro... blanca* (gracias al tinte).

9 *Con... coma:* expresión que indica la indiferencia con que uno mira
la conducta de otro.

10 *traída:* manoseada.

12-13 *moza... sin servir:* joven, pero no sirvienta.

16-17 *el engaño... toma:* el que la toma por mujer, se engaña (porque
es demasiado vieja para *concebir cada año*).

Que mucha conversación,
Que es causa de menosprecio, 20
En la mujer del que es necio
Sea de más precio ocasión;
Que case con bendición
La blanca con el cornado,
Sin que venga dispensado 25
El parentesco de Roma,
Con su pan se lo coma.

Que en la mujer deslenguada
(Que a tantos hartó la gula)
Hurte la cara a la Bula 30
El renombre de Cruzada;
Que ande siempre persignada
De puro buena mujer;
Que en los vicios quiera ser

---

19 *mucha conversación:* entiéndase «de parte de la mujer».

22 «Sea causa de más precio».

24 *blanca, cornado:* monedas ambas de poco valor; aquí, *cornado* alude también a los cornudos.

25-26 *dispensado el parentesco:* el *parentesco* es el de ser monedas las dos, y la *dispensación* es la que exige la Iglesia católica de los parientes que quieren casarse.

28 *deslenguada:* desvergonzada.

29 *hartó la gula:* entiéndase que «ella les satisfizo su glotonería sexual».

30-31 La Bula de la Santa Cruzada la otorgó el Papa a los españoles en 1555, por haber encabezado la Contrarreforma. La cara de esta mujer ha sido acuchillada en señal de desprecio, o sea, ha sido *cruzada,* y ahora intenta ella disfrazar la vergüenza «hurtando» el nombre de la referida bula.

32 *persignada:* en un sentido literal, santiguada con la señal de la cruz. Pero la señal que lleva esta mujer es *cruzada* de otro tipo, chiste que se aclara mediante la hipocresía que nos revela el v. 33, que sigue.

34-35 «Que ella quiera ser Sodoma en los vicios y en los castigos» *(Sodoma:* ciudad de Israel cuyos vicios merecieron su destrucción por fuego [Génesis, 19, 24], y cuyo nombre ha pasado a significar cualquier pecado sexual contra natura).

Y en los castigos Sodoma,   35
Con su pan se lo coma.

Que el sastre que nos desuella
Haga, con gran sentimiento,
En la uña el testamento
De lo que agarró con ella;   40
Que deba tanto a su estrella,
Que las faltas en sus obras
Sean para su casa sobras
Cuando ya la muerte asoma,
Con su pan se lo coma.   45

37 *desuella:* quitarle la piel a un animal; robar a una persona (en tiempos de Quevedo, los sastres tenían muy mala fama de robar a sus clientes).

39 *uña:* símbolo tradicional del robo. (En este verso y el siguiente se representa el acto de medir falsamente la tela, y la uña atestigua lo que el sastre *agarró con ella.)*

41 *estrella:* hado o destino (que se solía leer en las estrellas).

42-43 *faltas... sobras: sobras* son lo que generalmente queda de la comida al levantarse la mesa. Aquí, las *faltas* son los errores intencionados del sastre al medir la tela, dándole de menos al cliente, y quedándole de más a él en su rollo de tela. De estas *sobras* vive su familia, al contrario de lo que normalmente se hace con las de la mesa.

44 *Cuando... asoma:* el que las faltas o yerros del sastre sean sobras, lo debe a su buena suerte, o sea, a su estrella, porque cuando aparece la muerte, ya no tiene el sastre ningún yerro que pagar.

Posteriormente a 1603, Quevedo retocó este poema, como sigue:

«Que campe la muy traída / De que la ven distraerse, / Cuando de ninguno verse / Puede, por aborrecida; / Que se case envejecida / Para concebir cada año» (vv. 10-15).

31 su cara.

34 Y Calvario quiera ser.

35 Cuando en los vicios Sodoma.

44 Mientras la Muerte no asoma (de *El Parnaso español*, pág. 319).

10

[A una mujer flaca]

No os espantáis, señora Notomía,
Que me atreva este día,
Con exprimida voz convaleciente,
A cantar vuestras partes a la gente:
Que de hombres es en casos importantes   5
El caer en flaquezas semejantes.

Cantó la pulga Ovidio, honor Romano,
Y la mosca Luciano,
De las ranas Homero; yo confieso
Que ellos cantaron cosa de más peso: 10

---

1 *Notomía:* esqueleto (se deriva de «anatomía»).

3-6 El poeta convalece de una enfermedad, pero ha quedado tan débil, o *flaco,* que apenas puede hablar. Sin embargo, éste es un caso tan importante que es de hombres caer en la *flaqueza* de cantar o alabar públicamente las prendas de la dama (es decir, sus prendas y dotes naturales). Todo apunta a una experiencia sexual, que fue caso importante y también *flaqueza,* y que tuvo como consecuencia una enfermedad grave, ironía que ahora quiere la víctima expresar de una manera congruente (el alabar será satirizar, las prendas serán defectos, y la importancia tendrá por resultado una flaqueza, sea desliz, sea flojedad). No sólo se ríe de la dama, sino también de sí mismo, actitud perspectivista que repite Quevedo a continuación (vv. 42 y 92-94), así como dos años más tarde, al principio de su «Sueño del Juicio», donde se tacha al narrador de poeta sin juicio.

7 A Ovidio, poeta romano muy afamado (43 a.C.-17 d.C.), se le atribuía erróneamente la sátira «De pulice» («Sobre la pulga»).

8 Luciano, autor griego nacido en Samosata (*c.* 120-200), fue autor de una obra retórica y satírica titulada «Muscae encomium» («Elogio de la mosca»).

9 Entre las obras menores de Homero se halla la «Batrachomyomachia» («Batalla de las ranas y los ratones»), poema burlesco de 303 versos.

Yo escribiré con pluma más delgada
Materia más sutil y delicada.

    Quien tan sin carne os viere, si no es ciego,
Yo sé que dirá luego,
Mirando en vos más puntas que en rastrillo,   15
Que os engendró algún Miércoles Corvillo;
Y quien pez os llamó, no desatina,
Viendo que tras ser negra, sois espina.

    Dios os defienda, dama, lo primero,
De sastre o zapatero,   20
Pues por punzón o alesna es caso llano
Que cada cual os cerrara en la mano;
Aunque yo pienso que por mil razones
Tenéis por alma un Viernes con ciciones.

11-12 *delgada... sutil... delicada:* dicho con ironía por su flaqueza.

15-16 Tan flaca es esta mujer, y tanto se le destacan las puntas de los huesos, que el poeta las compara con las de un rastrillo (herramienta dentada de labranza). Sigue el chiste: la imagen convexa de las puntas sugiere la cóncava de la carne que falta entre ellas, y también la encorvada de la postura del que maneja el rastrillo. Por esto, y por la relación entre la flaqueza y los ayunos, dice el poeta que *os engendró algún Miércoles Corvillo,* día en que los devotos también caminaban encorvados, expresando de esta forma su arrepentimiento.

17-18 *pez... negra... espina:* la pez o resina destilada es de color negro; el pez es animal acuático que tiene espinas.

20 En tiempos de Quevedo, los *sastres* y los *zapateros* tenían malísima reputación por los robos y engaños que hacían a los clientes. Sirven aquí como punto de partida para la comparación entre la figura de la mujer flaca, y la forma de las dos herramientas del sastre y del zapatero, perforantes y terminadas en punta.

24 *Viernes con ciciones:* la ción es una calentura que entra con un frío intermitente, el cual se solía atribuir al efecto del cierzo, nombre antiguo de un viento frío y seco. Es decir, el alma de la mujer se parece al día de ayuno con calentura intermitente. Al mismo cierzo, por frío y seco, se solía secar y curar el pescado, comida de viernes, que luego se llamaba «cicial» (hoy, cecial).

Mirad que miente vuestro amigo, dama,　　25
Cuando «Mi carne» os llama,
Que no podéis jamás en carnes veros,
Aunque para ello os desnudáis en cueros;
Mas yo sé bien que quedan en la calle
Picados más de dos de vuestro talle.　　30

Bien sé que apasionáis los corazones,
Porque dais más pasiones
Que tienen diez Cuaresmas con la cara,
Que Amor hiere con vos como con jara;
Que si va por lo flaco, tenéis voto　　35
De que sois más sutil que lo fue Scoto.

Y aunque estáis tan angosta, flaca mía,
Tan estrecha y tan fría,
Tan mondada y enjuta y tan delgada,
Tan roída, exprimida y destilada,　　40

27-28 *en carnes, en cueros:* desnuda. (Pero ella, por flaca, está sin carne.)

30 *Picados... talle:* léase, más de dos amantes movidos o apasionados —o cortados— por su talle. (Este pensamiento se continúa en la estrofa que sigue.)

32-33 *pasiones... Cuaresmas:* en un sentido literal, cada Cuaresma tiene una pasión, que es la que sufrió Cristo. (Pero habla Quevedo con suma ironía.)

34 Amor, o Cupido, solía herir con flechas, pero el efecto de esta mujer es tal que hiere con *jara*, especie de flecha que no se tiraba con arco, sino con ballesta, y que, por lo tanto, volaba más rápidamente y hería con mucha más fuerza (hoy no hay ballestas, y «jara» ha pasado a significar palo arrojadizo).

35 *tenéis voto:* os aseguro.

36 *sutil:* se repite el chiste del v. 12. Scoto fue Miguel Escoto (*c.* 1175-*c.* 1236), filósofo y astrólogo en la corte del emperador Federico II que pronto ganó la reputación de nigromántico, y en la cultura popular pasó a ser imagen de la sutilidad, y a llamarse «Doctor Subtilis» (lo cita Quevedo frecuentemente en sus sátiras).

39 *mondada:* pelada, enjuta, seca.

Estrechamente os amaré con brío,
Que es amor de raíz el amor mío.

Aun la sarna no os come con su gula,
Y sola tenéis Bula
Para no sustentar cosas vivientes;   45
Por sólo ser de hueso tenéis dientes,
Y de acostarse ya en partes tan duras,
Vuestra alma diz que tiene mataduras.

Hijos somos de Adán en este suelo,
La Nada es nuestro abuelo,   50
Y salísteisle vos tan parecida
Que apenas fuisteis algo en esta vida.
De ser sombra os defiende no el donaire,
Sino la voz, y aqueso es cosa de aire.

_____

42 *amor de raíz:* amor total y profundo. (Claro que lo dice con suma
ironía, por la malísima figura que acaba de describir; y, por otra parte,
con cierta sátira de sí mismo, por ser amante necio: *aunque estáis..., os
amaré de raíz;* compárese la primera estrofa del poema.)

44 *Bula:* normalmente, un permiso papal que liberaba al recipiente de
ciertas obligaciones, como la de ayunar y la de no comer carne en ciertos
días o temporadas. Aquí el poeta invierte la norma, y se dirige a la mujer
como si fuera una bestia a la que el Papa ha liberado de la obligación de
sustentar a los seres vivos que hubieran comido su carne (porque es tan
flaca que no la tiene).

46 Puede entenderse de dos maneras: o que ella tiene dientes sólo
porque es de hueso, sin carne; o que los tiene precisamente porque éstos
son también de hueso. Recuérdese que antiguamente la gente solía perder los dientes pronto.

47 *partes:* miembros del cuerpo (igual que en el v. 4).

48 *mataduras:* literalmente, las llagas en la piel de las bestias de carga,
producidas por los arreos. Aquí, las tiene el alma de la mujer porque
se acuesta en un esqueleto puro.

50-52 *Nada... algo:* chiste sobre la materialidad física de la dama. Se
despliega en los vv. 53-54: *sombra... voz... cosa de aire.*

53 *os defiende:* os salva.

54 *aqueso:* se refiere a la voz.

De los tres enemigos que hay del alma   55
Lleváredes la palma,
Y con valor y pruebas excelentes
Los venciérades vos entre las gentes,
Si por dejar la carne de que hablo,
El mundo no os tuviera por el diablo.   60

Díjome una mujer por cosa cierta,
Que nunca vuestra puerta
Os pudo un punto dilatar la entrada
Por causa de hallarla muy cerrada,
Pues por no deteneros aun llamando,   65
Por los resquicios os entráis volando.

Con mujer tan aguda y amolada,
Consumida, estrujada,
Sutil, dura, büida, magra y fiera,
Que ha menester, por no picar, contera,   70
No me entremeto: que si llego al toque,
Conocerá de mí el señor san Roque.

---

cosa de aire: expresión que se explica en el *Buscón* de Quevedo como «cosas de atrás», «pecados viejos», y «puto»; también, «cosa sin sustancia».

55 Los tres enemigos eran mundo, demonio y carne.

56 *la palma:* el premio.

59 Entiéndase como chiste que abarca los tres enemigos del alma, y la flaqueza y la mala reputación de la mujer: «Por falta de carne tuya, no puedes representar dicho enemigo, y el mundo, o sea, la gente, te tiene por demonio».

63 *dilatar:* impedir, detener.

66 *resquicios:* ranura entre el quicio y la puerta (en el contexto de las dos estrofas anteriores se insinúa que es bruja).

67 *amolada:* afilada.

69 *büida:* aguzada, afilada.

70 *contera:* especie de dedal que se coloca en el fondo de la vaina para proteger la punta de la espada, y también lo que ésta pueda tocar.

71 *si llego al toque:* entiéndase, si la toco.

72 *san Roque:* patrón de los enfermos de la peste. (Es decir, que esta mujer es tan flaca que parece que ha padecido la peste, y si la toco, me contagiaré.)

Con vos cuando muráis tras tanta guerra,
Segura está la tierra
Que no sacará el vientre de mal año;   75
Y pues habéis de ir flaca en modo extraño
(Sisándole las ancas y la panza)
Os podrán enterrar en una lanza.

Sólo os pido, por vuestro beneficio,
Que el día del Juicio   80
Troquéis con otro muerto en las cavernas
Esas devanaderas y esas piernas,
Que si salís con huesos tan mondados,
Temo que haréis reír los condenados.

Salvaros vos tras esto es cosa cierta,   85
Dama, después de muerta,
Y tiénenlo por cosa muy sabida
Los que ven cuán estrecha es vuestra vida;

---

73 *tras... guerra:* tras haber dado tanta guerra (es decir, molestia, por ser la peste).

74 *la tierra:* entiéndase la tierra en la que estás enterrada y que se come tu cadáver.

75 *Que... año:* que no se alimentará en demasía (porque tu cadáver será tan flaco).

77 *sisándole:* quitándole (a tu cadáver).

81 *las cavernas:* el mundo subterráneo de los muertos.

82 *devanaderas:* literalmente, armazones de cañas para devanar el hilo. Entiéndase, costillas.

85 *Salvaros vos:* es decir, vuestra alma.

88 *estrecha:* limitada (en la comida); moralmente austera y rigurosa; miserable y corta de ánimo. (Cada matiz juega con la estrechez de la figura flaca de la mujer.)

Y así, que os vendrá al justo, se sospecha,
Camino tan angosto y cuenta estrecha.   90

    Canción, ved que es forzosa
que os venga a vos muy ancha cualquier cosa:
Parad, pues es negocio averiguado
Que siempre quiebra por lo más delgado.

---

89 *os vendrá al justo:* os quedará bien, o ajusticia y razón (tanto en el
sentido lógico, por lo «estrecho», como en el físico, por su delgadez), u,
os llevará a Dios (el día del Juicio).

90 *Camino tan angosto:* según los evangelistas, el camino de la salvación era angosto, o estrecho, y el de la perdición, ancho (Mateo, 7, 13, y
Lucas, 12, 24).

cuenta estrecha: tradicionalmente se creía que en el Juicio Final, Dios
pediría a cada persona *cuenta estrecha* o explicación razonada de su vida y
hechos.

91 *Canción:* (es vocativo). El poeta personifica el poema y se dirige a
éste como a una persona, parodiando en esto una tradición renacentista
que en España se remonta a Garcilaso de la Vega (véanse los versos finales
de sus Canciones I, II y IV). También alude a la mujer flaca (mediante la
imagen *ancha,* v. 92), tildándola de *canción,* o sea, cosa de aire, nieta de
la nada (vv. 50 y 54).

92 *os venga... muy ancha:* os queda muy grande (porque no lo mere-
ces); o sea, que la canción ha quedado deficiente, o flaca. La relación
metafórica entre la canción y la mujer flaca se basa en la antítesis muy
ancha, y al justo (v. 89), así como en la repetición de la construcción *os
vendrá, os venga.* Por otra parte, esta relación impone en lo que dice el
poeta de la canción, la ironía de lo que ha dicho de la mujer, y lo aumenta, insinuando que todo lo que acaba de decir sobre la flaqueza de la
mujer ha sido insuficiente para describirla cabalmente.

93 *Parad:* el poeta se dirige otra vez a la Canción, a quien pide cesar,
porque a pesar de todo lo que ha dicho, ha quedado deficiente, o insuficiente. Compárese la deficiencia del propio poeta (v. 42), y la del amante
(estrofa primera).

94 *delgado:* con esta imagen se completa el juego iniciado en el v. 91,
entre la Canción y la mujer. Proviene de un antiguo refrán: «Quiebra la
soga por lo más delgado», y recuerda la ironía del v. 12 anterior.

1 la

[A una adúltera]

[versión de 1603]

Sólo en ti, Lesbia, vemos que ha perdido
El adulterio la vergüenza al cielo,
Pues que tan claramente y tan sin velo
Has los hidalgos huesos ofendido.

Por Dios, por ti, por mí, por tu marido,   5
Que no sepa tu infamia todo el suelo:
Cierra la puerta, vive con recelo,
Que el pecado nació para escondido.

No digo yo que dejes tus amigos,
Mas digo que no es bien que sean notados   10
De los pocos que son tus enemigos.

---

1 *Lesbia:* nombre propio romano que Quevedo sacó del epigrama de Marcial que imita en este soneto, y que traducimos a continuación. No tenía la significación sexual que tiene hoy, ni entre los romanos ni entre los españoles (véase, por ejemplo, el soneto «En otro tiempo, Lesbia, tú decías», por Lupercio Leonardo de Argensola, ed. Pedro Espinosa, *Flores de poetas ilustres de España,* Valladolid, 1605, 1. 48r [= 52r]).

1-2 *ha perdido... cielo:* «el adulterio ha quedado sin vergüenza» (la imagen del *cielo* significaba «de manera abierta», como indica el verso que sigue).

4 *los hidalgos huesos:* los del marido, que en esta versión figura como muerto. Lesbia, por consiguiente, es viuda (en tiempos de Quevedo, la viuda no quedaba tan libre como ahora, y se castigaba a las que se casaban repetidamente).

6 *suelo:* la superficie de la tierra, con alusión peyorativa también al hecho de que algunas cosas las derribamos al suelo, y en otras, el suelo es la superficie inferior.

8 *para escondido:* para ser escondido.

77

Mira que tus vecinos, afrentados,
Dicen que te deleitan los testigos
De tus pecados más que tus pecados.

COMENTARIO

Al publicar más tarde la versión revisada de este poema, observa Josef Antonio González de Salas, amigo de Quevedo y editor de su poesía, que «es imitación muy expresa de Marcial, libro I, epigrama 35 [= 34]». A continuación va nuestra traducción de dicho epigrama, y en cursiva lo que aprovechó Quevedo (Chione e Ias son mujeres que menciona Marcial):

«*Ofendes* siempre, *Lesbia, con puertas* sin guarda y *abiertas,* ni *encubres tus intrigas:* y *te deleita más el espectador que el adúltero,* ni te son gratos los gozos escondidos. Al contrario, la cortesana rechaza al testigo tanto *con velo* como con cerrojo, y raramente se abre una grieta en la pared. De Chione por lo menos, o de Ias aprende la modestia: hasta los sepulcros esconden a las rameras inmundas. ¿Sobradamente dura te parece mi censura? *Te vedo ser cogida,* Lesbia; *no ser gozada*».

Quevedo escribió muchos poemas morales, de los cuales hemos seleccionado algunos, numerados 35-53.

11b

[Reprende a una adúltera
la circunstancia de su pecado]*

[versión revisada más tarde por el poeta]

Sola en ti, Lesbia, *vemos ha* perdido
El adulterio la vergüenza al Cielo,
Pues *licenciosa, libre* y tan sin velo
Ofendes la paciencia del sufrido.

Por Dios, por ti, por mí, por tu marido,   5
No sirvas a su ausencia de libelo:
Cierra la puerta, vive con recelo,
Que el pecado *se precia de* escondido.

No digo yo que dejes tus amigos,
Mas digo que no es bien *estén* notados   10
De los pocos que son tus enemigos.

Mira que tus vecinos, afrentados,
Dicen que te deleitan los testigos
De tus pecados más que tus pecados.

---

* De *El Parnaso español,* pág. 72.

1 *Sola:* imprimimos en cursiva las enmiendas del poeta: para otros
poemas revisados por Quevedo, véanse los numerados 12 a 15, y nuestro
comentario al 3.

4 Por analogía con la vida del buey, el *sufrido* que tiene *paciencia* es
tradicionalmente el cornudo.

79

12a

[Diana y Acteón]

[versión de 1603]

Estábase la Efesia cazadora
Dando en aljófar el sudor al baño,
En la estación ardiente, cuando el año
Con los rayos del Sol el Perro dora.

De sí (como Narciso) se enamora   5
(Vuelta pincel de su retrato extraño),
Cuando sus ninfas, viendo cerca el daño,
Hurtaron a Acteón a su señora.

Tierra le echaron todas por cegalle,
Sin advertir primero que era en vano,   10
Pues no pudo cegar con ver su talle.

---

1 *Efesia cazadora:* Diana, diosa de la caza, nacida en Efeso, pueblo de
Asia Menor, cerca del mar Egeo.

2 *aljófar:* perla pequeña, o rocío.

3-4 *cuando... dora:* «cuando el año dora al Perro con los rayos del sol».

4 *Perro:* la constelación del Can Mayor señalaba para los escritores
clásicos la estación más calurosa.

5 *Narciso:* joven que contempló su imagen en una fuente con tanta
admiración que cayó en ella y se ahogó.

6 *vuelta pincel:* al mirarse Diana en el agua, se convirtió en pintora o
pincel de su propio retrato.

7 *sus ninfas:* las que asistían a Diana.

8 *Acteón:* joven cazador que vio a Diana bañándose desnuda, y se
enamoró de ella en el acto. Según la versión de Ovidio *(Metamorfosis,*
III, 138-252), las ninfas se acercaron a la diosa para impedir que la viera
Acteón, y ella le tiró agua a la cara, lo cual lo convirtió en seguida en
ciervo, y fue luego atacado y muerto por sus propios perros de caza.

11 Entiéndase que Acteón no pudo cegarse porque al ver el talle de la
diosa y enamorarse de ella, ya se había cegado, según la vieja tradición de
Cupido, dios del amor que cegaba a sus víctimas.

Trocó en áspera frente el rostro humano,
Sus perros intentaron de matalle,
Mas sus deseos ganaron por la mano.

---

12 *áspera frente:* como de ciervo, con cornamenta.

14 Entiéndase que antes de que sus perros lo mataran, ya estaba muerto de amores. Cada terceto del poema describe un acto que había anticipado e imposibilitado el amor: *cegalle, matalle.*

12b

[Significa el mal que entra a la alma por los ojos, con la fábula de Acteón]*

[versión revisada más tarde por el poeta]

Estábase la Efesia cazadora
Dando en aljófar el sudor al baño,
Cuando en rabiosa luz se abrasa el año
Y la vida en incendios se evapora.

De sí Narciso y *Ninfa,* se enamora,　　　　　　5
Mas viendo conducido de su engaño
Que se acerca Acteón, temiendo el daño,
Fueron las Ninfas velo a su Señora.

Con la arena intentaron el cegalle,
Mas luego que de amor miró el trofeo,　　　　10
Cegó más noblemente con su talle.

Su frente endureció con arco feo,
Sus perros intentaron *el* matalle,
Y adelantóse a todos su deseo.

---

* De *Las tres musas castellanas,* pág. 17.

el mal: se refiere a la pasión amorosa (véase nuestro comentario).

3 *Cuando...* (imprimimos en cursiva las enmiendas de Quevedo).

5 *Narciso y Ninfa:* al igual que Narciso, ella admiraba su imagen reflejada en el agua; pero a diferencia de él, era mujer, o sea, *Ninfa.*

6 *su engaño:* Acteón se engañaba porque ignoraba que en aquella fuente se bañaba la diosa.

10 *el trofeo:* la figura desnuda de Diana.

11 *con su talle:* con ver su talle.

El título de la versión revisada expresa una interpretación figurada y moral del poema, que concuerda con la nota de sorpresa en el v. 6 (como explico en la Introducción, los títulos de los poemas editados por Josef Antonio González de Salas son suyos, y no de Quevedo; la versión revisada de este poema procede de una de las secciones de *Las tres musas* publicadas a base de los papeles preparados por González de Salas, según explico en mi artículo, «La huella de González de Salas...», citado en la Bibliografía).

13a

[A la mar]

[versión de 1603]

La voluntad de Dios por grillos tienes,
Y escrita en el arena, ley te humilla;
Y por besarla llegas a la orilla,
Mar obediente, a fuerza de vaivenes.

En tu soberbia misma te detienes,   5
Que humilde eres bastante a resistilla;
A ti misma tu cárcel maravilla,
Rica, por nuestro mal, de nuestros bienes.

---

1 *La voluntad... tienes:* El poeta se dirige al mar (véase el vocativo del
v. 4: *Mar obediente),* y pondera su obediencia a la voluntad de Dios, que
la mar tiene por grillos (grilletes) que la sujetan, y que no puede romper.

2 *arena, ley:* la arena de las orillas ciñe y limita el mar, como ley de
Dios.

1-4 Mucho más tarde, repitió Quevedo esta imagen en prosa: «Quien
vio la soberbia del mar amotinada con las cóleras rabiosas del viento llegar a la orilla, formidable a los montes, y besar humilde la ley que se le
escribió en la arena...? *(Providencia de* Dios, ed. de Fernández-Guerra,
Madrid, Biblioteca de Autores Españoles, t. XXIII, pág. 167).

4 *vaivenes:* la marea.

6 *bastante a resistilla:* «Tu humildad basta para resistir a tu soberbia».

7 *A ti... maravilla:* «A ti misma, Mar, tu domicilio (cárcel ceñida por
las orillas) te asombra».

8 *Rica... bienes:* «Tu cárcel se ha enriquecido mediante nuestros naufragios, que le han echado nuestros bienes».

¿Quién dio al pino y la haya atrevimiento
De ocupar a los peces su morada,   10
Y al Lino de estorbar el paso al viento?

Sin duda el verte presa, encarcelada,
La codicia del oro macilento,
Ira de Dios al hombre encaminada.

_____

9 *pino:* árbol alto y derecho; en un sentido figurado, barco (en la versión revisada de este poema, eliminó Quevedo esta imagen).

haya: árbol grueso de madera muy dura.

9-11 *¿Quién... viento?* Expresión interrogativa de la antigua idea de que el viajar por el mar era osadía (véase el poema 3, nota 10), y que los que lo hacían, ofendían al mar. Contesta el poeta en el terceto que sigue: la codicia.

11 *Lino:* metáfora para las velas.

13 *macilento:* imagen peyorativa del color amarillo (se dice de las personas descoloridas y de las plantas agostadas).

13b

[Comprende la Obediencia del Mar, y la inobediencia del Codicioso en su afectos]*

[versión revisada más tarde por el poeta]

La voluntad de Dios por grillos tienes,
Y ley de Arena tu coraje humilla,
Y por besarla llegas a la orilla,
Mar obediente, a fuerza de vaivenes.

Con tu soberbia *undosa* te detienes   5
En la humildad, bastante a resistilla;
A tu saña tu cárcel maravilla,
Rica, por nuestro mal, de nuestros bienes.

¿Quién dio al *roble* y *a* l'haya atrevimiento
De *nadar, selva errante deslizada?*   10
¿Y al lino, de *impedir* el paso al viento?

---

* De El *Parnaso español,* pág. 98.

2 *Y ley...* (se imprimen en cursiva las enmiendas del poeta).

9 *roble:* especie de encina muy dura y maciza, cuya madera era emplea-da en la construcción de los barcos, y bien conocida por los antiguos.

10 *selva errante deslizada:* metáfora para el barco, selva de tablas entre-cruzadas, que anda vagando por el mar, y se desliza por el agua.

Codicia, más que el Ponto desfrenada,
Persuadió que en el Mar el avariento
Fuese inventor de muerte no esperada.

---

12 *Ponto:* en la mitología griega, una personificación del mar, hijo de
Gea (la Tierra), y padre de Nereo (el viejo del mar que habitaba el fondo
del Egeo). Los griegos también llamaban *Ponto* al Mar Negro, temible y
desmandado por la fiereza de los pueblos que habitaban sus costas, así
como por los grandes peligros de su navegación.

13 *avariento:* la crítica de los avarientos se remonta al Antiguo Testamento y era tema predilecto de Quevedo.

14 *inventor... esperada:* la codicia incitó al avariento a viajar por el mar,
y éste, ofendido, le hizo naufragar, *muerte no esperada.* Por lo tanto,
podemos decir que el avariento, siendo la causa del naufragio, lo *inventó.*

87

14a

[Al Rey Felipe III]

[versión de 1603]

Escondida debajo de tu armada,
Gime la mar, la vela llama al viento,
Y a las Lunas del Turco el firmamento
Eclipse les promete en tu jornada.

Quiere en las venas del Inglés tu espada   5
Matar la sed al Español sediento,
Y en tus armas el Sol desde su asiento
Mira su lumbre en rayos aumentada.

Por ventura la Tierra de envidiosa
Contra ti arma ejércitos triunfantes,   10
En sus monstruos soberbios poderosa;

---

1 *armada:* habla el poeta en general de la magnitud de la marina española en 1603, cuando el Imperio incluía todas las colonias portuguesas.

3-4 *Y... jornada:* léase, en tu jornada, el firmamento les promete eclipse a las Lunas del Turco. *Jornada:* expedición militar. *Lunas:* emblema del
islam. Habla el poeta en primer lugar del Turco, porque en aquella época
sus flotas amenazaban el comercio español en el Mediterráneo y los
virreinatos españoles de Sicilia y Nápoles.

9-11 *Por ventura... poderosa:* «Quizá la poderosa Tierra (o sea, el planeta entero), le envidia y arma contra ti ejércitos triunfantes en sus monstruos soberbios». (Poco a poco aumenta el poeta las proporciones de la
contienda imperial, hasta lo cósmico: *mar, viento, Lunas, Sol, Tierra...*)

monstruos soberbios: se refiere a los cuarenta y tantos Gigantes, hijos de
la primitiva diosa de la Tierra (Gea), que se levantaron en guerra contra
Júpiter y los dioses (derrotaron éstos a los Gigantes).

Que viendo armar de rayos fulminantes,
O Júpiter, tu diestra valerosa,
Pienso que han vuelto al mundo los Gigantes.

COMENTARIO

Hoy en día no está de moda la poesía encomiástica, ni la nacionalista, y aún menos la que expresa la intransigencia religiosa en unión con el poder militar. Reproducimos este soneto no porque concuerde con nuestras ideas, sino precisamente porque discrepa; y también, claro está, porque este tipo de poesía formaba parte íntegra de la obra de Quevedo, y expresaba cierta vena de su ideología (pero no la única; véase, por ejemplo, el poema 41, y el 161, vv. 28-30).

Además, sirve de muestra de lo que se esperaba de un poeta en la España de los Felipes (al confeccionar su edición de la poesía de Quevedo, González de Salas colocó en primer lugar dos sonetos escritos en alabanza de una estatua del Rey, en una sección titulada «Poesías heroicas»). Es decir, que se esperaba la lisonja, y en términos hiperbólicos. Por ejemplo, en la España de Felipe III no hemos de entender literalmente una propuesta del castigo militar en escala multinacional (véanse los vv. 13-14 de la versión revisada).

---

12 *viendo:* viendo yo.

12-13 *armar de rayos... tu diestra:* como el principal de los dioses del cielo, que regía a los otros, se representaba a Júpiter con un rayo en la mano derecha, y se le llamaba «el Tonante» y «el Fulminante».

13-14 *Júpiter... Gigantes* (aquí se culmina la construcción metafórica del poema: como Júpiter, el rey Felipe III vencerá a sus enemigos, por Gigantes que sean).

14b

[Exhortación a la Majestad del Rey Nuestro Señor Felipe IV para el castigo de los Rebeldes]*

[versión revisada más tarde por el poeta]

Escondido debajo de tu armada,
Gime *el Ponto,* la vela llama al viento,
Y a las Lunas *de Tracia con sangriento*
Eclipse *ya rubrica* tu jornada.

En las venas *Sajónicas* tu Espada   5
El acero calienta, y macilento
Te atiende el Belga, habitador violento
De poca tierra, al Mar y a ti robada.

---

* De *El Parnaso español,* pág. 10.

Rebeldes: el sentido abarca la guerra naval con el Turco en el Mediterráneo (vv. 1-4), la política con Inglaterra y las depredaciones de sus corsarios (vv. 5-6), y la guerra en los Países Bajos (vv. 7-8). Abarca también la religión, ya que la lucha contrarreformista la acaudillaba España contra las referidas naciones, y especialmente contra las que nombra el poeta en el verso final (véase, por otra parte, la nota 13).

2 *Ponto:* mar (compárese el poema 13b, v. 12).

3 *Tracia:* nombre antiguo aplicado a diversas áreas de Grecia; aquí representa en un sentido general las regiones dominadas por los turcos, cuyo emblema era la media luna.

3-4 *Y... jornada:* entiéndase «Y tu jornada rubrica (o sea, sella) ya a las Lunas de Tracia, con sangriento Eclipse».

6 *macilento:* flaco y descolorido (alusión peyorativa al color de la raza).

Pues tus Vasallos son el Etna ardiente,
Y todos los Incendios que a Vulcano
Hacen el Metal rígido obediente,

Arma de Rayos *la invencible mano:*
Caiga roto y deshecho el insolente
Belga, el Francés, el Sueco y el Germano.

---

9 *Etna:* volcán del sur de Italia, imagen de la violencia eruptiva.

10 *Vulcano:* dios herrero del fuego y de las fraguas.

13 *insolente:* corresponde esta calificación a la de *Rebeldes,* comentada arriba.

14 *Belga... Germano* (son países que de una manera u otra habían apoyado la Reforma protestante).

15a

[Poderoso caballero es don Dinero]

[versión de 1603]

Madre, yo al oro me humillo,
Él es mi amante y mi amado,
Pues de puro enamorado
Anda continuo amarillo.
Que pues doblón o sencillo   5
Hace todo cuanto quiero,
Poderoso caballero
Es don Dinero.

Nace en las Indias honrado,
Donde el mundo le acompaña;   10
Viene a morir en España,
Y es en Génova enterrado.

---

4 *continuo:* continuamente.

3-4 *enamorado... amarillo:* amarillo, por ser oro. Pero Quevedo se burla del amante, pues en el contexto del amor, el color amarillo significaba tradicionalmente la desesperación; en otros contextos significaba la envidia.

5 *doblón:* moneda de oro de alta denominación.

sencillo: la moneda pequeña con respecto a otra de más valor (como, por ejemplo, el doblón *sencillo*). Por otra parte, juega Quevedo con el sentido numérico de *doblón* y de *sencillo*.

9 *en las Indias:* alusión a las minas coloniales.

11-12 De los embarques anuales de plata, gran parte se destinaba a pagar el interés de los enormes préstamos que habían hecho los banqueros genoveses al Rey de España, sin los cuales no podía desempeñar las obligaciones económicas del Imperio ni las de la guerra de Flandes.

Y pues quien le trae al lado
Es hermoso, aunque sea fiero,
Poderoso caballero 15
Es don Dinero.

Son sus padres principales,
Y es de nobles descendiente,
Porque en las venas de Oriente
Todas las sangres son Reales. 20
Y pues es quien hace iguales
Al rico y al pordiosero,
Poderoso caballero
Es don Dinero.

¿A quién no le maravilla 25
Ver en su gloria, sin tasa,
Que es lo más ruin de su casa
Doña Blanca de Castilla?
Mas pues que su fuerza humilla
Al cobarde y al guerrero, 30
Poderoso caballero
Es don Dinero.

---

17 Léase «Sus padres son principales».

19-20 *venas... sangres... Reales.* Chiste extendido: en las venas (de minerales, o del cuerpo humano), todas las sangres (o en un sentido figurado, lo que contienen las venas: el oro), son reales (en un sentido, pertenecientes a la familia del Rey, y en otro, alusión al real, una moneda de plata de alta denominación).

21 *hace iguales:* empieza el estribillo con la imagen *Poderoso,* y en cada estrofa el poeta coloca inmediatamente antes otra imagen del poder: *(Hace todo,* v. 6); *hermoso... fiero* (14); *hace iguales* (21); *su fuerza humilla* (29); *da autoridad* (37); *destierra... hace propio* (45-46).

26 *sin tasa:* sin límite ni valor impuesto.

27-28 *Chiste:* nos maravillamos porque lo más ruin de su casa es una princesa española que se casó con el rey Luis VIII de Francia. Pero en otro sentido, una blanca era una moneda de muy poco valor, muy ruin.

Es tanta su majestad,
Aunque son sus duelos hartos,
Que aun con estar hecho cuartos   35
No pierde su calidad.
Pero pues da autoridad
Al gañán y al jornalero,
Poderoso caballero
Es don Dinero.   40

Más valen en cualquier tierra
(Mirad si es harto sagaz)
Sus escudos en la paz
Que rodelas en la guerra.
Pues al natural destierra   45
Y hace propio al forastero,
Poderoso Caballero
es don Dinero.

COMENTARIO

Ésta es la letrilla mejor conocida de Quevedo, y versa sobre un tema que le preocupará a lo largo de su vida: el dinero. De interés especial para las ideas sociales de Quevedo es la importancia fundamental en este poema de la idea de que el dinero es tan *poderoso* entre la gente que nivela indebidamente las clases de personas,

---

34 *hartos:* muchos.
35 *hecho cuartos:* el cuarto era una moneda de cobre de muy poco valor. 'Hacer cuartos' quiere decir 'descuartizar', o cortar el cuerpo en cuartos, pena impuesta antiguamente a algunos malhechores.
38 *gañán:* mozo de labranza que hacía tareas humildes.
Jornalero: labrador que trabajaba a jornal (día a día).
43 *escudos:* moneda acuñada con el escudo de armas, o blasón, del Rey, y que valía medio doblón.
44 *rodelas:* escudo militar, redondo y pequeño (hace juego con la imagen del verso anterior).

invirtiendo así el orden normal (vv. 22, 38 y 45-46; comp. «El sueño de la Muerte», *Sueños y discursos,* ed. de Maldonado, Madrid, Castalia, 1972, págs. 197 y 217).

En el primer verso de este poema, parodia Quevedo una tradición literaria, según la cual una muchacha relata a su madre los sucesos o eventos amorosos que ha experimentado. Ejemplo de esta tradición es el conocido romancillo de Luis de Góngora que empieza: «La más bella niña / de nuestro lugar, / ... / a su madre dice / que escucha su mal: /...» *(Obras,* ed. de J. e I. Millé y Giménez, Madrid, Aguilar, 1951, núm. 3, pág. 43).

15b

[Letrilla Satírica:
Poderoso Caballero
Es Don Dinero]

[versión revisada más tarde por el poeta]

Madre, yo al oro me humillo,
Él es mi amante y mi amado,
Pues de puro enamorado
De continuo anda amarillo.
Que pues doblón o sencillo   5
Hace todo cuanto quiero,
Poderoso Caballero
Es Don Dinero.

Nace en las Indias honrado,
Donde el Mundo le acompaña;   10
Viene a morir en España,
Y es en Génova enterrado.
Y pues quien le trae al lado
Es hermoso, aunque sea fiero,
Poderoso Caballero   15
Es Don Dinero.

Es galán, y es como un oro,
Tiene quebrado el color,

---

17 *como un oro:* expresión figurada que indica la hermosura o limpieza de
una persona o cosa (tal expresión figurada la convierte Quevedo en literal, porque don Dinero es el oro).

18 *quebrado el color:* se dice de quien ha perdido la viveza; por lo tanto,
se alude al color amarillento (véase la nota 4 a los vv. 3-4 a la otra ver-

Persona de gran valor,
Tan Cristiano como Moro.   20
Pues que da y quita el decoro,
Y quebranta cualquier fuero,
Poderoso Caballero
Es Don Dinero.

Son sus padres principales,   25
Y es de nobles descendiente,
Porque en las venas de Oriente
Todas las sangres son Reales.
Y pues es quien hace iguales
Al Duque y al ganadero,   30
Poderoso Caballero
Es Don Dinero.

Mas ¿a quién no maravilla
Ver en su gloria, sin tasa,
Que es lo *menos* de su casa   35
Doña Blanca de Castilla?
Pero pues *da al bajo silla*
Y al cobarde *hace* guerrero,
Poderoso Caballero
Es Don Dinero.   40

Sus escudos de Armas nobles
Son siempre tan principales,

---

sión). Por otra parte, antiguamente se solía relacionar los rasgos físicos de una persona, con otros tantos de su carácter personal, según las conjeturas seudocientíficas de la llamada «fisonomía interpretativa». A los de «color quebrado» se les achacaba un carácter malicioso, engañoso, soberbio y traidor.

19 *valor:* están en juego las consideraciones humanas (valentía, fuerza, virtud, etc.), y las económicas (precio, costo).

20 Se alude a la calidad ubicua del dinero.

41 *escudos de Armas.* blasones de una familia.

Que sin sus Escudos Reales
No hay Escudos de armas dobles.
Y pues a los mismos robles   45
Da codicia su minero,
Poderoso Caballero
Es Don Dinero.

Por importar en los tratos
Y dar tan buenos consejos,   50
En las Casas de los viejos
Gatos le guardan de gatos.
Y pues él rompe recatos
Y ablanda al juez más severo,
Poderoso Caballero   55
Es Don Dinero.

Y es tanta su Majestad
(aunque son sus duelos hartos),
Que *con haberle* hecho cuartos,

---

43 *Escudos Reales:* literalmente, los blasones del Rey; pero se alude al escudo como moneda acuñada con el escudo de armas del Rey, y al real como otra moneda antigua.

44 *Escudos de armas dobles:* el escudo valía medio doblón, de manera que un escudo *«doble»* era un doblón. Y el escudo de armas de los reyes de España tenía algunas imágenes duplicadas, como la cabeza del águila.

45 *robles:* metáfora para las naves que traían la plata de las Indias a España.

46 *minero:* mina.

49 *tratos:* no sólo las relaciones y comunicaciones normales entre las personas, sino también las ilícitas sexuales.

50 *buenos:* sumamente irónico (compárense los vv. 6, 14, 20, 22, 38, etcétera).

52 Entiéndase, las bolsas hechas de piel de gato sirven para guardar el dinero de los ladrones (a quienes se solía motejar de «gatos»).

53 *recatos:* están en juego los matices de la discreción, el secreto, la honestidad, etc.

54 *ablanda al juez:* el soborno de los jueces era tema muy frecuente en la sátira de la época.

98

No pierde su *autoridad*.   60
Pero pues da *calidad*
Al *noble* y al *pordiosero*,
Poderoso Caballero
Es Don Dinero.

   Nunca vi Damas ingratas   65
A su gusto y afición,
Que a las caras de un doblón
Hacen sus caras baratas.
Y pues las hace bravatas
Desde una bolsa de cuero,   70
Poderoso Caballero
Es Don Dinero.

   Más valen en cualquier tierra,
(Mirad si es harto sagaz)
Sus escudos en la paz   75
Que rodelas en la guerra.
Y pues al *pobre le entierra*
Y hace propio al forastero,
Poderoso Caballero
Es Don Dinero.   80

---

67 *las caras de un doblón:* literalmente, cada cara de la moneda; pero también se alude al hecho de que antiguamente el doblón llevaba la representación de las caras de los Reyes Católicos de España.

69-70 Puede entenderse de dos maneras: que don Dinero es tan poderoso que desde el interior de una bolsa de cuero, puede decir a las damas fanfarronadas, valentonadas y amenazas (compárese el *fiero* del v. 15); o que desde la misma bolsa, puede convertir a las damas en *bravatas* (valentonas, personas descaradas y fanfarronas; compárese el v. 38: *al cobarde hace guerrero*).

Heráclito cristiano
y
segunda arpa
a imitación de la de David
(1613)

HERÁCLITO

Christiano, y segunda Harpa

a imitación de la de David

Don Francisco Gómez de Quevedo
y Villegas.

AL LETOR

Tú que me has oýdo lo que he cantado y lo que
me dicto el Apetito, la passión o la naturaleza
oye ahora con oýdo más attento lo que me haze
dezir el Sentimiento de todo lo demás que
se a hecho, que esto lloro, porque assí me lo dictó
el conocimiento y la conciencia, y essótras cosas
canté, porque me lo persuadió assí la edad.

«Heráclito cristiano», folio 57r del manuscrito contemporáneo,
propiedad de Eugenio Asensio.

Nota preliminar

Hacia 1612 o 1613, Quevedo sufrió una crisis de conciencia, aguda y quizá prolongada, atestiguada por diversas referencias suyas. Entre éstas, la más extensa, precisa y elocuente es la versión de 1613 del «Heráclito cristiano», junto con el pequeño prólogo y la dedicatoria que lo acompañan. El gran interés humano de esta obra invita al lector a meditar sobre la significación de ciertas palabras clave, que repite Quevedo más de una vez; por lo tanto, en las notas he procurado indicar las correspondencias y repeticiones, esperando así ayudar al lector.

El texto de los artículos preliminares y de los poemas lo he copiado directamente de una copia fotográfica del mejor manuscrito contemporáneo, propiedad de don Eugenio Asensio, a cuya gran amabilidad debo la copia. Conservo también el orden de los poemas según el del manuscrito, y no incluyo poemas que no constan en él, evitando así la mezcla confusa de textos de una versión con el orden y contenido de otra.

Del «Heráclito cristiano» hay una versión revisada por Quevedo, titulada «Lágrimas de un penitente», y publicada póstumamente por su sobrino en 1670, en *Las tres musas últimas castellanas* (págs. 244-255). En esta versión se omiten 12 salmos, y se agregan dos y una redondilla (las dos versiones han sido objeto de un estudio científico y comparativo, a cargo de mi amigo el profesor Eric Furr, de la Universidad de Kentucky). En el lugar correspondiente reproduzco los tres poemas agregados (núms. 144-146).

HERÁCLITO* CRISTIANO
Y SEGUNDA ARPA
A IMITACIÓN DE LA DE DAVID**

Al lector

Tú, que me has oído lo que he cantado y lo que me dictó el Apetito, la pasión o la naturaleza, oye ahora, con oído más atento, lo que me hace decir el Senti-

---

* *Heráclito:* filósofo presocrático que vivía en Éfeso (*c.* 535-475 a.C.), cuyo pensamiento profundo, pesimista y atrevido le granjeó en la Antigüedad los apodos de *El Oscuro* y *El filósofo que lloraba.* Del nombre de tal filósofo se sirvió Quevedo, calificándolo de cristiano, como imagen del llanto de un pecador arrepentido, tema principal de esta serie de poemas.

** *David:* primer rey de la dinastía de Judea, de quien se decía que tocaba el arpa con destreza (1 Samuel, 16, 14-23), y que se arrepintió mucho de sus pecados (había cometido adulterio con Betsabé y matado a su marido, Urías; 2 Samuel, 10-12). A David se le han atribuido diversos Salmos del Antiguo Testamento, como, por ejemplo, el «Miserere» del pecador que pide la misericordia de Dios (Salmo 2); otros hay que expresan los mismos sentimientos, próximos a los de Quevedo (37, 38 y 50).

1 *lo que he cantado:* de lo que había cantado Quevedo en verso antes de 1613 hay una selección representativa en el «Prólogo poético» de la presente antología. Se nota que no todo fue burlesco.

2 *lo que me dictó el Apetito, la pasión:* se refiere Quevedo a algunas obras suyas cuyo carácter delata una motivación impulsiva y fogosa, escritas *porque me lo persuadió así la edad,* o sea, la juventud (línea 6, a continuación). Entre ellas se cuentan, en prosa, la *Vida del Buscón,* cuatro *Sueños,* y diversas sátiras breves. En el Salmo 14, reproducido a continuación, precisa Quevedo un poco más su concepto del apetito: «Perdióle a la razón el apetito / el debido respeto» (vv. 1-2); «Yace esclava del cuerpo la alma mía» (v. 8). Y en el poema 68 contrapone la inclinación con el conocimiento (vv. 3-4 y 10; sobre el conocimiento, véase la nota al v. 6 a continuación).

miento verdadero y arrepentimiento de todo lo demás que he hecho; que esto lloro porque así me lo
dicta el conocimiento y la conciencia, y esotras cosas   5
canté porque me lo persuadió así la edad.

A Doña Margarita de Espinosa, mi tía

Esta confesión, que por ser tan tarde hago no sin
vergüenza, envío a Vm. para que se divierta algunos
ratos; bien que empleándolos todos, en su Viudez   10

---

4 *verdadero y arrepentimiento:* faltan estas palabras en el manuscrito
de Asensio, porque el ojo del copista saltó de «*sentimiento*» a «*arrepentimiento*».

el arrepentimiento de todo lo demás que he hecho: no hay que entender
estas palabras de manera literal, pues no parece que se hubiera arrepentido Quevedo de obras suyas tan serias ni tan devotas como las «Lágrimas
de Jeremías castellanas», la «España defendida», y el «Discurso de las privanzas», escritas todas antes de 1613, ni de ciertos poemas morales, de los
cuales algunos se incluyen en el «Prólogo poético» de la presente edición.

5 *lloro:* se opone a la alegría implícita en *cantar* (líneas 1 y 7). Por otra
parte, nos recuerdan al filósofo que *lloraba* y al rey que *cantaba*, citados
los dos en el título de esta obra.

6 *el conocimiento y la conciencia:* se refiere Quevedo a un ajuste de
equilibrio que sentía él en su entendimiento y percepción de la realidad
que le rodeaba, y, por consiguiente, en su habilidad para distinguir entre
el bien y el mal. Las dos palabras son de gran importancia para entender
este párrafo, así como todo el «Heráclito». En primer lugar, se oponen *a
el apetito, la pasión, la naturaleza... y la edad* (líneas 2 y 7; compárese la
nota al v. 1 anterior). En segundo lugar, las relaciona Quevedo en el referido Salmo 14 con la razón (v. 1, citado arriba), con el alma (v. 8, también citado) y con una especie de reconocimiento o cognición («... sólo
tiene bueno / el dar conocimiento de que es malo», vv. 29-30).

8 *Margarita de Espinosa:* hermana de la madre de Quevedo, que a la
muerte de ésta en 1599 o 1600, acogió a sus dos hijas de menor edad,
que habían quedado huérfanas. De las relaciones personales entre Quevedo y su tía sabemos tan sólo lo que dice él en la presente carta.

9 *confesión... tan tarde:* los contextos del título de Quevedo y los sentimientos del prólogo «Al lector» se amplían en la presente dedicatoria

y retiramiento, con Dios, antes será hurtárselos. Sólo pretendo, ya que la voz de mis mocedades ha sido molesta a Vm. y escandalosa a todos, conozca por este papel mis diferentes propósitos. Y ruegue a Dios Nuestro Señor me dé su gracia. Torre de Juan Abad, 3 de Junio, 1613.

DON FRANCISCO GÓMEZ DE QUEVEDO Y VILLEGAS

(véase la línea 11, a continuación), y aún más, en el texto del «Heráclito». En el Salmo 14, reproducido a continuación, habla Quevedo de *esta conversión tan prevenida* (v. 22), calificación que merece el sentimiento de arrepentimiento expresado de manera tan sincera y tan sentida a lo largo de los Salmos. Sin embargo, con respecto a la confección de obras que *me dictó el apetito o la pasión* («Al lector»), importa precisar que no fue permanente la referida conversión, pues a lo largo de su vida no dejó de ejercer aquella voz *de mis mocedades* (línea 13, a continuación), que si bien resultaba *molesta... y escandalosa* a algunos lectores, por otra parte, le ha granjeado a Quevedo la admiración de muchos más. De hecho, fue escritor de *diferentes propósitos* (1. 15), los cuales llamaría Jorgue Guillén, «Cruce de varios que son uno» (*Y otros poemas*, B. A., 1973, pág. 252), y Jorge Luis Borges, «una dilatada y compleja literatura» (*Otras inquisiciones*, B. A., 1960, pág. 64).

14 *molesta... y escandalosa:* pocos meses antes dijo Quevedo a su amigo Tomás Tamayo de Vargas: «Yo..., malo y lascivo, escribo cosas honestas, y lo que me siento es que han de perder por mí su crédito, y que la mala opinión que ya tengo merecida ha de hacer sospechosos mis escritos» (Carta del 12 de noviembre 1612).

15 *Torre de Juan Abad:* nombre de un pequeño pueblo en la comarca del Campo de Montiel, en la parte sur de La Mancha, y al norte de Sierra Morena. Allí tenía Quevedo rentas y una casa a la que se retiraba de vez en cuando, para escapar del bullicio de la corte.

16

Salmo 1

Un nuevo corazón, un hombre nuevo
ha menester, Señor, el Alma mía:
desnúdame de mí, que ser podría
que a tu piedad pagase lo que debo.

Dudosos pies por ciega noche llevo,   5
que ya he llegado a aborrecer el día,
y temo que he de hallar la muerte fría
envuelta en (bien que dulce) mortal Cebo.

Tu imagen soy, tu hacienda propia he sido,
y si no es tu interés en mí, no creo   10
que otra cosa defiende mi partido.

Haz lo que pide el verme cual me veo,
no lo que pido yo, que de perdido,
aún no fío mi salud a mi deseo.

1-3 *un hombre nuevo... desnúdame de mí:* el poeta se desdobla y pide a
Dios que le desnude de lo que ha sido, y que le haga de nuevo (compárese el v. 13).

5 *Dudosos... llevo:* en un sentido espiritual, se encontraba caminando
falto de fe *«(dudosos pies llevo»),* por una serie de errores *(«ciega noche»).*
Son reminiscencias de una tradición extensa y rica: al principio de la
Divina comedia, Dante se encuentra en una «selva oscura», porque había
perdido «el camino recto» («Infierno», canto 1, estrofa 1).

6 *el día:* entiéndase «el alumbramiento de Dios».

8 *dulce:* porque acabaría con su mala vida.

9 *Tu imagen soy:* Dios creó el hombre a su imagen (Génesis, 1, 26), y
ahora el poeta pide que le cree nuevamente.

Posteriormente el poeta refundió este salmo de la manera que sigue:
2. la ánima mía. 7. que hallaré. 9. Tu hacienda soy, tu imagen, Padre, he
sido. 12. pide verme. 13. pues de perdido. 14. recato mi salud de mi
deseo (de *Las tres musas últimas castellanas,* pág. 226).

Salmo 2

¡Cuán fuera voy, Señor, de tu rebaño,
llevado del Antojo y gusto mío!
Llévame mi esperanza viento frío,
y a mí con ella disfrazado engaño.

Un año se me va tras otro año: 5
y yo más duro y pertinaz porfío,
por mostrarme más verde mi Albedrío,
la torcida raíz de tanto daño.

Llámasme, gran Señor: nunca respondo.
Sin duda mi respuesta sólo aguardas,   10
pues tanto mi remedio solicitas.

Mas, ¡ay!, que sólo temo en Mar tan hondo,
que lo que en castigarme ahora aguardas,
doblando los castigos lo desquitas.

---

1 *rebaño:* reminiscencia de la imagen de Dios como pastor, y la de los fieles
como ovejas (Libro de los Salmos, 23, 1-2; Mateo, 9, 36; Marcos, 6, 34).

7 *más verde:* entiéndase, más joven y fuerte, a pesar del paso de los
años, uno *tras otro* (v. 5).

8 Su albedrío es la raíz de su error, porque le deja llevarse por su *Antojo y gusto* (v. 2), lo cual le ocasiona *tanto daño* como son el *viento frío* (v. 3),
y el *disfrazado engaño* (v. 4). También está relacionado el albedrío, o la
voluntad, con la imagen de la *esperanza* (v. 3).

12 *Mar tan hondo:* metáfora para su situación actual y futura, de gran
peligro espiritual.

13-14 «Lo que demoras en castigarme ahora, permitiéndome más vida, lo
vengarás con doblar los castigos» (porque así lo merecerá la vida más larga: tan
mala es su vida, que aun la paciencia y la espera de Dios le son amenaza).

Posteriormente retocó Quevedo este poema de la manera siguiente:
3. el tiempo frío. 4. un disfrazado. 6. y yo. 8. do está mi daño. 14. con
doblar (de *Las tres musas últimas castellanas,* pág. 250).

Salmo 6

¡Que llegue a tanto ya la maldad mía!
Aun Tú te espantarás, que tanto sabes,
eterno Autor del día,
en cuya voluntad están las llaves
del cielo y de la tierra.   5
Como que porque sé, por experiencia
de la mucha clemencia
que en tu pecho se encierra,
que ayudas a cualquier necesitado,
tan ciego estoy a mi mortal enredo   10
que no te oso llamar, Señor, de miedo
de que querrás sacarme de pecado.
¡Oh baja servidumbre:
que quiero que me queme y no me alumbre
la luz que la da a todos!   15
¡Gran cautiverio es este en que me veo!
¡Peligrosa batalla
mi voluntad me ofrece de mil modos!
No espero libertad, ni la deseo,
de miedo de alcanzalla.   20
¡Cuál infierno, Señor, mi Alma espera,
mayor que aquesta sujeción tan fiera!

_____

10-12 El poeta se ve desdoblado (comp. el Salmo 1, vv. 1-3 y 13-14, y
el 2, vv. 6-7, 9 y 13-14): por una parte, *ciego* a su *mortal enredo*, querien-
do quemarse y pecar más (v. 14); por otra parte, tan consciente de su
condición, y repugnado por ella, que la llama *baja servidumbre* (13), *gran
cautiverio* (16), *infierno y sujeción tan fiera* (21-22).

15 Entiéndase, la luz que Dios da a todos.

17-18 Comp. el Salmo 2, v. 7.

Más tarde revisó Quevedo este poema: 2. que bien lo sabes. 10. en
mi. 12. quieras. 19. No tengo libertad (de *Las tres musas últimas castellanas*,
pág. 245).

Salmo 7

¿Dónde Pondré, Señor, mis tristes ojos
que no vea tu poder divino y santo?
Si al cielo los levanto,
del sol en los ardientes Rayos Rojos
te miro hacer asiento;   5
si al manto de la noche soñoliento,
leyes te veo poner a las estrellas;
si los bajo a las tiernas plantas bellas
te veo pintar las flores;
si los vuelvo a mirar los pecadores   10
que tan sin rienda viven como vivo,
con Amor excesivo
allí hallo tus brazos ocupados
más en sufrir que en castigar pecados.

---

10 «si vuelvo los ojos a mirar a los pecadores». Nótese que tras la pre-
gunta inicial (vv. 1-2), el poeta *levanta* la mirada al cosmos, de día
(vv. 3-4), y de noche (v. 6), la *baja* a las plantas y flores terrenales (vv. 8-9),
y finalmente la *vuelve* a los hombres (vv. 10-11). A lo largo del Siglo de
Oro, los escritores vacilaban mucho en el empleo de la preposición *a* ante
el acusativo de persona.

Salmo 9

Cuando me vuelvo atrás a ver los años
que han nevado la edad florida mía;
cuando miro las redes, los engaños
donde me vi algún día,
más me alegro de verme fuera dellos   5
que un tiempo me pesó de padecellos.
Pasa Veloz del mundo la figura,
y la muerte los pasos apresura;
la vida fugitiva nunca para
ni el Tiempo vuelve atrás la anciana cara.   10
A llanto nace el hombre, y entre tanto
nace con el llanto
y todas las miserias una a una,

---

2 *que han nevado:* «que han tornado blanca, por las canas».

7 «La figura del mundo pasa veloz»; *figura:* imagen, semblante.

10 *anciana:* alusión al paso de los años, y también a la antigüedad de Crono, dios griego del Tiempo (a quien los romanos, tras confundirle con su tocayo, que fue padre de Zeus, le han llamado Saturno).

11 *A llanto:* a fuerza de llanto; para llorar.

12 *nace con el llanto:* como verso, queda corto de una sílaba, pero consta así en todos los manuscritos de la versión de 1613 (versión que es primitiva, y que el poeta revisó posteriormente). Por otra parte, se trata de una oración de construcción paralelística, en la que importa que el verbo *nace* (v. 12) sea principal e independiente, porque este verbo es uno de cuatro verbos enlazados por otras tantas conjunciones *(y... empieza,* v. 14; *y... suele juntarla,* vv. 17-18; y... *acaba,* vv. 19-20). Si el primero no es verbo principal e independiente, todos son dependientes, y tenemos una oración incompleta (que puede leerse cómodamente en Quevedo, *Obra poética,* ed. Blecua, t. I, págs. 174-175, núm. 21, texto variante a pie de página, con una transcripción errónea del manuscrito de Eugenio Asensio: el *que* no aparece en ningún manuscrito).

13 *las miserias:* las de la vida.

y sin saberlo empieza la Jornada
desde la primer cuna   15
a la postrera cama rehusada;
y las más veces, ¡oh terrible caso!,
suele juntarlo todo un breve paso,
y el necio que imagina que empezaba
el camino, le acaba.   20
¡Dichoso el que dispuesto ya a pasalle,
le empieza a andar con miedo de acaballe!
Sólo el necio mancebo,
que corona de flores la cabeza,
es el que solo empieza   25
siempre a vivir de nuevo.
¡Dichoso aquel que Vive de tal suerte
que él sale a recibir su misma muerte!

COMENTARIO

El primer verso es traducción literal de uno de Francesco Petrarca (soneto 298).

19-20 Sobre la vida había dicho Séneca que «El viajero llega al fin del camino antes que imaginaba que se lo acercaba», y que «no le aparece sino al final» *(De la brevedad de la vida,* cap. ix, párrafo 5).
25-26 *empieza de nuevo:*
Posteriormente retocó Quevedo este poema: 9. la vida nunca para. 11. Nace el hombre sujeto a la fortuna. 12-13. [*omítense*]. 14. Y en naciendo comienza la jornada. 15. desde la tierna cuna. 16. a la tumba enlutada. 17. y las más veces suele un breve paso. 18. distar aqueste Oriente de su ocaso. 19-22. [*omítense*]. 27. Pues si la vida es tal, si es de esta suerte. 28. Llamarla vida, agravio es de la muerte (de *Las tres musas últimas castellanas,* pág. 248).

113

21

Salmo 10

Trabajos dulces, dulces penas mías,
pasadas alegrías
que atormentáis ahora mi memoria,
dulce en un tiempo, sí, mas breve gloria
gozada en años y perdida en días;   5
tarde y sin fruto derramados llantos,
si sois castigo de los cielos santos,
con vosotros me alegro y me enriquezco
porque sé de mí mismo que os merezco,
y me consuelo más que me lastimo;   10
mas si regalos sois, más os estimo,
mirando que en el suelo
sin merecerlo me regala el cielo.
Perdí mi libertad, mi bien con ella:
no dejó en todo el cielo alguna Estrella   15
que no solicitase,
entre llantos, la voz de mi querella,

---

1 Reminiscencia de los versos iniciales del famoso soneto de Garcilaso de la Vega (1501-1536): «Oh dulces prendas por mi mal halladas, / dulces y alegres cuando Dios quería, / juntas estáis en la memoria mía / y con ella en mi muerte conjuradas!».

1-13 Empieza el poema con una serie de vocativos *(Trabajos, penas, alegrías,* y en el v. 6, *llantos),* cuyo complemento se encuentra en las dos oraciones condicionales que abarcan los vv. 7 al 13 inclusive.

12-13 *en el suelo... me regala el cielo:* observa el poeta el contraste entre esta situación y la norma tradicional cristiana, según la cual se trabajaba en el suelo para ganar el premio del cielo. Excepción parecida fue el maná que regaló Dios a los israelitas en el desierto (Éxodo, 16, 35).

15 *no dejó:* el sujeto es «la voz de mi querella» (v. 17).

¡tanto sentí mirar que me dejase!
Mas ya, ver mi dolor, me he consolado
de haber mi bien perdido,   20
y en parte de perderle me he holgado,
por interés de haberle conocido.

---

18 *mirar:* hoy diríamos «ver y considerar» (comp. el poema 8, v. 101, y
el poema 10, v. 15, para no entrar en el «Heráclito», ni citar el soneto
«Miré los muros..»).

Posteriormente hizo Quevedo los retoques siguientes: 5. que llevaron
tras sí mis breves días. 6. mal derramados llantos. 18. el mirar. 19. Mas
ya me he consolado. 20. de ver mi bien, ¡oh gran Señor!, perdido (de *Las
tres musas últimas castellanas,* pág. 247).

22

Salmo 14

Perdióle a la razón el apetito
el debido respeto,
y es lo peor que piensa que el delito,
tan grande, puede a Dios estar secreto,
cuya sabiduría   5
la oscuridad del corazón del hombre
desde el cielo mayor leerá más claro.
Yace esclava del cuerpo la alma mía,
tan olvidada ya del primer nombre
que hasta su perdición compra tan caro,   10
que no teme otra cosa
sino perder aquel estado infame,
que debiera temer tan solamente,
pues la razón más viva y más forzosa
que me consuela y fuerza a que la llame,   15
aunque no se arrepiente,
es que está ya tan fea,
lo mejor de la edad pasado y muerto,

1-2 Sobre el concepto de la *razón* y del *apetito* en el «Heráclito cristiano», véanse las notas a los vv. 2 y 6 del «Prólogo al lector» y comp. el v. 8, a continuación.

7 *el cielo mayor:* la esfera oncena y última del cosmos, que se llamaba la empírea, donde residía Dios (hoy se llama el Paraíso) o, simplemente, el cielo, o «grande cerco de las once esferas» (véase el poema 27, nota 6).

8 Véase la nota a los vv. 1-2.

9 *primer nombre:* «primera buena reputación, o carácter, o fama» (en el Antiguo Testamento se empleaba la palabra *nombre* en estos sentidos, porque se identificaba el *nombre* con la persona; comp., por ejemplo, 2 Reyes, 7, 9; Proverbios, 22, 1, y Eclesiastés, 7, 2).

12 *aquel estado infame:* entiéndase, el del pecado.

15 *la llame:* entiéndase, a mi alma (v. 8).

que imagino por cierto
que se ha de arrepentir cuando se vea.   20
Sólo me da cuidado
ver que esta conversión tan prevenida
ha de venir a ser agradecida
más que a mi voluntad, a mi pecado;
pues ella no es tan buena   25
que desprecie por mala tanta pena,
y él es tan vil y de dolor tan lleno,
aunque muestra regalo,
que sólo tiene bueno
el dar conocimiento de que es malo.   30

---

22 Véase la nota al v. 9 en la Dedicatoria del «Heráclito cristiano».
25 *ella:* mi voluntad (v. 21).
27 *él:* mi pecado (v. 21).
Posteriormente revisó Quevedo este poema, de la manera siguiente:
1. Nególe. 3. un delito. 4. tan grave. 7. la lee más. 10. [*se omite este verso*].
11. aqueste. 18-19. [*se omiten*]. 22. tan conocida. 27. y aunque él es vil.
28. que al infierno le igualo [*y nada más*]. 29. sólo tiene de bueno (de *Las tres musas últimas castellanas,* pág. 253).

23a

[Llama a la Muerte]*

[versión primitiva, anterior a la del «Heráclito» de 1613]

Ven ya, Miedo de Fuertes y de Sabios:
Huya el cuerpo indignado con gemido
Debajo de las Sombras, y el olvido
Beberán por demás mis secos labios.

Fallecieron los Curios y los Fabios, 5
Y no pesa una libra, reducido
A cenizas, el Rayo amanecido
En Macedonia a fulminar agravios.

---

* De *El Parnaso español,* pág. 74.

2-3 *Huya... Sombras:* recuerdo casi literal de un verso de Virgilio, en
el que lamenta la muerte de Camila, reina de los Volsci, muerta en una
batalla con los soldados de Eneas: «Y con un gemido, la vida huyó indignada debajo de las sombras» *(Eneida,* XI, v. 831). Cambia Quevedo el
verbo al imperativo, y encaja lo que fue lamento en una serie de ruegos.

3-4 *el olvido beberán:* entre los ríos que separaban la tierra del trasmundo se destacaba, en las leyendas posteriores a Homero, el Lete, del cual
decían los antiguos que al atravesarlo, «las almas... bebían tragos serenos
y largo olvido» (Virgilio, *Eneida,* VI, v. 715).

4 *por demás:* sin ser necesario.

5 *Curios y Fabios:* se refiere Quevedo a diversos héroes y cónsules de
Roma en la época precristiana que llevaban uno u otro de los citados
apellidos.

7-8 *el Rayo... Macedonia:* el emperador Alejandro Magno (356-323 a.C.),
que a fuerza de sus conquistas formó en doce años nada más un imperio que
se extendía desde Macedonia hasta la India occidental, inclusive. Aparte de
sus conquistas, se le han achacado diversos «agravios» personales. Por la metáfora del *Rayo, y la* imagen de *fulminar,* Quevedo compara a Alejandro con
Júpiter, dios principal en la mitología romana, conocido por los rayos
que llevaba en la mano como armas, y por el apodo *Fulminator* (entre
otros muchos).

118

Desata de este polvo y de este aliento
El nudo frágil, en que está animada   10
Sombra que sucesivo anhela el viento.

¿Por qué emperezas el venir rogada
A que me cobre deuda el monumento,
Pues es la Humana Vida larga, y nada?

---

9 *Desata* (imperativo; el sujeto es la Muerte).
11 Entiéndase «sombra a la que anhela el viento, que la sigue».
12 *emperezas:* te demoras con pereza (el sujeto es la Muerte).
rogada: pedida (califica a la Muerte).
13 «A que, cuando muera, el sepulcro me cobra una deuda que yo le debía».

23b

Salmo 16

[versión del «Heráclito» de 1613, revisada ya por el poeta]

Ven ya, miedo de fuertes y de sabios:
irá la Alma indignada con gemido
debajo de las sombras, y el olvido
beberán por demás mis secos labios.

Por tal manera Curios, *Decios,* Fabios   5
fueron; por tal ha de ir cuanto ha nacido.
Si quieres ser a alguno bien venido,
trae con mi vida fin a mis agravios.

Esta lágrima ardiente, con que miro
el negro cerco que rodea mis ojos,   10
naturaleza es, no sentimiento.

Con el aire primero este suspiro
empecé, y hoy le acaban mis enojos,
porque me debo todo al monumento.

---

5 *Decios:* referencia parecida a la de los *Curios* y *Fabios.*
6 *Fueron:* entiéndase, «pasaron».
7 *quieres* (el sujeto es la Muerte).
11 *naturaleza es* (se explica en el verso que sigue).
12 *el aire primero:* «el primer aire que respiré».
13 *mis enojos:* se ha enojado por sus *agravios* (v. 8).
14 «Porque ya me debo a mí mismo totalmente al sepulcro» (es decir,
que pertenezco a él, y tengo que entregarme al mismo).

COMENTARIO

El amigo de Quevedo y editor de su poesía, Josef Antonio González de Salas, imprimió en el *Parnaso español* las dos versiones de este soneto, diciendo de la segunda que Quevedo la había inventado de nuevo «con mucho espíritu».

24a

Salmo 17

[versión de 1613]

Miré los muros de la Patria mía,
si un tiempo fuertes, ya desmoronados,
de larga edad y de vejez cansados,
dando obediencia al tiempo en muerte fría.

Salíme al campo y vi que el sol bebía   5
los arroyos del hielo desatados,
y del Monte quejosos los ganados
porque en sus sombras dio licencia al día.

---

1 *Patria mía:* «mi ciudad», o sea, Madrid, que con el crecimiento de su
población había derribado sus muros defensivos tres años antes, en 1610
(comp. el soneto «Nilo no sufre márgenes, ni muros / Madrid...», de Luis de
Góngora). Además de este sentido literal, hay otro que responde a una tradición literaria, según la cual los muros de una ciudad antigua se encontraban,
«si un tiempo fuertes, ya desmoronados» (el propio Quevedo aplicaba esta
tradición a los muros de Cartago, de Troya y de Jerusalén, en su Salmo 12,
«¿Quién dijera a Cartago», *Poesía original,* ed. de Blecua, núm. 24; y Góngora
a los de Almeida y Troya en la canción «Suene la trompa bélica», y el soneto
«El cuarto Enrico yace mal herido»). La crítica actual prefiere estas interpretaciones a otras más políticas o históricas, como, por ejemplo, «país» o «nación».

5-6 *el sol bebía los arroyos:* «el sol secaba los arroyos».

7 «y vi los ganados quejosos del monte». Siguiendo la línea de las imágenes
negativas que presenta el poema, agrega este cuarteto las de la sequía *(el sol
bebía los arroyos),* del frío reciente *(del hielo desatados),* y de la falta de la luz del
sol *(sombras...).* Por lo tanto, el ganado se encuentra en el monte y en las
sombras, y por esto están quejosos del monte o «quejándose del monte».

monte: «terreno cubierto de árboles o de malezas» (acepción corriente desde el *Poema de Mio Cid* hasta el siglo XVII, y documentada por J. Corominas,
Diccionario crítico etimológico, y por el *Diccionario de Autoridades:* resulta más
fácil y natural suponer que las múltiples «sombras» del v. 8 las haga una especie de bosque, y no una sola colina, como explican J. Richard Andrews y
J. Silverman, *Modern Language Forum,* XLI, 1956, pág. 105, nota 10).

8 «porque mediante sus sombras, le permitió al día alejarse, o retirarse».

Entré en mi casa y vi que, de cansada,
se entregaba a los años por despojos.   10
Hallé mi espada de la misma suerte;

mi vestidura, de servir gastada;
y no hallé cosa en que poner los ojos
donde no viese imagen de mi muerte.

COMENTARIO

La fuente general de este soneto se halla en la Epístola XII de
Séneca a su amigo Lucilio: «Adondequiera que me vuelva, veo la
evidencia de lo avanzado de mi edad. Recientemente visité mi
casa de campo..., [ahora un] edificio derruido... ¡Y ésta era la casa
que creció bajo mis propias manos! ¿Qué me depara el futuro, si
las piedras de mi propia edad ya se desmoronan?... Los plátanos
de oriente están abandonados; no tienen hojas. ¡Sus ramas están
tan torcidas y resecas; sus troncos tan ásperos y descuidados!... Yo
mismo había sembrado estos árboles, los había visto en su primera flor. Entonces me volví a la puerta y pregunté, "¿Quién es ese
vejete decrépito...?". Pero el esclavo dijo, "No me reconocéis, señor? Soy yo, Felicio..."». Si Séneca veía «la evidencia de lo avanzado de mi edad», coincidieron Quevedo y el poeta romano Ovidio
en ver la muerte: «Adondequiera que torné mis ojos, no vi nada
sino la imagen de la muerte» (Tristia, lib. I, poema xi, v. 23).

Pocos años antes de escribir el soneto que comentamos, Quevedo había expresado este pensamiento, y algunos de Séneca en el
«Sueño del infierno»: «¿A qué volvéis los ojos que no os acordéis
de la muerte? Vuestro vestido que se gasta, la casa que se cae, el
muro que se envejece...» (Sueños y discursos, ed. de Maldonado,
pág. 129).

24b

[Enseña cómo todas las cosas avisan de la muerte]*

[versión revisada más tarde por el poeta]

Miré los muros de la Patria mía,
Si un tiempo fuertes, ya desmoronados,
De la carrera de la edad cansados,
Por quien caduca ya su valentía.

Salíme al *Campo, vi* que el Sol bebía   5
Los arroyos del hielo desatados,
Y del Monte quejosos los ganados,
Que con sombras hurtó su luz al día.

Entré en mi *Casa, vi* que *amancillada,*
De anciana habitación era despojos;   10
Mi báculo más corvo y menos fuerte.

Vencida de la edad sentí mi espada,
Y no hallé cosa en que poner los ojos
Que no fuese recuerdo de *la* muerte.

---

* De El *Parnaso español*, pág. 88.
3-4 «Por la carrera que gasta ya su valentía».

Salmo 18

Todo tras sí lo lleva el año breve
de la vida mortal, burlando el brío
al Acero valiente, al mármol frío,
que contra el tiempo su dureza atreve.

Aún no ha nacido el Pie cuando se mueve   5
camino de la Muerte, donde envío
mi vida oscura: pobre y turbio Río
que negro Mar con altas ondas bebe.

Cada corto momento es paso largo
que doy a mi pesar en tal jornada,   10
pues parado y durmiendo siempre aguijo.

---

3 *al Acero:* dice el manuscrito, *el acero,* error de copia.
acero: entre otros matices, entiéndase «espada».

4 «El acero valiente y el mármol frío atreven su dureza contra el Tiempo» (no era infrecuente en el Siglo de Oro el sujeto compuesto con verbo singular).

7-8 *Río... bebe:* entiéndase que «el mar bebe el río», como observó González de Salas. El antecedente más famoso de esta imagen en la literatura española es de Jorge Manrique: «Nuestras vidas son los ríos / que van a dar en la mar, / que es el morir» (*Coplas por la muerte de su padre,* estrofa 3).

9-10 *paso... a mi pesar:* «Con el tiempo, el cuerpo da pasos adelante, a pesar de la voluntad del individuo». (Por eso, *doy,* pero *a mi pesar.* El desdoblamiento se explica en el verso que sigue, donde *parado..., aguijo.*)

11 *agudo:* espoleo, pico. (Habla Séneca de «esta jornada de la vida, sin cesar y tan rápida, que hacemos al mismo paso, si despiertos, si dormidos...»; *De la brevedad de la vida,* cap. ix, párrafo 5.)

Corto suspiro, último y amargo,
es la muerte forzosa y heredada;
mas si es ley y no pena, ¿qué me aflijo?

---

14 *pena:* castigo. *¿qué...?:* ¿por qué? (El verso recuerda a Séneca: «Morir es ley, no castigo», *Epigramas,* ed. Carlo Prato, núm. 1, verso 7.) Las imágenes de los vv. 5-6 y 14 las recordó Quevedo toda su vida, como demuestran las citas de obras tardías recogidas por J. M. Blecua en su edición de los *Poemas escogidos,* núm. 20, págs. 72-73.

Posteriormente retocó Quevedo este poema, como sigue: título (de González de Salas): «Que la vida es siempre breve y fugitiva. Concluye el discurso con una sentencia estoica». 5. Antes que sepa andar el pie se mueve. 9. Todo corto momento. 12. Breve suspiro, y último y amargo (de *El Parnaso español,* pág. 75).

26a

Salmo 19

[versión del «Heráclito» de 1613]

¡Cómo de entre mis manos te resbalas!
¡Oh, cómo te deslizas, Vida mía!
¡Qué mudos pasos traes, oh muerte fría,
pues con callado pie todo lo igualas!

Ya cuelgan de mi muro tus escalas, 5
y es tu puerta mayor mi cobardía;
por vida nueva tengo cada día,
que el tiempo cano nace entre las alas.

¡Oh mortal condición! ¡Oh dura suerte!
¡Que no puedo querer ver la mañana 10
sin temor de si quiero ver mi muerte!

Cualquier instante de la vida humana
es un nuevo argumento que me advierte
cuán frágil es, cuán mísera, y cuán vana.

---

4 *callado pie... igualas:* imágenes muy populares en la poesía castellana del siglo xv (dijo Jorge Manrique que «viene la muerte / tan callando», y que «allegados, [todos] son iguales»; *Coplas por la muerte de su padre,* estrofas 1 y 3).

5-6 «Con tus escalas, oh Muerte, ya asedias el muro defensivo de mi vida, y la mayor puerta que te da entrada es mi cobardía» (la Muerte se representa en la imagen de un ejército enemigo).

7 Entiéndase que tanto me amenaza la muerte, que cada día me parece toda una vida, sin esperar otra.

8 *cano:* con el pelo y la barba blancos.

nace... alas: «Nace entre alas, ya que vuela tan rápidamente» (se entiende de manera genérica; por esto quedan tan pocos días, y cada uno se precia mucho, v. 7).

13 *argumento:* razonamiento; señal.

26b

[Conoce las fuerzas del Tiempo, y el ser ejecutivo cobrador de la Muerte]*

[versión revisada posteriormente por el poeta]

¡Cómo de entre mis manos te resbalas!
¡Oh cómo te deslizas, *Edad* mía!
¡Qué mudos pasos traes, oh Muerte fría,
Pues con callado pie todo lo igualas!

Feroz de tierra el débil muro escalas,   5
En quien lozana Juventud se fía;
Mas ya mi Corazón del postrer día
Atiende el vuelo, sin mirar las alas.

¡Oh *Condición mortal!* ¡Oh dura Suerte!
¡Que no puedo querer *vivir* mañana   10
Sin *la pensión de procurar* mi Muerte!

Cualquier instante de la Vida Humana
Es *nueva ejecución con* que me advierte
Cuán frágil es, cuán *mísera, cuán* vana.

---

* De El *Parnaso español*, pág. 78.

5 Tuteando a la Muerte, le dice el poeta; «Escalas, feroz, el débil muro de tierra» (el muro representa la vida del poeta).

6 «Mi lozana Juventud se fía en dicho muro.»

7 (Con *su Juventud* y su *Corazón*, se desdobla el poeta, fiándose pero desconfiando al mismo tiempo.)

8 *Atiende... sin mirar* (el Corazón atiende el vuelo del postrer día, porque sabe que volará, sin necesidad de ver las alas; la Juventud no «sabía»).

11 *pensión:* responsabilidad, cuidado o deber.

13 *ejecución:* en un sentido literal, 'reclamación, embargo y venta de bienes'.

Salmo 21

Las Aves que, rompiendo el seno a Eolo,
vuelan campos Diáfanos ligeras;
moradoras del Bosque, incultas fieras,
sujetó tu piedad al hombre sólo.

La Hermosa lumbre del lozano Apolo   5
y el grande cerco de las once esferas

A las presentes notas sigue una versión en prosa de este soneto.

1 *Eolo:* dios que guardaba presos los vientos en una vasta caverna
(el *seno* del verso de Quevedo), y los soltaba a petición de algún otro
dios, como, por ejemplo, Juno, provocando la tremenda tormenta
que hizo naufragar toda la flota de Eneas en la costa de Cartago
(Eneida, I, vv. 65-123). A tales fuerzas cósmicas compara Quevedo las
aves.

2 *campos Diáfanos:* campos claros, transparentes (metáfora para el aire).
ligeras (son las aves; pero entiéndase «ligeramente», construcción frecuente en el Siglo de Oro).

3 «Las incultas fieras, moradoras o habitantes del bosque» *(moradoras*
no puede calificar a las aves, ya que el poeta acaba de colocarlas en el
cielo, no en el bosque; se ve que aquí empieza cierta trayectoria progresiva de la visión del poeta).4 «Tu piedad sujetó únicamente al hombre las
aves y las fieras.» (Aquí también se implica la soledad del hombre, concepto que se desarrolla más en los vv. 7-8 y 12-14.)

5 *lumbre:* significaba tanto la luz como el fuego. *Apolo:* dios del Sol.
(Se ve que lo que pudo ser trayectoria progresiva, se ha cambiado en unos
saltos cósmicos.)

6 *las once esferas:* para los antiguos, el universo se componía de diez
esferas concéntricas que giraban alrededor de la Tierra, la cual entra en la
cuenta de Quevedo. En orden ascendente eran; la Tierra (fija), la Luna
(en su órbita, como los otros planetas), Mercurio, Venus, el Sol, Marte,
Júpiter, Saturno, las estrellas fijas, el *primum mobile* (lo habitaban las
Órdenes angélicas), y por fin la esfera empírea, residencia de Dios.

le sujetaste, haciendo en mil maneras
círculo firme en contrapuesto Polo.

Los elementos que dejaste asidos *(size)*
con un brazo de Paz y otro de guerra,   10
la negra habitación del hondo abismo,

todo lo sujetaste a sus sentidos;
sujetaste al hombre Tú en la tierra,
y huye de sujetarse él a sí mismo.

7-8 *haciendo... Polo:* precisa el poeta no sólo la centricidad de la Tierra, sino de manera análoga, también la soledad egocéntrica del hombre. Y de lo que eran para los astrónomos órbitas elípticas en movimiento continuo, hizo Dios, al sujetar todo al hombre, *círculo firme.*

9-10 *Los elementos... asidos.., de Paz y... de guerra:* fue el filósofo griego Empédocles *(c.* 450 a.C.), quien primero propuso la teoría de que toda la materia física se compone de uno o más de cuatro elementos: la Tierra, el aire, el fuego y el agua. También propuso que éstos se relacionaban entre sí (o sea, estaban *asidos,* como dice Quevedo), por dos fuerzas, como son el amor, que unía los parecidos, y la contienda, que unía los dispares (para Quevedo, la *paz* y la *guerra).*

13 «Al hombre, tú le sujetaste en la tierra».

VERSIÓN EN PROSA

Cuarteto primero: Tu piedad sujetó las aves únicamente al hombre, y éstas, escapando de la caverna de Eolo, dios de los vientos, vuelan ligeras por campos celestiales; y sujetó también las fieras incultas que habitan el bosque.

Cuarteto segundo: Al hombre le sujetaste la hermosa luz y el fuego del lozano Apolo, dios del Sol, y también el gran cerco de las once esferas en su movimiento continuo y variable; o sea, todo el universo, haciendo de él un círculo firme alrededor de la Tierra, comprendida ésta entre dos polos contrapuestos, y habitada por el hombre.

Tercetos primero y segundo: Sujetaste además los elementos de la materia física, que habías creado relacionados entre sí por la fuerza de la atracción y por la de la repulsión, y también la negra habitación del hondo abismo: todo lo sujetaste a los sentidos del hombre. Sujetaste Tú al hombre en la tierra; pero el hombre huye de sujetarse él así mismo.

130

En un sentido cósmico y metafísico, son casi ilimitadas las posibilidades interpretativas que ofrece este poema, que abarca los problemas de la identidad del hombre, su voluntad, su soledad y su destino (v. 14), y sus relaciones con el universo, con los elementos de la materia física, y con Dios. Como punto de partida para la imagen importante de *sujetar* todo al hombre, recuerda Quevedo las palabras de Dios en el libro del Génesis (1, 26-28): «Hagamos el hombre a imagen nuestra, según nuestra semejanza, y dominen en los peces del mar, en las aves del cielo, en los ganados y en todas las alimañas, y en toda sierpe que serpea sobre la tierra... [Y dijo Dios a los hombres:] Sed fecundos y multiplicaos, y llenad la tierra y sometedla; dominad en los peces del mar, en las aves del cielo y en todo animal que serpea sobre la tierra».

Otras imágenes del cosmos se encuentran en los poemas 59, 73 y 76.

28a

Salmo 22

[versión del «Heráclito» de 1613]

God

Pues le quieres hacer el monumento
en mis entrañas a tu cuerpo amado,
limpia, suma limpieza, de pecado,
por tu gloria y mi bien, el aposento.

Si no, retratarás tu nacimiento,   5
pues entrando en mi pecho disfrazado,
te verán en Pesebre acompañado
de brutos Apetitos que en mí siento.

Hoy te entierras en mí con propia mano,
que soy sepulcro, aunque a tu ser estrecho,   10
indigno de tu cuerpo soberano.

---

1 *monumento:* tumba, sepulcro (habla el poeta del acto de comulgar, mediante la metáfora de enterrar la hostia en las entrañas del hombre).

3-4 «Por tu gloria y mi bien, limpia de pecado el aposento, perfecta limpieza, como tuya» (ahora la metáfora es del hogar o vivienda).

5 Metáfora para imitarás, repetirás.

6 *disfrazado:* entiéndase, Cristo, disfrazado de hostia. *= host / transubstantiation*

7-8 *en pesebre... apetitos:* cuando nació Jesús en Belén, y le colocaron en un pesebre, estaba transformado en hombre, y lo acompañaban ciertos brutos animales que ocupaban el establo. Pero disfrazado de hostia, se coloca en las entrañas del hombre, donde se verá *acompañado de brutos apetitos.*

9 *con propia mano:* repite el poeta el tema del acto voluntario de Cristo, y de las consecuencias que trae a colación (*Pues le quieres..., limpia; Si no, retrataras..., pues... te verán*).

10 Léase «aunque soy estrecho para ti, para tu ser»; y también, «aunque a tu ser abrazo».

Tierra te cubre en mí, de tierra hecho;
la conciencia me presta su gusano;
mármol para cubrirte dé mi pecho.

12 *de tierra hecho* (la imagen del hombre como hecho de tierra se remonta a la literatura antigua de Grecia y al Antiguo Testamento).

13 La imagen de la *conciencia,* como *gusano* que en el interior del
hombre le roía, era frecuente en los escritos religiosos de la segunda mitad del siglo XVI español.

14 *mármol:* el poema se cierra con una imagen visual y táctil de lo más
bello de un sepulcro, que es el mármol, y un recuerdo fuertemente coherente del verso inicial, y de la imagen principal del poema (la del entierro).

28b

[Reconocimiento propio
y ruego piadoso antes de Comulgar]*

[versión revisada posteriormente por el poeta]

Pues *hoy pretendo ser tu* monumento,
porque me resucites del pecado,
habítame de gracia, renovado
el hombre antiguo en ciego perdimiento.

Si no, retratarás tu nacimiento   5
en la nieve de un ánimo obstinado
y en corazón pesebre, acompañado
de brutos apetitos que en mí siento.

Hoy te entierras en mí, *siervo villano,*
sepulcro *a tanto huésped vil y* estrecho,   10
indigno de tu Cuerpo soberano.

Tierra te cubre en mí, de tierra hecho;
la conciencia *me sirve de* gusano;
mármol para cubrirte *da* mi pecho.

---

* De *Las tres musas últimas castellanas*, pág. 231.

3 *de gracia:* en un sentido literal, gratuitamente, sin premio ni interés. Pero las palabras que siguen nos recuerdan el matiz de la gracia de Dios que, según la doctrina católica, entra en el hombre que comulga, «renovándole».

4 *en ciego perdimiento:* se refiere al «hombre de antes».

6 *o nieve:* metáfora para el frío.

9 *villano:* como adjetivo, significaba descortés, grosero y ruin (comp. vil, en el verso que sigue).

10 *a tanto huésped:* entiéndase a Jesucristo.

11 *Cuerpo:* el católico cree que la hostia que toma es el cuerpo de Cristo.

14 *da:* en *Las tres musas*, se lee *dan,* error de copia.

134

[Semana Santa, o Lamentaciones de don Francisco de Quevedo Villegas a la muerte de Nuestro Señor Jesucristo]*

[versión primitiva, anterior al «Heráclito» de 1613]

Si te alegra, Señor, el ruido ronco
de este recibimiento que miramos,
advierte que te dan todos los ramos,
por darte el Viernes más desnudo el tronco.

¿A dónde vas, Cordero, entre las fieras,   5
pues ya conoces su intención villana?

---

* De la edición de la *Obra poética* de Quevedo por J. M. Blecua, tomo 1, núm. 35, págs. 190-191, texto variante a pie de página.

1-3 *ruido ronco... recibimiento... ramos:* al entrar Jesús en Jerusalén montado en un pollino, el pueblo le aclamó como profeta, y tendió a su paso sus vestidos, y ramos de palma y de olivo, símbolos estos del triunfo (Mateo, 21, 8-9; Marcos, 11, 8-9; Juan, 12, 13); hoy se recuerda este episodio el Domingo de Ramos.

4 *por darte el Viernes:* alusión a los pocos días que pasaron entre la referida recepción clamorosa, y la pasión y la crucifixión el viernes siguiente.

5 *Cordero:* a Jesús le llamaba públicamente san Juan Bautista, «Cordero de Dios» (Juan, 1, 29 y 36), apodo que recuerda la Pascua instituida por Dios cuando pidió a Moisés como sacrificio un cordero por familia (Éxodo, 12, 1-6). En la última cena, Jesús se califica de *sacrificio* (Mateo, 26, 28; Marcos, 14, 24; Lucas, 22, 20). Posteriormente, san Pablo llama a Cristo «nuestra Pascua» (1 Corintios, 5, 7).

6 *ya conoces su intención:* el mismo Jesús anunció varias veces su pasión (Mateo, 12, 40 y 17, 21-22; Marcos, 9, 29-30), y también justamente antes de entrar en Jerusalén (Mateo, 20, 17-19 y 26, 1-2; Marcos, 10, 32-34; Lucas, 18, 31-33).

Todos, enfermos, te dirán «¡Hosanna!»
Y no quieren sanar, sino que mueras.

Hoy te reciben con los ramos bellos
(aplauso sospechoso, si se advierte),   10
pero otra noche, para darte muerte,
te irán con armas a buscar en ellos.

Y porque la malicia más se arguya
de nación a su propio rey tirana,
hoy te ofrecen las capas, y mañana   15
suertes verás echar sobre la tuya.

---

7 *«¡Hosanna!»:* exclamación hebrea que significaba antiguamente «¡Sálvanos!», y que citan los evangelistas como la palabra que gritó el pueblo a Jesús el día de la entrada de éste en Jerusalén (Mateo, 21, 9; Marcos, 11, 10; Juan, 12, 13).

8 *no quieren sanar* (se refiere el poeta a la significación de la palabra «Hosanna»).

9-12 *sospechoso:* se refiere a los ramos de palma y de olivo (vv. 3 y 9; véase la nota a los vv. 1-3) y al hecho de que la recepción jubilosa tuvo lugar cerca del monte de los Olivos (Mateo, 21, 1; Marcos, 11, 1; Lucas, 19, 29). Con astucia, «advierte» Quevedo que la gente fue a «buscar» y prender a Cristo entre los «ramos» de los árboles del jardín de Getsemaní, y también que éste está situado al pie del mismo monte de los Olivos (Mateo, 26, 30 y 36; Marcos, 14, 26 y 32).

12 *con armas:* los que prendieron a Cristo llevaban espadas y palos (Mateo, 26, 47; Marcos, 14, 43; Juan, 18, 3).

13 *se arguya:* se compruebe.

14 Se entiende que «los judíos tiranizaban a Cristo, su propio rey» (como tal se burlaron de él durante su pasión: Mateo, 27, 11; Marcos, 15, 2; Lucas, 23, 3).

15 *capas:* alusión a los vestidos que el pueblo echaba al camino junto con los ramos, al pasar Cristo.

16 Después de crucificar a Cristo, los soldados romanos echaron suertes sobre su túnica (Mateo, 27, 35; Marcos, 15, 24; Lucas, 23, 24; Juan, 19, 24). Se equivoca Quevedo al identificar a los que echaron las suertes, pero no en el delito fundamental que la tradición católica intenta atribuir a los judíos.

136

Si vas en tus discípulos fiado,
como de tu inocencia defendido,
del postrero de todos vas vendido,
y del primero, cerca de negado.   20

Mal en los huertos tu piedad pagamos:
tu paz con las olivas se atropella,
pues son tu muerte, y fue la causa de ella
la primer fruta y los primeros ramos.

---

19 Al consignar los nombres de los apóstoles, los evangelistas nombran a
Judas como el último (Mateo, 10, 4; Marcos, 3, 19; Lucas, 6, 16) y agre-
gan la nota de que éste le traicionó (la venta la relatan Mateo, 26, 15;
Marcos, 14, 11, y Lucas, 22, 5).

20 El primero de los apóstoles fue Pedro, tanto en las enumeraciones
de los evangelistas (véase la nota anterior), como en la elección de Cristo:
«Tú eres Pedro [*Petrus*], y sobre esta piedra [*petram*] edificaré mi Iglesia»
(Mateo, 17, 18). La negación de Cristo por Pedro la relatan Mateo, 26,
69-75; Marcos, 14, 66-72; Lucas, 22, 54-62, y Juan, 18, 25-27.

24 Se alude al jardín del Edén y a la manzana que comieron Adán
y Eva.

29b

Salmo 23

[versión del «Heráclito» de 1613, revisada ya por el poeta]

¿Alégrate, Señor, el Ruido ronco
de este Recibimiento que miramos?
Pues mira que hoy, mi Dios, te dan los Ramos
por darte el Viernes más desnudo el tronco.

Hoy te reciben con los Ramos bellos;   5
aplauso sospechoso, si se advierte,
pues de aquí a poco, para darte muerte,
te irán con armas a buscar entre ellos.

Y porque la malicia más se arguya
de nación a su Propio Rey tirana,   10
hoy te ofrecen *sus* capas, y mañana
suertes verás echar sobre la tuya.

Salmo 26

Después de tantos ratos mal gastados,
tantas oscuras noches mal dormidas;
después de tantas quejas repetidas,
tantos suspiros tristes derramados;

Después de tantos gustos mal logrados   5
y tantas Justas penas merecidas;
después de tantas lágrimas perdidas
y tantos pasos sin concierto dados,

Sólo se queda entre las manos mías
de un engaño tan vil conocimiento,   10
acompañado de esperanzas frías.

Y Vengo a conocer que en el contento
del mundo, compra el Alma en tales días,
con gran trabajo, su arrepentimiento.

---

5 *mal logrados:* en consonancia con los versos anteriores, entiéndase, mal conseguidos, mal habidos.

8 *sin concierto:* sin orden.

10 Léase, tan vil conocimiento de un engaño o mentira.

11 *frías:* frustradas (por la decepción del engaño).

12-14 «Y vengo a conocer que el contento del mundo (descrito en los vv. 1-8) permite al alma comprar su arrepentimiento con gran trabajo» (Quevedo expresa la misma idea en el poema 46, v. 12; compárese el título del poema 46).

El Parnaso español (1648)

Clío: Musa I

*Canta poesías heroicas,
esto es, elogios y memorias
de príncipes y varones ilustres*

EL

PARNASSO ESPAÑOL,

MONTE EN DOS CUMBRES DIVIDIDO,

CON LAS

NUEVE MUSAS CASTELLANAS,

Donde se contienen

POESIAS

DE DON FRANCISCO DE QUEVEDO VILLEGAS,
CABALLERO DE LA ORDEN DE SANTIAGO,
I SEÑOR DE LA VILLA DE LA TORRE DE IVAN ABAD:

Que con Adorno, i Censura, ilustradas, i corregidas,
salen ahora de la Libreria de

DON IOSEPH ANTONIO GONZALEZ DE SALAS,
CABALLERO DE LA ORDEN DE CALATRABA,
I SEÑOR DE LA ANTIGUA CASA DE LOS GONZALEZ
DE VADIELLA.

EN MADRID,
Lo imprimio En su Officina del Libro Abierto
DIEGO DIAZ DE LA CARRERA,
Año M DC XL VIII.
A costa de Pedro Coello, Mercader de Libros.

Portada de la primera edición de la poesía de Quevedo, editada
por Josef Antonio González de Salas.

[A Roma sepultada en su Ruinas]

Buscas en Roma a Roma, ¡oh peregrino!,
Y en Roma misma a Roma no la hallas:
Cadáver son las que ostentó murallas,
Y Tumba de sí propio el Aventino.

Yace donde Reinaba el Palatino,   5
Y limadas del tiempo las medallas,
Más se muestran destrozo a las batallas
De las edades que Blasón Latino.

Sólo el Tibre quedó, cuya corriente,
Si Ciudad la regó, ya sepultura   10
La llora con funesto son doliente.

¡Oh Roma, en tu grandeza, en tu hermosura
Huyó lo que era firme, y solamente
Lo fugitivo permanece y dura!

---

3 «Las murallas que ostentó Roma son ya cadáver».

4 *Aventino:* una de las siete colinas en las que fue edificada Roma.

5 *Palatino:* la primera entre las siete colinas, ya que aquí, según la tradición, fundó Rómulo la ciudad.

6 *medallas:* bajorrelieves en mármol, metal o madera, comúnmente redondos, en los que se veía la imagen de alguna persona ilustre; generalmente se colocaban en las paredes de los edificios.

7-8 «Más que blasón u honor latino, las medallas muestran ruinas o estragos del deterioro del tiempo.»

9 *Tibre:* Tíber, el río principal de Roma.

Entre diversas expresiones de este tema, la más cercana al soneto de Quevedo es otro del poeta francés Joachim du Bellay, publicado en su colección titulada *Les antiquités de Rome* (1558, incluido hoy en las *Poésies* de Du Bellay, ed. S. de Sacy, París, Gallimard, 1967), soneto núm. 3:

> Nouveau venu, qui cherches Rome en Rome
> Et rien de Rome en Rome n'aperçois,
> Ces vieux palais, ces vieux arcs que tu vois,
> Et ces vieux murs, c'est ce que Rome on nomme.
>
> Vois quel orgueil, quelle ruine: et comme
> Celle qui mit le monde sous ses lois,
> Pour dompter tout, se dompta quelquefois,
> Et devint proie au temps, que tout consomme.
>
> Rome de Rome est le seul monument,
> Et Rome Rome a vaincu seulement.
> Le Tibre seul, qui vers la mer s'enfuit,
>
> Reste de Rome. O mondaine inconstance!
> Ce qui est ferme, est par le temps détruit,
> Et ce qui fuit, au temps fait résistance.

Repetidamente expresó Quevedo el tema de lo deshabitado, sea en forma de una ciudad, de un edificio (poemas 33 y 132), o de una persona (poemas 41, 42, y 59, vv. 13-14); tres siglos más tarde, dicho tema volvería a ser objeto de diversos poemas de Rafael Alberti.

[Memoria inmortal
de don Pedro Girón, Duque de Osuna,
muerto en la prisión]*

Faltar pudo su Patria al grande Osuna,
Pero no a su defensa sus hazañas;
Diéronle Muerte y Cárcel las Españas,
De quien él hizo esclava la Fortuna.

Lloraron sus envidias una a una   5
Con las propias Naciones las Extrañas;
Su Tumba son de Flandes las Campañas,
Y su Epitafio la sangrienta Luna.

En sus exequias encendió al Vesubio
Parténope, y Trinacria al Mongibelo;   10
el llanto militar creció en diluvio.

---

* *Pedro Girón:* Pedro Téllez Girón, III duque de Osuna y V conde de
Ureña, virrey de Sicilia y luego de Nápoles. Perdió el favor real en 1620,
y murió en la cárcel en 1624. Fue persona arrojada, valiente y enérgica, y
mereció la amistad y honda admiración de Quevedo, quien le sirvió de
confidente en los asuntos políticos.

4 Se refiere Quevedo a las hazañas de Osuna en la guerra de Flandes,
y de sus navíos contra el Turco en el Mediterráneo.

8 *Luna:* emblema del Imperio turco, cuyas flotas derrotó Osuna más
de una vez.

9 *exequias:* honras funerales.

10 *Parténope:* nombre antiguo de Nápoles.

Trinacria: Sicilia.

Mongibelo: nombre antiguo siciliano del volcán Etna.

Dióle el mejor lugar Marte en su Cielo;
La Mosa, el Rhin, el Tajo y el Danubio
Murmuran con dolor su desconsuelo.

COMENTARIO

Quevedo admiraba mucho a ciertos generales y almirantes por
su valor personal, su energía, su brío y su patriotismo, teniéndoles
por punto menos que héroes (comp. los poemas 33, 34 y 54a-56).
Este sentimiento abarcaba no sólo a los contemporáneos con
quienes el poeta tenía amistad, sino también a los de la Antigüedad, como se ve en los poemas 34 y 54a. Por otra parte, Quevedo
no vacilaba en aplicar las mismas imágenes y los mismos poemas
a más de un héroe, en sucesivas versiones (compárese el v. 1 de los
poemas 32 y 34, y las dos versiones del 54; caso parecido es el
del 52, pero el sujeto no fue militar).

---

12 *Marte:* dios romano de la guerra.
13 Nombra el poeta los ríos principales de Francia, Alemania, España
y Hungría, respectivamente.

33

[A la Huerta del Duque de Lerma, favorecida y ocupada muchas veces del Señor Rey don Felipe III, y olvidada hoy de igual concurso]*

Yo vi la grande y alta jerarquía
Del Magno, invicto y santo Rey Tercero
En esta casa, y conocí Lucero
Al que en sagradas Púrpuras ardía.

Hoy, desierta de tanta Monarquía   5
Y del Nieto, magnánimo heredero,
Yace; pero arde en glorias de su acero,
Como en la pompa que ostentar solía.

---

* *Duque de Lerma:* Francisco Gómez de Sandoval y Rojas, el primer duque de Lerma, había sido desde 1598 a 1618 el privado del rey Felipe III, quien le concedió sumo poder y autoridad.

2 *invicto:* siempre victorioso.

3 *Lucero:* astro brillante.

4 *sagradas Púrpuras:* alusión al color de los vestidos de los cardenales de la Iglesia católica, y muy particularmente al duque de Lerma, quien para asegurar su persona contra la posible caída del favor del rey, y también para enriquecerse con los emolumentos correspondientes, ambicionaba ser nombrado cardenal, dignidad que por fin le concedió el Papa en marzo de 1618. El 4 de octubre le despidió el Rey.

5-6 *desierta:* lo era la Huerta porque ya habían muerto el Rey y su privado *(tanta monarquía),* y el *Nieto* estaba ausente en Flandes.

6 *Nieto:* Francisco Gómez de Sandoval, II duque de Lerma, maestre de campo en la guerra de Flandes, cuyo heroísmo celebró Quevedo en una breve biografía.

7-8 (El contraste entre la vida palaciega del antiguo privado y la heroica carrera militar del nieto se apoya en los tiempos de los verbos: pasados para el ministro [ya difunto en 1625] y presentes para el nieto, que no murió sino en 1635.)

Menos envidia teme aventurado
Que venturoso: el Mérito procura,   10
Los Premios aborrece escarmentado.

¡Oh amable, si desierta Arquitectura,
Más hoy, al que te ve desengañado,
Que cuando frecuentada en tu ventura!

COMENTARIO

En el primer terceto, es evidente la alabanza del joven héroe, y
el menosprecio del ministro, que logra expresar Quevedo de manera indirecta. En los vv. 7-8, el Huerto refleja activamente el
carácter de cada dueño *(arde en glorias* como *solía* arder cuando
ostentaba la pompa), y en los vv. 9-11, la personificación del Huerto
permite atribuirle la voluntad de cada uno, y también un juicio
moral (como el nieto, *procura el mérito,* y a diferencia del abuelo, *aborrece,* desengañado, los premios que codiciaba éste). Quevedo había satirizado la codicia del abuelo en un romance que le
dirigió en 1617, en una correspondencia en verso (imprimimos
en cursiva los chistes): «Mandan las leyes de Apolo / que en el
Parnaso se cante; / quieren lira y no *ten*aza / que se toque y no
se arañe. / Vos os preciáis de Petr*arca,* / para quien os quiere
*Dan*te; / ... No tiene mejor *tom*ista / la orden de los Guzmanes,
/ y para *Tomás,* señor, / no son malas vuestras partes. / De nues-

---

9-11 «El Huerto teme menos envidia hoy, siendo aventurado como su
dueño actual, el nieto, que la que temía antes, cuando era venturoso bajo
el abuelo y privado del rey; hoy, como el nieto, procura el mérito, y
escarmentado y desengañado, aborrece los premios que ganaba el
abuelo» (véase a continuación nuestro comentario). Se nota que el género femenino de «la Huerta» y «la casa» se ha trocado en masculino,
por lo cual se entiende «el Huerto», cuyo sentido es casi lo mismo; por
otra parte, no podemos suponer que el suejeto de «teme» es el nieto,
pues no había sufrido él las mutaciones atribuidas a la casa, de «venturoso» a «aventurado», y de los «Premios» al «Mérito» (compruébese el
v. 14, «tu ventura»).
13 «Aún más amable hoy, para el poeta que te mira desengañado».

tras insignes *onras*, / ... siendo pequeño el *volumen,* / los *tomos* han sido grandes».

Después de escribir este soneto, lo comentó Quevedo en carta a su amigo el duque de Medinaceli, lamentando la muerte del II duque de Lerma: «Yo, que le amaba, hoy le reverencio. Viendo tan sola su huerta del concurso de las personas reales, que poco ha tanto la frecuentaron, y desierta del mismo Duque por haberse ido a servir a la guerra, ha días que hice este soneto. Escribíle con más celo que ingenio, como quien le amaba y temía» (4 de marzo, 1636). Sobre la admiración de Quevedo por los héroes militares, véase nuestro comentario al poema 32, y sobre su preocupación por el tema de lo deshabitado, el del 31.

34

[Desterrado Scipión a una rústica casería suya, recuerda consigo la gloria de sus Hechos y de su Posteridad]*

Faltar pudo a Scipión Roma opulenta,
Mas a Roma Scipión faltar no pudo;
Sea Blasón de su envidia que mi escudo,
Que del Mundo triunfó, cede a su afrenta.

Si el mérito Africano la amedrenta,   5
De hazañas y laureles me desnudo;
Muera en destierro en este baño rudo,
Y Roma de mi ultraje esté contenta.

---

* *Scipión:* Publio Cornelio Escipión, general romano, llamado Escipión el Africano por su derrota del ejército de Cartago y de Aníbal, el mayor rival de Roma (siglo III a.C.). Más tarde, se desterró de Roma por su propia voluntad, porque los ciudadanos le temían (véase la epístola de Séneca, citada a continuación).

casería: casa de campo (véase la referida epístola).

recuerda consigo (en este poema habla Escipión).

1 «Roma, enriquecida por las victorias de Escipión, pudo faltarle» (tratarle con ingratitud, o faltarle el respeto).

1-2 (Empleó Quevedo la misma antítesis en el poema 32, a la memoria de su amigo el duque de Osuna, también maltratado por su patria.)

4 *afrenta:* Roma afrentó a Escipión porque no pudo sufrir sin temor su presencia, que *la amedrenta* (v. 5), y le dejó entender que con su ausencia se aseguraría la tranquilidad y la libertad de la ciudad, como dice Séneca.

5 *la amedrenta:* véase la nota anterior.

7 *baño rudo:* referencia al baño pequeño de su rústica casa de campo (véase la epístola de Séneca).

Que no escarmiente alguno en mí quisiera,
Viendo la ofensa que me da por pago,   10
Porque no falte quien servirla quiera.

Nadie llore mi ruina ni mi estrago,
Pues será a mi Ceniza cuando muera,
Epitafio Aníbal, Urna Cartago.

COMENTARIO

En su Epístola 86 a Lucilio, dice Séneca: «Estoy descansando en la casa de campo que en otro tiempo perteneció a Escipión el Africano, y te escribo después de venerar su espíritu... Mostró él moderación y sentido del deber en sumo grado. Considero este rasgo suyo como aún más admirable después de retirarse él de su patria, que mientras la defendía; ya que había una alternativa: que Escipión permaneciera en Roma, o que Roma permaneciera libre. "Es mi deseo" —dijo—, "no violar en lo más mínimo nuestras leyes o nuestras costumbres; que todos los ciudadanos romanos tengan derechos iguales. ¡Oh mi país: saca el mejor partido del bien que yo he hecho, pero sin mí! Fui la cuasa de tu liberación, y también seré la prueba de ésta. Parto al exilio, si es cierto que haya yo crecido más allá de lo que te conviene". ¿Qué puedo hacer, sino admirar esta magnanimidad que lo llevó a retirarse al exilio voluntario, y a descargar al Estado de este peso?... He inspeccionado la casa; [...] el pequeño baño, enterrado en la oscuridad según el viejo estilo, ya que nuestros antepasados no creían que uno pudiera tomar un baño caliente excepto en la oscuridad [...] Considera: ¡en este pequeño retiro el "terror de Cartago", a quien Roma debiera dar gracias de no haber sido capturada más de una vez, se bañaba un cuerpo fatigado de trabajar en los campos! [...] Bajo este sucio techo se tuvo en pie; y este piso, mezquino como es, sostuvo su peso!» (Epístola 86 a Lucilio, párrafos 1-5).

_____

9 *escarmiente:* aprenda; se desengañe.
11 (Con magnanimidad, y no sin ironía, rechaza Escipión la idea de que otras personas escarmienten de su experiencia, porque de esta suerte quedaría Roma sin nadie que *quiera servirla.*)

El Parnaso español (1648)

Polimnia: Musa II

*Canta poesías morales,
esto es, que descubren y manifiestan
las pasiones y costumbres del hombre,
procurándolas enmendar*

35

[Enseña cómo no es rico el que tiene mucho caudal]

Quitar codicia, no añadir dinero,
Hace ricos los hombres, Casimiro:
Puedes arder en púrpura de Tiro,
Y no alcanzar descanso verdadero.

Señor te llamas; yo te considero   5
Cuando el hombre interior que vives miro,
Esclavo de las ansias y el suspiro,
Y de tus propias culpas prisionero.

Al asiento de l'alma suba el oro,
No al sepulcro del oro l'alma baje,   10
Ni le compita a Dios su precio el lodo.

Descifra las mentiras del tesoro,
Pues falta (y es del Cielo este lenguaje)
Al pobre mucho, y al avaro todo.

---

3 Entiéndase «Puedes ser riquísimo». (La *púrpura* era el preciado tinte que sacaban los antiguos de cierto molusco; la de Tiro, ciudad muy rica de la costa de Fenicia, daba un tinte de un rojo muy puro, que era el más estimado.)

9-10 Según san Lucas, dijo Cristo, «Donde está tu tesoro, allí está tu corazón» (12, 34), palabras que citó san Pedro Crisólogo, autor patrístico, en su Sermón XXII, con el comentario que sigue: «¡Oh hombre! Remite tu tesoro al cielo; no bajes tu alma celestial a la tierra» *(Aurei sermones,* Medina del Campo, 1601, ff. 29v-30r).

11 «Ni presuma el lodo competir con Dios por su valor» (el poeta da cima al pensamiento antecedente: *lodo* es metáfora por el *oro,* e indica el bajo valor de éste en comparación con el del alma; y *Dios* es metáfora por *el asiento de l'alma).*

13 *del Cielo:* entiéndase «digno del Cielo» y véase el comentario.

El primer verso de este soneto repite un dicho del filósofo griego Epicuro, citado por Séneca en su Epístola 21 a Lucilio: «Si quieres hacer rico a Pitocles, no sumes nada a su acopio de dinero, sino quita su codicia». Y el v. 14 repite una sentencia atribuida a Publilio Siro, y citada por Séneca en su Epístola 108 a Lucilio: «Los pobres carecen de mucho; el avariento, de todo» (por no provenir estas palabras de la Biblia ni de sus comentaristas, entendemos que en el v. 13 afirma Quevedo que son dignas de los textos sagrados). Quevedo satirizaba mucho a los avarientos, como indicamos en el comentario al poema 2.

[Advierte el llanto fingido
y el verdadero
con el afecto de la codicia]*

Lágrimas alquiladas del Contento
Lloran difunto al padre y al marido;
Y el perdido caudal ha merecido
Solamente verdad en el lamento.

Codicia, no razón ni entendimiento,   5
Gobierna los afectos del sentido;
Quien pierde hacienda dice que ha perdido,
No el que convierte en logro el monumento.

Los sacrosantos bultos adorados
Ven sus muslos raídos por el oro,   10
Sus barbas y cabellos arrancados.

---

* *afecto:* afección, en el sentido médico (enfermedad).

14 Entiéndase que la herencia presta o «alquila» tanto contento a los
herederos, que les hace posible llorar al difunto; sólo el caudal perdido
merece el lamento verdadero (Como decía el satírico romano Juvenal:
«El dinero perdido se llora con lágrimas verdaderas», Sátira XIII, v. 134.)

7 (Se repite el pensamiento de los vv. 3-4.)

8 Entiéndase, con ironía, que «No pierde el que convierte la muerte de
un pariente en logro, mediante la herencia de gran riqueza».

9 *bultos:* estatuas.

10 *por el oro:* «Por sacar el oro batido que cubre los bultos» (ya lo decía
Juvenal en la referida Sátira: «Hay profanador mezquino quien desuella
el dorado del muslo [de la estatua] de Hércules, o de la propia cara de
Neptuno, o quien quita de Castor el oro batido», vv. 150-152).

Y el ser los Dioses masa de tesoro,
Los tiene al fuego y cuño condenados,
Y al Tonante fundido en Cisne y Toro.

---

12 *ser... masa de tesoro* (se refiere a las estatuas).

13 *al fuego y cuño:* «A fundirse o convertirse en monedas» (el fuego es
el de la fragua, y el cuño el instrumento de metal que sella la moneda).

14 A Júpiter se le llamaba *el Tonante,* por los rayos que solía lanzar
contra sus enemigos. (Se entiende que los codiciosos funden la estatua el
mayor y más poderoso de los dioses, y lo reducen a un cisne o un toro.
Éstos, a su vez, son alusiones a los animales en los que se había convertido
Júpiter para intentar raptar a Leda y a Europa, respectivamente.)

[Moralidad útil contra los que hacen adorno
propio de la ajena desnudez]*

Desabrigan en altos Monumentos
Cenizas generosas, por crecerte;
Y altas ruinas, de que te haces fuerte,
Más te son amenaza que cimientos.

De venganzas del Tiempo, de escarmientos,   5
De olvidos y desprecios de la Muerte,
De túmulo funesto, osas hacerte
Árbitro de los Mares y los Vientos.

Recuerdos y no Alcázares fabricas;
Otro vendrá después que de sus torres   10
Alce en tus huesos fábricas más ricas.

De ajenas desnudeces te socorres,
Y procesos de mármol multiplicas;
Temo que con tu llanto el suyo borres.

---

* Explica González de Salas que en el poema «Estudia [Quevedo] esta
enseñanza [del título] en la fábrica del castillo de Cartagena, que para
edificarle, deshicieron [los españoles] unos sepulcros de romanos».
2 *por crecerte* (se dirige el poeta al castillo).
4 *cimientos:* la base de un edificio.
5 *escarmientos:* castigos.
7 *túmulo funesto:* tras ser venganza, castigo, olvido y desprecio de los sepulcros de los romanos, el castillo es también «tumba funesta», o sea, aciaga y
desastrosa, porque los ha destruido, pero no deja de ser su monumento.
8 *árbitro:* juez único.
14 (En los vv. 10-11, dijo el poeta al castillo que *Otro vendrá, después,*
que se vengará de él, por los actos citados en los vv. 1-8.)
12-13 «Cuando te socorres de ajenas desnudeces, multiplicas las futu-
ras causas criminales del mármol contra ti.»
14 «Temo que tu llanto será mayor que el del mármol».

38

[Enseña a morir antes, y que la mayor parte
de la muerte es la vida, y ésta no se siente;
y la menor, que es el último suspiro,
es la que da pena]*

Señor don Juan, pues con la fiebre apenas
Se calienta la sangre desmayada,
Y por la mucha edad desabrigada
Tiembla, no pulsa entre la arteria y venas;

Pues que de nieve están las cumbres llenas   5
La boca de los años saqueada,
La vista enferma en noche sepultada,
Y las potencias de ejercicio ajenas:

Salid a recibir la sepultura,
Acariciad la tumba y monumento,   10
Que morir vivo es última cordura.

La mayor parte de la Muerte, siento
Que se pasa en contentos y locura;
Y a la menor se guarda el sentimiento.

---

* *morir antes:* entiéndase «morir anticipadamente y con tranquilidad».
no se siente: no se lamenta.
1 (No sabemos precisamente a quién se dirigía Quevedo.)
5 *nieve:* canas; *cumbres:* la cabeza.
6 *de:* por.
8 «Y las potencias, ajenas (es decir, sin conocer, sin tener noticia, por impotentes) del ejercicio y esfuerzo».
12 *la Muerte:* metáfora por la vida (se explica en el título de González de Salas).

En los vv. 1-11, recuerda Quevedo las palabras de Séneca: «Vi a Aufidio Baso, hombre buenísimo, quebrantado de salud [...] En el cuerpo de un viejo, es posible reforzar y sostener su debilidad hasta cierto punto. Pero cuando cada articulación se suelta, y mientras una se salva, otra se deshace, entonces uno debe observar sus circunstancias con el objeto de salir [...] La mente de Baso es activa [...] Contempla su fin con valentía, cara a cara [...] Acción grande es, [...] cuando llegue aquella hora inevitable, irse con ánimo tranquilo [...] Me parece que nuestro amigo Baso se sigue a sí mismo en su propio entierro, y se aderaza para el mismo, y vive como si se hubiera sobrevivido a sí mismo, y sabiamente aguanta la pena de su muerte» *(Epístolas morales,* 30, párrafos 1-5). En la *Epístola* 102, repite Séneca la idea fundamental; «Despide con ánimo tranquilo los miembros inútiles, y deja ese cuerpo...» (párrafo 27).

En una carta a su amigo Manuel Serrano del Castillo, expresó Quevedo los mismos pensamientos de su soneto, repitiendo alguna imagen (16 de agosto, 1635; *Epistolario,* pág. 317). No sabemos la fecha del soneto. Para otros poemas sobre la muerte, véase el Índice.

39

[A un amigo que retirado de la Corte
pasó su edad]*

Dichoso tú, que alegre en tu cabaña,
Mozo y viejo espiraste la aura pura,
Y te sirven de cuna y sepultura,
De paja el techo, el suelo de espadaña.

En esa soledad, que libre baña   5
Callado Sol con lumbre más segura,
La vida al día más espacio dura,
Y la hora sin voz te desengaña.

No cuentas por los Cónsules los años;
Hacen tu calendario tus cosechas;   10
Pisas todo tu mundo sin engaños.

---

* *su edad: su* vida.

2 *espiraste:* respiraste; *aura:* viento suave.

3-4 Léase «El techo de paja y el suelo de espadaña te sirven de cuna y
sepultura». En otra ocasión aprovechó Quevedo la imagen de *La cuna
y la sepultura* para título de una obra suya en prosa.

 espadaña: planta cuyas hojas tienen casi la forma de una espada, y de
las cuales se tejían esteras.

6 *lumbre:* luz; leña u otra materia que se quema para calentarse.

6-7 *más segura..., más espacio* (se compara la vida del campo con la de
la corte).

7 *La vida al día.* «el día de la vida», o «al aire libre» (recurso retórico
que cambia la relación entre los dos elementos de una proposición, según
la interpretación de González de Salas).

8 *sin voz:* sin el vocerío de la corte, y sin las palabras desengañadoras y
amenanzantes de la misma.

9 *por los Cónsules:* metáfora para «gobernantes» (la República romana
se gobernaba por dos cónsules juntos, elegidos anualmente, y que prestaban al año sus nombres).

De todo lo que ignoras te aprovechas;
Ni anhelas premios ni padeces daños,
Y te dilatas cuanto más te estrechas.

COMENTARIO

En este poema expresa Quevedo el tema del llamado «menos-precio de la corte y alabanza de la aldea», celebrado por Horacio en la Sátira II, núm. 6 («Beatus ille...»), por Juvenal en su Sátira III, y por diversos autores del Renacimiento español, entre ellos, Fray Luis de León, Antonio de Guevara y el mismo Quevedo.

---

14 *te dilatas:* te ensanchas, te aumentas (en tu vida).

40

[Castiga a los glotones y bebedores, que con los desórdenes suyos aceleran la enfermedad y la vejez]

Que los años por ti vuelen tan leves,
Pides a Dios; que el rostro sus pisadas
No sienta, y que a las greñas bien peinadas
No pase corva la vejez sus nieves.

Esto le pides, y borracho bebes   5
Las vendimias en tazas coronadas;
Y para el vientre tuyo las manadas
Que Apulia pasta son bocados breves.

A Dios le pides lo que tú te quitas;
La Enfermedad y la Vejez te tragas,   10
Y estar de ellas exento solicitas.

---

2 *sus pisadas* (las de los años).

3-4 *que a... nieves:* «que la vejez encorvada no pase sus nieves [canas] a las greñas bien peinadas» (*greñas:* pelo en desorden).

6 *vendimias:* recolección de la uva.

coronadas (a Baco, dios de la fertilidad y del vino, lo solían representar los antiguos con una corona de hiedra, como más tarde lo hiciera Velázquez en su famoso cuadro de *Los borrachos).*

8 *Apulia:* región del sureste de Italia, correspondiente al talón de la «bota», famosa en la Antigüedad por la fertilidad de su pasto.

11 *exento:* libre.

12 *rugosa:* arrugada.

13 *vomitas* (para facilitar la glotonería continua en un banquete los romanos solían recurrir al vómito).

Pero en rugosa piel la deuda pagas
De las embriagueces que vomitas,
Y en la salud, que comilón estragas.

COMENTARIO

En este poema recuerda Quevedo la Sátira II del poeta romano Persio: «Pides [a Júpiter] la fuerza en tus tendones, y un cuerpo firme contra la vejez. Pues bien; pero tus grandes platos y ricos guisados prohíben que los dioses te favorezcan, y detienen a Júpiter» (vv. 41-43).

41

[Represéntase la brevedad de lo que se vive, y cuán nada parece lo que se vivió]*

«¡Ah de la vida!»... ¿Nadie me responde?
¡Aquí de los antaños que he vivido!
La Fortuna mis tiempos ha mordido;
Las Horas mi locura las esconde.

¡Que sin poder saber cómo ni adónde   5
La Salud y la Edad se hayan huido!
Falta la vida, asiste lo vivido,
Y no hay calamidad que no me ronde.

Ayer se fue; Mañana no ha llegado;
Hoy se está yendo sin parar un punto: 10
Soy un fue, y un será, y un es cansado.

---

* *cuán... vivió.* Entiéndase «cómo lo que se ha vivido, no parece ser nada».
1 *«¡Ah... vida!»:* personalización de llamadas tales como «¡Ah de la casa!» y «¡Ah de la nao!». Al mismo tiempo, es metáfora y caracterización de la vida.
2 *¡Aquí de los antaños!:* alteración de llamadas tales como «¡Aquí de los nuestros!» o «¡Aquí de la justicia!»; el poeta, por tanto, se incluye con los antaños.
antaños: modo adverbial que quiere decir «el año pasado» y, por extensión, «en tiempo antiguo»; aquí y en otros lugares, lo emplea Quevedo como sustantivo: los años pasados, las edades.
3 «El destino o la mala suerte ha asido y hecho presa de mis días (castigando así mis ambiciones).»
4 «Mis locuras han perdido y escondido mis días».
6 la *Edad:* los años de la vida.
10 *un punto:* un instante.
11-14 (Entre la disociación expresada en el v. 11 y la conjunción de los vv. 12 y 13 [*junto...*], no encuentra el poeta sino una solución que para él resulta ser igualmente conflictiva, v. 14.)

En el Hoy y Mañana y Ayer, junto
Pañales y mortaja, y he quedado
Presentes sucesiones de difunto.

COMENTARIO

Observa González de Salas que en este poema y en el anterior, el poeta se preocupa de la vejez y la enfermedad como «pen-
siones», o trabajos y cuidados, de la vida; en el anterior, achaca la
causa al comportamiento del individuo, y en éste, al «propio vivir». Por otra parte, Quevedo volvió a expresar en prosa la idea de
que la vida no es sino una sucesión de difuntos: «Hoy cuento yo
cincuenta y dos años, y en ellos cuento otros tantos entierros
míos. Mi infancia murió irrevocablemente; murió mi niñez, murió mi juventud, murió mi mocedad; ya también falleció mi edad
varonil. Pues ¿cómo llamo vida una vejez que es sepulcro, donde yo
propio soy entierro de cinco difuntos que he vivido?» (Carta a Manuel Serrano del Castillo, 16 de agosto, 1635, *Epistolario*, pág. 317).
Al comentar el poema 38, copiamos otras frases del mismo párrafo
de esta carta. Sobre el tema de lo deshabitado, véase nuestro comentario al poema 31, y sobre los de la muerte y la brevedad de
la vida, el Índice.

42

[Significase la propia brevedad de la Vida, sin pensar, y con padecer, salteada de la Muerte]*

Fue sueño Ayer, Mañana será tierra:
Poco antes nada, y poco después humo,
¡Y destino ambiciones!, ¡y presumo,
Apenas punto al cerco que me cierra!

Breve combate de importuna guerra,   5
En mi defensa soy peligro sumo:
Y mientras con mis armas me consumo,
Menos me hospeda el cuerpo, que me entierra.

Ya no es Ayer; Mañana no ha llegado;
Hoy pasa, y es, y fue, con movimiento   10
Que a la muerte me lleva despeñado.

Azadas son la hora y el momento,
Que a jornal de mi pena y mi cuidado,
Cavan en mi vivir mi monumento.

---

* *salteada de:* asaltada por; figuradamente, sorprendida por.

3 *destino ambiciones:* «me señalo como apto para ambiciones».

4 *Apenas punto:* puede entenderse en términos del espacio, o del transcurso del tiempo: «Siendo apenas señal mínima» o «instante», respectivamente (véanse las citas de Séneca, a continuación).

5 *importuna:* inoportuna.

5-6 *combate... defensa:* entiéndase que contra la muerte.

7 *mis armas:* mi esfuerzo vital.

11 *despeñado:* precipitado en la caída.

12 *azadas:* especie de pala afilada.

13 *a jornal de:* a salario cotidiano (a la imagen agricultora de las *azadas* se suma aquí el matiz de lo cotidiano, todo lo cual culmina en el último verso: *Cavan).*

En las *Epístolas morales* de Séneca se encuentra la idea expresada en los vv. 1, 2 y 9: «Yo mismo he experimentado la muerte [...] La muerte es el no existir, y ya sé lo que significa esto. Lo que después de mí pasará, pasó ya antes de mí [...] A nosotros se nos enciende y se nos extingue; en el tiempo intermedio sufrimos algo, pero a cada extremo hay en verdad una tranquilidad profunda [...] En realidad la muerte nos precedió, y nos seguirá. Lo que antes de nosotros fue, eso es la muerte» (Epístola 54, párrafos 4 y 5). En otra Epístola se halla la idea expresada en el verso 4: «No puede haber largo intervalo en eso que en su totalidad es breve. Lo que vivimos es un punto, y aún menos que un punto. Pero de este punto mínimo se ha burlado la naturaleza, como visión de espacio prolongado: de una porción ha hecho la infancia, de otra la niñez, de otra la juventud... ¡Cuántos pasos para tanta brevedad!» (Epístola 49, párrafo 3).

Los pensamientos de los vv. 1-4 los repite Quevedo en el poema 132, vv. 17-20 (sobre la brevedad de la vida) y vv. 49-52, 67-70 y el estribillo (sobre la presunción). Los que se expresan en los vv. 1-2 y 14, los repite en su tratado titulado *La cuna y la sepultura* (caps. i, pág. 29, y iii, 59-60); y el del v. 7 lo recuerda en una carta a Antonio de Mendoza, fechada en 1632 *(Epistolario,* pág. 253). Sobre otros aspectos de este poema, véase el comentario al anterior.

43

[Advertencia a España de que así como
se ha hecho señora de muchos, así será
de tantos enemigos envidiada y perseguida,
y necesita de continua prevención por esa causa]

Un Godo, que una cueva en la Montaña
Guardó, pudo cobrar las dos Castillas;
Del Betis y Genil las dos orillas,
Los Herederos de tan grande hazaña.

A Navarra te dio justicia y maña;   5
Y un casamiento, en Aragón, las Sillas
Con que a Sicilia y Nápoles humillas,
Y a quien Milán espléndida acompaña.

1-2 Cuando los árabes invadieron España y conquistaron el reino visi-
godo en el año 713, algunos nobles godos se refugiaron en la cordillera
Cantábrica de Asturias y eligieron rey a Pelayo; en 718 éste les quitó a los
árabes la ciudad de Covadonga, empezando así la reconquista de Castilla
la Vieja y Castilla la Nueva.

3-4 «Los herederos de tan grande hazaña pudieron recobrar las dos
orillas del Betis [el río Guadalquivir] y el Genil» (en las orillas del Guadalquivir están Córdoba y Sevilla, reconquistadas por el rey Fernando III
el Santo en el siglo XIII, y en las del Genil está Granada, que se rindió a
Fernando e Isabel en 1492).

5 Entiéndase que el poeta se dirige a España: «La justicia y la maña te
dieron a Navarra» (el verbo singular, *dio*, nos revela que para el poeta, el
sujeto compuesto representaba un solo concepto; véase Hayward Kenis-
ton, *The Syntax of Castilian Prose in the Sixteenth Century*, Chicago,
1937, párrafo 36.4). Aunque alaba Quevedo la incorporación de Navarra a
España en 1512 por el regente Fernando *(justicia)*, admite que no se logró
sin *maña* (referencia a las reclamaciones cuestionables de Fernando, y a la
invasión que era punto menos que usurpación, (véase J. H. Elliott, *Imperial
Spain*, 1469-1716, Nueva York, St. Martin's Press 1964, cap. IV, pág. 131).

6-8 (Cuando se casaron Fernando e Isabel, se incorporaron a España
los virreinatos de Sicilia y Nápoles, y la provincia de Milán, que habían
conquistado los aragoneses en el siglo XV.)

170

Muerte infeliz en Portugal arbola
Tus castillos; Colón pasó los Godos 10
Al ignorado cerco de esta Bola;

Y es más fácil, oh España, en muchos modos,
Que lo que a todos les quitaste sola,
Te puedan a ti sola quitar todos.

---

6 *Sillas:* tronos (reinaban juntos los dos Reyes Católicos: Fernando no fue nunca Rey de Castilla).

9 *Muerte infeliz:* en 1578 murió sin sucesión el rey Sebastián de Portugal, en la batalla desastrosa de Alcazarquivir, que dio fin a su invasión de África.

arbola: enarbolar (levantar en alto un estandarte o bandera). Cuando murió Sebastián, Felipe II intentó apoderarse del trono de Portugal, lo cual logró hacer en 1580 mediante una breve invasión. Por esto, una *Muerte infeliz* tuvo por resultado el *enarbolar en Portugal los castillos* o emblemas de España.

10-11 Recuerda el poeta que mediante los descubrimientos de Colón y la anexión del Imperio portugués, los españoles han cercado el planeta.

12-14 Bella reminiscencia de una sentencia de Séneca: «Lo que un pueblo arrebató a todos, con más facilidad pueden todos arrebatarle a uno» *(Epístolas morales,* 87, párrafo 41).

44

[Pinta el engaño de los Alquimistas]

¿Podrá el vidrio llorar partos de Oriente?
¿Cabrá su habilidad en los crisoles?
¿Será la Tierra adúltera a los Soles,
Por concebir de un horno siempre ardiente?

¿Destilarás en baños a Occidente?   5
¿Podrán lo mismo humos que arreboles?
¿Abreviarán por ti los Españoles
El precioso naufragio de su gente?

---

1 *partos de Oriente:* el oro (por el color del sol al amanecer). Entiéndase, «¿Podrá la materia artificial crear el oro natural?». (El objeto fundamental u «operación magna» de la alquimia era imitar en el laboratorio
el procedimiento de la naturaleza, y crear de la materia más vil, el oro.)

2 *habilidad* (dicho con suma ironía).

crisoles: las vasijas en las que fundían los alquimistas la materia más vil.

3 Se da por entendido que en un sentido figurado, los soles, por su
brillo y por su color amarillo, engendran el oro en la tierra. Si la tierra lo
concibe de un horno, será adulterio, y también artificial en el sentido
sexual, porque el ardor del horno no es eventual, como en los animales,
sino constante, por ser artificial. También se burla de la actividad incesante y obsesiva del alquimista.

5 *Destilarás:* de aquí en adelante, se dirige el poeta a un alquimista, en
el sentido genérico.

baños: crisoles (por otra parte, «baños» es palabra rica en matices me-
talúrgicos).

Occidente: las Indias, de donde sacaban los españoles el oro.

6 *humos:* metáfora para hornos y para presunciones.

arrebol: color rojo de las nubes al amanecer o a la puesta del sol (sigue
el contraste entre lo artificial y lo natural).

8 *precioso naufragio:* metáfora para el esfuerzo de los españoles, con
alusión a los naufragios desastrosos de las flotas, y al gran valor del tesoro
y de las personas que se perdían.

Osas contrahacer su ingenio al día;
Pretendes que le parle docta llama   10
Los secretos de Dios a tu osadía.

Doctrina ciega y ambiciosa fama:
El oro miente en la ceniza fría,
Y cuando le promete, le derrama.

COMENTARIO

Siguiendo una tradición larga y rica, Quevedo se burlaba mucho de los alquimistas, mayormente porque presumían de ser científicos, porque intentaban contrahacer la naturaleza, y porque exageraban el valor y la delicadeza de sus operaciones hasta ser ridículos (véase, por ejemplo, el «Sueño del infierno», *Sueños y discursos,* ed. Maldonado, págs. 130 y 145-147, y el poema núm. 109).

9 *contrahacer:* fabricar artificialmente.
día: metáfora para el sol, o para la naturaleza con alusión al brillo del día.
10 *parle:* hable con desembarazo.
13 *miente:* entiéndase, «se niega a sí mismo».
14 Entiéndase, «Y cuando la ceniza promete producir el oro, lo derrama» (alusión al momento decisivo y al acto final y más delicado del procedimiento, cuando el alquimista tenía que verter el líquido de un crisol en otro, y muchas veces lo derramaba, echando a perder toda la operación).

[Conveniencias de no usar de los Ojos, de los Oídos, y de la Lengua]

Oír, Ver y Callar, remedio fuera
En tiempo que la Vista y el Oído
Y la Lengua pudieran ser sentido,
Y no delito que ofender pudiera.

Hoy, sordos los remeros con la cera,   5
Golfo navegaré que (encanecido
De huesos, no de espumas) con bramido
Sepulta a quien oyó Voz lisonjera.

Sin ser oído y sin oír, ociosos
Ojos y orejas, viviré olvidado   10
Del ceño de los hombres poderosos.

Si es delito saber quién ha pecado,
Los vicios escudriñen los curiosos,
Y viva yo Ignorante, e Ignorado.

---

1 *remedio fuera:* «Pudieran remediar nuestros males».
3-4 *ser... delito:* «Ser percibido y notado, sin ser tenido por delito».
5-8 Hablando de la lisonja, dice el poeta que se tapará los sentidos, para poder pasar por un lugar *(Golfo)* que está blanquecido *(encanecido)* por los huesos de los que han oído la voz de la lisonja (cuenta Homero en la *Odisea* que en cierta isla vivían dos sirenas que atraían a los marineros con su canto dulcísimo, y que una vez desembarcados ellos, morían todos, y sus huesos blanquecinos rodeaban a las sirenas; cuando pasó por allí Ulises, tapó los oídos de su tripulación, o sea, sus remeros, con cera, y les mandó que le ataran al mástil, para que pudiera oír el canto sin peligro; libro XII, vv. 41-54 y 153-300).

COMENTARIO

Aquí, y en el poema 161, vv. 28-30, Quevedo condena la lisonja; en otros momentos, se veía obligado a participar en ella (véase el poema 14).

46

[Arrepentimiento y lágrimas debidas
al engaño de la Vida]

Huye sin percibirse lento el día,
Y la hora secreta y recatada
Con silencio se acerca, y despreciada,
Lleva tras sí la edad lozana mía.

La Vida nueva que en niñez ardía,   5
La juventud robusta y engañada,
En el postrer invierno sepultada
Yace entre negra sombra y nieve fría.

No sentí resbalar mudos los años;
Hoy los lloro pasados, y los veo   10
Riendo de mis lágrimas y daños.

---

1 *el día:* se presta a diversas interpretaciones metafóricas, entre las cuales se destacan «la juventud», o «los días de la juventud», que encajan con *la edad lozana* (v. 4).

3 *despreciada:* modifica *la edad* (v. 4; es *la hora* quien desprecia la juventud del poeta arrepentido; él *llora*, v. 10, y *espera el mal que pasa,* v. 14, pero no depecia *la hora).*

5-8 *Yace:* este verbo lleva sujeto compuesto («La Vida nueva» y «La juventud»), pero su número singular indica que, para el autor, las dos entidades formaban un solo concepto; en este caso, digamos, «la edad lozana» frente a *«el postrer invierno»* (comp. el poema 43, v. 5). No quiere decir esto que el poeta emplee como sinónimos la *niñez* y la *juventud,* ni que estén en aposición.

Mi penitencia deba a mi deseo,
Pues me deben la Vida mis engaños,
Y espero el mal que paso y no le creo.

COMENTARIO

La imagen del tiempo como «hora secreta y recatada», que «con silencio se acerca», y la idea de que «no sentí resbalar los años», las debía Quevedo a Séneca: «Ciertas horas se arrancan de nosotros, otras se nos sonsacan, y otras se nos deslizan... El tiempo sólo, ... posesión tan fugaz y efímera *(Epístolas morales,* 1, párrafos 1 y 3). También el v. 13 lo debía a la misma epístola: «La parte más grande de nuestra vida se nos desliza mientras hagamos mal» (párrafo 1).

---

13 «Mis engaños me han quitado la Vida, y por lo tanto, me la deben.»
14 *el mal:* se refiere a la pérdida de la *edad lozana,* la *juventud robusta* y los *años* (v. 9).
espero; creo: la relación entre los dos verbos es adversativa. Entiéndase «Aunque espero el mal que sufro, no puedo creerlo».

[Agradece, en Alegoría continuada, a sus trabajos su desengaño, y su escarmiento]

¡Qué bien me parecéis, jarcias y entenas,
Vistiendo de naufragios los Altares,
Que son peso glorioso a los pilares,
Que esperé ver tras mi destierro apenas!

Símbolo sois de ya rotas cadenas   5
Que impidieron mi vuelta en largos mares;
Mas bien podéis, santísimos Lugares,
Agradecer mis Votos en mis penas.

Para facilitar la lectura de este soneto, ofrezco al lector primero unas notas lexicales, y luego una versión íntegra en prosa (para otros poemas sobre el mar, véase el Índice).

1 *jarcias:* cordaje que forma el aparejo superior de un barco a vela.
entenas: antenas.

3 *pilares:* columnas que sostienen un templo, una iglesia o, a veces, un sepulcro.

7 *santísimos lugares:* se refiere a *los Altares* (v. 2).

8 *Votos:* ofrendas (en este caso son las jarcias y entenas que «visten» los altares). En nuestra versión damos por entendido que mi nave (v. 13) representa *mi vida,* que tiene como atributos *jarcias y entenas* (v. 1), y *remos* (v. 10; comp. los remeros del poema 45), y que ha sufrido unos desastres *(naufragios,* v. 2). Entendemos también que los *altares* (v. 2) representan la residencia y el premio que ofrece Dios a los que han vivido («navegado») bien, y que los pilares son los que sostienen el refugio o casa de los náufragos.

VERSIÓN EN PROSA

Cuarteto 1: Tras mi destierro, apenas esperé ver los pilares, a los que son peso glorioso los altares, los cuales he vestido de las jarcias y entenas

No tanto me alegrárades con hojas
En los robles antiguos, remos graves,   10
Como colgados en el Templo, y rotos.

Premiad con mi escarmiento mis congojas;
Usurpe al Mar mi nave muchas naves;
Débanme el desengaño los Pilotos.

---

de mi vida náufraga. Me parecen bien las jarcias y entenas, vistiendo así de desastres a los altares.

Cuarteto 2: Las jarcias y entenas son a su vez símbolo de las cadenas (contratiempos de la vida), que en largos mares (a lo largo de la vida) intentaron sin éxito impedir mi vuelta. Yo las rompí. ¡Oh santísimos lugares!, podéis agradecer a mis penas y trabajos, los votos que les he ofrecido.

Terceto 1: ¡Oh remos graves!, más me alegraríais rotos por las tormentas de la vida y colgados como ofrendas en los altares, que no en vuestra forma original de robles ancianos con hojas.

Terceto 2: ¡Oh remos graves y rotos!, premiad mis congojas y trabajos con mi escarmiento. Que mi nave usurpe al mar muchas otras naves, quitándoselas a él, para que no naufraguen como yo. Y que sus pilotos o guías me deban a mi el desengaño y la clarividencia.

48

[Conoce la diligencia con que se acerca la Muerte, y procura conocer también la conveniencia de su venida, y aprovecharse de ese conocimiento]

Ya formidable y espantoso suena
Dentro del corazón el postrer día;
Y la última hora, negra y fría,
Se acerca, de temor y sombras llena.

Si agradable descanso, paz serena,   5
La Muerte en traje de dolor envía,
Señas da su desdén de cortesía;
Más tiene de caricia que de pena.

¿Qué pretende el temor desacordado,
De la que a rescatar piadosa viene   10
Espíritu en miserias anudado?

Llegue rogada, pues mi bien previene;
Hálleme agradecido, no asustado;
Mi vida acabe y mi vivir ordene.

---

9 *desacordado:* destemplado; olvidadizo.

10 *la que:* se refiere a la Muerte.

10-11 Entiéndase «Contra la que, piadosa, viene a rescatar a un Espíritu anudado en miserias».

14 Entiéndase «Que acabe mi vida terrenal, y que mande y encamine mi vivir espiritual».

Comentario

La imagen del «postrer día, que suena dentro del corazón», la había expresado Petrarca en su soneto «Lasso, ben so che que doloroso prede», verso 6: «Ya el último día en el corazón me truena». Sobre la idea de rogar a la muerte que venga, y agradecerle su venida, véanse los poemas 23, 25 y 38, y sobre la de la muerte en general, el Índice.

49

[Náufraga Nave, que advierte y no da escarmiento]

Tirano de Adria el Euro, acompañada
De invierno y noche la rugosa frente,
Sañudo se arrojó y inobediente,
La cárcel rota y la prisión burlada.

Bien presumida y mal aconsejada,   5
Pomposa Nave sus enojos siente.
Gime el Mar ronco temerosamente,
Líquida muerte bebe gente osada,

Cuando en maligno escollo inadvertida,
De escarmientos la playa procelosa   10
Infamó, en mil naufragios dividida.

---

1 *Adria:* antigua ciudad situada en la región de Venecia. Pero no se refiere Quevedo a la ciudad, sino al mar Adriático, al cual dio aquélla el nombre.

Euro: nombre que dieron los antiguos al viento del sureste, o al del este.

1-2 *acompañada... frente:* léase: «La rugosa frente acompañada de invierno y noche».

2 *rugosa:* arrugada.

3 *sañudo:* furioso, violento. De hecho, los antiguos se refieren frecuentemente a las tormentas fuertes y repentinas del mar Adriático.

34 *inobediente... burlada:* Para los antiguos, los vientos estaban al mando de Eolo, dios de los mismos, quien los retenía, presos, en la isla que habitaba, y los soltaba de vez en cuando, a petición de otro dios, o caprichosamente (refiere Virgilio que «en su vasta caverna, Eolo refrena con cadenas y cárceles los vientos y tempestades, que luchan por liberarse», *Eneida,* I, vv. 52-54). Por lo tanto, en el soneto de Quevedo el Euro logró escapar, *inobediente* al dios, *rompiendo* la cárcel y *burlando* la prisión.

6 *sus enojos:* se refiere a los del Euro.

7 *temerosamente:* espantosamente; infundiendo temor.

9-11 «Cuando, sin advertir un escollo maligno, infamó o afrentó la playa, procelosa de escarmientos» (se personifica el escollo, que tiene

Y nunca faltará Vela animosa,
—¡Tal es la presunción de nuestra vida!—
Que repita su ruina lastimosa.

COMENTARIO

Sobre el tema de la presunción y osadía de los que navegan en alta mar, véanse los poemas 3 y 13; sobre el naufragio como escarmiento, el 47; y sobre el mar en general, el Índice.

mala voluntad, y también se personifica la playa, cuya integridad y pureza las manchó y trastornó la nave con sus restos).

12 *Vela:* metáfora para «nave».

50

[Descuido del divertido vivir, a quien la Muerte llega impensada]

Vivir es caminar breve jornada,
Y muerte viva es, Lico, nuestra vida,
Ayer al frágil cuerpo amanecida,
Cada instante en el cuerpo sepultada:

Nada, que siendo, es poco, y será nada   5
En poco tiempo, que ambiciosa olvida,
Pues de la vanidad mal persuadida
Anhela duración, Tierra animada.

Llevada de engañoso pensamiento,
Y de esperanza burladora y ciega,   10
Tropezará en el mismo monumento,

Como el que divertido el Mar navega,
Y sin moverse vuela con el viento,
Y antes que piense en acercarse, llega.

---

2 *Lico:* nombre poético, vocativo (responde a una costumbre clásica).

5-6 *Nada... tiempo:* afirma Quevedo que antes de nacer, no somos *Nada;* que la existencia *es poco,* y breve *(poco tiempo);* y que al morir, no seremos nada. Comp. el poema 42, y los pasajes de Séneca citados en el comentario a este poema.

7-8 Refiriéndose a la *muerte viva* que es nuestra vida (v. 2), dice ahora el poeta: «Pues persuadida engañosamente por la vanidad, nuestra vida anhela duración, no siendo sino Tierra animada» (la idea del cuerpo humano como tierra, y nada más, se remonta a la literatura griega y al Antiguo Testamento).

11 *monumento:* tumba.

12 *divertido:* distraído.

Aquí se preocupa Quevedo por la conciencia (conocimiento, discernimiento apercibido), de que la vida es breve, tal y como se había preocupado Séneca en su ensayo «De la brevedad de la vida». Quevedo ilustra el tema con el ejemplo del individuo engañado por la ambición y la vanidad, y llevado por la esperanza *burladora y ciega.* Séneca había expresado lo mismo mediante el contraste entre el filósofo consciente que medita sobre la vida, y el hombre cuya ocupación constante y obsesiva lo priva de la conciencia y del conocimiento. En los vv. 11 y 14 del soneto, se ve claramente la deuda contraída con Séneca, que dijo: «Los atareados [...] llegan a la vejez sin previsión; [...] De repente e impensadamente, tropiezan con ella [...] Tal y como el viajero se distrae con la conversación, [...] y antes de creer acercarse, se da cuenta que ha llegado, pues en la misma manera, en este viaje brevísimo e incesante de la vida, [...] a los que están atareados con sus quehaceres, no se les aparece sino cuando termina» *(De brevitate vitae,* cap. ix, párrafos 4 y 5).

51

[Desengaño de la exterior apariencia, con el examen interior y verdadero]

¿Miras este Gigante corpulento
que con soberbia y gravedad camina?
Pues por de dentro es trapos y fajina,
Y un ganapán le sirve de cimiento.

Con su alma vive y tiene movimiento,   5
Y adonde quiere, su grandeza inclina;
Mas quien su aspecto rígido examina,
Desprecia su figura y ornamento.

---

1 *Gigante:* gigantón, o figura que se suele llevar en una procesión (este matiz lo precisan los vv. 3 y 4; paulatinamente agrega Quevedo otros matices en los versos que siguen).

3 *fajina:* conjunto de ramitas, cortezas y otros despojos de las plantas, que se solía emplear para hacer rellenos de diversas clases; en este caso, la materia de la que se compone el gigantón.

5 *Con su alma:* aquí, y en los vv. 5-8, dota Quevedo al gigantón de vida, cambiándolo en persona de grandeza.

6 *inclina:* en primer lugar, alusión al poder y libertad de un «grande» (como los de la nobleza española), que puede «inclinarse adonde quiere», o favorecer a quien quiere. En segundo lugar, vuelve el poeta a aludir al gigantón, que va por la calle ladeándose con los pasos y los esfuerzos de los ganapanes que lo llevan.

7-9 *Desprecia su figura:* la figura es el aspecto exterior engreído, desvanecido y excesivamente grave, hasta ridículo, y que se desprecia porque se sabe que, igual que el gigantón, por dentro es *trapos* y *fajina,* y que sus grandezas no pasan de aparentes (v. 9).

Tales son las grandezas aparentes
De la vana ilusión de los Tiranos,   10
Fantásticas escorias eminentes.

¿Veslos arder en púrpura, y sus manos
En diamantes y piedras diferentes?
Pues asco dentro son, tierra y gusanos.

COMENTARIO

El pensamiento general de este soneto se encuentra en un ensayo de Séneca: «Los que miras como afortunados, si los pudieras ver
no como aparecen, sino por lo que yace escondido en ellos, son
miserables, asquerosos y viles, y como las paredes de sus propias
casas, ornamentados sólo por afuera. Esto [...] corteza es, y tenue
[...] Brillan, y nos decepcionan» *(De providentia,* cap. vi, párrafo 4).
Este pensamiento lo desarrolla Quevedo en el sueño titulado «El
mundo por de dentro» (ed. de Felipe Maldonado, págs. 176-177).
Por otra parte, el v. 14 del soneto responde a una tradición bíblica:
«¡Ay de vosotros, escribas y fariseos hipócritas, que sois como sepulcros blanqueados, que por afuera parecen hermosos a los hombres,
pero dentro están llenos de los huesos de los muertos, y toda clase
de asquerosidad!» (Mateo, 23, 27). Entró esta imagen del hipócrita
en el refranero clásico español, y la aplicó Quevedo a un hipócrita por excelencia en su sueño titulado «El alguacil endemoniado»
(ed. Maldonado, pág. 90).

10 *Tiranos:* es el tercer y último paso en el desarrollo de la persona del
Gigante inicial.
11 *escorias:* en un sentido literal, las cenizas o heces vidriosas que flotan
a la superficie de los hornos de fundir metales; y en otro figurado, cualquier cosa vil, desechada y de ningún valor.
12 *púrpura:* alusión a la riqueza, por el preciado tinte de Tiro (véase el
poema 35, nota al v. 3), y también a los cardenales de la Iglesia católica,
que «visten la púrpura» (véase el poema 33, nota al v. 4).
13 No sólo los ricos de la época llevaban anillos ostentosos, sino muy particularmente los obispos y cardenales de la Iglesia, en señal de su autoridad.
14 *tierra y gusanos:* imagen de la podredumbre, ya que los gusanos reducen el cadáver a polvo, o tierra (sobre ésta como imagen de la destrucción final del cuerpo, véase el poema 50, nota a los vv. 7-8).

52

[Algunos años antes de su prisión última,
me envió este excelente soneto,
desde la Torre]*

Retirado en la paz de estos desiertos,
Con pocos pero doctos libros juntos,
Vivo en conversación con los difuntos,
Y escucho con mis ojos a los muertos.

Si no siempre entendidos, siempre abiertos,   5
O enmiendan o fecundan mis asuntos;
Y en músicos callados contrapuntos
Al sueño de la vida hablan despiertos.

---

* *su prisión última:* empezó en diciembre de 1639.

me envió: este título, como los otros de *El Parnaso español* de 1648, es del
amigo y editor de la poesía de Quevedo, Josef Antonio González de Salas.

la Torre: la Torre de Juan Abad, ya anotado (véase nota pág. 107).

1 *estos desiertos:* el pueblo era muy pequeño, y lejos de otros; en el
campo ancho que lo rodea, crecen el trigo y los olivos.

2 De este verso nos dice el amigo González de Salas que «Alude con
donaire a que siempre los tuvo repartidos en diferentes partes».

5 *no... entendidos:* «No siempre comprendidos, u oídos, por mí».

7 Entiéndase, «en silenciosas concordancias rítmicas», *músicos:* metáfora
para «rítmicos», valor que comparten con la música tanto la lectura como la
poesía. *callados:* se refiere a la lectura, y limita el sentido de la imagen de
la música. *contrapuntos:* concordancia armoniosa de voces contrapuestas
(refleja también la contraposición anterior de «música» y «silencio»).

8 *Al sueño de la vida:* entiéndase, «A la imaginación que es el vivir».
hablan despiertos: los que en la *conversación* del verso 3 fueron *difuntos,*
ahora se han despertado, porque hablan al referido *sueño.* Tal y como en
el verso 7, el poeta emplea la contradicción selectiva *(músicos callados,
sueño... despiertos),* calificándola de concordancia contrapuesta.

188

Las Grandes Almas que la Muerte ausenta,
De injurias de los años vengadora,   10
Libra, oh gran Don Josef, docta la Imprenta.

En fuga irrevocable huye la hora;
Pero aquélla el mejor Cálculo cuenta,
Que en la lección y estudios nos mejora.

COMENTARIO

En su vejez, dijo Séneca por carta a un amigo que «Lo más de mi conversación es con libros pequeños» (*Epístolas morales*, 67, párrafo 2), pensamiento que Quevedo repitió en una de sus «Epístolas a imitación de las de Séneca», con referencia a su encarcelamiento: «En mí tengo compañía... Doyme todas las horas y tengo conversación...: razonan conmigo los libros, cuyas palabras oigo con los ojos» (*Obras,* ed. de Fernández-Guerra, Biblioteca de Autores Españoles, t. XXIII, pág. 390a, Epístola III). La imagen del v. 13 es recuerdo de los satíricos latinos Persio y Marcial, quienes dijeron que los días venturosos los había que «señalar con mejor piedrecilla». De este soneto existe el borrador autógrafo de Quevedo, con múltiples enmiendas de su puño y letra, que hacía él mientras iba revisándolo. Se encuentra en las hojas de guarda de un libro que le pertenecía, y que pertenece hoy a la Biblioteca Británica en Londres (las sucesivas redacciones las publicamos y las estudiamos en nuestro libro, *En torno a la poesía de Quevedo*, págs. 26-27 y 40-41). En el poema 132, vv. 44-48, se puede leer una expresión breve y bella del tema de la lectura solitaria en la Torre de Juan Abad, escrita antes del soneto presente. Y en la silva «Al pincel», Quevedo aplica el mismo tema a la pintura (poema 148, vv. 7-9 y 17-18).

---

9 *ausenta:* la Muerte no ha matado a quienes están *despiertos* (v. 8).

9-11 Léase «Oh gran Don Josef, a las Grandes Almas que la Muerte ausenta, la Imprenta docta las libra, como vengadora de las injurias de los años».

13 *mejor:* los antiguos solían señalar y recordar los días afortunados con una piedrecilla blanca, y los menos afortunados con una negra.

Cálculo: piedrecilla (acepción corriente a principios del siglo XVII, cuando apenas se conocía la de «cómputo»).

14 *lección:* lectura, con la connotación de la enseñanza y el provecho intelectual.

53

[Epístola satírica y censoria contra las
costumbres presentes de los castellanos,
Escrita a don Gaspar de Guzmán,
Conde de Olivares, en su valimiento]

No he de callar, por más que con el dedo,
Ya tocando la boca o ya la frente,
Silencio avises o amenaces miedo.

¿No ha de haber un espíritu valiente?
¿Siempre se ha de sentir lo que se dice?   5
¿Nunca se ha de decir lo que se siente?

Hoy, sin miedo que libre escandalice,
Puede hablar el ingenio, asegurado
De que mayor poder le atemorice;

En otros siglos pudo ser pecado   10
Severo estudio y la Verdad desnuda,
Y romper el Silencio el bien hablado.

Pues sepa quien lo niega, y quien lo duda,
Que es lengua la Verdad de Dios severo,
Y la Lengua de Dios nunca fue muda.   15

---

3 *avises o amenaces:* como nos indica en nota el amigo y editor de Quevedo, González de Salas, aquí no habla Quevedo personalmente al conde-
duque, sino que se dirige a él de manera impersonal, figurada y abstracta, en
su disfraz de poeta, de acuerdo con la retórica antigua. Esto se comprueba
en el tuteo, que no emplea nunca Quevedo cuando más tarde se dirige a
Olivares como a primer ministro y figura política (vv. 166-205).

9 *mayor poder:* se refiere a Dios, cuya *severidad* alaba Quevedo en el v. 14.

Son la verdad y Dios, Dios Verdadero:
Ni eternidad divina los separa,
Ni de los dos alguno fue primero.

Si Dios a la Verdad se adelantara,
Siendo Verdad, implicación hubiera   20
En ser, y en que Verdad de ser dejara.

La justicia de Dios es verdadera,
Y la misericordia y todo cuanto
Es Dios, todo ha de ser verdad entera.

Señor Excelentísimo, mi llanto   25
Ya no consiente márgenes ni orillas:
Inundación será la de mi canto.

Ya sumergirse miro mis mejillas,
La vista por dos urnas derramada
Sobre las Aras de las dos Castillas.   30

Yace aquella Virtud desaliñada,
Que fue, si rica menos, más temida,
En vanidad y en sueño sepultada,

Y aquella libertad esclarecida,
Que en donde supo hallar honrada muerte,   35
Nunca quiso tener más larga vida;

---

16 La idea de que Dios y la verdad son uno, se encuentra en el Antiguo
Testamento, a partir del libro del Éxodo, 18, 21.

21 *En ser*: entiéndase, «De ser, sin ser verdad...».

Verdad... dejara: léase, «Dejara de ser Verdad».

29-30 *urnas; Aras:* expresa el poeta su llanto mediante dos imágenes
funerarias tomadas de la Antigüedad clásica.

31-36 Léase «Yace en vanidad y en sueño sepultada aquella virtud...,
Y yace también sepultada aquella libertad...».

Y Pródiga de l'alma, Nación fuerte
Contaba por afrentas de los años
Envejecer en brazos de la Suerte.

Del Tiempo el ocio torpe, y los engaños   40
Del paso de las horas y del día,
Reputaban los nuestros por extraños:

Nadie contaba cuánta edad vivía,
Sino de qué manera: ni aun un'hora
Lograba sin afán su valentía.   45

La robusta Virtud era señora,
Y sola dominaba al pueblo rudo;
Edad, si mal hablada, vencedora.

El temor de la mano daba escudo
Al corazón, que en ella confiado   50
Todas las armas despreció desnudo.

Multiplicó en escuadras un soldado
Su honor precioso, su ánimo valiente,
De sola honesta obligación armado.

---

37 Recuerdo de la frase «Pueblo pródigo del alma», aplicada a la nación romana por Gaio Catio Silio Itálico en su poema épico sobre la segunda guerra púnica entre Roma y Cartago (lib. I, v. 225; el poema se
titula *Punica).*

38-39 *afrentas,* por las razones explicadas en los vv. 35-36, y ampliadas
en los dos tercetos que siguen.

42 *extraños:* extranjeros.

45 Entiéndase «su valentía no pasaba ni una hora sin trabajo solícito».

48 *mal hablada* (por su rudeza).

49-51 Léase «El corazón, desnudo, despreció todas las armas, confiado
en la mano del hombre, nada mas, porque a ella se le temía tanto, por su
fuerza, que daba escudo al corazón».

52-54 Léase «Un solo soldado, armado de sola honesta obligación, multiplicó su honor precioso y su ánimo valiente en escuadras de soldados».

Y debajo del Cielo, aquella gente,   55
Si no a más descansado, a más honroso
Sueño entregó los ojos, no la mente.

Hilaba la Mujer para su Esposo
La mortaja primero que el vestido;
Menos le vió galán que peligroso.   60

Acompañaba el lado del Marido
Más veces en la hueste que en la cama;
Sano le aventuró, vengóle herido:

Todas Matronas, y ninguna Dama,
Que nombres del halago cortesano   65
No admitió lo severo de su fama.

Derramado y sonoro el Océano,
Era divorcio de las rubias minas
Que usurparon la paz del pecho humano;

Ni los trajo costumbres peregrinas   70
El áspero dinero, ni el Oriente
Compró la honestidad con piedras finas.

55-57 *debajo del Cielo, aquella gente...* [al] *Sueño entregó los ojos:* recuerdo de las palabras de Virgilio: «A cielo abierto, Eneas... se tendió, y entregó sus miembros al sueño quieto» *(Eneida,* VIII, vv. 28-30).

56-57 Este sueño fue menos descansado y más honroso porque descansaron los ojos y el cuerpo, pero no la mente, que no se entregó ni al ensueño ni al *ocio torpe* (v. 40).

63 *le aventuró: lo* arriesgó.

64 *Dama:* mujer bella, o cortesana, o concubina.

68 Entiéndase que antes del descubrimiento de América, el océano separaba a España de las minas de las Indias, *rubias* por el color del oro.

71 *áspero dinero:* para los antiguos, la moneda recién acuñada era áspera y desigual, su superficie todavía sin allanarse con el uso (el satírico romano Aulo Persio Flacco pone en tela de juicio «la utilidad de la moneda áspera», en su Sátira III, vv. 69-70).

Joya fue la Virtud pura y ardiente;
Gala el merecimiento y alabanza;
Sólo se codiciaba lo decente.   75

No de la pluma dependió la lanza,
Ni el Cántabro con cajas y tinteros
Hizo el campo heredad, sino matanza.

Y España, con legítimos dineros,
No mendigando el crédito a Liguria,   80
Más quiso los turbantes que los ceros.

Menos fuera la pérdida y la injuria,
Si se volvieran Muzas los asientos,
Que esta usura es peor que aquella furia.

---

76 Recuerdo del refrán contemporáneo. «La pluma no embota la lanza», es decir, no la gasta, porque la lanza es independiente de ella.

77 *Cántabro:* vecino de la Montaña cantábrica y, por lo tanto, cristiano viejo (véanse los poemas 1, nota al título, y 43, v. 1).

cajas: cofres destinados a recibir y guardar dinero.

78 *Hizo:* el sujeto es *el Cántabro,* y el complemento directo, *el campo.*

60 *Liguria:* en la Antigüedad clásica, nombre de Génova. En los siglos XVI y XVII, la monarquía española se veía obligada a pedir enormes préstamos *(asientos,* v. 83), a los banqueros genoveses, para pagar los gastos de la guerra de Flandes. Apenas podía España pagar los intereses; y a los genoveses los criticaban mucho los españoles, y especialmente los satíricos, como Quevedo.

81 *turbantes:* entiéndase, los de los moros que los españoles habían matado.

ceros: los de los intereses y asientos de los genoveses.

83 *Muzas:* mucetas (esclavinas o capas cortas que cubrían el pecho y las espaldas, y que usaban los prelados de la Iglesia, como señal de su dignidad, y recuerdo de la piedad de los romeros).

asientos: se refiere a los préstamos de los genoveses (véase la nota al v. 60); el «asiento» es el contrato de proveer dinero.

84 Entiéndase «La usura de los genoveses es peor que la furia o ira exaltada de los prelados» (la ira es uno de los siete pecados capitales).

Caducaban las aves en los vientos,   85
Y expiraba decrépito el venado:
Grande vejez duró en los Elementos,

Que el vientre entonces bien disciplinado
Buscó satisfacción y no hartura,
Y estaba la garganta sin pecado: 90

Del mayor infanzón de aquella pura
República de grandes hombres, era
Una vaca sustento y armadura.

No había venido al gusto lisonjera
La pimienta arrugada, ni del clavo   95
La adulación fragante forastera.

Carnero y vaca fue principio y cabo,
Y con rojos pimientos y ajos duros,
Tan bien como el Señor comió el esclavo.

85-87 Aquí dice el poeta que antiguamente los hombres no se dedica-
ban a la caza como deporte. *aves* (las que se cazaban).

venado: ciervo.

en los Elementos: al aire libre.

88 *el vientre:* entiéndase, el del hombre.

no hartura: es decir, no la que producía la gula.

90 *pecado:* el de la gula.

91 *infanzón:* caballero noble y señor de vasallos, pero sin título de
nobleza (palabra arcaica ya en tiempos de Quevedo).

93 *armadura:* se refiere a los escudos primitivos, hechos de piel.

95-96 *pimienta; clavo* (forastera): especias de las Indias orientales, in-
asequibles al español antiguo que describe Quevedo (el comercio de las
especias empezó con los viajes de los portugueses en el siglo xv).

97 *principio y cabo:* entiéndase, de la comida.

Bebió la sed los arroyuelos puros;   100
Después mostraron del Carchesio a Baco
El camino los brindis mal seguros.

El rostro macilento, el cuerpo flaco
Eran recuerdo del trabajo honroso,
Y Honra y Provecho andaban en un saco.   105

Pudo sin miedo un Español velloso
Llamar a los Tudescos Bacanales,
Y al Holandés hereje y alevoso;

Pudo acusar los celos desiguales
A la Italia, pero hoy de muchos modos   110
Somos copias, si son originales.

Las descendencias gastan muchos Godos:
Todos blasonan, nadie los imita,
Y no son sucesores sino apodos.

Vino el betún precioso que vomita   115
La ballena o la espuma de las olas,
Que el vicio, no el olor, nos acredita,

101-102 Léase «Posteriormente, los brindis mal seguros mostraron el
camino del carquesio a Baco». *mal seguros:* alusión al tambaleo de un
borracho. *carquesio:* vaso griego riquísimo, que relacionaban los romanos
con los brindis (Virgilio, *Eneida,* V, v. 77, y *Geórgicas,* IV, v. 380).

104 Es decir, no del ocio palaciego.

105 *en un saco:* juntos (es decir, que el provecho era honrado).

106-111 Afirma el poeta que el español contemporáneo «copia» las
borracheras de los alemanes, la herejía y traición del holandés y los celos
del italiano (tales eran algunos aspectos negativos de estos pueblos en la
España de Quevedo).

112 *gastan:* ostentan.

113 *blasonar:* arreglar el escudo de armas; jactarse. *imita:* es decir, en el
comportamiento y actividad.

115-117 *betún:* ámbar gris, especie de pasta almizcleña proveniente
del intestino de la ballena, que lo *vomita,* y que a veces se encontraba
flotando como *espuma de las olas.* Se preciaba mucho por su aroma.

Y quedaron las huestes Españolas
Bien perfumadas, pero mal regidas,
Y alhajas las que fueron pieles solas.   120

Estaban las hazañas mal vestidas,
Y aún no se hartaba de buriel y lana
La vanidad de fembras presumidas.

A la seda pomposa Siciliana,
Que manchó ardiente Múrice, el Romano   125
Y el oro hicieron áspera y tirana.

Nunca al duro Español supo el gusano
Persuadir que vistiese su mortaja,
Intercediendo el Can por el Verano.

---

118 *huestes:* ejércitos.

120 El poeta compara el uso de las pieles en una sociedad primitiva,
con el de otra, moderna, más rica y ociosa.

121 *mal vestidas:* es decir, con pocos adornos, en la referida sociedad
primitiva.

122 «Y todavía no se había cansado del paño tosco ni de la lana
sencilla.»

124 *seda... Siciliana:* de 1200 a 1600, Sicilia fue la primera región
europea en la producción de la seda, introducida allí y en España por los
árabes.

125 *ardiente Múrice:* alusión al tinte purpúreo, valiosísimo entre los
antiguos (véase el poema 35, nota al v. 3).

125-126 *el Romano... tirana:* a la seda los romanos la hicieron áspera,
mezclándola con filamentos de oro, subiendo así su precio y haciéndola
tirana.

128 *que vistiese su mortaja:* «que el español se vistiese de la seda» (es
decir, de la mortaja del gusano).

129 Entiéndase que el calor del verano obligaba al español a no
vestirse de seda (*El Can es Sirio,* la estrella brillantísima de la constelación del Can Mayor, que para los antiguos anunciaba los días calurosos
del verano).

Hoy desprecia el honor al que trabaja,   130
Y entonces fue el trabajo ejecutoria,
Y el vicio gradüó la gente baja.

Pretende el alentado joven gloria
Por dejar la vacada sin marido,
Y de Ceres ofende la memoria.   135

Un animal a la labor nacido,
Y Símbolo celoso a los mortales,
Que a Jove fue disfraz y fue vestido;

Que un tiempo endureció manos Reales,
Y detrás de él los Cónsules gimieron,   140
Y nimia luz en Campos Celestiales;

---

130 Expresa Quevedo lo que fue, en la sociedad española de aquel entonces, un hecho de importancia fundamental, y de consecuencias funestas.

131 Léase «Antes, el trabajo decretaba la hidalguía».

132 *gradüó:* señaló. Se entiende que ahora, el vicio señala también a la nobleza.

135 Entiéndase «Por matar los toros» (en el siglo XVII se celebraban en la corte «fiestas de toros», en las que los corrían a caballo y los mataban con rejón).

135 *Ceres:* diosa de la agricultura.

137 Alude al hecho de que siempre se ha preciado el toro como símbolo.

138 Júpiter se transformó en toro *(disfraz y vestido)* para raptar a Europa.

139 Alusión a la leyenda de que Rómulo y Remo, los gemelos que fundaron y gobernaron la ciudad de Roma, fueron en su juventud ganaderos.

140 Alusión a la costumbre de celebrar el ascenso anual de los nuevos cónsules que gobernaron a Roma, con el sacrificio de toros blancos dedicados a Júpiter.

141 Alusión a la constelación de Tauro.

¿Por cuál enemistad se persuadieron,
A que su apocamiento fuese hazaña,
Y a las mieses tan grande ofensa hicieron?

¡Qué cosa es ver un infanzón de España   145
Abreviado en la silla a la jineta,
Y gastar un caballo en una caña!

Que la niñez al gallo le acometa
Con semejante munición, apruebo;
Mas no la edad madura y la perfeta: 150

Ejercite sus fuerzas el mancebo
En frentes de escuadrones; no en la frente
Del útil bruto l'asta del acebo.

---

143 Alusión a la corrida y matanza de los toros.

144 *mieses:* cereales; sembrados (comp. v. 135).

145 *infanzón:* véase la nota al v. 91; ahora habla el poeta de la época
contemporánea.

146 Expresa Quevedo su desprecio por el modo de cabalgar *a la jineta,*
con silla pequeña y estribos muy cortos, porque la postura «abrevia» o
disminuye al jinete, y porque dicho modo era de origen árabe, como indica él en el v. 163.

147 En el juego de cañas, torneo muy popular en la corte, dos bandos
de nobles a caballo, con ropas y jaeces riquísimos y sillas a la jineta, se
arrojaban cañas (una especie de lanza), por turnos en una plaza. Insinúa
Quevedo que los caballos no se debían malgastar en los juegos, sino en la
guerra o la agricultura.

148-149 Juego más plebeyo y juvenil era el de «correr gallos a caballo»,
que se hacía, en efecto, con *semejante munición,* ya que corriendo a caballo y armado con una espada, el jinete intentaba cortarle la cabeza a un gallo
colgado de una cuerda.

152 *frente:* se entiende de manera general: «cabeza».

153 *asta:* lanza de los romanos antiguos, con palo de madera y punta
de hierro; palo de una lanza.

acebo: árbol silvestre cuya madera es fuerte y flexible.

199

El trompeta le llama diligente,
Dando fuerza de ley el viento vano,   155
Y al son esté el ejército obediente.

¡Con cuánta majestad llena la mano
La pica, y el mosquete carga el hombro
Del que se atreve a ser buen Castellano!

Con asco, entre las otras gentes, nombro   160
Al que de su persona sin decoro
Más quiere nota dar, que dar asombro.

Jineta y Cañas son contagio Moro:
Restitúyanse justas y torneos,
Y hagan paces las capas con el toro.   165

Pasadnos vos de juegos a trofeos,
Que sólo grande Rey y buen Privado
Pueden ejecutar estos deseos.

Vos, que hacéis repetir siglo pasado
Con desembarazarnos las personas,   170
Y sacar a los miembros de cuidado;

---

154 *El trompeta:* entiéndase «El trompetero del ejército».

162 *nota dar:* dar escándalo.

163 Véanse las notas a los vv. 146 y 147.

164 *justas y torneos:* se refiere a la caballería europea de la Edad Media, antes del *contagio Moro.*

165 Antes de matar al toro con el rejón, a caballo, se solía a veces hacerle suertes con la capa a pie, o ponerle banderillas o garrochas.

166 *trofeos:* metáfora para las victorias militares.

167 *Privado:* véanse las dos notas iniciales.

170-174 Alude Quevedo a la pragmática de 1623 en la que se prohibieron los cuellos grandes y escarolados, que «embarazaban las personas» y daban «cuidado a los miembros» del cuerpo, y se instituyó el cuello llano y sencillo, que se llamaba la «valona», y que dio al hombre la «libertad» de «ser cortés», inclinando la cabeza en señal de saludo.

Vos disteis libertad con las valonas
Para que sean corteses las cabezas,
Desnudando el enfado a las coronas.

Y pues vos enmendasteis las cortezas,   175
Dad a la mejor parte medicina:
Vuélvanse los tablados Fortalezas,

Que la cortés Estrella, que os inclina
A privar sin intento y sin venganza,
Milagro que a la envidia desatina,   180

Tiene por sola bienaventuranza
El reconocimiento temeroso,
No presumida y ciega confianza.

Y si os dio el ascendiente generoso
Escudos, de armas y blasones llenos,   185
Y por timbre el martirio glorioso,

---

175 *las cortezas:* los vestidos del hombre.

177 *los tablados:* suelo de tablas formado en alto, desde el cual se miraban los toros y otras fiestas públicas.

178 *Estrella:* suerte, o destino (que a veces se leía en las estrellas).

179 *privar:* tener el primer lugar en la gracia y confianza del rey.
sin intento: sin designio interesado ni personal.

180 Entiéndase que el «privar sin interés ni venganza» era «Milagro que desesperaba a los envidiosos», porque ellos hubieran querido envidiar a uno que privaba de manera maliciosa.

182 Entiéndase «El respeto por parte de los que le temen» (y le temen no porque sea tirano, sino por su justicia severa).

184 *ascendiente:* en un sentido genealógico, el antepasado noble.

186 *timbre:* insignia que se coloca encima del escudo de armas; cualidad personal que ennoblece a uno.

martirio glorioso: en el año de 1293, los moros, aliados con el infante rebelde, don Juan, pusieron sitio a la ciudad de Tarifa, en el extremo sur de Andalucía. Se apoderó el infante del hijo del alcaide, y enseñándoselo al padre desde fuera de los muros, le amenazó con matárselo si no se rendía la ciudad. El padre, el capitán castellano Alonso Pérez de Guzmán, el Bueno, sacó su puñal y se lo tiró al infante para que con él matara a su hijo. Y así se hizo.

Mejores sean por vos los que eran buenos
Guzmanes, y la cumbre desdeñosa
Os muestre a su pesar campos serenos.

Lograd, Señor, edad tan venturosa;   190
Y cuando nuestras fuerzas examina
Persecución unida y belicosa,

La militar valiente disciplina
Tenga más practicantes que la plaza:
Descansen tela falsa y tela fina,   195

Suceda a la Marlota la Coraza,
Y si el Corpus con danzas no los pide,
Velillos y oropel no hagan baza;

187-188 *buenos Guzmanes:* alusión al referido Guzmán el Bueno.

188-189 *la cumbre desdeñosa:* la cumbre del poder político, que suele «desdeñar» a muchos, y quitarles la «serenidad» (recuérdese que como privado del rey, ocupaba Olivares la cumbre del poder).

190 *edad tan venturosa:* se refiere el poeta a aquel siglo *pasado* (v. 169), de *Fortalezas* (177), del *reconocimiento temeroso* (182), y de *martirio glorioso* (186).

192 Se refiere a las otras naciones europeas, por la Reforma protestante y por la guerra de Flandes (comp. el poema 14b).

194 *la plaza:* alusión a los juegos de cañas y a las fiestas de toros (comp. vv. 133-147 y 163-165).

195 *tela:* plaza o sitio cerrado con telas o con tablas, y dispuesto para fiestas públicas y otros espectáculos. Para Quevedo, es *falsa* porque se destina a los juegos y las fiestas, y no a la guerra ni a celebrar las victorias (comp. vv. 166 y 193-194).

tela fina: la palaciega, en contraste con la tosca (comp. vv. 120-122).

196 *Marlota:* vestidura morisca, a modo de sayo vaquero (o sea, largo), usado en las fiestas.

Coraza: armadura de hierro o acero, compuesta de peto y espaldar.

197 *Corpus:* las fiestas de Corpus Christi.

198 *Velillos:* tela finísima de la que se hacen los velos, entretejida con adornos de hilo de plata.

oropel: lámina de latón muy fina que parece oro y que se empleaba como adorno.

no hagan baza: no dominen ni triunfen (es término de los juegos de naipes).

El que en treinta lacayos los divide,
Hace suerte en el toro, y con un dedo 200
La hace en él la vara que los mide.

Mandadlo así, que aseguraros puedo,
que habéis de restaurar más que Pelayo;
Pues valdrá por ejércitos el miedo,
Y os verá el Cielo administrar su rayo. 205

COMENTARIO

Este poema se compone de una introducción (vv. 1-30), un
elogio de las virtudes de los españoles antiguos (31-110), una crítica de los contemporáneos (110-165), y una súplica al primer ministro del Rey, Gaspar de Guzmán, rogándole que avive y reinte-
gre los antiguos valores nacionales (166-205). (Gaspar de Guzmán fue el valido de Felipe IV desde 1621 hasta que cayó en
desgracia en 1643; el Rey le concedió enorme poder político, y al
conde-duque se le ha acusado de abusar de él.)

La insinuación en los vv. 1-6 de que Olivares reprimía la libertad de hacer uso de la palabra ha llamado la atención de muchos

---

199-201 «El que reparte los Velillos y el oropel entre treinta lacayos, en
forma de libreas finas, hace suerte a un toro (es decir, corre mucho riesgo); y también se la hace a él (es decir, a él le va a herir o dañar), la vara
del mercader o sastre que con su dedo mide los velillos y oropel» (Quevedo emplea la imagen *hacer suerte en el toro* de manera equívoca, ya
que significa que el que la hace corre cierto riesgo de que le hiera el toro,
pero también puede ser que él hiera al toro; la imagen de la *vara* se refiere a la del mercader, pero también alude al rejón con el que los nobles
solían correr los toros en aquel entonces).

203 *Pelayo:* el primer rey de Castilla, elegido en 713 por los nobles que
se habían refugiado de los árabes, sin rendirse a éstos (véase el poema 43);
Pelayo emprendió con éxito la reconquista de España.

204 *el miedo:* entiéndase en el sentido del *reconocimiento temeroso* del
v. 182.

205 *Cielo... rayo:* alusión a Júpiter, rey de los dioses, que se armaba
siempre de rayos.

lectores. Sin embargo, tal insinuación la desmiente el poeta en los vv. 7-12, donde celebra la referida libertad en la España contemporánea. Por otra parte, aquí Quevedo no habla personalmente al valido (véase la nota al v. 3). Este poema fue escrito antes de 1628; para el tipo de «miedo» que en 1634 Olivares podía infundir en Quevedo y otros, véase el poema 56, nota 14.

A lo largo de los vv. 31-110, Quevedo elogia su ideal del español guerrero, honesto e inculto, de un pasado lejano, tal y como lo ha elogiado en otras obras suyas (comp., por ejemplo, la conversación con el marqués de Villena en el «Sueño de la Muerte», *Sueños y discursos,* ed. de Maldonado, págs. 205-215, y la *España defendida,* cap. V). De los diversos aspectos de esta visión hay numerosas fuentes en la literatura clásica, como la épica nacional romana (por ejemplo, la *Eneida* de Virgilio), las *Sátiras* de Juvenal (especialmente la III y VI, vv. 286-305) y las de Horacio, y el tema de la edad de oro (Ovidio, *Metamorfosis,* I, vv. 89-112; comp. el discurso de don Quijote, Parte I, cap. XI), y el del menosprecio de la corte y alabanza de la aldea (Horacio, «Beatus ille», Epodo II, muy popular en el Renacimiento español). En Quevedo, la expresión de este tema va acompañada de la crítica de la Edad Moderna (comp. los vv. 110-165), en la que hay reminiscencias de la de Séneca en sus *Cuestiones naturales.*

El Parnaso español (1648)

Melpómene: Musa III

Canta ahora poesías fúnebres,
esto es,
inscripciones, exequias y
funerales alabanzas
de personas insignes

54a

[Túmulo a Viriato]*

[Habla el Mármol]

[versión primitiva, dedicada a la memoria de Viriato]

Memoria soy del más famoso pecho
Que el Tiempo de si mismo vio triunfante;
En mí podrás, oh amigo caminante,
Un rato descansar del largo trecho.

Lluvias de ojos mortales me han deshecho,   5
Que la lástima pudo en un instante
Volverme cera, yo que fui diamante,
De tales prendas monumento estrecho.

---

* *Viriato:* a partir del año de 151 a.C. fue jefe de los lusitanos rebelados contra la dominación romana, y derrotó a varios de sus generales, para morir al fin asesinado a instigación de los romanos en el año de 139 a.C. Volvió Quevedo a alabarlo en su sátira titulada *Lo hora de todos,* cap. XXXV (sobre la admiración de Quevedo por los héroes militares, véase el comentario al poema 32).

3 *caminante:* reminiscencia de la costumbre de los griegos y los romanos de enterrar a los muertos en tumbas situadas en las afueras de las ciudades al lado de los caminos (comp. el poema 3, v. 12).

5 *me han deshecho* (recuérdese que sigue hablando el mármol).

7 *diamante:* metáfora para el mármol, por su dureza y su valor.

8 Entiéndase «A pesar de haber sido de diamante, soy monumento apretado y apocado para tales prendas como eran los diamantes y las cualidades personales de Viriato».

Estas armas, viudas de su dueño,
Que visten con funesta valentía
Este, si humilde, venturoso leño,

De Virïato son; él las vestía,
Hasta que aquí durmió el postrero sueño
En que privado fue del blanco día.

---

9 *Estas armas:* en señal del honor y de la carrera de un héroe militar, se colocaban a veces sus armas junto a su sepulcro (esta tradición no es clásica, sino medieval y caballeresca).
11 *leño:* el palo del cual se colgaban las armas.

54b

[Epitafio del Sepulcro, y con las Armas del Duque de Osuna] [Habla el Mármol]

[versión revisada posteriormente por el poeta]

> Memoria soy del más *glorioso* pecho
> Que *España en su defensa* vio triunfante;
> En mí podrás, *amigo* Caminante,
> Un rato descansar del largo trecho.
>
> *Lágrimas de Soldados* han deshecho   5
> *En mí las resistencias de* diamante;
> *Yo cierro al que el Ocaso y el Levante*
> *A su Victoria dio Círculo* estrecho.
>
> Estas Armas, viudas de su Dueño,
> Que visten *de* funesta valentía   10
> Este, si humilde, venturoso leño,
>
> *Del Grande Osuna* son; Él las vestía,
> Hasta que *apresurado* el postrer sueño,
> Le ennegreció con Noche el blanco Día.

COMENTARIO

Al revisar este poema, Quevedo lo dedicó a la memoria del duque de Osuna, †1624 (sobre tales cambios, y sobre el duque, véase el comentario al poema 32).

7-8 Entiéndase «Yo encierro al Duque a cuyas grandes Victorias el Ocaso y el Levante fueron Círculo estrecho» (se refiere el poeta a las victorias navales de las galeras de Osuna sobre las del Turco a lo largo del Mediterráneo).

55

[Elogio Funeral a Don Melchor de Bracamonte, hijo de los Condes de Peñaranda, gran soldado, sin premio]*

Siempre, Melchor, fue bienaventurada
Tu vida en tantos trances en el suelo;
Y es bienaventurada ya en el Cielo,
En donde sólo pudo ser premiada.

Sin ti quedó la Guerra desarmada,   5
Y el mérito agraviado sin consuelo;
La Nobleza y Valor en llanto y duelo,
Y la satisfacción mal difamada.

Cuanto no te premiaron, mereciste,
Y el premio en tu valor acobardaste,   10
Y el excederle fue lo que tuviste.

El cargo que en el Mundo no alcanzaste
Es el que yace, el huérfano y el triste,
Que tú de su desdén te coronaste.

---

* *Melchor de Bracamonte:* contemporáneo de Quevedo y, como él, caballero de la Orden de Santiago. Fue maestre de campo de un tercio, y murió soldado en el ejército español de Flandes, antes del año 1635.

8 entiende que con la muerte de Bracamonte sin premio, ha quedado difamada o desacreditada la idea de que el mérito lo premian con justicia las autoridades, dando así *satisfacción* al mismo.

12 *El cargo... no alcanzaste:* parece afirmación literal por parte de Quevedo, pero a falta de más datos biográficos sobre Bracamonte, no sabemos a qué cargo se refiere.

14 Entiéndase que el único premio que ganó Bracamonte fue el desdén o menosprecio del propio cargo que no alcanzó.

56

[Venerable Túmulo
de don Fadrique de Toledo]*

Al bastón que le vistes en la mano
Con aspecto Real y floreciente,
Obedeció pacífico el Tridente
Del verde Emperador del Oceano.

Fueron oprobio al Belga y Luterano   5
Sus órdenes, sus Armas y su gente;
Y en su consejo y brazo, felizmente
Venció los Hados el Monarca Hispano.

Lo que en otros perdió la cobardía,
Cobró armado y prudente su denuedo,   10
Que sin victorias no contó algún día.

---

* *Don Fadrique de Toledo:* uno de los almirantes españoles de mayor
valor y patriotismo: sus victorias contra los holandeses en las costas de
América del Sur le granjearon singular renombre. Fue nombrado capitán
general del Mar Océano en 1618, marqués de Villanueva de Valdueza
en 1624, y en 1628 capitán general del reino de Portugal y comendador
de la Orden de Santiago, de la cual ya era Quevedo caballero. Su apellido
indica el entronque con la casa de Alba.

1 *bastón:* vara corta que es la insignia de la suprema autoridad de los
capitanes generales.

3-4 *Tridente... Emperador:* se refiere a Neptuno, dios del océano en la
mitología clásica, representado con un tridente en la mano.

4 *Oceano:* aquí palabra llana, para conservar la rima con *mano,* v. 1.

5 *Belga:* entiéndase «holandés». *Luterano:* alusión a la religión de los
holandeses.

9 Léase «Las batallas que la cobardía perdió en otros capitanes».

10 *denuedo:* valentía.

11 *algún:* ningún.

Esto fue Don Fadrique de Toledo.
Hoy nos da, desatado en sombra fría,
Llanto a los ojos, y al discurso miedo.

---

14 *al discurso miedo:* entiéndase que lo que pasó a don Fadrique daba miedo a los que hubieran querido hablar de él. En efecto, en 1634, ya héroe nacional, pidió permiso para quedarse en España, pero envidioso de sus honores, y temiendo su popularidad, el conde-duque de Olivares, privado del rey, le negó el permiso (sobre Olivares, véase el poema 53). Hubo una disputa acre entre los dos, y fue preso don Fadrique y encarcelado lejos de Madrid. Cayó enfermo, pero mediante unas negociaciones muy mezquinas, le negaron la asistencia médica que necesitaba, le sentenciaron con prisa y con gran severidad, y sin saber esto él, se murió. La gente se sentía ofendida por los pasos dilatados del trato de Olivares para con don Fadrique, y percibía claramente los motivos de la venganza personal en la súbita negación de los honores funerarios, y en la ridícula anulación de la sentencia a los seis meses de haberse pronunciado (véase sobre esta historia nuestro libro *En torno a la poesía de Quevedo,* págs. 33-36). Se conserva hoy en día el borrador autógrafo del soneto de Quevedo, y en las sucesivas tachaduras y enmiendas de los vv. 13 y 14 se ve el testimonio mudo de la lucha del poeta, amigo y político, que quería expresar lo que sentía, pero cuya experiencia con Olivares le daba *miedo al discurso* (véase el referido estudio, págs. 22-23 y 31-33, y comp. el poema 45). Entre las tachaduras, se lee la forma original del último terceto: «A su virtud Fortuna tuvo miedo, / y por asegurarse, en sombra fría / desató a don Fadrique de Toledo», así como sucesivas enmiendas, entre las cuales se destacan frases como «despojo a envidia infame», «a intercesión del miedo» y el verso «fueron su enfermedad envidia y miedo».

57

[Canción fúnebre en la Muerte
de don Luis Carrillo y Sotomayor,
Caballero de la Orden de Santiago,
y Cuatralbo de las Galeras de España]*

Miré ligera Nave,
Que con alas de lino en presto vuelo
Por el aire süave
Iba segura del rigor del Cielo,
Y de tormenta grave.   5
En los Golfos del Mar el Sol nadaba
Y en sus ondas temblaba;
Y ella, preñada de riquezas sumas,
Rompiendo sus cristales,
Le argentaba de espumas,   10
Cuando en furor iguales,
En sus velas los vientos se entregaron.

---

* *Luis Carrillo y Sotomayor:* contemporáneo de Quevedo (nació en 1582
o 1583), y, como él, caballero de la Orden de Santiago y poeta. Su talento y nobleza los celebró Quevedo en vida de aquél, y a su muerte en 1610
le dedicó dos bellas elegías, de las que reproducimos una.

Cuatralbo: capitán de cuatro galeras.

6-7 *el Sol nadaba y... temblaba:* metáforas para el reflejo del sol en las
ondas (es uno de los muchos detalles de la naturaleza observados con
precisión a lo largo del poema).

8 *ella:* la nave.

10 *argentaba:* plateaba.

11-12 *iguales... los vientos:* alusión a los cuatro vientos de la mitología
clásica, uno por cada punto cardinal. Por lo tanto, se describe una tormenta con vientos entrecruzados, de la cual pensaba la nave que iba *segura* (vv. 4-5).

Y dando en un bajío,
Sus leños desató su mismo brío,
Que de escarmientos todo el Mar poblaron,   15
Dejando de su pérdida en memoria
Rotas jarcias, parleras de su historia.

    En un hermoso prado
Verde Laurel reinaba presumido,
De pájaros poblado   20
Que, cantando, robaban el sentido
Al Argos del cuidado.
De verse con su adorno tan galana
La Tierra estaba ufana,
Y en aura blanda la adulaba el viento,   25
Cuando una nube fría
Hurtó en breve momento
A mis ojos el día;
Y arrojando del seno un duro rayo,
Tocó la Planta bella   30

---

13 Entiéndase «Y tropezando con un banco de arena (u otro pasaje peligroso)».

14 *brío:* en un sentido literal y no personificado, su velocidad.

15 *escarmientos:* en un sentido literal, desengaño o aviso adquirido con la experiencia del daño o error; en otro, metafórico, pedazos de los leños de la nave.

17 *jarcias:* conjunto de palos, cuerdas y velas de un barco.

parleras: que cantan y atestiguan.

1-17 En un sentido metafórico, esta estrofa representa al Cuatralbo muerto, y cobran nuevos valores los epítetos, como, por ejemplo, *ligera, preñada, brío* y *escarmientos.*

15 *Laurel:* árbol conocido por su belleza y su aroma; está siempre verde, y para los antiguos simbolizaba el triunfo.

21-22 *robaban... cuidado:* léase «robaban al Argos el sentido del cuidado». Argos, símbolo del cuidado, fue personaje mitológico que tenía cien ojos, y que sólo cerraba cincuenta cuando dormía; fue encargado de la custodia de la hermosa Io, transformada en vaca para evitar el amor de Zeus.

Y juntamente derribó con ella
Toda la gala, Primavera y Mayo.
Quedó el suelo de verde honor robado,
Y vio en cenizas su soberbia el prado.

   Vi, con pródiga vena   35
De parlero cristal, un Arroyuelo
Jugando con la arena,
Y enamorando de su risa al Cielo.
A la margen amena,
Una vez murmurando, otra corriendo,   40
Estaba entreteniendo;
Espejo guarnecido de esmeralda
Me pareció, al miralle,
Del prado, la guirnalda.
Mas abrióse en el valle   45
Una envidiosa cueva de repente;
Enmudeció el Arroyo,
Creció la oscuridad del negro hoyo,
Y sepultó recién nacida fuente,
Cuya corriente breve restauraron   50
Ojos, que de piadosos la lloraron.

   Un pintado Jilguero,
Más ramillete que ave parecía;
Con pico lisonjero

___

35-36 *pródiga... cristal:* se describe la cantidad de agua, su sonido y su transparencia.

39-41 *A la margen... entreteniendo:* se entiende que el arroyuelo entretenía a sus márgenes.

44 Entiéndase «la guirnalda *(guarnición de esmeralda,* v. 42), se formaba del prado».

49 *recién nacida fuente* (imagen de la frescura del arroyuelo).

50-51 Entiéndase que «El llanto de los ojos del espectador piadoso suple y renueva el arroyuelo perdido».

53 *ramillete:* ramo pequeño de flores.

Cantor del Alba, que despierta al día;   55
Dulce, cuanto parlero,
Su libertad alegre celebraba,
Y la paz que gozaba;
Cuando en un verde y apacible ramo,
Codicioso de sombra,   60
Que sobre varia alfombra
Le prometió un reclamo,
Manchadas con la liga vi sus galas;
Y de enemigos brazos
En largas redes, en nudosos lazos,   65
Presa la ligereza de sus alas,
Mudando el dulce, no aprendido canto
En lastimero son, en triste llanto.

    Nave tomó ya puerto;
Laurel se ve en el Cielo trasplantado,   70
Y de él teje corona;
Fuente, hoy más pura, a la de Gracia corre
Desde aqueste desierto;
Y Pájaro, con tono regalado,
Serafín pisa ya la mejor Zona,   75

---

55 *Cantor:* entiéndase que parecía ser Cantor.

59 *ramo:* rama secundaria.

61 *varia:* inconstante; indeterminada; variada.

62 *reclamo:* pájaro amaestrado para que con su canto atraiga otros.

63 *liga:* pasta pegajosa que, untada a unas varillas, se usaba para atrapar pájaros.

67 *no aprendido canto:* imagen tradicional de la belleza espontánea y natural, sin artificio, que Fray Luis de León había aplicado a los pájaros, al final de su oda sobre la «Vida retirada» (véase también el título del poema 63).

71 Se invierte la imagen tradicional de la corona tejida de ramos de laurel, de manera que el laurel se corona con el cielo.

72 *la de Gracia:* la fuente de la gracia es el cielo, o paraíso.

75 *Serafín:* ángel de la jerarquía más alta.
la mejor Zona: la esfera celestial más cercana a Dios.

Sin que tan alto nido nadie borre.
Así que el que a Don Luis llora, no sabe
Que Pájaro, Laurel y Fuente y Nave,
Tiene en el Cielo, donde fue escogido,
Flores y Curso largo y Puerto y Nido.   80

77-80 *no sabe... Flores:* entiéndase «no sabe que don Luis, como (o, siendo) Pájaro, Laurel y Fuente y Nave, tiene (o, goza) en el Cielo (adonde fue llevado por Dios, como escogido por sus méritos), Flores...».

58

[Túmulo de la mariposa]

Yace pintado Amante,
De amores de la Luz muerta de amores,
Mariposa elegante
Que vistió rosas y voló con flores;
Y codicioso el fuego de sus galas,   5
Ardió dos Primaveras en sus alas.

El aliño del prado
Y la curiosidad de Primavera
Aquí se han acabado,
Y el Galán breve de la Cuarta Esfera   10
Que con dudoso y divertido vuelo,
Las lumbres quiso amartelar del Cielo.

---

6 *dos Primaveras:* entiéndase que «El fuego ha gastado dos Primaveras para pintar las alas de la mariposa» (el cielo de la vida de la mariposa abarca dos años: el primer invierno, en forma de huevo; el verano en la de larva; otro invierno en crisálida; y finalmente un verano como mariposa, que pone huevos, y muere). *Primavera* es también un tipo de tela de muchos colores.

7-9 Entiéndase «La disposición o preparación del prado y la curiosidad y el interés de la Primavera aquí se han acabado, pues salió de su crisálida la mariposa». También se podría entender que «Aquí se ha dado cima, en forma de mariposa, al adorno del prado y a la joya primorosa de la Primavera».

10 *Galán breve:* metáfora para el brío y el amor de la mariposa (comp. los vv. 4 y 12), y para la brevedad de su vida (se limita a un solo verano: v. 6).

Cuarta Esfera: se refiere a la esfera del fuego, imagen ya mencionada (v. 5; comp. el v. 12). Los antiguos interpretaban el cosmos de acuerdo con diversas teorías, una de las cuales lo divide en cinco esferas concéntricas, partiendo de la tierra, y pasando por el agua, el aire, el fuego y el éter.

11 *dudoso y divertido:* en el sentido físico de la historia natural, se trata de una observación muy precisa de parte del poeta.

12 *lumbres:* antiguamente solía significar tanto 'fuegos' (comp. v. 14). como 'luces'.

amartelar: enamorar, solicitando mucho.

Clementes hospedaron
A duras Salamandras llamas vivas;
Su vida perdonaron,   15
Y fueron rigurosas, como esquivas,
Con el galán idólatra que quiso
Morir como Faetón, siendo Narciso.

No renacer hermosa,
Parto de la ceniza y de la muerte,   20
Como Fénix gloriosa
Que su linaje entre las llamas vierte,
Quien no sabe de amor y de terneza
Lo llamará desdicha, y es fineza.

Su Tumba fue su Amada,   25
Hermosa, sí, pero temprana y breve;
Ciega y enamorada,
Mucho al Amor y poco al Tiempo debe;
Y pues en sus amores se deshace,
Escríbase: *Aquí goza, donde yace.*   30

13-14 Léase «Las llamas vivas del cielo hospedaron y preservaron, clementes, a duras Salamandras» (según los antiguos, la salamandra resistía
la acción del fuego).

15 Se refiere a la de las salamandras.

17 *idólatra:* se refiere a amartelar las lumbres (v. 12), y amarse a sí
mismo (v. 18).

10 *Faetón:* hijo del Sol, que pretendió conducir el carro de su padre en
el curso diurno, pero perdió el dominio de los caballos y, estando a punto de abrasar el universo, Júpiter le derribó con un rayo.

Narciso: bello joven que se enamoró de su imagen reflejada en el agua de
un río, donde con el tiempo cayó y se ahogó. Se entiende que la mariposa se
había enamorado de sí misma, o de su imagen reflejada en la luz de las llamas.

19 Entiéndase «No quiso renacer hermosa» *(quiso morir:* vv. 17-18).

20-22 El Fénix era un pájaro fabuloso de gran colorido, que al envejecer se pegaba fuego bajo el sol, resucitando luego de sus propias cenizas.
Servía a los poetas de metáfora para el amor eterno.

24 *Lo:* se refiere a *No renacer* (v. 19), que a su vez corresponde a *querer*
morir (vv. 17-18).

25 *su Amada:* se refiere a la luz (comp. los vv. 2 y 12).

El Parnaso español (1648)

Erato: Musa IV, Primera sección

Canta poesías amorosas,
esto es,
celebración de hermosuras,
afectos propios y comunes
del amor, y particulares
también de famosos enamorados,
donde el autor tiene,
con variedad, la mayor parte

59

[Amante ausente del Sujeto amado, después de larga navegación]

Fuego a quien tanto Mar ha respetado,
Y que en desprecio de las ondas frías
Pasó abrigado en las entrañas mías,
Después de haber mis ojos navegado,

Merece ser al Cielo trasladado,   5
Nuevo esfuerzo del Sol y de los días;
Y entre las siempre amantes Jerarquías
En el Pueblo de luz arder clavado.

---

1 *Fuego:* una pasión amorosa. *tanto Mar:* tanto vivir.

2-3 *Y que... Pasó abrigado:* léase, «Y el cual [es decir, el Mar], lo atravesó el Fuego, en desprecio de las ondas frías, abrigado en las entrañas mías».

4 *mis ojos:* se entiende que los ojos son el estrecho que el Fuego tiene que *navegar,* o atravesar, para entrar en las entrañas (en un contexto negativo, se solía decir que la pasión amorosa era el «mal que entraba por los ojos»; véase el título del poema 12b).

5-6 Algunos personajes mitológicos fueron premiados con la residencia permanente entre las estrellas, como Andrómeda, Casiopea, los gemelos Cástor y Pólux, y las siete hijas de Atlas, llamadas las Pléyades. El esfuerzo será *nuevo* porque se trata de nueva época.

7 *siempre amantes Jerarquías:* probablemente se alude a la «jerarquía» de las diez esferas u órbitas concéntricas y sucesivamente más altas, ocupadas por los planetas, las estrellas, los ángeles y Dios, respectivamente. En dichas órbitas se movían los cuerpos celestes en armonía recíproca, de la cual era fruto la «música de las esferas» (véase el poema 27, nota al v. 6).

Dividir y apartar puede el camino;
Mas cualquier paso del perdido Amante   10
Es quilate al Amor puro y divino.

Yo dejo el alma atrás: llevo adelante
Desierto y solo el cuerpo peregrino,
Y a mí no traigo cosa semejante.

---

9 Alusión a la antigua tradición del «bivio», o camino que se divide en dos, obligando así al caminante a optar entre los dos, como en el camino de la vida tenía el joven Hércules que optar entre una dama llamada el Placer, y otra llamada la Virtud.

10-11 Entiéndase que «Cualquier paso del Amante, por perdido que él esté, es medida o grado de la perfección de su Amor puro y divino» (en el sentido literal, el *quilate* es la medida de la calidad del oro y de las piedras preciosas; en el metafórico, la imagen del *quilate* aplica al Amor la calidad del oro y de las referidas piedras).

12-14 *dejo el alma:* en un sentido literal, y en el contexto del amor humano, el Amante perdido ha abandonado su propia alma, y prosigue su camino como *peregrino* en busca de su amada, pero en forma de *cuerpo desierto,* o sea, deshabitado de su alma, y en una condición de soledad absoluta, sin cosa ni persona *semejantes* a él. Tal soledad se atribuye a la falta de su alma y de su amada, pero esto no quiere decir que la imagen del alma represente el amor o la amada, porque parece que el referido abandono fue un acto de la voluntad del Amante: *Yo dejo.* Por otra parte, no es necesario colocar dicha alma en un contexto cristiano, pues también los antiguos creían que después de la muerte seguía existiendo el espíritu o el alma del individuo, que habitaba el trasmundo (lo llamaban «anima», o «manes»).

cuerpo: aunque esté *desierto* de su alma y de su amada, no lo es del referido *Fuego.* Éste, como *Amor puro y divino* que *Merece ser al Cielo trasladado,* sustituye al alma como impulso vital que motiva los *pasos* del *perdido Amante.*

peregrino: imagen terrestre de la navegación del *Fuego* por *tanto Mar.*

COMENTARIO

En la expresión poética, gran parte de la poesía amatoria de Quevedo responde a la tradición iniciada en Europa por Francesco Petrarca (1304-1374), y desarrollada en España por poetas del siglo XVI, como Garcilaso de la Vega, Fernando de Herrera, y los jóvenes Lope de Vega y Luis de Góngora. La huella de dicha tradición se ve más claramente en imágenes como, por ejemplo, *Fuego, Cielo, Sol, luz, arder, Amante, Amor puro y divino,* y *alma,* junto con otras de los colores rojo y blanco, y las de ciertos metales y piedras preciosas, como el oro, las perlas, los rubíes y los diamantes. Estas imágenes limitan el campo semántico de este poema al de la referida tradición, pero no limitan su significación humana.

60

[Con ejemplos muestra a Flora
la brevedad de la hermosura,
para no malograrla]*

La mocedad del año, la ambiciosa
Vergüenza del jardín, el encarnado
Oloroso Rubí, Tiro abreviado,
También del año presunción hermosa;

La ostentación lozana de la Rosa,   5
Deidad del campo, Estrella del cercado;
El Almendro en su propia flor nevado,
Que anticiparse a los calores osa:

Reprehensiones son, oh Flora, mudas
De la Hermosura y la Soberbia Humana,   10
Que a las leyes de flor está sujeta.

---

* *la brevedad de la hermosura:* tema tradicional entre los poetas latinos, renacentistas y barrocos, que animaban a la mujer a aprovechar la
juventud.

3 *Rubí:* metáfora para una flor *olorosa y encarnada,* probablemente el
clavel (no puede ser la rosa, citada en el v. 5, y según el 11, tiene que
ser flor).

Tiro abreviado: alusión al preciado tinte rojo de Tiro (véase el poema 35,
nota al v. 3), del cual la flor es imagen, pero de vida abreviada.

6 *cercado:* jardín rodeado de muros, como en muchos países medi-
terráneos.

7 Alusión al hecho de que las flores blancas del almendro salen muy temprano en la primavera, y antes de las hojas del mismo árbol. Por lo tanto, el
almendro vino a simbolizar la juventud precoz, y la vejez precipitada (se remonta esta tradición a la literatura clásica y al Antiguo Testamento).

nevado: entiéndase encanecido.

11 *leyes de flor:* entiéndase, «la brevedad de la vida de una flor».

Tu edad se pasará mientras lo dudas;
De ayer te habrás de arrepentir mañana,
Y tarde, y con dolor, serás discreta.

---

14 *serás discreta:* en ciertos contextos de la literatura barroca en España, acompaña a la inteligencia la fealdad; aquí parece que sugiere el poeta que «serás discreta, pero ya no hermosa».

61

[Compara el discurso de su amor con el de un arroyo]*

Torcido, desigual, blando y sonoro,
Te resbalas secreto entre las flores,
Hurtando la corriente a los calores,
Cano en la espuma y rubio con el oro.

En cristales dispensas tu tesoro,   5
Líquido plectro a rústicos amores,
Y templando por cuerdas Ruiseñores,
Te ríes de crecer con lo que lloro.

De vidrio, en las lisonjas divertido,
Gozoso vas al monte; y despeñado   10
Espumoso encaneces con gemido.

No de otro modo el corazón cuitado
A la prisión, al llanto se ha venido,
Alegre, inadvertido, y confiado.

---

* *discurso:* curso, camino que seguir.
2 *Te resbalas:* el poeta se dirige al arroyo personificado.
4 *Cano:* blanco; de pelo blanco.
rubio con el oro: nueva alusión al pelo, esta vez de color del oro, como un joven.
6 *plectro:* en un sentido literal, palillo o púa utilizado para tocar los instrumentos de cuerda; en otro, metafórico y tradicional, representa la poesía y, naturalmente, la música.
7 Se entiende que los ruiseñores son las cuerdas de su instrumento.
9 *vidrio:* alusión a la transparencia y fragilidad del agua del arroyo.
lisonjas: alabanzas aduladoras.
12 *cuitado:* en la tradición poética, afligido o acongojado por el amor.

228

62

[Finge dentro de sí un infierno
cuyas penas procura mitigar,
como Orfeo, con la música de su canto,
pero sin provecho]*

A todas partes que me vuelvo, veo
Las amenazas de la llama ardiente,
Y en cualquiera lugar tengo presente
Tormento esquivo y burlador deseo.

La vida es mi prisión, y no lo creo,   5
Y al son del hierro, que perpetuamente
Pesado arrastro y humedezco ausente,
Dentro en mí propio pruebo a ser Orfeo.

---

* *Orfeo:* personaje mitológico que tocaba la lira con tanta delicadeza y
encanto que tranquilizaba a todos los seres humanos y animales que lo oían.
Sufrió la pérdida de su esposa, y le fue permitido rescatarla del trasmundo,
pero no logró cumplir con las condiciones del permiso (le prohibieron volver la cara para mirarla), de manera que la perdió por segunda vez. Entonces
se refugió en las montañas de Tracia, donde vivía solo tocando su lira.

2 *llama ardiente:* la pasión amorosa.

4 *esquivo:* desdeñoso, áspero.

burlador deseo: deseo que se burla de mí.

5 Se entiende que está preso de las referidas amenazas, que son parte
íntegra e ineludible de la condición de la vida.

6-7 *hierro... humedezco:* en su prisión lleva grillos, que moja con sus
lágrimas.

ausente: se entiende que ni la prisión ni el intento de escapar son lite-
rales: aquélla es condición de la vida, y ésta es realidad que el poeta imagina y desea: ser *ausente,* porque *dentro en mí* (v. 8) *no lo creo* (v. 5).

8 Como dice González de Salas en su título, «procura mitigar su penas
con la música de su canto»; pero no de manera literal, sino interiormente,
dentro de sí.

Hay en mi corazón furias y penas;
En él es el Amor fuego y Tirano;   10
Y yo padezco en mí la culpa mía.

¡Oh dueño sin piedad, que tal ordenas!
Pues del castigo de enemiga mano
No es precio ni rescate l'armonía.

COMENTARIO

En el segundo cuarteto, recuerda Quevedo unos versos escritos
hacia 1530 por Garcilaso de la Vega, que expresan el deseo del poeta
de huir de sí mismo: «De mí ahora huyendo / [...] en medio del trabajo y la fatiga / estoy cantando yo, y está sonando / de mis atados
pies el grave hierro. / Mas poco dura el canto si me encierro acá
dentro de mí...» (Canción IV, vv. 81 y 84-88). Por otra parte, la imagen de *las furias y las penas* la han recordado contemporáneos nuestros
como Pablo Neruda y el poeta cubano Justo Rodríguez Santos.

---

9 Para el amante, *hay* en realidad *furias y penas,* tal y como *ve las amenazas y es la vida su prisión.* Pero como dice González de Salas, y procura
decir el propio poeta, es un «infierno dentro de sí», del cual quiere *ausen-
tarse* y *no creerlo.* El verbo inicial del título, *Finge,* puede referirse a la invención literaria, o puede ser un comentario sobre la condición que imagina el poeta. Por otra parte, aquí recuerda Quevedo las diosas que llamaban los romanos las Furias y las Poenas (Penas), y los griegos las Euménides,
que eran en un principio personificaciones de las maldiciones, y que
perseguían a los que habían cometido algún delito grande, atormentán-
doles en su conciencia, de tal manera que rabiaban de dolor (en los vv. 10
y 11 expresa Quevedo el tormento, la rabia, y la pena por lo que a él le
parece ser culpa suya). Las Furias y las Poenas eran también implacables:
no las movían a piedad ninguna súplica ni sacrificio, ni de los hombres
ni de los dioses, cosa que recuerda Quevedo en el v. 14.

10 *el Amar fuego y Tirano:* aquí sigue Quevedo el léxico y el concepto
renacentista del amor (comp. los poemas 59, 60, 61 y 62). En términos
clásicos, achaca al amor algunos de los atributos de las Furias y las Poenas;
el concepto clásico de Cupido era bien distinto (v. el poema 65, nota a los
vv. 6-7).

12 *dueño:* el Amor, como *fuego y Tirano.*

12-13 *tal ordenas:* lo que pudo ser *culpa mía,* también puede achacarse
a la *enemiga mano* de otra entidad.

63

[Amante que hace lección para aprender a amar de Maestros irracionales]*

Músico llanto en lágrimas sonoras
Llora Monte doblado en cueva fría;
Y destilando líquida armonía,
Hace las peñas cítaras canoras.

Ameno y escondido a todas horas,   5
En mucha sombra alberga poco día;
No admite su silencio compañía,
Sólo a ti, Solitario, cuando lloras.

Son tu nombre, color y voz doliente,
Señas más que de pájaro, de amante;   10
Puede aprender dolor de ti un ausente.

---

* *Maestros irracionales:* González de Salas recuerda aquí la bella imagen tradicional del «canto no aprendido» de los pájaros (véase el poema 57,
nota al v. 67).

3 Se refiere a las gotas de agua que caen del techo de la cueva «por
muchas partes», y que con diversos ritmos y diversos tonos (obedeciendo
éstos al tamaño de la gota, y a la distancia que cae), podrían producir
cierta *armonía.*

4 Entiéndase que el llanto convierte las peñas en cítaras dulces y
sonoras.

6 *En mucha... poco:* figura tradicional en la poesía de la época.

alberga: hospeda, con alusión al albergue o posada donde uno se refu-
gia de los elementos.

8 *Solitario:* nombre propio de este pájaro, como indican la sintaxis y la
personificación. También alude a su condición solitaria y, por otra parte,
denomina una especie de pájaro algo mayor que el gorrión, y conocido
por su canto muy suave, su costumbre de volar solo, y su color negro con
unas pintas blancas muy menudas, sembradas por todo el lomo.

Estudia en tu lamento y tu semblante
Gemidos este monte y esta fuente,
Y tienes mi dolor por estudiante.

COMENTARIO

Además del título, González de Salas puso a este poema la
nota que sigue: «Refirióme don Francisco que en Génova tiene
un Caballero una Huerta, y en ella una gruta hecha de la Naturaleza en un cerro, de cuya bruta techumbre menudamente se des-
tila por muchas partes una fuente con ruido apacible. Sucedió,
pues, que dentro de ella oyó gemir un Pájaro, que llaman Solitario, y que al entrar, él se salió. Y en esta ocasión escribió este
Soneto».

Entre el otoño de 1613 y la primavera de 1619, Quevedo hizo
varios viajes a Italia, pasando casi siempre por Génova. Por lo
tanto, el soneto data de estos años.

64

[A Aminta, que se cubrió los ojos
con la mano]

Lo que me quita en fuego, me da en nieve
La mano que tus ojos me recata;
Y no es menos rigor con el que mata,
Ni menos llamas su blancura mueve.

La vista frescos los incendios bebe,   5
Y volcán por las venas los dilata;
Con miedo atento a la blancura trata
El pecho amante, que la siente aleve.

Si de tus ojos el ardor tirano
Le pasas por tu mano por templarle,   10
Es gran piedad del corazón humano;

---

1 *fuego:* metáfora por el *ardor tirano* (v. 9) de los ojos de la dama, que
ella *quita o* hace desaparecer cuando los cubre con la mano.

nieve: metáfora tradicional por la piel blanca de una mujer hermosa.

3 «Y con el amante que la mano mata, no es menos rigor darle la vista
de su nieve, que quitarle la de los ojos de la dama».

4 «La blancura de la mano no mueve menos llamas del amor que los
ojos.»

5 «Los ojos del amante beben de manera fresca los incendios del amor
que los ocasiona el ver la mano» (porque ésta, al cubrir los ojos de la
dama, los reemplaza).

6 *volcán:* metáfora por la *vista* del amante (al beber los *incendios,* se
convierte en volcán).

7-8 «El pecho amante trata la blancura de la mano con miedo atento,
porque la juzga por traidora».

9-10 «Si el fuego de tus ojos lo templas, pasándolo por la nieve de tu
mano, ...» (se recuerdan las metáforas del v. 1).

Mas no de ti, que puede al ocultarle,
Pues es de nieve, derretir tu mano,
Si ya tu mano no pretende helarle.

COMENTARIO

En este soneto recuerda Quevedo un madrigal del poeta italiano contemporáneo, Luigi Groto, que empieza con el verso «Son i begli occhi tuoi». Sigue una traducción al español: «Tus bellos ojos son las esferas cálidas de dos soles brillantes; y son pues tus manos dos copos de una nieve blanquísima. Empero te aconsejo que cuando levantes un muro delante de tus ojos, para que yo no te vea, que no pongas más la mano delante de la pestaña: levántala, y créeme a mí que si no la levantas, aquellos soles lucharán con esta nieve» (el texto italiano puede verse en Joseph G. Fucilla, *Estudios sobre el petrarquismo en España*, Madrid, CSIC, 1960, pág. 202).

12-13 «Mas no es tener piedad de ti, porque cuando la mano oculta al fuego, o ardor tirano, éste puede derretir la mano, pues ella es de nieve».

[Amante agradecido a las lisonjas
mentirosas de un sueño]

¡Ay Floralba! Soñé que te... ¿Dirélo?
Sí, pues que sueño fue, que te gozaba;
¿Y quién sino un amante que soñaba,
Juntara tanto infierno a tanto cielo?

Mis llamas con tu nieve y con tu hielo,   5
Cual suele opuestas flechas de su aljaba,
Mezclaba Amor, y honesto las mezclaba,
Como mi adoración en su desvelo.

Y dije: «Quiera Amor, quiera mi suerte,
Que nunca duerma yo, si estoy despierto,   10
Y que si duermo, que jamás despierte».

Mas desperté del dulce desconcierto,
Y vi que estuve vivo con la muerte,
Y vi que con la vida estaba muerto.

---

5 *llamas:* el ardor amoroso del poeta.
nieve: la piel blanquísima de la dama.
hielo: el desdén frío de la dama (también comparte con la nieve los dos atributos).
6-7 *Cual suele... Amor:* Cupido, el joven dios del amor, guapo y juguetón, solía llevar, en efecto, dos clases de flechas: unas de oro con punta aguda, que encendían el amor, y otras de plomo, embotadas, que ahuyentaban al mismo.
13 *vivo:* metáfora para la pasión, la sensibilidad y la actividad de uno que está despierto.
muerte: metáfora para el desdén frío, la insensibilidad y el sueño (para los antiguos, eran gemelos el dios de la muerte y el del sueño).

Este soneto es el resultado de diversos ensayos del tema por parte de Quevedo en otros poemas suyos, y a la postre, de la imitación de ciertas frases que había leído en los tercetos del soneto «¡Ay!, dulce sueño y dulce sentimiento», escrito antes de 1578 por el padre Pedro de Tablares: «"Plega a Dios", dije entonces, con voz fuerte, / "que nunca duerma yo si estoy despierto; / y si esto es sueño, que jamás despierte". / Mas desperté con sueño muy más cierto / tanto que ya vivía con la muerte; / ahora con la vida estoy más muerto» (véase el estudio de Georgina Sabat de Rivers, «Quevedo, Floralba y el Padre Tablares», *Modern Language Notes,* XCIII, 1978, págs. 320-328).

Por último, he aquí otro soneto sobre el mismo tema, de Luis Martín de la Plaza (1577-1625), publicado por Pedro Espinosa en *Flores de poetas ilustres de España,* Valladolid, 1605, f. 38r-v:

Durmiendo yo, soñaba (¡Ay, gusto breve!),
Que mereció gozar mi atrevimiento
La hermosa ocasión de mi tormento,
A quien mi pensamiento aún no se atreve.

Mas despertando, dije: ¡Ah, sueño leve
Que me das pena y gloria en un momento!
¿Por qué esparciste mi esperanza al viento,
Y le opusiste al Sol mi bien de nieve?

Venturoso Endimión, pues a su diosa
Durmiendo largo tiempo en brazos tiene,
Y más si al despertar no le fue esquiva.

Si de una sombra incierta y mentirosa
Tanta dulzura al corazón me viene,
¿Qué tal fuera tenerla cierta y viva?

236

66

[A Flori, que tenía unos claveles entre el cabello rubio]

Al oro de tu frente unos claveles
Veo matizar, cruentos, con heridas;
Ellos mueren de amor, y a nuestras vidas
Sus amenazas les avisan fieles.

Rúbricas son piadosas y crueles,   5
Joyas facinerosas y advertidas,
Pues publicando muertes florecidas,
Ensangrientan al Sol rizos doseles.

Mas con tus labios quedan vergonzosos
(Que no compiten flores a rubíes)   10
Y pálidos después, de temerosos;

Y cuando con relámpagos te ríes,
De púrpura, cobardes, si ambiciosos,
Marchitan sus blasones carmesíes.

---

2 *cruentos, con heridas:* están sangrientos por su color rojo, y por el mismo color parecen ser heridas.

3 *mueren:* estando heridas, pueden morir, pero será de amor.

5 *Rúbricas:* señal roja; rasgo o trazo peculiar que forma parte de la firma de una persona.

piadosas porque avisan; *crueles* por lo que avisan.

6 *facinerosas:* delincuentes habituales.

advertidas: entiéndase, «que advierten».

8 *Sol:* por el *oro* de la frente de la dama (v. 1).

rizos: los crespos de la cabellera.

doseles: ricos tapices usados a manera de techo, y que bajaban por los lados, para señalar con honor a los reyes y prelados.

10 *rubíes:* metáfora para los labios.

11 *pálidos:* alude también a los claveles de color blanco.

13 *púrpura:* cuando se marchita la flor *carmesí,* se vuelve más oscura, como la púrpura.

14 *blasones:* honores y glorias señalados en las insignias heráldicas.

[A un Bostezo de Floris]
[Madrigal]

Bostezó Floris, y su mano hermosa,
Cortésmente tirana y religiosa,
Tres cruces de sus dedos celestiales
Engastó en perlas y cerró en corales,
Crucificando en labios carmesíes,   5
O en puertas de rubíes,
Sus dedos de jazmín y casta rosa.

Yo, que alumbradas de sus vivas luces
Sobre claveles rojos vi tres Cruces,
Hurtar quise el engaste de una de ellas,   10

---

2 *tirana* porque enamora y esclaviza (comp. el poema 62), y *religiosa* por lo que sigue.

3 *Tres cruces:* son los tres dedos que colocó ella verticalmente sobre sus labios, formando, con la línea horizontal de los labios, tres cruces, como las de Cristo y los dos ladrones en el monte Gólgota.

celestiales: elogio tan hiperbólico como irreverente de los dedos de Floris.

4 *Engastó:* encajó (término de orfebrería).

perlas: metáfora para los dientes.

corales: metáfora para los labios.

5 *puertas de rubíes:* los labios, que son puertas hechas de rubíes.

7 El jazmín es blanco, y la rosa puede ser blanca; los dos son fragantes y muy bellos.

casta: alude probablemente a la blancura como símbolo de la pureza (el matiz de la «castidad moral» no encaja muy bien con el poema ni con la rosa).

8-9 Léase «Yo, que vi tres Cruces iluminadas con vivas luces (los ojos de la dama), sobre claveles rojos (sus labios), ...» (véase la nota al v. 10).

alumbradas: alusión irreverente a la *iluminación* o inspiración religiosa, y a una secta que en la España de Quevedo decía que gozaba de ésta.

10 *Hurtar... engaste:* entiéndase, «Quise besar los labios de Floris».

Por ver si mi delito o mi fortuna,
Por mal o buen Ladrón me diera una;
Y fuera buen Ladrón, robando Estrellas.

Mas no pudiendo hurtarlas,
Y mereciendo apenas adorarlas,   15
Divino Humilladero
De toda libertad, dije, «Yo muero,
Si no en Cruces, por ellas, donde veo
Morir virgen y mártir mi deseo».

COMENTARIO

En mi ejemplar de la primera edición del *Parnaso español* (Madrid, 1648), está tachado este poema con tinta y a mano; y en otro mío de la segunda edición (Zaragoza, 1649), que perteneció al Real Convento de San Pablo, en Sevilla, también está tachado el mismo poema, con la indicación a mano en el margen, «Prohibido por el expurgatorio del año de 1707». Igual suerte corrieron otros poemas en los dos ejemplares, por haber parecido ser irreverentes y peligrosos a los oficiales de la censura religiosa.

---

12 *mal o buen Ladrón:* en *Tres cruces* fueron crucificados Gestas (el mal ladrón), Dimas (el bueno), y en medio de ellos, Jesucristo (Lucas, 23, 39-43; los nombres son tradicionales, y constan en el evangelio «apócrifo» de Nicodemo, cap. X).

13 *Estrellas:* besos, con alusión al brillo de la boca o de los dientes de la dama.

15 *adorarlas:* nueva irreverencia, que abarca el léxico amatorio y el religioso.

16 *Humilladero:* en el sentido literal, lugar de devoción que se encontraba en los caminos y en el que se colocaba una imagen o estatua de Cristo crucificado, o la de algún santo. Aquí representa el conjunto de las *Estrellas,* o sea, la dama que al bostezar hacía cruces.

17 *libertad:* en un sentido amatorio, la dama *humillaba,* o rendía y postraba, la libertad del galán.

[Pasiones de Ausente Enamorado]
[Redondillas]

Este amor, que yo alimento
De mi propio corazón,
No nace de inclinación
Sino de conocimiento,

Que amor de cosa tan bella,   5
Y gracia que es infinita,
Si es elección, me acredita;
Si no, acredita mi Estrella.

Y ¿qué Deidad me pudiera
Inclinar a que te amara,   10
Que ese poder no tomara
Para sí, si le tuviera?

Corrido, Señora, escribo
En el estado presente,
De que estando de ti ausente,   15
Aún parezca que estoy vivo.

3-4 *inclinación:* entiéndase, el *apetito* o la *pasión* (véase el prólogo al «Heráclito cristiano», notas a los vv. 2 y 6).

8 *mi Estrella:* mi suerte o destino.

9-11 Léase «Si un dios me pudiera inclinar a que te amara, ese poder lo aprovecharía él para sí, si es que lo tuviera».

13-15 Léase «En el estado presente, Señora, escribo corrido (avergonzado) de que estando de ti ausente...».

Pues ya en mi pena y pasión,
Dulce Tirsi, tengo hechas
De las plumas de tus flechas
Las alas del corazón.   20

Y sin poder consolarme,
Ausente y amando firme,
Más hago yo en no morirme
que hará el dolor en matarme.

Tanto he llegado a quererte,   25
Que siento igual pena en mí
Del ver, no viéndote a ti,
Que adorándote, no verte,

Si bien recelo, Señora,
Que a este amor serás infiel,   30
Pues ser hermosa y cruel
Te pronostica traidora.

Pero traiciones dichosas
Serán, Tirsi, para mí,
Por ver dos caras en ti,   35
Que han de ser por fuerza hermosas.

---

19 *flechas:* alusión a las flechas de Cupido, dios del amor, que incitaban al amor.

27 Entiéndase «De que pueda yo ver, sin que te vea a ti».

29 *recelo:* sospecho.

31 *hermosa y cruel:* imágenes que pertenecen al léxico tradicional de la
poesía amatoria (comp. el poema 59), y que aprovecha Quevedo para
hacer el chiste del verso siguiente.

32 *traidora* (por infiel y por cruel).

Y advierte, que en mi pasión
Se puede tener por cierto
que es decir Ausente, y Muerto,
Dos veces una razón.   40

COMENTARIO

De este poema y de los que lo siguen en la «Musa Erato» del
Parnaso español, hace su editor, Josef Antonio González de Salas,
una sección aparte, cuya razón de ser la explica con el título siguiente: «Empieza aquí (sea con buen pie) éstos, de que constan
más propiamente nuestros Números Castellanos» (pág. 237).
Alude a los versos de «pies» o número de, sílabas tradicionalmente castellanos (6, 8 y 12 sílabas), en contraste con los metros que
imitan la poesía italiana (de 7 u 11 sílabas). A tal distinción la
acompañan diversas tradiciones expresivas, como, por ejemplo,
cierto tipo de conceptismo frecuente en los cancioneros castellanos (comp. los vv. 23-24 y 27-28).

_____

39-40 Léase «Decir 'Ausente' y 'Muerto' es decir dos veces un solo razonamiento».

69

[Hero y Leandro]*

Esforzóse pobre luz
A contrahacer el Norte,
A ser piloto el deseo,
A ser farol una torre.

Atrevióse a ser Aurora   5
Una boca a media noche,
A ser bajel un amante,
Y dos ojos a ser Soles.

Embarcó todas sus llamas
El Amor en este joven,   10
Y caravana de fuego,
Navegó Reinos Salobres.

---

* *Hero y Leandro,* famosos amantes de la Antigüedad. Leandro era un
joven de Abidos, pueblo de Tracia en el Helesponto (ahora el Dardane-
los, estrecho que separa Grecia de Turquía). Hero era la sacerdotisa de
Afrodita, diosa del amor, en Sestos, pueblo de la costa opuesta. Cada
noche, Leandro nadaba el Helesponto para encontrarse con Hero, guia-
do por una luz que ella le encendía en una torre (en otras versiones de la
leyenda, por el faro de Sestos). En una noche de tormenta, el viento
apagó la luz, y Leandro se ahogó. Cuando su cuerpo apareció en la playa,
Hero se suicidó, tirándose desde un precipicio.

2 Entiéndase «A imitar (en el sentido de falsificar) la Estrella Polar, que
guía a los navegantes».

3-4 Léase «Esforzóse el deseo a ser piloto, y una torre a ser farol».

5 *Aurora:* diosa del amanecer, que se levantaba cada mañana para
anunciar la salida del carro del Sol.

7 *bajel:* nave grande.

8 Entiéndase «Los ojos de Hero se atrevieron a dar tanta luz como
el Sol».

12 *Remos Salobres:* el mar era el reino del dios Neptuno.

Nuevo prodigio del Mar
La admiraron los Tritones;
Con centellas, y no escamas,   15
El agua le desconoce.

Ya el Mar le encubre enojado,
Ya piadoso le socorre,
Cuna de Venus le mece,
Reino sin piedad le esconde.   20

Pretensión de mariposa
Le descaminan los Dioses:
Intentos de Salamandra
Permiten que se malogren.

Si llora, crece su muerte,   25
Que aun no le dejan que llore;
Si ella suspira, le aumenta
Vientos que le descomponen.

---

14 *Tritones:* diversas deidades marinas de menor importancia, con cabeza y torso de hombre, pero el resto de pez.

15 *centellas:* alusión a las llamas de su amor (v. 9).

19 Entiéndase «Como cuna de Venus...». Venus es el nombre que le pusieron los romanos a Afrodita, diosa griega del mar, que había nacido de la espuma, y que se relacionaba con el mar tranquilo y con los viajes venturosos.

20 Los griegos relacionaban el dios Poseidón (el Neptuno de los romanos) con el mar tempestuoso.

21 Entiéndase «Con pretensión de mariposa (porque iba mirando la luz de la torre), ...».

23-24 Léase «Los dioses permiten que se malogren los intentos de Leandro de ser Salamandra» (entre los antiguos, la salamandra tenía el poder de resistir el fuego; aquí es nueva alusión a las llamas del amor; véase poema 58, nota a los vv. 13 y 14).

25 Entiéndase «Si llora Leandro, crece su muerte con las lágrimas salobres».

Armó el estrecho de abido,
Juntaron vientos feroces   30
Contra una vida sin alma
Un ejército de montes:

Indigna hazaña del Golfo,
Siendo amenaza del Orbe,
Juntarse con un Cuidado   35
Para contrastar un hombre.

Entre la luz y la muerte
La vista dudosa pone;
Grandes Volcanes suspira
Y mucho piélago sorbe.   40

Pasó el mar en un gemido
Aquel espíritu noble:
Ofensa le hizo Neptuno,
Estrella le hizo Jove,

De los bramidos del Ponto   45
Hero formaba razones,
Descifrando de la orilla
La confusión en sus voces.

---

29 *Armó:* «Armó un ejército» (la frase es elíptica; véase el v. 31).

30-32 Léase «Sin alma, juntaron vientos feroces un ejército de montes
(por las olas) contra una vida».

33-36 Léase «Juntarse con un Cuidado (recelo) para combatir a un
hombre nada más, es hazaña indigna del Mar entero (Golfo), siendo él
amenaza de toda la tierra».

37 Se entiende que la luz es de la torre, y la muerte del mar.

39 *Volcanes* (por las llamas del amor, vv. 9-12).

40 *piélago:* alta mar.

41 Entiéndase «En un gemido el mar se llevó...».

44 «Cuando murió Leandro, Jove, o Júpiter, jefe de todos los dioses, lo
subió al cielo y lo hizo una *estrella*».

45 *Ponto:* el Mar Negro, unido tan sólo al Mediterráneo por el estrecho del Helesponto; para los antiguos, era temible y desmandado.

Murió sin saber su muerte,
Y expiraron tan conformes,   50
Que el verle muerto añadió
La ceremonia del golpe.

De piedad murió la luz,
Leandro murió de amores,
Hero murió de Leandro,   55
Y Amor de envidia murióse.

COMENTARIO

De la historia de Hero y Leandro, igual que de la de Dafne y
Apolo, Quevedo hizo versiones serias, y también versiones sumamente burlescas (véanse el poema 133, parodia de Hero y Leandro, y nuestro comentario al 8, sobre Dafne y Apolo).

---

49 «Murió Hero sin saber la muerte de Leandro.»
50-52 «Y expiraron de manera tan conforme, que la ceremonia del
golpe de Hero, al caerse ya muerta del precipicio a la playa, añadió para
nosotros (pero no para ella, v. 49), el ver a Leandro muerto» (la caída fue
ceremonia porque ya estaba muerta ella).

70

[Halla en la Causa de su Amor
todos los Bienes]

Después que te conocí,
Todas las cosas me sobran:
El Sol para tener día,
Abril para tener rosas.

Por mi bien pueden tomar   5
Otro oficio las Auroras,
Que yo conozco una luz
Que sabe amanecer sombras.

Bien puede buscar la noche
Quien sus Estrellas conozca,   10
Que para mi Astrología
Ya son oscuras y pocas.

Gaste el Oriente sus minas
Con quien avaro las rompa,
Que yo enriquezco la vista   15
Con más oro a menos costa.

Bien puede la Margarita
Guardar sus perlas en conchas,
Que Búzano de una Risa
Las pesco yo en una boca.   20

---

6 Su oficio era abrir las puertas al carro del Sol.
8 *amanecer:* iluminar.
13 *el Oriente:* las Indias de América.
16 *más oro:* alude al pelo rubio de la dama.
17 *Margarita:* perla de las más preciosas.
19 *Búzano:* el que trabaja sumergido en el agua.

Contra el Tiempo y la Fortuna
ya tengo una inhibitoria:
Ni ella me puede hacer triste,
ni él puede mudarme un hora.

El oficio le ha vacado   25
A la Muerte tu persona:
A sí misma se padece,
Sola en ti viven sus obras.

Ya no importunan mis ruegos
A los Cielos por la gloria,   30
Que mi bienaventuranza
Tiene jornada más corta.

La sacrosanta Mentira
Que tantas Almas adoran,
Busque en Portugal vasallos,   35
En Chipre busque Coronas.

---

24 *mudarme:* quitarme.
25-28 Se entiende que la dama ha matado de amores a tantos galanes,
que la Muerte ya no tiene trabajo, si no es el de padecerse a sí misma,
porque existen sus obras (las muertes que causa) *sola* en esta dama (es decir,
esta dama es ya la única persona que causa las muertes).
29-32 Entiéndase «Ya no pido la gloria a los Cielos, sino a ti, porque
tú puedes darme tal bienaventuranza con jornada para mí más corta
(porque estás más cerca de mí que los Cielos)».
33-34 Entiéndase «La Mentira implícita en el amor de los galanes
(tantas Almas) que adoran no a Dios, sino a las damas...».
35 *Portugal:* tradicionalmente, los españoles se burlaban de los portugueses por enamoradizos.
36 *Chipre:* de Homero en adelante, se creía que la diosa del amor,
Afrodita, había nacido en el mar y pisado la tierra por primera vez en la
isla de Chipre, o en la de Citera.

Predicaré de manera
Tu belleza por Europa,
que no haya Herejes de Gracias,
Y que adoren en ti sola.   40

COMENTARIO

Este poema no carece de la retórica amatoria tradicional, pero
a nosotros nos parece que aquí el poeta logra expresar la plenitud
del amor de una manera franca, sencilla y bella; más moderna y
menos hiperbólica que, por ejemplo, en el poema 64.

37-40 *Herejes de Gracias:* los que abusan o desvían las gracias que ha
dado Dios al hombre, o la Gracia de Dios (ésta permitía a una persona ir
directamente al Cielo). Pero la *predicación* de *tu belleza tiene como propósito la eliminación de todos los que no te adoren en ti sola;* es decir, los que
no adoren tus gracias, o sea, tus bellezas y tus favores. (La parodia es tri-
ple, primero, del concepto de la Gracia o las gracias de Dios; segundo, de
la singularidad divina, según lo ordena el primer mandamiento de Dios,
Éxodo, 20, 2-3, y tercero, de la identidad de Dios, pues son *Herejes* los
que no *adoran a la dama* y reciben sus *gracias.)*

El Parnaso español (1648)

Erato: La misma Musa IV,
Sección segunda

Canta sola a Lisi,
y la amorosa pasión
de su amante

La serie de poemas dedicados a Lisi responde a una tradición literaria que remonta al gran poeta italiano Francesco Petrarca: casi todos son sonetos; expresan una pasión intensa por una sola persona; y revelan por parte del amante una conciencia aguda del paso del tiempo, o sea, de la historia progresiva de un gran amor (véanse, por ejemplo, el poema 75, v. 9, y el 77, v. 1, y nuestros comentarios al respecto). La serie completa de Quevedo abarca 51 sonetos y otros 5 poemas recogidos por González de Salas en *El Parnaso español* (1648); 14 sonetos recogidos por Pedro Aldrete en *Las tres musas* (1670), y un poema que se encuentra en un manuscrito (en la *Poesía original,* editada por J. M. Blecua, llevan los números 442-511, pero se ha invertido el orden de los «Idilios», y se ha colocado uno de éstos en otro lugar de la edición, numerado 390; los números corresponden a la edición de la *Obra poética* por el mismo editor). Del *Parnaso* hemos reproducido 12 sonetos y un madrigal, numerándolos de 71 a 83, y de *Las tres musas,* un soneto extraordinario, numerado 134.

No se sabe si el nombre de Lisi encubre el de una persona histórica. A nosotros, personalmente, tal detalle nos importa mucho menos que la realidad expresiva y sentimental de estos poemas como documento humano. La serie abarca los poemas de amor más sentidos de Quevedo, y también su soneto más famoso («Cerrar podrá mis ojos la postrera», núm. 78); por otra parte, ostentan una fuerte coherencia de la inaccesibilidad de la dama, su condición aristocrática, y la intensidad y plenitud de la pasión del amante. En conjunto, con la expresión del arrepentimiento y de la devoción cristiana observada en los poemas del «Heráclito cristiano» (núms. 16-29, y especialmente el 146, agregado posteriormente), forman todos una expresión extraordinaria de las pasiones humanas, cuyas múltiples contradicciones las habrá sentido Quevedo con pleno dolor («Hay en mi corazón furias y penas..., y yo padezco en mí la culpa mía», núm. 62; «Ya del error pasado me arrepiento..., y así, mi Dios, a ti vuelvo confuso», núm. 146). No pretendemos insinuar por el orden de las citas que Quevedo experimentó un gran amor, y que luego se arrepintió (no sabemos ni las fechas de los poemas en cuestión). Todo lo contrario: como cualquier ser humano, habrá sido una persona muy rica en contradicciones, algunas de las cuales su franqueza y su talento literario le permitieron expresar verbalmente.

71

[Afectos varios de su corazón, fluctuando en las ondas de los cabellos de Lisi]

En crespa tempestad del oro undoso
Nada golfos de luz ardiente y pura
Mi corazón, sediento de hermosura,
Si el cabello deslazas generoso.

Leandro, en mar de fuego proceloso,   5
Su Amor ostenta, su vivir apura;
Ícaro, en senda de oro mal segura,
Arde sus alas por morir glorioso.

---

1 *undoso:* con movimiento ondeado.

2 *golfos:* mares.

1-4 La progresión de la oración condicional se aclara leyendo los vv. del 4 al 1. Sobre la expresión táctil de esta pasión, véanse el v. 14, y el primer cuarteto del poema 134.

5-13 Cada personaje mitológico que nombra el poeta (Leandro, Ícaro, el Fénix, Midas y Tántalo) está en aposición con *Mi corazón,* y cada cláusula calificativa tiene, por lo tanto, doble referencia. Con la posible excepción del Fénix, cada personaje fue atrevido, fracasó, y sufrió un castigo; en los vv. 9-11 nos explica el poeta cómo entendió él que fracasó el Fénix.

Leandro: joven que atravesaba cada noche el Helesponto, a nado, para visitar a su amada; una noche se ahogó (véase el poema 69).

mar proceloso: alude al mar que atravesó Leandro, y al cabello de Lisi, comparado ya con una *tempestad* (v. 1).

6 *apura:* se entiende que el corazón purifica su vivir, pero que Leandro acabó con el suyo.

7 *Ícaro:* hijo de Dédalo, arquitecto del laberinto en Creta, del cual ambos se escaparon utilizando unas alas de plumas pegadas con cera, inventadas por el padre. Desobedeciendo a su padre, Ícaro voló demasiado cerca del Sol, cuyo calor le despegó las alas, por lo que el joven cayó al mar y murió.

senda de oro: metáfora para el camino del sol, y también para el cabello de la dama, el cual busca el poeta-amante (v. 3).

8 *Arde:* quema.

Con pretensión de Fénix encendidas
Sus esperanzas, que difuntas lloro,
Intenta que su muerte engendre vidas.

10

Avaro y rico, y pobre, en el tesoro
El castigo y la hambre imita a Midas,
Tántalo en fugitiva fuente de oro.

---

9 *Fénix:* pájaro fantástico, de cuyas cenizas renacía él mismo *(engendra vidas,* v. 11).

12 *pobre en el tesoro:* porque como Midas, el toque no le satisface, y como Tántalo, no logró el fruto, o el oro, que buscaba; como los dos, el corazón padeció hambre, y por esto fue *pobre en el tesoro.*

13 *Midas:* rey de Frigia que rescató al compañero y maestro del dios Dionisio, quien permitió al rey pedirle un favor. Midas le pidió que todo lo que tocara se convirtiera en oro, lo cual le concedió el dios. Más tarde, cuando sufría de hambre debido a que toda la comida que tocaba se convertía en oro, Midas pidió a Dionisio que anulara el don, lo cual también le fue concedido por el dios.

14 *Tántalo:* rey de cierta región de Grecia (difieren las versiones en muchos detalles), que por una ofensa a los dioses relacionada con una comida, o con la revelación indebida de unos secretos, fue condenado a sufrir hambre y sed incesantes, de esta forma le pusieron en medio de una fuente rodeada de árboles cargados de fruto, pero cada vez que se inclinaba a beber, el agua bajaba hasta el suelo, y cada vez que alzaba la mano a las frutas, el viento levantaba las ramas y las ponía fuera de su alcance.

Tántalo... oro: cada imagen recuerda el primer cuarteto del poema: *Tántalo (sediento); fugitiva fuente* (por el movimiento y el agua: *tempestad, undoso, golfos);* y *oro* (por el del v. 1, y por la *luz* del v. 2).

[Peligros de hablar y de callar,
y lenguaje en el silencio]

¿Cómo es tan largo en mí dolor tan fuerte, Lisis?
Si hablo y digo el mal que siento,
¿Qué disculpa tendrá mi atrevimiento?
Si callo, ¿quién podrá excusar mi muerte?

Pues ¿cómo sin hablarte podrá verte   5
Mi vista y mi semblante macilento?
Voz tiene en el silencio el sentimiento:
Mucho dicen las lágrimas que vierte.

Bien entiende la llama quien la enciende,
Y quien los causa entiende los enojos,   10
Y quien manda silencios, los entiende.

Suspiros, del dolor mudos despojos,
También la Boca a razonar aprende,
Como con llanto, y sin hablar, los ojos.

[Dice que su amor no tiene
parte alguna terrestre]*

Por ser mayor el cerco de oro ardiente
Del Sol que el globo opaco de la Tierra,
Y menor que éste el que a la Luna cierra
Las tres caras que muestra diferente,

Ya la vemos menguante, ya creciente,   5
Ya en la sombra el Eclipse nos la entierra;
Mas a los seis Planetas no hace guerra,
Ni Estrella fija sus injurias siente.

---

* *parte alguna:* ninguna porción.

1-2 *el cerco... del Sol:* los contemporáneos de Quevedo llamaban «cerco del sol» y «cerco de la luna» al resplandor y claridad que suelen aparecer alrededor de estos dos orbes. En tal contexto de luz, se puede hablar del *globo opaco* de la Tierra.

3 *éste:* el globo de la Tierra.

cierra: encierra; guardar una cosa dentro de otra.

4 *las... caras:* las fases lunares: menguante, creciente y llena.

6 Entiéndase que «Ya el Eclipse nos entierra a la luna en la sombra».

7 «A pesar de que la Tierra le hace sombra, la Luna no hace guerra a los seis planetas restantes» (para los antiguos, eran éstos: el Sol, Mercurio, Venus, Marte, Júpiter y Saturno, siendo la Luna el séptimo, y la Tierra el centro del universo).

8 *Estrella fija:* así llamadas por oposición a los planetas, que se movían cada uno en su órbita o esfera. Para los antiguos, las estrellas fijas ocupaban una esfera más allá de la de Saturno (véase el poema 27, nota al v. 6); sabían ellos que no carecían de movimiento.

La llama de mi amor, que está clavada
En el alto Cenit del Firmamento,   10
Ni mengua en sombras, ni se ve eclipsada.

Las manchas de la Tierra no las siento,
Que no alcanza su noche a la sagrada
Región donde mi fe tiene su asiento.

COMENTARIO

Más de una vez representó Quevedo el cosmos en versos bellí-
simos (véase nuestro comentario al poema 27). Por la intensidad
de la expresión del ansia de subir a la *sagrada región,* el presente
poema merece compararse con otros semejantes de Fray Luis
de León.

---

10 *Cenit:* el punto perpendicularmente más alto en el cielo, en relación con el observador.

11 *ni mengua en sombras:* ni mengua, como la Luna, en las sombras
que le hace la Tierra (a título de coherencia artística, comp. los vv. 5-6).

12-13 *las manchas de la Tierra:* en un sentido astronómico, la sombra
(vv. 6 y 11), o noche (v. 12), que hace la Tierra a la Luna; y en otro menos
literal, el deslustre y deshonra que oscurece y desdora la gloria. En el
verso que sigue se explica esta imagen mediante un término nuevamente
astronómico, pero que no deja de insinuar contextos extraastronómicos:
su noche.

13-14 *sagrada Región:* se alude al referido Cenit del Firmamento, y
también a las esferas cósmicas más allá de Saturno: la que se llamaba
«Primum mobile», que habitaban las órdenes angélicas, y la «Empírea»,
la más alta de todas, donde residía Dios. Así se explica el hecho de que en
este lugar, *mi fe tiene su asiento.*

74

[Amor impreso en el Alma, que dura después de las Cenizas]

Si hija de mi Amor mi Muerte fuese,
¡Qué parto tan dichoso que sería
El de mi Amor contra la vida mía!
¡Qué gloria, que el morir de amar naciese!

Llevara yo en el alma, a donde fuese,   5
El fuego en que me abraso; y guardaría
Su llama fiel con la ceniza fría
En el mismo sepulcro en que durmiese.

De esotra parte de la muerte dura
Vivirán en mi sombra mis cuidados,   10
Y más allá del Lete mi memoria.

Triunfará del olvido tu hermosura;
Mi pura fe, y ardiente, de los Hados;
Y el no ser, por amar, será mi gloria.

---

6 *El fuego:* la pasión amorosa.
6-8 Se entiende que «Aunque muerto y en cenizas, ardería en mí la llama del amor».
9 *esotra parte de la muerte:* entiéndase la otra ribera del río que separa al mundo del trasmundo, donde está el reino de las «sombras» (el poeta vive todavía y habla desde el mundo).
10 *mis cuidados:* mis aflicciones y penas amorosas.
11 *Lete:* uno de los ríos que dividía el mundo de los vivos del trasmundo de los muertos; al beber sus aguas, las sombras o los espíritus que lo atravesaban perdían la memoria.
12 *Triunfará:* se entiende que en la memoria del poeta-amante.
13 *los Hados:* antiguamente, las diosas que fijaban el destino de un ser cuando nacía, y podían pronosticar el futuro; los griegos las llamaban las Moerae, y los romanos las Parcae, o Fata.

Comentario

Este poema es de los muchos en los que Quevedo ensayó algunas de las imágenes que componen su soneto más famoso, «Cerrar podrá mis ojos la postrera» (núm. 78; comp. el 75, versos 1-2; 77, vv. 10-13; 79, v. 11, y 139, vv. 25-26). Se trata de un procedimiento creativo atestiguado por más de un grupo de poemas, como se ve por nuestro comentario al núm. 65.

75

[Advierte con su peligro a los que leyeren sus llamas]

Si fuere que después, al postrer día
Que negro y frío sueño desatare
Mi vida, se leyere o se cantare
Mi fatiga en amar, la pena mía,

Cualquier que de talante hermoso fía   5
Serena libertad, si me escuchare,
Si en mi perdido error escarmentare,
Deberá su quietud a mi porfía.

Atrás se queda, Lisi, el sexto año
De mi suspiro: yo, para escarmiento   10
De los que han de venir, paso adelante.

¡Oh en el Reino de Amor huésped extraño!,
Sé docto con la pena y el tormento
De un ciego y sin ventura fiel amante.

---

2 *sueño:* metáfora para la muerte, siguiendo el antiguo dicho, «El sueño es la imagen de la muerte».

2-3 *desatare; leyere; cantare:* futuro del subjuntivo; hoy diríamos «desatara», etc.

5 *talante:* cara, apariencia; disposición personal, manera de hacer algo.

5-6 *Cualquier... libertad:* entiéndase «Cualquier amante que fía su serena libertad en la cara o disposición hermosa de una mujer...».

8 *mi porfía:* entiéndase, «mi fatiga en amar» (v. 4).

11 *paso adelante:* muero.

12 El poeta se dirige al amante recién venido al Reino del Amor, y que, por lo tanto, es extranjero y sin experiencia.

13 *Sé docto:* Instrúyete.

Comentario

El v. 9 expresa una afirmación importante para la comprensión de la serie de sonetos amatorios dedicados a Lisi (véase nuestro comentario a la serie, que empieza con el número 71). Por otra parte, el primer terceto del presente poema, salvo la cláusula «para... venir» y el número preciso de los años, reproduce dos versos de Francesco Petrarca (la traducción es nuestra): «Atrás se queda el decimosexto año / de mis suspiros; y yo traspaso adelante» *(Canzoniere,* soneto 118). Sobre las imágenes del «postrer día que... desatare», véase nuestro comentario al poema 74.

76

[Retrato de Lisi que traía en una sortija]

En breve cárcel traigo aprisionado,
Con toda su familia de oro ardiente,
El cerco de la luz resplandeciente,
Y grande imperio del Amor cerrado.

Traigo el campo que pacen estrellado   5
Las Fieras altas de la piel luciente;
Y a escondidas del Cielo y del Oriente,
Día de luz y parto mejorado.

---

1 *breve cárcel:* la referida sortija o anillo.

2 *familia de oro:* entiéndase «rayos de oro», imagen del engaste de oro de la sortija, que rodea como «familia» la piedra en el centro; también metáfora para los cabellos rubios de Lisi que rodean su cara; y de acuerdo con la imagen del sol en el verso que sigue, metáfora para los rayos del mismo (el cual se solía representar en la poesía como hecho de oro —poemas 108 y 109— y en el arte con una aureola de llamas).

3 Entiéndase «La figura circular del sol resplandeciente» que lleva alrededor su *familia de oro,* y que resplandece, o sea, despide rayos de luz. En el contexto de la sortija, es metáfora para su piedra, que resplandece en el centro del engaste; y en el de Lisi, para su cara *resplandeciente.*

4 Léase «Y un grande imperio, cercado por el Amor». Como imagen de un objeto brillante encerrado o rodeado por otro en forma circular, corresponde a las del sol, de la sortija, y de la cara con sus cabellos. De manera recíproca, es metáfora de ellas, y razón de ser del poema.

5-6 *el campo:* en un sentido literal, el firmamento en la primavera. Partiendo de la imagen del sol, el poeta amplía su vista para abarcar la esfera de las *estrellas* fijas que, según la cosmografía antigua, ocupaba un lugar mucho más *alto* que el del Sol. Las *Fieras* de *piel luciente* que *pacen* son imagen de la constelación de Tauro, que coincidía por su nombre y por su sitio con los del segundo signo del Zodiaco, que el Sol atraviesa a mediados del mes de abril. Recuerda Quevedo que de Tauro había dicho Luis de Góngora que en «la estación florida... en campos de zafiro pace estrellas» («Soledad primera», vv. 1 y 6).

7 *a escondidas:* por estar en breve *cárcel* (v. 1).

8 *Día de luz:* en primer lugar, metáfora para la cara de Lssi (por su contexto, que es, *Día... a escondidas del Cielo,* corresponde a las contrapo-

Traigo todas las Indias en mi mano,
Perlas que en un diamante por rubíes   10
Pronuncian con desdén sonoro hielo,

Y razonan tal vez fuego tirano,
Relámpagos de risa carmesíes,
Auroras, gala y presunción del Cielo.

COMENTARIO

Para otras imágenes del cosmos en la poesía de Quevedo, véase nuestro comentario al poema 27.

---

siciones antecedentes, «En breve cárcel traigo... el sol», y «traigo el firmamento», y excluye cualquier interpretación literal). En segundo lugar, puede representar la piedra de la sortija, que brillaba con «luz resplandeciente» (v. 3).

parto mejorado: metáfora para el camafeo de Lisi, que como piedra, es *parto* de la tierra, que fue labrado o *mejorado* por el ingenio humano.

9 *las Indias* (alusión al tesoro de la América Latina colonial).

10-11 Entiéndase, imagen por imagen, «Dientes que, en una boca bella y dura, por entre los labios pronuncian con desdén palabras que me hielan».

12 *razonan tal vez:* discurren en rara ocasión (el sujeto es las *Perlas,* que *pronuncian... y razonan,* o sea, que «emiten y articulan sonidos... y reflexionan y hablan dando razones»).

fuego tirano: se nota que lo que pronuncian *(sonoro hielo)* es tan negativo como lo que razonan *(fuego tirano),* pero que el contraste de temperatura del fuego al hielo corresponde a otro tanto en la significación de los dos verbos.

264

77

[Amor de sola una vista nace, vive, crece y se perpetúa]

tive - Petrarca

Diez años de mi vida se ha llevado
En veloz fuga y sorda el Sol ardiente,
Después que en tus dos ojos vi el Oriente,
Lísida, en hermosura duplicado.

Diez años en mis venas he guardado   5
El dulce fuego que alimento ausente
De mi sangre. Diez años en mi mente
Con imperio tus luces han reinado.

---

3 *el Oriente:* imagen del nacer del sol, el cual vio el poeta en los ojos de Lísida por ser ellos soles (comp. el poema 59, nota al v. 1, y 69, nota al v. 8). También es metáfora para la primera vez que vio el poeta a Lísida, hace *diez años,* y que como aclara él en el primer terceto, coincidió con el nacimiento de su amor por ella.

4 *en hermosura duplicado:* en un principio, duplicado por ser dos los ojos; pero también duplicado *en hermosura,* o sea, dos veces más hermosa que el Sol.

6-7 *alimento... sangre:* entiéndase «alimento de mi sangre, ya que estando ausente de ti, no puedo alimentarla de tu vista».

8 *con imperio:* con mando o dominio; es metáfora para la sujeción absoluta de su pasión.

tus luces: metáfora para los ojos de Lísida, que dan luz, como el Sol.

5-8 El cuarteto abarca la totalidad de la antigua doble imagen, cuerpo-alma, o cuerpo-mente, y expresa también el carácter de la reciprocidad de este amor, perjudicial para el galán: «en mis venas be guardado... fuego; en mi mente... han reinado.., con imperio» (es decir, con mando absoluto y no siempre benéfico).

Basta ver una vez grande Hermosura,
Que una vez vista eternamente enciende,   10
Y en l'alma impresa eternamente dura.

Llama que a la inmortal vida trasciende,
Ni teme con el cuerpo sepultura,
Ni el Tiempo la marchita ni la ofende.

COMENTARIO

En el primer cuarteto, Quevedo recuerda dos versos de Francesco Petrarca (la traducción es nuestra): «Diecisiete años ha dado vueltas ya el cielo después que por primera vez ardí, y jamás me apagué» *(Canzoniere,* soneto 122; sobre la significación de tales afirmaciones cronológicas en los poemas que dedicó Quevedo a Lisi, véase nuestro comentario a la serie, que empieza con el poema 71).

Existe el borrador autógrafo del presente soneto, que estudiamos en nuestro libro *En torno a la poesía de Quevedo* (Madrid, Castalia, 1967), págs. 20 y 29-31.

---

10 *eternamente enciende:* entiéndase «vuelve a prender sin cesar».

11 *impresa:* entiéndase de manera literal «fijada con fuerza».

12 No es el alma la que sube y penetra a *la inmortal vida,* sino la llama de la pasión amorosa.

78

[Amor constante más allá de la muerte]

Cerrar podrá mis ojos la postrera
Sombra que me llevare el blanco día,
Y podrá desatar esta alma mía
Hora, a su afán ansioso lisonjera;

Mas no de esotra parte en la ribera   5
Dejará la memoria, en donde ardía:
Nadar sabe mi llama el agua fría,
Y perder el respeto a ley severa.

Alma, a quien todo un Dios prisión ha sido,
Venas, que humor a tanto fuego han dado,   10
Medulas, que han gloriosamente ardido,

3-4 «Y el último instante de la vida podrá separar esta alma mía de su cuerpo, lisonjeando así el anhelo con que el alma solicita la muerte.»

5 *esotra parte:* «la parte cercana al mundo de los vivos» (en contraste con la de la *postrera sombra* y de la última *hora*).

la ribera: «la orilla del río del olvido» (posteriormente a Homero, los antiguos creían que el trasmundo estaba cercado de ríos, y que al separarse el alma de su cuerpo, tenía ésta que cruzar uno o más de ellos para llegar a dicho lugar; en este soneto, la referencia a la *memoria* en el v. 6 indica que se trata del río Leteo, en el cual las almas «bebían con tranquilidad largo olvido», según dice Virgilio en la *Eneida*, VI, v. 715).

5-6 «Pero mi alma no dejará el recuerdo del amor en la ribera del mundo de los vivos, en donde había ardido ella» (el sujeto de *dejará* no puede ser la *Hora*, porque es precisamente *mi alma* o *mi llama* quien de su propia voluntad se atreve a perder el respeto, o sea, a quebrantar la ley de la muerte, que aquí se representa por la *Hora*).

9 «Mi alma, que ha sido encarcelada por todo un dios» (el del amor).

10 *Al fuego* o pasión amorosa, las Venas le han dado *humor,* que puede entenderse como «vida» o «alimento» (en tiempos de Quevedo, se creía que el cuerpo se nutría y se mantenía de ciertos humores, o líquidos, que

Su cuerpo dejará, no su cuidado;
Serán ceniza, mas tendrá sentido;
Polvo serán, mas polvo enamorado.

COMENTARIO

Este soneto es el más famoso de los que escribió Quevedo, y para muchos lectores, el más bello; dice Dámaso Alonso, «seguramente el mejor de Quevedo, probablemente el mejor de la literatura española» *(Poesía española,* Madrid, Gredos, 1950, pág. 562). En su forma final, es el fruto de muchos ensayos por parte del poeta (véase el comentario al núm. 74).

---

pertenecían a su constitución física, como, por ejemplo, la sangre, la cólera, la flema y la melancolía). También puede interpretarse como «genio» o «condición» (antiguamente se relacionaba el carácter de un individuo con la preponderancia de uno u otro de los referidos humores).

11 *Medulas:* casi siempre se acentuaba así en el Siglo de Oro, y también en la poesía del XVIII y principios del XIX (J. Corominas, *Diccionario crítico etimológico, s. v.* meollo, con numerosos ejemplos), y así lo acentuaba Quevedo (Dámaso Alonso, *Poesía española,* pág. 562, nota 52; comp. el poema 82, v. 4, que cita Alonso, y el romance «Ave del yermo, que sola», *Poesía original,* ed. de Blecua, núm. 700, v. 43, y la *Política de Dios,* ed. de Crosby, Parte 1, cap. x, pág. 79).

12 *Su cuerpo dejará:* «El alma dejará su cuerpo» (se repite la afirmación del v. 3, de que la muerte podrá desenlazar al alma del cuerpo, y se sigue la implicación de los vv. 5-8 y de la tradición clásica, de que el alma deja al cuerpo en la orilla del río cuando emprende su viaje al trasmundo).

su cuidado: «su preocupación y pasión amorosa» (junto con la *memoria* y la *llama,* vv. 6-7, componen tres de las excepciones a la *ley severa* que tanto realzan y embellecen a este soneto).

13-14 *Serán ceniza; Polvo serán:* se refiere a las *Venas* y las *Medulas,* respectivamente. Siguiendo el pensamiento fundamental del poema, se precisa en cada caso la excepción a la referida *ley severa:* la ceniza *tendrá sentido,* y el polvo estará *enamorado.* No resulta necesario entender que las venas y las medulas *dejarán* al cuerpo, pues lo componen. También en el sentido metafórico se termina su existencia: las venas, que han dado *humor a tanto fuego,* serán *ceniza,* y las medulas, que han *ardido,* serán *polvo.*

268

[Amante desesperado del premio
y obstinado en amar]

¡Qué perezosos pies, qué entretenidos
Pasos lleva la Muerte por mis daños!
El camino me alargan los engaños,
Y en mí se escandalizan los perdidos.

Mis ojos no se dan por entendidos;   5
Y por descaminar mis desengaños,
Me disimulan la verdad los años
Y les guardan el sueño a los sentidos.

Del vientre a la prisión vine en naciendo,
De la prisión iré al sepulcro amando,   10
Y siempre en el sepulcro estaré ardiendo.

Cuantos plazos la Muerte me va dando,
Prolijidades son que va creciendo,
Porque no acabe de morir penando.

---

1 *entretenidos:* dilatados, demorados.

2 *por:* al atravesar, al pasar por.

4 *se escandalizan los perdidos:* «se escandalizan aun los viciosos (porque
yo lo soy mucho más que ellos)».

5 *no... entendidos:* fingen no entender.

6 *mis desengaños:* entiéndase «mi clara percepción».

9 *prisión:* metáfora para la vida.

en naciendo: al nacer.

13 *Prolijidades:* dilaciones (comp. el v. 1).

creciendo: entiéndase «aumentando».

14 *morir penando:* en un sentido literal, «morir en pena»; en otro metafórico, «vivir en pena» («vivir muriéndome de pena»).

80

[Exhorta a los que amaren que no sigan
los pasos por donde ha hecho su viaje]

Cargado voy de mí: veo delante
Muerte que me amenaza la jornada;
Ir porfiando por la senda errada
Más de necio será que de constante.

Si por su mal me sigue ciego amante   5
(Que nunca es sola suerte desdichada),
¡Ay! vuelva en sí y atrás: no dé pisada
Donde la dio tan ciego caminante.

Ved cuán errado mi camino ha sido;
Cuán solo y triste, y cuán desordenado,   10
Que nunca así le anduvo pie perdido:

Pues por no desandar lo caminado,
Viendo delante y cerca fin temido,
Con pasos que otros huyen le he buscado.

6 «Que la suerte desdichada nunca es sola.»
8 (El poeta alude a sí mismo.)
11 *pie perdido:* metáfora para persona «perdida» (comp. el poema 79,
v. 4).

COMENTARIO

El primer verso es reminiscencia de otro de Francesco Petrarca, «Con el cuerpo... que con gran dolor llevo a cuestas» (soneto 15), imitado en el siglo XV por Juan Boscán («Cargado voy de mí doquier que ando»), y por Ausias March («Yo a mí mismo soy carga muy pesada»).

En el verso 2, Quevedo recuerda otro de Petrarca: «Y la muerte viene detrás a grandes jornadas», y en el 7, otro: «De donde yo aconsejo, "Vosotros que estáis en camino, volved los pasos..."» (salvo el soneto 15 de Petrarca, los textos originales se encuentran en Joseph G. Fucilla, *Estudios sobre el petrarquismo en España*, Madrid, CSIC, 1960, págs. 200-201).

81

[Continúa la significación de su amor con la hermosura que le causa, reduciéndole a doctrina Platónica]*

Lisis, por duplicado ardiente Sirio
Miras con guerra y muerte el alma mía,
Y en uno y otro Sol abres el día,
Influyendo en la luz dulce martirio.

Doctas Sirenas en veneno Tirio   5
Con tus labios pronuncian melodía,
Y en incendios de nieve hermosa y fría
Adora primaveras mi delirio.

---

* *significación:* manifestación, explicación.

1 *duplicado... Sirio:* en un sentido literal, alude a dos estrellas brillantí-
simas y pareadas, Sirio y Proción, situadas, respectivamente, en la constelación del Can Mayor y en la del Can Menor (se llamaban «canes» por
simbolizar los perros de caza de Orión). En un sentido metafórico, representan los dos ojos de Lisis.

3 *uno y otro Sol:* metáfora para los ojos de Lisis (se basa en el hecho de
que Sirio es la estrella más brillante de todas, y también más brillante que
los planetas, salvo cuando éstos alcanzan su máxima iluminación).

4 *Influyendo... luz:* entiéndase «Proporcionando u ocasionando la luz
del día...». También alude a la muerte con la que miras... el alma mía
(v. 2), de manera que la imagen resulta pareada: la mirada de Lisis mata
de amores al poeta, y mata (porque supera) la luz del día.

5 *Sirenas:* según Homero, tres mujeres que atraían a los marineros con su
canto suave, y luego los dejaban morir (véase el poema 45, nota a los vv. 5-8).

en veneno Tirio: Tirio es alusión al color entre rojo y purpúreo, efecto del
tinte muy preciado que en la ciudad de Tiro se solía extraer de cierto molusco de aquel color, que por otra parte tenía una lengua con la que perforaba
y se comía otros animales, siendo en este respecto, si no *venenoso,* al menos
muy peligroso y dañino. En un sentido más general, corresponde lo venenoso al efecto mortal de la *melodía* de las sirenas, y al igualmente mortal de
Lisis, que con sus ojos daba «guerra y muerte al alma» del poeta (v. 2).

Amo y no espero, porque adoro amando;   10
Ni mancha al Amor puro mi deseo,
Que cortés vive y muere idolatrando.

Lo que conozco y no lo que poseo
Sigo, sin presumir méritos, cuando
Prefiero a lo que miro lo que creo.

---

14 «Prefiero lo que creo o imagino a lo que podría yo mirar con mis ojos» (recuérdese que el poeta-amante sigue lo que *conoce*, o sea, lo que recuerda mentalmente, y no lo que *posee* [v. 12], y *adora* e *idolatra* de manera cortés, pero *sin manchar* ni tocar al amor, y sin *esperar ninguna* recompensa erótica, vv. 9-11).

82

[Persevera en la exageración de su afecto amoroso, y en el exceso de su padecer]

En los claustros del Alma la herida
Yace callada; mas consume hambrienta
La vida, que en mis venas alimenta
Llama por las medulas extendida.

Bebe el ardor hidrópica mi vida,   5
Que ya ceniza amante y macilenta,
Cadáver del incendio hermoso, ostenta
Su luz en humo y noche, fallecida.

La gente esquivo, y me es horror el día;
Dilato en largas voces negro llanto   10
Que a sordo mar mi ardiente pena envía.

A los suspiros di la voz del canto;
La confusión inunda el alma mía;
Mi corazón es reino del espanto.

---

4 *medulas:* en tiempos de Quevedo se acentuaba esta palabra indistintamente, «medulas» o «médulas». En este verso, el metro pide la forma empleada (comp. el poema 78, nota al v. 11).

5 *hidrópica:* insaciablemente sedienta (antiguamente se creía que la hidropesía era una acumulación anormal de agua en alguna parte del cuerpo, y observaban que los hidrópicos sufrían de sed insaciable).

9 *esquivo:* evito.

83

[Retrato de Lisi en mármol]
[Madrigal]

Un famoso Escultor, Lisis esquiva,
En una piedra te ha imitado viva,
Y ha puesto más cuidado en Retratarte
Que la Naturaleza en Figurarte:
Pues si te dio blancura y pecho helado,   5
Él lo mismo te ha dado.
Bellísima en el Mundo te hizo Ella,
Y él no te ha repetido menos bella.
Mas Ella, que te quiso hacer piadosa,
De materia tan blanda y tan suave   10
Te labré que no sabe
Del jazmín distinguirte y de la rosa;
Y él, que vuelta te advierte en piedra ingrata,
De lo que tú te hiciste te retrata.

5-6 Se entiende que la Naturaleza dio a Lisi un pecho tan blanco, y tan helado para los amantes, como si hubiera sido hecho de piedra por un escultor.

12 *jazmín:* los pétalos de esta flor son muy delicados, y se caen pronto.

jazmín; rosa: cada uno tiene un olor suave, y siendo siempre de color blanco el jazmín, representan los dos los colores empleados tradicionalmente en este tipo de poesía para describir a una mujer bella: el blanco y el rojo.

13 *te advierte:* te nota.

14 Se entiende que ella se hizo ingrata.

En este poema Quevedo imita, y supera en calidad estética, un madrigal de Luigi Groto: «Un noble escultor ha hecho de ti en viva piedra un natural retrato; así al retratarte ha puesto aún más sabiduría que la natura en engendrarte. Ella te dio lo blanco; de tal te dio el escultor también. Ella te hizo bellísima en el mundo; no menos bella te hizo él. Pero el escultor te miró con más sabiduría que ella: te hizo de piedra, exactamente como eres» (para el texto original, véase Joseph G. Fucilla, *Estudios sobre el petrarquismo en España*, Madrid, CSIC, 1960, pág. 205). El poema de Groto fue imitado por otros dos poetas españoles, y no sabemos si Quevedo vio sus versiones; la suya fue imitada a su vez por Pedro de Castro Anaya en 1632, lo cual indica que la de Quevedo fue escrita antes de esta fecha.

El Parnaso español (1648)

Terpsícore: Musa V

*Canta poesías que se
cantan y bailan,
esto es
letrillas satíricas, burlescas
y líricas; jácaras;
y bailes de música
interlocución*

84

[Letrilla satírica]

Sabed, vecinas,
Que mujeres y gallinas
Todas ponemos,
Unas cuernos y otras huevos.

Viénense a diferenciar   5
La gallina y la mujer,
En que ellas saben poner,
Nosotras sólo quitar;
Y en lo que es cacarear,
El mismo tono tenemos.   10
Todas ponemos,
Unas cuernos y otras huevos.

Doscientas gallinas hallo
Yo con un gallo contentas;
Mas si nuestros gallos cuentas,   15
Mil que den son nuestro gallo;
Y cuando llegan al fallo,
En Cuclillos los volvemos.
Todas ponemos,
Unas cuernos y otras huevos.   20

---

8 Se entiende que la esposa le quita al marido el dinero y la honra.

15-16 «A diferencia de las gallinas, no se *contenta* cada mujer sino con mil gallos, que dan cada uno regalos a la mujer.»

17 *al fallo* (el de casarse; es término legal, empleado por Quevedo de manera burlona).

18 *Cuclillos:* entiéndase «Cornudos», mediante la alusión al nido ajeno en el que pone sus huevos la hembra del cuclillo (la correspondencia no es exacta, pero la expresión se había divulgado mucho).

En gallinas regaladas
Tener pepita es gran daño,
Y en las mujeres de ogaño
Lo es el ser despepitadas;
Las viejas son emplumadas,   25
Por darnos con que volemos.
Todas ponemos,
Unas cuernos y otras huevos.

---

21 *regaladas:* acomodadas.

22 *pepita:* enfermedad de las gallinas, que las enronquece, impidiéndoles cacarear.

23 *de ogaño:* de hoy.

24 *despepitadas:* en un sentido literal, con la lengua liberada de aquella enfermedad de las gallinas. El *daño* consecuente es que pueden las mujeres hablar *(cacarear),* y que su habla es *despepitada* (porque gritan con vehemencia). Con aplicación a la mujer, «despepitada» significa también «desflorada».

25 *emplumadas:* a las brujas y alcahuetas solían desnudarlas, untarlas con miel y cubrirlas con plumas menudas. El aspecto visual de esta imagen sirve de alusión a la de las gallinas.

26 En un sentido chistoso, quien quedaba *emplumada,* tenía plumas, que a los pájaros les sirven para volar.

85

[Letrilla Satírica]

Santo silencio profeso:
No quiero, amigos, hablar;
Pues vemos que por callar,
A nadie se hizo proceso.
Ya es tiempo de tener seso: 5
Bailen los otros al son,
Chitón.

Que piquen con buen concierto
Al caballo más altivo
Picadores, si está vivo,   10
Pasteleros, si está muerto;
Que con hojaldre cubierto
Nos den un pastel frisón,
Chitón.

---

1 *profeso:* practico, me obligo (como si tomara para toda la vida voto de silencio en una orden «santa»).

4 *proceso:* causa criminal.

6-7 Entiéndase «Entren los otros en la corriente de las acciones y palabras; yo, sin embargo, teniendo seso, me callo» *(Chitón:* ¡chis!, silencio!). El chiste se basa en el sentido literal y musical de la expresión bailar al son (el contraste entre el «sonido» y el silencio es metáfora para el de hablar y callarse).

10 *Picadores:* los que amaestran los caballos, ya que tienen que picarlos con las espuelas.

11 *Pasteleros:* tenían fama de meter en la carne picada de los pasteles, la de caballo, y la de otros animales aún menos apetitosos (los pasteles se componían de carne envuelta en la pasta, y cocida al horno; se vendían en la calle, y eran de gran importancia en el alimento del pueblo).

12 *hojaldre:* la masa de harina y manteca de la que se hacen las hojillas del pastel.

13 *pastel frisón:* «pastel exageradamente grande y hecho de carne de caballo» (el caballo frisón era muy grande y muy fuerte, y se criaba en Frisia, región entre Holanda y Alemania).

Que por buscar pareceres   15
Revuelvan muy desvelados
Los Bártulos los Letrados,
Los Abades sus mujeres.
Si en los Estrados las vieres
Que ganan más que el varón,   20
Chitón.

Que trague el otro jumento
Por doncella una Sirena
Más catada que colmena,

---

17 Entiéndase «Revuelvan los Letrados sus enormes libros de derecho» (se alude a los compendios del jurisconsulto italiano Bartolo de Sassoferato, cuyo nombre había pasado al léxico popular europeo).

18 *Abades:* chiste que en primer lugar se refiere al jurisconsulto italiano Niccoló de' Tedeschi, o Todeschi, conocido por el apodo de «El Abad» (título que había tenido en Sicilia), que, como el de Bártulo, había entrado en el léxico popular en tanto imagen de la misma clase de libro. En segundo lugar, alude Quevedo a los prelados amancebados (comp., por ejemplo, el Tratado VII del *Lazarillo de Tormes),* y a las mujeres adúlteras (comp. el poema núm. 84 anterior).

19 *Estrados:* lugar o sala de la casa antigua, amueblada con cojines, en donde las damas recibían visita.

20 En la España de Quevedo, el amante de una mujer casada solía premiarla o remunerarla con dinero y con regalos, de los que se beneficiaban la esposa y el marido, estando él de esta manera «cornudo y contento», según el antiguo dicho (véase por ejemplo el diario contemporáneo del viajero portugués, Tomé Pinheiro da Veiga, que residía en la corte de España en 1605: *Fastiginia o fastos generates,* traducido por Narciso Alonso Cortés, Valladolid, Colegio de Santiago, 1916, pág. 209).

21 *Chitón:* a veces se entiende como expresión de lo que hace el poeta (por ejemplo, en el v. 7); otras veces, el poeta en conjunto con sus oyentes (v. 14); y en el verso presente, le dirige el consejo al oyente: «Si... las vieres, / ... Chitón».

22 *el otro jumento:* entiéndase «el otro necio».

23 *por doncella:* entiéndase «como si fuese doncella».

Sirena: entiéndase «mujer de experiencia, que atraía a los hombres».

24 *catada:* gustada, probada; procurada («catar» o «castrar» las colmenas es quitarles los panales con la miel).

Más probada que argumento;   25
Que llame estrecho aposento
Donde se entró de rondón,
Chitón.

Que pretenda el maridillo
De puro valiente y bravo,   30
Ser en una escuadra cabo,
Siendo cabo de cuchillo;
Que le vendan el membrillo
Que tiralle era razón,
Chitón.   35

Que duelos nunca le falten
Al Sastre que chupan brujas;

---

25 En un sentido literal, se *prueba* o demuestra un argumento; a esta
Sirena la habían *probado* muchas veces sus clientes.

26 *aposento:* entiéndase en su sentido metafórico, «vagina distendida» por
el exceso de uso, en la que *entra de rondón* el hombre (en su acepción corriente, *aposento* no tiene sentido aquí, porque tan fácilmente se entra en un cuarto ancho como en otro *estrecho,* siendo de igual tamaño la puerta del
uno como la del otro). A partir de *La Celestina* de 1499, son frecuentes en la
literatura satírica los chistes sobre la anchura o estrechez de la vagina gastada.

29 *maridillo:* el diminutivo se empleaba de manera despectiva, y con
alusión al cornudo.

32 Entiéndase que quien pretendía ser jefe de una escuadra de soldados, no era sino *cabo de cuchillo,* o sea, cornudo (el mango del cuchillo se
hacía de cuerno).

33 «Que los amantes le 'vendan' membrillo, a cambio de los favores
sexuales de su mujer» (entre los regalos que solían ofrecer los amantes a las
mujeres casadas estaba el membrillo, o sea, la conserva hecha de este fruto).

36-37 «Que dolores o problemas nunca le falten al sastre maldito, o sea,
al sastre a quien le chupan la sangre las brujas» (en esta estrofa, las repetidas
alusiones a «sacar la sangre», o «sangrar», son expresiones del odio de los
contemporáneos para con los sastres, porque con medidas falsas y con tela
de mala calidad engañaban y robaban a los clientes; por otra parte, solían
motejar a los ladrones de «sanguijuelas» que «chupaban la sangre»).

37 *chupan brujas:* alusión a la creencia popular de que las brujas solían
morder a los niños pequeños en el ano, y chuparles toda la sangre, que-
dando ellos malditos y destruidos. Era frase hecha.

283

Que le salten las agujas
Y a su mujer se las salten;
Que sus dedales esmalten   40
Un doblón y otro doblón,
Chitón.

Que el letrado venga a ser
Rico con su mujer bella,
Más por buen parecer de ella   45
Que por su buen parecer;
Y que por bien parecer
Traiga barba de cabrón,
Chitón.

Que tonos a sus galanes   50
Cante Juanilla estafando,
Porque ya piden cantando

---

38 «Que al sastre le salten y saquen sangre sus agujas» (comp. el poema 95, vv. 125-128).

40-41 «Que sus dedales sean esmaltados o adornados con los *doblones* (monedas de oro) que ha robado, y también con los otros, o sea, los *dobleces* y engaños que ha hecho» (*doblón* se emplea la primera vez en un contexto metalúrgico y numismático, y la segunda en otro metafórico y alusivo); por otra parte, la imagen del esmalte implica el color brillante, y, por lo tanto, alude a la sangre).

43 *letrado:* abogado.

43-44 Se alude al adulterio consentido por el marido, y compensado por el galán con dinero o regalos (véanse las notas a los vv. 20 y 33 anteriores).

45 *parecer:* figura, aspecto físico.

46 *parecer:* dictamen o sentencia profesional.

47 *por bien parecer:* entiéndase «por parecer él bien en el sentido estético y en el profesional» (era costumbre de los abogados llevar una barba grande).

48 *barba de cabrón:* entiéndase, «barba en señal de ser cornudo».

50 *tonos:* coplas de canción.

51 *estafando:* entiéndase «mientras quita el dinero a sus clientes».

52-53 *piden cantando... como Alemanes:* en tiempos de Quevedo, se atribuía esta manera de pedir a los extranjeros; *Alemanes* es también alusión a «germanas», que en la jerga de los rufianes significaba, «mujer pública», o «ramera».

Las niñas, como Alemanes;
Que en tono, haciendo ademanes,
Pidan sin ton y sin son,   55
Chitón.

Mujer hay en el lugar
Que a mil coches, por gozallos,
Echará cuatro caballos,
Que los sabe bien echar.   60
Yo sé quién manda salar
Su coche como jamón,
Chitón.

Que pida una y otra vez,
Fingiendo virgen el alma,   65

54-55 Entiéndase «Que cantando a tono, pero haciendo gestos dispa-
ratados, como quien baila sin son, resulta que piden sin ton ni son, o sea,
sin motivo ni causa, desordenadamente, y con gestos».

55-55 En un sentido literal, cuando se echan cuatro caballos a un coche, se le puede poner en marcha y disfrutarlo, o *gozar* de su uso. Por
otra parte, en tiempos de Quevedo el coche cerrado ofrecía a las mujeres públicas un sitio movible, secreto y prestigioso para llevar a cabo sus
negocios.

caballos: se refiere no sólo a los animales, sino también a ciertos tumores dolorosos y con pus, que se manifiestan en la ingle como consecuencia del mal venéreo.

60 *echar:* en primer lugar, la repetición de esta imagen en el contexto
de los caballos (animal cuyo macho representa tradicionalmente el erotis-
mo), los coches y las mujeres públicas, resulta ser alusión al acto sexual
(«echar el macho a la hembra», «echar cuatro caballos al coche», siendo
éste imagen de la mujer que hay dentro). En segundo lugar, se construye
la frase de acuerdo con los referidos tumores, que esta mujer *sabe bien
echar* a los hombres, por su actividad sexual.

61-62 *salar:* entiéndase «sazonar» y también «preservara» *(como jamón).*

64 *una... vez:* repetidamente (o bien porque insistía ella, o bien porque
muchas veces y en diversas ocasiones había fingido ser virgen).

65 Entiéndase «Fingiéndose virgen» *(alma* resulta ser eufemismo por
cuerpo, y en el verso que sigue, *tierna* es ironía).

La tierna doncella palma,
Y es dátil su doncellez;
Y que lo apruebe el juez
Por la sangre de un Pichón,
Chitón.   70

COMENTARIO

Este poema fue escrito antes de 1628, fecha en que lo recogió
Ignacio de Toledo y Godoy para una colección que se conoce hoy
por el título de *Cancionero antequerano* (véase mi estudio, *En torno a la poesía de Quevedo,* pág. 168).

---

66 *palma:* entiéndase «la hoja de la palma» (desde los tiempos de los
romanos, simbolizaba el triunfo; aquí, la virginidad sobre la tentación y
el pecado).

67 *dátil,* por ser fruto de la palma, y porque la *doncellez* o virginidad
de esta mujer es dátil, o sea, 'dable' (puede darse o entregarse).

68-69 Por lo visto, un marido recién casado creía que su esposa no
había sido virgen al casarse, y puso a pleito su virginidad; pero el juez la
admitió y la sostuvo, porque le enseñaron como comprobación las gotas
de sangre de pichón de paloma que calladamente y con propósito había
vertido ella en las sábanas.

86

[Letrilla Satírica]

Pues amarga la verdad,
Quiero echarla de la boca;
Y si al alma su hiel toca,
Esconderla es necedad.
Sépase, pues libertad   5
Ha engendrado en mi pereza
La Pobreza.

¿Quién hace al tuerto galán
Y prudente al sin consejo?
¿Quién al avariento viejo   10
Le sirve de Río Jordán?
¿Quién hace de piedras pan,
Sin ser el Dios verdadero?
El Dinero.

¿Quién con su fiereza espanta   15
El Cetro y Corona al Rey?

---

1 *la verdad:* entiéndase «la verdad de mi pobreza».

2 En un sentido literal, 'escupirla', por *amarga;* pero los vv. 4 y 5 imponen otro sentido más alusivo: «confesarla» O «publicarla» *(Sépase: esconderla es necedad);* por otra parte, lo que se echa de la boca se ve públicamente.

5-7 Léase «Que se sepa la verdad, pues la Pobreza ha engendrado libertad en mi pereza».

9 *sin consejo:* sin sentido común.

11 *Río Jordán:* en tiempos de Quevedo, imagen del poder rejuvenecedor, y también del judío errante, conocido en España como Juan de Espera en Dios.

12 *hace de piedras pan:* alusión jocosa a la primera tentación del diablo a Jesús, cuando este último ayudaba en el desierto: «Si eres el Hijo de Dios, di que estas piedras se hagan pan» (Mateo, 4, 3; Lucas, 4. 4).

¿Quién careciendo de ley,
Merece nombre de Santa?
¿Quién con la humildad levanta
A los cielos la cabeza?   20
La Pobreza.

¿Quién los jueces con pasión,
Sin ser ungüento, hace humanos,
Pues untándolos las manos
Los ablanda el corazón?   25
¿Quién gasta su opilación
Con oro y no con acero?
El Dinero.

¿Quién procura que se aleje
Del suelo la gloria vana?   30
¿Quién siendo toda Cristiana,
Tiene la cara de hereje?

---

17 *ley:* «acreditación civil o religiosa»; también se decía con referencia
al grado de pureza establecido por la ley del metal precioso.

18-19 *Santa; humildad:* cualidades relacionadas con la pobreza en la
tradición cristiana.

22 *pasión:* se alude al soborno (el tema del juez *apasionado,* o sobornado, preocupaba mucho a los clásicos, y se expresaba frecuentemente en la
literatura satírica.

24 *ungüento:* el dicho «untar las manos» se solía aplicar a los jueces.

26 *opilación:* en términos contemporáneos, «obstrucción... en las vías..,
por donde pasan los humores» (Covarrubias, *Tesoro de la lengua castellana).*

27 *oro; acero:* como remedio para *gastar* o curar la opilación, se «tomaba» el *acero* en diversas formas, como, por ejemplo, la de beber agua o
vino en el que se había metido un pedacito de hierro al rojo vivo. El
chiste de tomar *oro,* y no *acero,* se basa en la imagen del *Dinero* en el
verso que sigue, y alude al oro potable, que se solía tomar como medicina
(comp. el poema 89, v. 4).

32 La Pobreza *tiene cara de hereje,* o sea, mala cara, o cara triste, por los
apuros que impone al pobre, de acuerdo con el viejo refrán «La necesidad
tiene cara de hereje».

¿Quién hace que al hombre aqueje
El desprecio y la tristeza?
La Pobreza.   35

   ¿Quién la Montaña derriba
Al Valle, la Hermosa al feo?
¿Quién podrá cuanto el deseo,
Aunque imposible, conciba?
¿Y quién lo de abajo arriba   40
Vuelve en el mundo ligero?
El Dinero.

---

33 *aqueje:* aflija (no es infrecuente en el Siglo de Oro el verbo singular
con sujeto compuesto; indica que para el autor el sujeto forma un solo
concepto).

38 *¿Quién podrá...?:* entiéndase «Quién podrá hacer..?».

40-41 Léase «¿Y quién en el mundo vuelve ligeramente lo de abajo
arriba?».

87

[Letrilla Satírica]

Yo, que nunca sé callar,
Y sólo tengo por mengua
No vaciarme por la lengua
Y el morirme por hablar,
A todos quiero contar   5
Cierto secreto que oí,
Mas no ha de salir de aquí.

Mediquillo se consiente
Que al que enferma y va a curallo,
Yendo a mula, va a caballo,   10
Y por la posta el doliente.
Y viéndole tan valiente,
Llámanle el Doctor Sofí,
Mas no ha de salir de aquí.

Mandádose ha pregonar   15
Que digan, midiendo cueros,

2-4 Entiéndase «Sólo tengo por falta o defecto el no expresarme y el
morirme por hablar» (porque *nunca sé callar*, y a *todos quiero contar...*).

8 *Mediquillo* (diminutivo despectivo, como «maridillo», poema 85,
v. 29).

se consiente: se permite y acepta.

10 *a caballo*: los médicos de la época iban siempre en mulas *(«a caballo»)* y tenían fama de matar al enfermo *(acaballo, acabarlo)*: ya en el siglo XVI
se repetía este chiste.

11 *por la posta*: entiéndase «deprisa», como los caballos de relevo del
servicio de correos.

12 *valiente* (alude a que va a caballo y a matar, como caballero guerrero).

13 *Doctor Sofí*: Doctor Sabio (en griego, «sophos» quiere decir «sabio»).

15 Léase «Se han mandado pregonar».

16 *cueros*: antiguamente se guardaba el vino en el cuero entero de un puerco, u otro animal (esto lo llegó a saber don Quijote, pero no Sancho, I, XXXV).

«¡Agua va!» los taberneros,
Como mozas de fregar.
Que dejen el bautizar
A los Curas de Madrí,   20
Mas no ha de salir de aquí.

Dicen, y es bellaquería,
Que hay pocos cogotes salvos;
Y que según hay de calvos,
Que como hay zapatería,   25
Ha de haber cabellería
Para poblarlos allí;
Mas no ha de salir de aquí.

Los perritos regalados
Que a pasteleros se llegan,   30
Si con ellos veis que juegan,
Ellos quedarán picados.
Habrá estómagos ladrados,

17-19 Antes de la época del agua corriente y de las alcantarillas sub-terráneas, se solían tirar a la calle, por la puerta o por una ventana, todas las aguas sucias de la casa. En cada ciudad se fijaban ciertas horas para esta actividad, y quien iba a tirar aguas tenía que gritar previamente a los que pasaban por la calle, *«¡Agua va!».*

los taberneros: tenían muy mala fama entre los contemporáneos por aguar el vino, tema muy frecuente en la literatura satírica a partir de la segunda mitad del siglo XVI.

19 *bautizar:* metáfora para «aguar el vino».

20 *Madrí:* alusión burlesca a la pronunciación vulgar.

23 *cogotes:* parte posterior de la cabeza.

salvos: entiéndase «que escapan a la calvicie».

24-26 Entiéndase «Tal *y como hay zapatería* para reparar los zapatos, ha de haber cabellería (según hay de calvos), para *poblarlos* de cabellos allí (en el cogote)».

32 El pastelero *picará* o le echará mano al perrito, para hacer de él carne *picada* y meterla en los pasteles que vende (véase el poema 85, nota al v. 11).

33 *ladrados* (porque dentro de ellos, ladra el perro cuya carne están digiriendo).

Si comen lo que comí;
Mas no ha de salir de aquí.   35

Madre, diz que hay caracol
Que su casa trae a cuestas,
Y los Domingos y fiestas
Saca sus hijas al Sol.
La vieja es el facistol,   40
Las niñas solfean por sí;
Mas no ha de salir de aquí.

Yo conozco Caballero
Que entinta el cabello en vano,
Y por no parecer cano   45
Quiere parecer tintero;
Y siendo nieve de Enero,
De Mayo se hace alhelí,
Mas no ha de salir de aquí.

Invisible viene a ser   50
Por su pluma y por su mano
Cualquier maldito escribano,
Pues nadie los puede ver.

---

40 *facistol:* en un sentido literal, atril que en el coro de las iglesias sostiene
el libro de cánticos; para Quevedo, una *vieja facistol* es una alcahueta.

41 *solfean:* cantan al compás dictado (se continúa la alusión al coro de
las iglesias, junto con la de la alcahueta que rige un grupo de *niñas*).

45 *cano:* blanco.

48 *alhelí:* sus flores son de varios colores, incluido el blanco, como el
cabello del caballero que *quiso parecer tintero* por lo negro, pero que al
equivocarse en el tinte, se dejó el pelo de tantos colores como el alhelí.

50 *Invisible:* los escribanos tenían muy mala fama por falsificar las
causas, o culpas (v. 54), muchas veces en colaboración con los alguaciles,
ya que ambos vivían de las mismas. En otra letrilla dice Quevedo: «El
escribano recibe / cuanto le dan sin estruendo, / y con hurtar escribiendo,
/ lo que hurta no se escribe» («Toda esta vida es hurtar», *Poesía original*,
ed. J. M. Blecua, Barcelona, Planeta, 1968, núm. 647, vv. 13-16).

292

Culpas le dan de comer:
Al diablo sucede así,   55
Mas no ha de salir de aquí.

Maridillo hay que retrata
Los cuchillos verdaderos,
Que al principio tiene aceros
Y al cabo en cuerno remata;   60
Mas su mujer de hilar trata
El Cerro de Potosí,
Y no ha de salir de aquí.

Y afirman en conclusión
De los oficios que canto   65

---

54 Entiéndase «Las culpas o los delitos le dan de que comer, o sea, lo
alimentan y sostienen».

Culpas: entiéndase de dos maneras: delitos, y causas criminales. (Se
refiere, en primer lugar, a los delitos de la gente, de los cuales vive el escribano porque le son negocio profesional; en segundo lugar, a los del
escribano como quien inventa delitos y de ellos confecciona causas criminales falsificadas; y en tercer lugar, a las causas criminales en sí, tanto las
justas como las falsificadas, porque las dos daban de comer al escribano.)

57 *Maridillo:* diminutivo despectivo, que encerraba también el matiz
de cornudo.

59-60 *aceros; cabo en cuerno:* imagen del cuchillo, que tenía hoja de
acero y mango de cuerno (comp. el poema 85, nota al v. 32).

al principio; aceros; remata: léase «Al principio del casamiento tiene el
marido aceros (erecciones sexuales), pero al cabo remata en cornudo (esta
interpretación la sugieren la alusión al paso del tiempo, *al principio; remata,* el número singular de *tiene,* y el plural de *aceros,* los cuales no
cuadran ni con los cuchillos numerosos del v. 58, ni con uno solo).

61 *hilar:* en un contexto casero, presente aquí con suma ironía, hila la
mujer en su casa. En otro muy literal, el gusano de seda *hila,* o saca de sí,
la hebra para formar el capullo. Y en otro metafórico, la mujer del cornudo trata de hilar, o sacar de su propio cuerpo, gran cantidad de plata *(El
Cerro de Potosí),* mediante el negocio del adulterio (comp. el poema 85,
nota al v. 20).

Que ya no hay oficio santo
Sino el de la Inquisición.
Quien no es ladrillo, es ladrón:
Toda mi vida lo oí,
Mas no *ha de salir de aquí.*   70

66-67 *oficio santo; Inquisición:* alusión burlesca a la supuesta *santidad*
del llamado *Santo Oficio.*

68 Entiéndase «De una manera u otra, salen ellos ladrones» (en la
jerga rufianesca de la época, *ladrillo* significaba ladrón).

88

[Letrilla Satírica]

Deseado he desde niño,
Y antes, si puede ser antes,
Ver un Médico sin guantes
Y un abogado lampiño;
Un Poeta con aliño,   5
Un Romance sin orillas,
Un Sayón con pantorrillas,
Un Criollo liberal,
Y no lo digo por mal.

Ayer sobre dos astillas   10
Andaba el Señor Bicoca,
Y hoy, la barriga a la boca,

---

3 En aquel entonces los médicos llevaban guantes grandes.

4 *lampiño:* sin barbas (los abogados cultivaban barbas espesas y largas, a modo de símbolo de su experiencia y autoridad profesional).

5 Los poetas tenían fama de ser unos locos, y de ellos se burlaba Quevedo en diversas sátiras, incluyéndose a sí mismo en este grupo.

6 *orillas:* imagen muy frecuente en la poesía sentimental de la época (recuérdese el conocido romancillo de Luis de Góngora, «La más bella niña», cuyo estribillo es: «Dejadme llorar / orillas de la mar»). En más de una ocasión se burlaba Quevedo de esta imagen, como, por ejemplo, en el poema incompleto que empieza, «A la orilla de un Marqués» (Carta al duque de Osuna, 21 de noviembre 1616, en el *Epistolario completo,* ed. L. Astrana Marín, Madrid, Instituto Editorial Reus, 1946, pág. 23).

7 *Sayón:* entiéndase como aumentativo de sayo (casaca larga hasta los pies). Por cubrir las piernas, dice Quevedo que no tiene pantorrillas.

8 En España tenían los criollos la reputación de ser muy avarientos.

10 *astillas:* metáfora para las piernas muy flacas.

11 *Bicoca:* significa cosa pequeña y de poco valor.

12 *la barriga a la boca:* expresión que se aplicaba a las mujeres encinta.

Lleva ya las pantorrillas.
Eran todas espinillas
Ayer las piernas de Antón,   15
Y la una es hoy colchón,
Y la otra es hoy costal,
Y no lo digo por mal.

El vejete palabrero
Que a poder de letuario,   20
Acostándose Canario
Se nos levanta jilguero,
Su Jordán es el tintero,
Y con barbas colorines
Trae bigotes arlequines   25
Como el arco celestial,
Y no lo digo por mal.

Con más barbas que desvelos,
El Letrado cazapuestos
La caspa alega por textos,   30

---

13 Entiéndase «Lo que fueron dos astillas, son ahora piernas muy gruesas».

15 *Antón:* alusión a san Antón, ermitaño que vivía en el desierto y ayunaba mucho.

20 *letuario:* electuario.

21 *Canario:* alude al color blanco de las canas del vejete, mediante la imagen del canario, pájaro de aquel color, o de amarillo muy claro, y también mediante la palabra *cano* (blanco).

22 *jilguero:* pájaro de color pardo.

23 *Jordán:* se decía que las aguas de este río servían para rejuvenecer, y se aludía a la leyenda del judío errante, conocida en España como Juan de Espera en Dios.

24 *colorines:* de color del jilguero; de colores muy vivos.

23 *arlequines:* los graciosos de la *commedia dell' arte* italiana, que andaban vestidos de muchos colores, como payasos.

28 *desvelos* (se refiere a los estudios).

30 *La caspa:* metáfora despectiva para la barba.

Por leyes cita los pelos.
A puras barbas y duelos
Pretende ser el Doctor
De Brujas Corregidor,
Como el barbado infernal,   35
Y no lo digo por mal.

Que amanezca con copete
La vejiga del Notario,
Anteayer Monte Calvario,
Ahora Monte Olivete;   40
Si no Calvino, Calvete
Con casco de morteruelo,
Hoy Garza y ayer Mochuelo,

---

31 *pelos* (los de la barba).

34 Entiéndase, en primer lugar, «A puras barbas... Corregidor o alcalde de la ciudad de Brujas» (los corregidores solían llevar barbas muy
grandes). En segundo lugar, y como nos muestra el verso que sigue, entiéndase «corregidor o magistrado de las brujas» (por la semejanza entre
su barba y la del cabrón, o del demonio).

37 *copete:* moño o mechón de pelo que se levanta sobre la coronilla, ya
sea natural o postizo.

38 *vejiga:* metáfora despectiva para la cabeza calva y lisa del Notario
(las vejigas se usaban como bolsas).

39-40 *Monte Calvario; Monte Olivete:* en aquél fue crucificado Jesucristo, y cerca de éste, en el jardín de Getsemani, sufrió su pasión y fue
prendido.

Calvario: metáfora para la calvicie del Notario.

Olivete: mediante sus olivos, es metáfora para los pelos del referido
copete.

41 *Calvino:* alusión al reformista religioso del siglo XVI, Juan Calvino.

Calvete: persona calva (el diminutivo es muy despectivo; además,
sirve para imponer el mismo valor peyorativo en el nombre del Monte
«Olivete»).

42 *casco:* cráneo: cabeza.

morteruelo: juguete que consta de una media esferilla hueca (el referido
casco) que se ponen los niños en la mano, y hieren con un bolillo.

43 La *Garza* tiene un copete de plumas, pero no así el *Mochuelo,* cuya
cabeza es redonda, y cuyo nombre recuerda la palabra *mocho.*

297

Coronilla de atabal,
Y no lo digo por mal.   45

Cura gracioso y parlando
Sus vecinas el Doctor,
Y siendo grande hablador
Es un mátalascallando:
su mula mata andando,   50
Sentado mata al que cura;
A su cura sigue el Cura
Con réquiem y funeral,
Y no lo digo por mal.

El signo del Escribano   55
Dice un Astrólogo Inglés
Que el signo de Cáncer es,

---

44 *Coronilla:* la parte superior de la cabeza.
   atabal: instrumento musical de percusión, que tiene un casco grande
de metal, cubierto de cuero o pergamino.
46 *parlando:* hablando mucho y sin sustancia.
48 *siendo:* entiéndase «aunque».
49 *mátalascallando:* en un sentido literal, entiéndase que a pesar de ser
grande hablador (los cuales «mataban» a los oyentes con su incesante hablar), el referido Doctor mataba callando (por ejemplo, *andando,* o *sentado,* vv. 50-51). En otro sentido más alusivo, *mátalascallando* recuerda la
expresión tradicional, «Mátalas callando y tómalas a tiento», que se decía
de los que con sosiego y secreto hacían las cosas cautamente.
50 *mula:* los médicos de la época andaban de un sitio a otro montados
en mulas.
51 *Sentado:* alusión a la postura del médico junto a la cama del enfermo, y también al juicio sesudo y quieto de una persona (a los tales se los
califican de *sentados); también* llamamos *sentado* al pulso quieto y firme.
53 *réquiem:* misa de réquiem, que se dice por el alma del difunto.
57 *Cáncer:* es el cuarto signo del Zodiaco, que corresponde a la constelación del mismo nombre, y que se representa por la figura del cangrejo, que
es lo que significa su nombre en latín. Entre las cualidades negativas
que atribuyen los astrólogos a las personas nacidas bajo el signo de Cáncer,
corresponden algunas al comportamiento de los escribanos, como, por

Que come a todo Cristiano.
Es su pluma de Milano,
Que a todo pollo da bote,   60
Y también es de Virote,
Tirando al blanco de un Real,
Y no lo digo por mal.

El pobretón más cruel
Que sin dineros se viere,   65
Tendrá mosca, si se hiciere
en el verano pastel;
Pastelerito novel,
Que sin murmurar excesos,

---

ejemplo, la de fomentar indistintamente lo bueno y lo malo; la de ser regidas por la luna (planeta que realza lo negativo en las personas); y la de ser taimadas (por el movimiento lateral, y nunca recto, de los cangrejos).

58 En un sentido literal, alude al tipo de tumor maligno, duro o ulceroso que llamamos *cáncer;* y en otro figurado, alude a la corrupción de las buenas costumbres, tan arraigada y tan venenosa como el referido tumor.

59 *pluma:* la del Escribano, que sirve para escribir, y la del pájaro que se llama *milano.*

Milano: ave de rapiña, conocida por hambrienta, tragona y rapaz, que persigue a las aves caseras, y especialmente a los pollos.

60 *pollo:* alusión a las víctimas de los milanos, y también a las de los escribanos.

bote: golpe fuerte con un arma (en este caso, alude al referido milano, o a sus garras).

61 *Virote:* flecha con punta de metal (nueva imagen de la pluma del escribano).

62 *Real:* moneda de plata (alude al dinero de las víctimas de los escribanos).

64 Entiéndase «El que vive en la pobreza más cruel».

66-67 *mosca:* dinero; pero también se alude a las *moscas* como uno de los ingredientes asquerosos que metían los pasteleros en los pasteles, según decían los satíricos: «no sé que dé gato por liebre, ... tanto de oveja y cabra, caballo y perro» (Quevedo, *Sueños y discursos,* ed. de Maldonado, págs. 79-80).

69 «Digo yo, sin murmurar excesos, que...».

Nos desentierras los huesos 70
Y eres Cuaresma en carnal,
Y no lo digo por mal.

COMENTARIO

Afirma González de Salas que los vv. 1-7 se leen en una letrilla
publicada en las *Obras* de Luis de Góngora, y que él no sabía cuál
de los dos poetas los había escrito *(El Parnaso español,* pág. 326).
Hoy se ha desechado tal letrilla de la obra de Góngora, pues no
está entre las que se le atribuyen con seguridad, ni entre las que se
le pueden atribuir, según afirman Juan e Isabel Millé y Giménez en
su edición de las *Obras* del poeta (Madrid, Espasa-Calpe, 1951).

70-71 «Al quitar la carne de los pasteles, nos impones Cuaresma en
época carnal, y quitándonos así la alimentación, se nos salen los huesos».

89

[Letrilla Satírica]

La Morena que yo adoro
Y más que a mi vida quiero,
En Verano toma el acero
Y en todos tiempos el oro.

  Opilóse, en conclusión,   5
Y levantóse a tomar
Acero, para gastar
Mi hacienda y su opilación.
La cuesta de mi bolsón
Sube, y nunca menos cuesta: 10
Mala enfermedad es ésta,
Si la ingrata que yo adoro
Y más que mi vida quiero,
En Verano toma el acero
Y en todos tiempos el oro.   15

---

1 *Morena:* en aquel entonces, y como amada, se preciaba por bella la mujer morena.

3 Como remedio de la opilación, se tomaba el acero, y en diversas formas (por ejemplo, se bebía el agua en la que se había metido un pedazo de hierro al rojo vivo).

4 *el oro:* se alude al oro potable, que se solía tomar como medicina, y también, claro está, al dinero del poeta (comp. el poema 86, nota al v. 27).

5 *Opilóse:* solían atribuir las opilaciones a «la obstrucción... en las vías y conductos por donde pasan los humores», o sea, los líquidos del cuerpo (*Diccionario de Autoridades*).

7-8 *gastar la opilación:* frase hecha que significaba remediarla.

9 *La cuesta:* «la pendiente», la cual *sube* la muchacha para llegar al dinero que está dentro (imaginamos que el *bolsón* es enorme en grado hiperbólico, como sugiere el aumentativo); también sube *la costa* o el gasto del bolsón (antiguamente, *cuesta* se empleaba en este sentido).

12 Hay en el amante un conflicto fundamental, del cual se ríe él mismo como poeta: adora a la muchacha (vv. 1-2 y 12-13), pero sabe que

Anda por sanarse a sí,
Y anda por dejarme en cueros;
Toma acero, y muestra aceros
De no dejar blanca en mí.
Mi bolsa peligra aquí, 20
Ya en la postrer boqueada;
La suya nunca cerrada
Para chupar el tesoro
De mi florido dinero,
Tomando en Verano acero 25
Y en todos tiempos el oro.

Es niña que por tomar
Madruga antes que amanezca,
Porque en mi bolsa anochezca,
Que andar tras esto es su andar. 30
De beber se fue a opilar,
Chupando se desopila,
Mi dinero despabila.
El que la dora es Medoro,

---

ella le roba el dinero (el estribillo, y los vv. 8, 10, 17, 19, 23, 29 y 33). Por lo tanto, se burla él de sí mismo, como rico (*bolsón,* 9; *florido dinero,* 24; *Medoro,* 34), y como simple (se ha dejado contagiar de una *mala enfermedad,* 11, y *adora* a una *ingrata,* 12, que le *toma el oro,* estribillo).

18 *muestra aceros:* muestra ganas (*tener* o *mostrar buenos aceros* es tener ganas de comer).

19 *blanca:* moneda pequeña de poco valor.

21 *la postrer boqueada:* el último respiro de vida.

23 *chupar:* «sangrar» o «robar» (las brujas tenían fama de chuparles la sangre a los niños; véase el poema 85, nota al v. 37).

24 *florido dinero:* el que se ha ganado fácilmente.

27 *tomar:* «tomar medicina» y también «tomar» o robar dinero.

29 *anochezca:* falte la luz (del oro).

33 *despabila:* despachar rápidamente; quitar o limar lo superfluo de una cosa (y aun lo bueno).

34 *Medoro:* personaje de quien se enamoró Angélica, reina de Catay, en el *Orlando furioso* de Ludovico Ariosto. Aparte de la parodia de lo románti-

El que no, pellejo y cuero;
En Verano toma el acero,
Y en todos tiempos el oro.

---

co, las alusiones humorísticas en este verso se encuentran en los sonidos: *la dora, Medoro, adora, de oro* (recuérdense el v. 1 y el estribillo).

35 *pellejo y cuero:* borracho; alude también a quien 'no tiene nada', mediante las expresiones «no tener más que el pellejo», «quitar el pellejo», y «estar en cueros» (recuérdense la imagen de *dejarme en cueros,* v. 17, y las de la bolsa del amante, vv. 9, 20 y 29).

90

[Letrilla Satírica]

Solamente un dar me agrada,
Que es el dar en no dar nada.

Si la prosa que gasté
Contigo, Niña, lloré,
Y aún hasta ahora la lloro,   5
¿Qué haré la plata y el oro?
Ya no he de dar, si no fuere
Al diablo, a quien me pidiere;
Que tras la burla pasada
Solamente un dar me agrada,   10
Que es el dar en no dar nada.

Yo sé que si de esta tierra
Llevara el Rey a la guerra
La niña que yo nombrara,
Que a toda Holanda tomara,   15
Por saber tomar mejor
Que el ejército mayor
De gente más doctrinada.
Solamente un dar me agrada,
Que es el dar en no dar nada.   20

_____

3 *prosa:* palabrería.
7-8 Léase «Ya no he de dar a quien me pidiere, si no fuere al diablo».
dar... Al diablo: «dar dinero al diablo», y «dar al diablo» a la persona,
como expresión del desprecio.
15 *Holanda:* se refiere a la larga y costosa guerra de España en los
Países Bajos.

Sólo apacibles respuestas,
Y nuevas de algunas fiestas
Le daré a la más altiva;
Que de diez reales arriba,
Ya en todo mi juicio pienso   25
Que se pueden dar a censo,
Mejor que a paje o criada.
Solamente un dar me agrada,
Que es el dar en no dar nada.

Sola me dio una mujer,   30
Y esa me dio en qué entender;
Yo entendí que convenía
No dar en la platería,
Y aunque en ella a muchas vi,
Sólo palabra las di   35
De no dar plata labrada.
Solamente un dar me agrada,
Que es el dar en no dar nada.

---

24 *reales:* moneda antigua de plata, cuyo valor variaba según su peso.

26 *dar a censo:* «invertir en un censo» (porque el censo rinde una pensión al individuo, pero la mujer no devuelve nada).

27 *paje o criada:* son mensajeros de las damas.

30-31 «En cuanto al dar a las mujeres (vv. 28-29), no hay sino una sola mujer que me ha dado algo, y esa fue mi madre, que me dio los sesos con los que entiendo lo que me rodea».

33 *la platería:* se refiere a una tienda, o a una calle o a un barrio.

34 *muchas:* muchas mujeres.

36 *plata labrada:* joyas o dinero.

91

[Letrilla Satírica]

Vuela, pensamiento, y diles
A los ojos que más quiero,
Que hay dinero.

    Del dinero que pidió,
A la que adorando estás   5
Las nuevas la llevarás,
Pero los talegos no.
Di que doy en no dar yo,
Pues para hallar el placer,
El ahorrar y el tener   10
Han mudado los carriles.
Vuela, pensamiento, y diles
A los ojos que más quiero,
Que hay dinero.

    A los ojos, que en mirallos   15
La libertad perderás,
Que hay dineros les dirás,
Pero no gana de dallos:
Yo sólo pienso cerrallos,
Que no son la ley de Dios,   20
Que se han de encerrar en dos,

---

4 *pidió:* pidió ella.

5 Entiéndase «A la mujer que adorando estás de mi parte».

6-7 *Las nuevas* corresponde a *diles* (v. 1); los *talegos* o bolsones a *no llevar*, o sea, «no dar», con lo cual se prefigura el v. 8.

19 *cerrallos:* encerrar los dineros.

20-21 «Que los dineros no son la ley de Dios, que Él dio a Moisés encerrada en dos tablas (Éxodo, 31, 18), ni se han de encerrar los dineros en dos personas, ni en dos ojos de una mujer».

Sino en talegos cerriles.
Vuela, pensamiento, y diles
A los ojos que más quiero,
Que hay dinero.   25

   Si con agrado te oyere
Esa esponja de la Villa,
Que Hay dinero has de decilla,
Y que ¡Ay de quien le diere!
Si ajusticiar te quisiere,   30
Está firme como Martos;
No te dejes hacer cuartos
De sus dedos alguaciles.
Vuela, pensamiento, y diles
A los ojos que más quiero,   35
Que hay dinero.

COMENTARIO

El estribillo recuerda uno de Góngora, pero con la preocupación
por el dinero tan característica de Quevedo. Dijo Góngora: «Vuela,
pensamiento, y diles / A los ojos que te envío, / Que eres mío».

---

22 *cerriles:* «ásperos» o «toscos» (porque no se abren fácilmente); también juega, por las sílabas semejantes, con «cerrallos».

27 *esponja:* metáfora para la mujer (porque embebe o se chupa el dinero, hinchándose con él).

29 *le diere:* lo diera.

31 *Martos:* alusión a la firmeza con que protestaron su inocencia los
hermanos Carvajales, los cuales había mandado el rey Fernando IV que
fueran despeñados por la peña de Martos (provincia de Jaén; siglo XIII).

32 *hacer cuartos:* descuartizar, como se solía hacer con los cuerpos de
los reos que se habían *ajusticiado* (v. 30); también, «trocarte en menudo»
(el cuarto era una moneda de cobre que valía cuatro maravedís).

33 *alguaciles:* el poeta adjetiva el nombre de los oficiales de la justicia
que antiguamente prendían a los reos, y les embargaban los bienes y la
hacienda.

92

[Letrilla Lírica]

Flor que cantas, Flor que vuelas,
Y tienes por facistol lecten
El laurel, ¿para qué al Sol,
Con tan sonoras cautelas,
Le madrugas y desvelas?   5
Digasmé,
Dulce jilguero, ¿por qué?

Dime, Cantor Ramillete,
Lira de pluma volante,
Silbo alado y elegante   10
Que en el rizado copete
Luces flor, suenas falsete,
¿Por qué cantas con porfía
Envidias que llora el día

---

2 *facistol:* atril grande en el coro de las iglesias, en el que se sostienen los libros de cánticos (véase poema 87, nota al v. 40).

3 *El laurel:* con una corona de laurel se premiaba antiguamente a los que se habían distinguido en la guerra o en el arte, de donde se ha tomado la expresión «poeta laureado».

6 *Digasmé:* el acento se desplaza para crear un verso agudo, recurso arcaico empleado por Quevedo para prestar al poema un aire de cancionero.

9 *lira:* antiguo instrumento de cuerda, con el que se acompañaban los poetas cantantes.

11 *copete:* la copa del *laurel* (v. 3), que el jilguero *tiene por facistol* (v. 2), y en donde parece ser *ramillete* (v. 8), o *flor* (v. 12).

12 *Luces:* iluminas; ostentas.

falsete: canto suave y dulce, como el de quien alcanza un tono de voz más agudo de lo natural.

14 *Envidias:* metáfora para los cantos del jilguero, que son cada uno sendas envidias que entristecen al día, que las llora

14-17 Entiéndase «Canto que, si su belleza hace sonreír a Lidora, y también la pica y aflige porque interrumpe su amanecer, aún más lo en-

Con lágrimas de la Aurora,   15
Si en la risa de Lidora
Su amanecer desconsuelas?
Flor que cantas, Flor que vuelas,
etc.

En un átomo de pluma,   20
¿Cómo tal concento cabe?
¿Cómo se esconde en un ave
Cuanto el contrapunto suma?
¿Qué dolor hay que presuma
Tanto mal de su rigor,   25
Que no suspenda el dolor
Al Iris breve que canta,
Llena tan chica garganta

---

vidia por su belleza el día, y lo llora con lágrimas de la Aurora». El amanecer pone fin a una noche de amor, de manera que cualquier interrupción es negativa; el *día* es metáfora para el sol, fuente de la belleza visual,
y las *lágrimas* son metáfora para el rocío.

19 *etc.:* sigo la forma tipográfica empleada por González de Salas en el
Parnaso español.

21 *concento:* canto acordado y armonioso de diversas voces; a veces se
empleaba como metáfora para el ruido armonioso de la corriente de un
arroyo.

23 *contrapunto:* en la música, la concordancia armoniosa de diversas
voces contrapuestas.

24-25 Léase «Qué dolor hay que por su rigor presuma motivo tan
dañoso y amargo, ...».

27 «Al arco iris en el canto, y en miniatura» (como las plumas del jilguero son color pardo, la multiplicidad armoniosa de los colores del arco
iris tiene que ser imagen no del pájaro, sino de su canto, ya descrito como
concento y *contrapunto,* vv. 21 y 24; en el v. 32 vuelve el poeta a representar un sonido mediante una imagen visual). Para los antiguos, la diosa
Iris personificaba el referido arco, y los dos se tenían por mensajeros de
los dioses, que traían la paz a los hombres.

De Orfeos y de Vihuelas?
Flor que cantas, Flor que vuelas,   30
etc.

    Voz pintada, Canto alado,
Poco al ver, mucho al oído,
¿Dónde tienes escondido
Tanto instrumento templado?   35
Recata de mi cuidado
Tus músicas y alegrías,
Que las malas compañías
Te volverán los cantares
En lágrimas y pesares,   40
Por más que a Sirena anhelas.
Flor que cantas, Flor que vuelas,
etc.

COMENTARIO

En este poema hay recuerdos directos de una elegía al ruiseñor del poeta italiano contemporáneo, Giambattista Marino, de cuyo *Adone* sacó Quevedo el tema del contraste sorprendente entre el tamaño pequeño del pájaro y la belleza tan complicada de su canto. Allí también leyó Quevedo imágenes como, por ejemplo, *canto alado, voz con plumas, pluma cantante, sonido volante* y *átomo sonante* (Canto VII, octavas 32, 34, 37 y 38). La belleza «divina» del «canto alado» la compara Marino con Mercurio, bello

---

29 *Orfeo* era músico, poeta y cantante mitológico, bien conocido por la dulzura de su voz, que daba paz a los hombres y a los animales. Su instrumento era la lira antigua.

Vihuelas: instrumento musical de cuerda que se divulgó mucho en España en el siglo XVI; por su forma, era antecedente de la guitarra.

41 *Sirena:* en la Antigüedad eran tres, que habitaban en una isla y que con su canto extremadamente dulce, atraían a los marineros que pasaban por allí.

mensajero alado de los dioses, comparación que supera Quevedo con la imagen de Iris, tan rica en valores metafóricos y en la representación de un sonido mediante una imagen visual. La imagen de las lágrimas de la Aurora como metáfora para el rocío era ya tradicional entre los poetas del Renacimiento, así como la de la sonrisa para el amanecer. El poema de Quevedo es posterior al año de 1623, fecha de la publicación del *Adone* de Marino.

93

[Carta de Escarramán a la Méndez]*
[Jácara]

Ya está guardado en la trena
Tu querido Escarramán,
Que unos alfileres vivos
Me prendieron sin pensar.

Andaba a caza de gangas,   5
Y grillos vine a cazar,
Que en mí cantan como en haza
Las noches de por San Juan.

Entrándome en la bayuca,
Llegándome a remojar   10
Cierta pendencia mosquito,
Que se ahogó en vino y pan,

---

* *la Méndez:* en la poesía satírica y en el teatro de la época, se solía anteponer el artículo definido a los nombres de las mujeres rufianescas.

1 *trena:* cárcel (voz de germanía; en adelante, las distinguimos con la sigla «G»).

3 *alfileres:* corchetes o alguaciles (G); eran oficiales de la justicia, que *prendían* a los reos, como en otro sentido, servían los alfileres para *prender* las cosas.

4 *sin pensar:* «estando yo desprevenido».

5 «Andaba a caza del pájaro llamado *ganga*»; «Andaba buscando algo sin trabajo, o inútilmente».

6 *grillos:* se refiere a los insectos (imagen pareada con la de los referidos pájaros), y también a los grilletes.

7 *haza:* campo donde se ha segado el trigo u otro cereal.

8 La fiesta de San Juan es el 24 de junio.

9 *bayuca:* taberna (G).

10-12 «Llegándome un borracho *(mosquito que se ahogó en vino y pan)* a empapar y apaciguar en vino una pendencia» (comp. los poemas 94, vv. 13-16, y 104 y 105).

Al trago sesenta y nueve,
Que apenas dije «Allá va»,
Me trajeron en volandas   15
Por medio de la Ciudad.

Como el ánima del sastre
Suelen los diablos llevar,
Iba en poder de corchetes
Tu desdichado jayán.   20

Al momento me embolsaron,
Para más seguridad,
En el calabozo fuerte
Donde los Godos están.

Hallé dentro a Cardeñoso,   25
Hombre de buena verdad,
Manco de tocar las cuerdas
Donde no quiso cantar.

corchete : hote?

17-18 En un sentido literal, Quevedo solía decir frecuentemente que los diablos se llevaban las almas de los sastres (comp. el «Sueño del Infierno», _Sueños y discursos_, ed. Maldonado, págs. 114-115, y el poema 95, nota al v. 127).

19 _corchetes:_ cuando iba el alguacil por la calle, llevaba consigo algunos corchetes, que eran los que echaban mano al reo.

20 _jayán:_ persona de gran estatura y mucha fuerza; rufián respetado (G).

21 _embolsaron:_ metáfora que indica la importancia del preso, y la seguridad con la que le guardarán.

24, _Godos:_ ricos, principales; rufianes importantes (G; por la raza y el reino que dio origen a los españoles).

25 _Cardeñoso:_ nombre que alude a la expresión «hombre de la _carda_», por «jaque» o «valentón» (G).

27-28 Se _canta_ a veces _tocando las cuerdas_ de un instrumento musical; confiesa o _canta_ el reo, descubriendo los secretos, si no puede resistir el trato de _cuerdas_ (G; dicho trato era un tormento que consistía en atarle las manos a la espalda al reo, colgarlo de ellas a cierta altura, y luego dejarlo caer sin llegar al suelo, fracturándole así las coyunturas).

313

Remolón fue hecho cuenta
De la sarta de la Mar,   30
Porque desabrigó a cuatro
De noche en el Arenal.

Su amiga la Coscolina
Se acogió con Cañamar,
Aquel que sin ser San Pedro,   35
Tiene llave universal.

Lobrezno está en la Capilla,
Dicen que le colgarán
Sin ser día de su Santo,
Que es muy bellaca señal.   40

---

29 *Remolón:* nombre que alude a *remolar,* que en germanía significa
amolar o cargar los dados.

29-30 Mediante la imagen de las cuentas del rosario, alude a los individuos condenados a remar en las galeras del Rey, a quienes los llevaban
«ensartados como cuentas en una gran cadena de hierro, por los cuellos»
(Cervantes, *Quijote,* I, xxii).

31 «Porque robó las capas a cuatro hombres»; es decir, había sido «capeador» o ladrón de capas (solían quitarle la capa a la persona que iba por
algún despoblado, y generalmente de noche).

32 *el Arenal:* no se refiere a la calle madrileña de este nombre, sino a
algún lugar despoblado.

36 Las llaves de san Pedro abrían el cielo (Mateo, 16, 19); la de Cañamar es ganzúa, que tiene aplicación «universal» a las cerraduras.

37 *Lobrenzo:* alude a lobo, y a «Lobatón» (cuatrero, o ladrón de
ovejas; G).

en la Capilla: en tal lugar solía el reo prepararse para recibir la pena de
la muerte.

38 *colgar:* regalar a uno una alhaja en celebración del día de su santo,
o de su cumpleaños (se solía echar al cuello del individuo una cadena de
oro o una joya pendiente de una cinta).

39 Los otros días, el colgar será ahorcar.

314

Sobre el pagar la patente
Nos venimos a encontrar
Yo y Perotudo el de Burgos:
Acabóse la amistad.

Hizo en mi cabeza tantos   45
Un jarro que fue orinal,
Y yo con medio cuchillo
Le trinché medio quijar.

Supiéronlo los Señores,
Que se lo dijo el Guardián,   50
Gran saludador de culpas,
Un fuelle de Satanás.

_____

41 *la patente:* la licencia de robar, ya que se trata de un grupo o «institución» cuya actividad es el latrocinio.

42 *encontrar:* «enemistarnos» (porque Perotudo quería «profesar» sin pagar).

43 *Yo y...:* anteponerse a sí mismo es rasgo muy vulgar y rufianesco.
Perotudo el de Burgos: protagonista de un romance de germanía.

45-46 «Un jarro que fue orinal dio golpes, o puntos, en mi cabeza» (los *tantos* pueden ser golpes, o «puntos» en los juegos de barajas, o «fichas», piedrecitas para apostar; también son «relieves» o «desperdicios», lo que cuadra con *orinal*).

48 *quijar:* quijada.

49 *Señores:* jueces.

51 *saludador:* metáfora para delator o soplón, ya que los saludadores pretendían curar la rabia con soplar sobre el enfermo.

52 *fuelle:* soplón, y para Quevedo, *corchete* (porque «soplaban mucho más que fuelles» los tales oficiales de la justicia: *Sueños,* ed. Maldonado, pág. 121; en germanía, el «soplón» es el oficial encubierto).

de Satanás: infernal, por las llamas de los fuelles y del infierno, y por el carácter del delito.

315

Y otra mañana a las once,
Víspera de San Millán,
Con chilladores delante   55
Y envaramiento detrás,

A espaldas vueltas me dieron
El usado centenar,
Que sobre los recibidos
Son ochocientos y más.   60

Fui de buen aire a caballo,
La espalda de par en par;
Cara como del que prueba
Cosa que le sabe mal;

---

53 *Y otra mañana:* al día siguiente.

54 San Millán vivió en los siglos V y VI, y era objeto de devoción tradicional en España; su fiesta se celebra el 12 de noviembre.

55 *chilladores:* pregoneros que precedían a los reos en la acostumbrada procesión por las calles, anunciando sus crímenes.

56 *envaramiento:* los alguaciles u otros oficiales de la justicia, que en la referida procesión seguían a los reos, a veces con la tarea de azotarlos.

57 *A espaldas vueltas:* En las espaldas.

55 *centenar:* cien golpes con azote, llamado en germanía «centenario».

61 *de buen aire:* en aquel entonces, el reo intentaba sufrir el castigo público con brío y jactancia (de su padre decía Pablos el Buscón que «siempre pareció bien...a caballo», ed. Lázaro Carreter, Parte I, cap. i, pág. 17). Con *aire* se alude también al «trato airado» o «vida airada», o sea, lo rufianesco.

a caballo: en la referida procesión, el reo iba cabalgando.

Inclinada la cabeza   65
A Monseñor Cardenal,
Que el rebenque, sin ser Papa,
Cría por su potestad.

A puras pencas se han vuelto
Cardo mis espaldas ya;   70
Por eso me hago de pencas
En el decir y el obrar.

Agridulce fue la mano,
Hubo azote garrafal;
El asno era una tortuga,   75
No se podía menear.

---

66 *Monseñor Cardenal:* a primera vista, un prelado de la Iglesia a quien
se suele «inclinar la cabeza»; pero también la señal roja que deja el golpe
o latigazo en el cuerpo, y que recibe el reo *inclinado* (se llama «cardenal»
por ser del mismo color rojo o purpúreo que los vestidos de los príncipes
de la Iglesia).

67 *rebenque:* látigo de cuero o cáñamo, embreado.

67-68 *Cría:* entre sus acepciones de engendrar, producir, nutrir y edu-
car, es eufemismo que representa con ironía el *poder* que tiene el Papa de
nombrar o crear cardenales, y el que tiene el rebenque de levantarlos en
la piel del reo, escarmentando o «educándolo» a éste y al público.

69-70 *pencas:* las hojas anchas, carnosas y a veces espinosas de algunas
plantas, como el cardo, y por analogía, el pedazo de cuero o vaqueta con que
el verdugo azotaba a los delincuentes, más ancho que el rebenque o el látigo.

71-72 *me hago de pencas:* frase hecha que quiere decir, «No consentir
fácilmente en lo que se pide, aun cuando lo desee el que lo ha de conce-
der». Aquí, Escarramán «se hace de pencas» porque «mis espaldas están
hechas ya cardo».

73 *Agridulce:* al manejar la penca, la *mano* del verdugo fue *agria* porque le picaba al reo, pero también *dulce* porque no le pegó tan fuertemente como hubiera podido.

74 Léase «Sin embargo, hubo un azote o penca garrafal».

garrafal: enorme, con alusión a lo *agridulce* que fue la mano del verdugo (se dice que son *garrafales* ciertas guindas o cerezas mayores y más
dulces que las ordinarias).

75 *el asno:* en él iba cabalgando Escarramán por las calles, en la referida procesión, y cuanto más tardaba en su paso, más azotes recibía el reo.

Sólo lo que tenía bueno
Ser mayor que un Dromedal, *dromedary*
Pues me vieron en Sevilla
Los Moros de Mostagán.   80

No hubo en todos los ciento
Azote que echar a mal;
Pero a traición me los dieron:
No me pueden agraviar.

Porque el pregón se entendiera   85
Con voz de más claridad,
Trajeron por pregonero
Las Sirenas de la Mar.

Envíanme por diez años,
Sabe Dios quién los verá,   90
A que dándola de palos
Agravie toda la Mar.

---

78 *Dromedal:* dromedario.

79 «Pues estando yo en Sevilla, me vieron...»

80 *Mostagán:* ciudad de Argel, en la costa del Mediterráneo.

82 «Golpe que se podía menospreciar.»

83 *a traición:* (porque se lo dieron *a espaldas vueltas,* según dice en el v. 57).

84 En términos de la honra, los azotes no eran *agravio* porque fueron dados *a traición,* y no cara a cara; en otro sentido más próximo a la acepción germanesca, los azotes no podían ofender a Escarramán porque él los podía cubrir con la ropa.

85 *el pregón:* el oficial que iba delante de los reos en la referida procesión, y publicaba a gritos sus delitos (véase la nota al v. 55).

88 *Las Sirenas:* alusión a unas mujeres que según decía Homero en la *Odisea,* cantaban con tanta dulzura que atraían a todos los hombres que las oían (véase el poema 45, nota a los vv. 5-8).

91-92 *dándola de palos:* en un sentido literal, apaleándola (por esto queda ella «agraviada»); y en otro metafórico, tocándola con los remos (Escarramán había sido condenado a diez años en galeras).

Para batidor del agua,
Dicen que me llevarán,
Y a ser de tanta sardina   95
Sacudidor y batán.

Si tienes honra, la Méndez,
Si me tienes voluntad,
Forzosa ocasión es ésta
En lo que puedes mostrar.   100

Contribúyeme con algo,
Pues es mi necesidad.
Tal, que tomo del verdugo
Los jubones que me da;

Que tiempo vendrá, la Méndez,   105
Que alegre te alabarás,
Que a Escarramán por tu causa
Le añudaron el tragar.

---

96 *batán:* máquina movida por el agua, que tiene unos mazos gruesos
de madera que suben y caen, y al caer, golpean, desengrasan y ablandan
las pieles.

101 *Contribúyeme:* acude a mí, ayúdame (G).

104 *jubones:* vestidura que cubre desde los hombros hasta la cintura; y
en germanía, latigazos.

105-108 «Acude a mí ahora [v. 101], que si no, tiempo vendrá cuando
borracha [en germanía, *«alegre»*], te jactarás porque le causaste a Escarramán la muerte.»

108 «Le apretaron la garganta» (en el contexto de beber y ponerse
alegre o borracha, *el tragar* es metáfora para la garganta).

A la Pava del cercado,
A la Chirinos, Guzmán,   110
A la Zoila y a la Rocha,
A la Luisa y la Cerdán,

A Mama, y a Taita el viejo,
Que en la guarda vuestra están,
Y a toda la gurullada   115
Mis encomiendas darás.

Fecha en Sevilla, a los ciento
De este mes que corre ya,
El menor de tus Rufianes
Y el mayor de los de acá.   120

---

109 *cercado:* huerto (donde se guardara acaso algún *pavo o pava);* y en
germanía, mancebía (donde está *la Pava).* Consta el chiste en diversos
poemas germanescos del siglo XVI.
110 *Chirinos:* alusión a *chirinola* (friolera, o cuento enredado que causa inquietud; y en germanía, junta de maleantes).
Guzmán: nombre que tenía la connotación de cobarde.
112 *Cerdán:* alusión a cerda, que en germanía significa cuchillo.
113 *Mama, Taita:* los padres de la mancebía (Taita es eufemismo humorístico, ya que pertenece al lenguaje infantil).
114 *guarda:* mancebía (G).
115 *gurullada:* junta de rufianes y sus mancebas; tropa de corchetes y
alguaciles (G).
116 *encomiendas:* recado o recuerdos cordiales que se envían al que
está ausente; rentas que percibía un individuo, o una institución, de un
lugar u otra propiedad (por ironía, porque Escarramán no tenía ninguna).
117 *a los ciento:* se refiere chistosamente al usado *centenar* de azotes
que se solía dar al reo como castigo, y que recibió Escarramán (v. 58).
119 *Rufianes:* ayudantes en la casa de juego, o en el refugio de los
maleantes (G).

320

Comentario

Una *jácara* es un poema alegre en forma de romance, en que generalmente se cuentan hechos de la vida rufianesca, expresados en la jerga de la misma, que se llama *germanía*. En el poema presente, como en algunos otros, se supone que habla un jaque o rufián a sus amigos, o a su amiga. Quevedo escribió este poema hacia 1612, y nos enseña González de Salas que inició con él la tradición de las jácaras «ingeniosas, y de donairosa propiedad y capricho», imitadas luego por otros poetas contemporáneos; las jácaras anteriores eran, como afirma él, mucho menos artísticas.

94

[Respuesta de la Méndez a Escarramán]*
[Jácara]

Con un menino del Padre,
Tu mandil y mi avantal,
De la cámara del golpe,
Pues que su llave la trae,

Recibí en letra los ciento   5
Que recibiste, jayán,
De contado, que se vían
Uno al otro al asentar.

---

* (Véanse las notas al poema anterior.)

menino del Padre: el menino era un chico noble que servía en palacio, pero éste, por ironía, sirve al *Padre* de la mancebía, o al jefe de los
rufianes.

2 *mandil: avantal:* son sinónimos, pero entre el rufián y su dama,
juega Quevedo con las dos acepciones que tienen: delantal de la dama, en
el sentido literal, y criado de rufián o ramera, en germanía.

3 *cámara del golpe:* el calabozo (en germanía, *golpe* es postigo).

4 «Pues tiene la llave del calabozo» (donde se supone que estaba
Escarramán).

5-6 *Recibí... recibiste:* «Recibí en forma de carta los cien azotes que recibiste» (son los cien azotes del poema anterior, v. 58; sugiere ella que le
dolía mucho la noticia, cosa que repite en el v. 7). Las imágenes de *recibir,
letra* (por letra de cambio), *los ciento y asentar* (v. 8: anotar por escrito,
ajustar un convenio), aluden al cambio y negocio de la moneda y, por
lo tanto, componen una metáfora para el cambio de noticias y de *azotes*
entre Escarramán y la Méndez.

6 *jayán:* persona grande y fuerte (así llamaban a Escarramán, v. 20 del
poema anterior).

7 *se vían:* se veían.

Por matar la sed te has muerto;
Más valiera, Escarramán,   10
Por no pasar estos tragos,
Dejar otros de pasar.

Borrachas son las pendencias,
Pues tan derechas se van
A la Bayuca, donde hallan,   15
Besando los jarros, paz.

No hay cuestión ni pesadumbre
Que sepa, amigo, nadar;
Todas se ahogan en vino,
Todas se atascan en pan.   20

---

9 *matar la sed:* estaba borracho Escarramán cuando empezó la pelea
fatal (vv. 9-14).

11-12 *estos tragos... otros:* los primeros son las adversidades que está
sufriendo Escarramán; los *otros,* los que dan lugar a las borracheras.

13 *Borrachas:* botas de vino (la metáfora alude a la expresión «ahogar
las pendencias», que quiere decir «acabar una pelea emborrachándose en
la taberna», como aquí, en efecto, se entiende por las imágenes de la *paz,*
v. 16, y de *ahogar en vino,* v. 19; comp. el poema 93, vv. 9-12).
  pendencias: riña, contienda; rufián (G).

15 *Bayuca:* taberna (G).

15-16 *hallan... Besando, paz:* además de la significación mencionada en la
nota al v. 13, *hallar paz besando,* o *dar paz besando,* alude a besar uno, o una,
los órganos sexuales de otro, u otra (en el *Buscón* se dice de la madre de Pablos que «daba paz cada noche a un cabrón en el ojo que no tiene niña», ed.
Lázaro Carreter, lib. 1, cap. vii, pág. 93; y en un «Auto de fe» de 1610, se
alega que al demonio en forma de cabrón, «dos brujos le alzan las faldas para
que le besen [las brujas] en las partes vergonzosas, y... le alzan la cola y descubren aquellas partes que son muy sucias y hediondas, ... al tiempo que le
besan debajo de ella», Biblioteca de Autores Españoles, t. II, pág. 625).

16 *Besando los jarros:* «dándose tragos a pico de jarro, sin utilizar vaso
ni copa».
  los jarros: junto con la imagen de *borrachas,* se alude no sólo a los referidos besos, sino también al acto sexual, ya que las borrachas, o botas de
vino, tienen una punta o pico con un orificio del cual sale el líquido, y
los *jarros* tienen un orificio algo más ancho, que admite líquidos.

17 *cuestión:* pesadumbre.
  pesadumbre: molestia o disgusto.

Si por un chirlo tan sólo
Ciento el verdugo te da,
En el dar ciento por uno
Parecido a Dios será.

Si tantos verdugos catas,   25
Sin duda que te querrán
Las Damas por verdugado
Y las Izas por rufián.

Si te han de dar más azotes
Sobre los que están atrás,   30
Estarán unos sobre otros,
O se habrán de hacer allá.

Llevar buenos pies de albarda
No tienes que exagerar,
Que es más de muy azotado   35
Que de jinete y galán.

21-22 *un chirlo; Ciento:* un golpe (G); cien heridas o cicatrices, parecidas a las que deja un cuchillo en la cara de uno. La cifra se refiere al *usado*
centenar que recibió Escarramán (véase el poema anterior, v. 58).

23-24 *dar ciento por uno:* se refiere a la parábola del pastor que perdió
una oveja y abandonó *(dio)* las noventa y nueve en el desierto, para ir en
busca de la que se había perdido (Mateo, 17, 12; Lucas, 15, 4).

25 *verdugos:* roncha o señal que levanta el golpe del azote en la espalda del reo.
catas: registras, pruebas o procuras.

27 *verdugado:* vestidura que las mujeres usaban debajo del sayo, revestida de aros de ballena u otra materia, que ahuecaba las faldas.

28 *izas:* rameras (G).

30 *los que están atrás:* los que se han dado en el pasado, y también, en
la espalda.

31 Se refiere al hecho de que ha recibido tantos azotes que ya no hay
espacio en sus espaldas para otros que no estén «unos sobre otros».

32 *hacer allá:* apartarse un poco; hacer en el trasero, o sea, en las nalgas
(allá se refiere también a *atrás,* v. 30).

33 *buenos... albarda* «pies que delatan la costumbre de ir cabalgando
en albarda» (así cabalgaban los reos en la procesión pública, montados en
un asno; véase el poema anterior, v. 61).

Por buen supuesto te tienen
Pues te envían a bogar;
Ropa y plaza tienes cierta,
Y a subir empezarás.   40

Quéjaste de ser forzado;
No pudiera decir más
Lucrecia del Rey Tarquino,
Que tú de su Majestad.

Esto de ser galeote   45
Solamente es empezar,
Que luego, tras remo y pito,
Las manos te comerás.

Dices que te contribuya,
Y es mi desventura tal   50
Que si no te doy consejos,
Yo no tengo que te dar.

_____

37 *buen supuesto:* «buena representación y autoridad» (por ironía, y por el motivo explicado a continuación).

38 *a bogar:* a remar en las galeras; y a abogar, o ejercitar la abogacía.

39 *cierta:* tan cierta en la galera, como por ironía en la referida profesión.

40 *subir:* en la galera, en el referido asno, o en la profesión.

41-44 *forzado... de su Majestad:* a los condenados a galeras se les llamaba «gente forzada del Rey» *(Quijote,* I, xxii); y en un sentido chistoso, impuesto por la comparación con Lucrecia, «violado sexualmente».

43 *Lucrecia:* dama romana que se suicidó después de haber sido violada por un hijo del rey Tarquino el Soberbio (510 a.C.).

46 *empezar:* recuérdese el chiste sobre *subir,* v. 40.

47 *pito:* en las galeras se daban las órdenes a los remeros con un pito *(Quijote,* parte II, cap. lxiii).

48 Chiste cruel: comerse las manos de gusto, y también gastárselas por el exceso de trabajo.

49 *te contribuya:* acuda a ti, te ayude (G).

51 *consejos:* además del sentido literal, quería decir en germanía, 'rufianes astutos'.

Los hombres por las mujeres
Se truecan ya taz a taz,
Y si les dan algo encima,   55
No es moneda lo que dan.

No da nadie sino a censo,
Y todas queremos más
Para galán un Pagano,
Que un Cristiano sin pagar.   60

A la sombra de un corchete
Vivo en aqueste lugar,
Que es para los delincuentes
Árbol que puede asombrar.

De las cosas que me escribes   65
He sentido algún pesar,
Que le tengo a Cardeñoso
Entrañable voluntad.

¡Miren qué huevos le daba
El Asistente a tragar   70
Para que cantara tiples,
Sino agua, cuerda, y cendal!

---

54 *taz a taz:* igualmente, tanto por tanto.

55-56 Lo que *dan encima*, o sea, «además de otra cosa», son los azotes,
que, por otra parte, se dan sobre la parte superior del reo, según va cabalgando en el asno.

57 «No da nadie sin exigir interés.»

61 *A la sombra:* expresión empleada aquí con ironía, ya que normalmente se espera un complemento de valor positivo (árbol, duque, etc.);
en germanía, *sombra* significa la justicia.

64 *Árbol:* empleado aquí en su sentido literal, y en el germanesco:
corchete, alguacil.

asombrar: dar sombra: sorprender.

69 *huevos:* no sé exactamente qué relación tienen los *huevos* con *cantar.*

70 *Asistente:* en Sevilla, corregidor (alcalde o magistrado).

71 *cantara:* cantara música: confesara en el tormento.

72 Son tres clases de tormentos empleados para sacarle a la víctima la
confesión: *Agua:* puede referirse a diversos métodos de tormento, como,

Que Remolón fuese cuenta
Heme holgado en mi verdad,
Pues por aquese camino   75
Hombre de cuenta será.

Aquí derrotaron juntos
Coscolina y Cañamar,
En cueros por su pecado
Como Eva con Adán.   80

Pasáronlo honradamente
En este honrado lugar;
Y no siendo picadores,
Vivieron pues de hacer mal.

Espaldas le hizo el verdugo,   85
Mas debióse de cansar,
Pues habrá como ocho días
Que se las deshizo ya;

---

por ejemplo, el de taparle la boca al reo, y echarle agua por las narices. *Cuerda:* la forma más corriente de tormento, que consistía en atarle al reo las manos y los pies, y a vueltas sucesivas de los cordeles, se le desencajaban lentamente los huesos. *Cendal:* metían en la boca de la víctima unas tiras de tela delgada, y luego agua, dejando que todo entrara por la garganta, donde empezaba a hincharse la tela.

73 *Remolón:* nombre que alude a *remolar,* que en germanía significa amolar o cargar los dados.

fuese cuenta: «fuese cuenta, como las del rosario, pero en una sarta de galeotes encadenados unos a otros por el cuello» (véase el poema anterior, v. 29).

77 *derrotaron:* «llegaron arruinados y destruidos».

79 *en cueros:* tanto por su condición arruinada, como por su «*pecado*» sexual.

83 *picadores:* «ladrones de ganzúa» (lo había sido Cañamar, como se desprende del poema anterior, v. 36).

85 «Le encubrió y protegió el verdugo, para que saliera bien en su empeño», y también, «Le sufrió y aguantó con paciencia» (el sentido es sumamente irónico).

Y muriera como Judas,
Pero anduvo tan sagaz,   90
Que negó (sin ser San Pedro)
Tener llave universal.

Perdone Dios a Lobrezno
Por su infinita bondad,
Que ha dejado sin amparo   95
Y muchacha a la Luján.

Después que supo la nueva,
Nadie la ha visto pecar
En público, que de pena
Va de zaguán en zaguán.   100

De nuevo no se me ofrece
Cosa de que te avisar,
Que la muerte de Valgarra
Ya es añeja por allá.

Cespedosa es ermitaño   105
Una legua de Alcalá:
Buen disciplinante ha sido,
Buen penitente será.

---

89 *como Judas:* es decir, ahorcado (Mateo, 27, 6).

91 Durante la pasión de Cristo, san Pedro le negó tres veces (Mateo, 26, 69-75; Marcos, 14, 66-72; Lucas, 22, 54-62; Juan, 18, 25-27).

92 San Pedro tenía las llaves del cielo (Mateo, 16, 19), pero Cañamar había tenido ganzúa, de aplicación *universal* a las cerraduras (el mismo chiste se lee en el poema anterior, v. 36).

95 *amparo:* además de su sentido literal, significa, en germanía, abogado o procurador que favorece al preso, y también, rufián alcahuete que protege y es pagado por la prostituta.

100 *zaguán:* portal.

103 *Valgarra:* parodia de los apellidos compuestos de *Val-* más una palabra («Valbuena») (en el *Buscón,* Quevedo apellida a un falso noble, «Valcerrado»).

105 *Cespedosa:* nombre propio con el que alude Quevedo al tipo de terreno despoblado y sin cultivar donde vivía este individuo (véase la nota que sigue), y donde nacía el césped (en aquel entonces, hierba más recia y de raíces más fuertes que las de la grama).

ermitaño: «ermitaño de camino», o sea, salteador que roba en los despoblados o caminos (G).

        Baldorro es mozo de sillas
Y lacayo Matorral,   110
Que Dios por este camino
Los ha querido llamar.

        Montusar se ha entrado a puto
Con un mulato rapaz,
Que por lucir más que todos   115
Se deja el pobre quemar.

        Murió en la Ene de palo
Con buen ánimo un Gañán,
Y el Jinete de gaznates
Lo hizo con él muy mal.   120

---

106 A una legua de Alcalá no había población.

107 *disciplinante:* el que en las procesiones de Cuaresma iba azotándose; también se llamaba *disciplinante de luz* al que se sacaba a la vergüenza pública, y *disciplinante de penca* al azotado por la Justicia (G).

108 *penitente:* así se llamaba al que en las procesiones de la Semana Santa se vestía con traje de nazareno, en señal de penitencia; también, compañeros de algunas bellaquerías.

109 *Baldorro:* nombre propio que alude a *baldeo,* que en germanía significaba espada.

109-110 *mozo de sillas: lacayo:* alusiones al reo, y por ironía al caballero, pues solían ir cada uno cabalgando por las calles, acompañados de otras personas (aquél cuando lo sacaban a la vergüenza, éste cuando se paseaba con sus lacayos delante).

110 *Matorral:* nombre que alude no sólo al campo inculto lleno de matas y malezas, sino también a matar, matador, matanza, etc.

113 *Montusar:* nombre humorístico, compuesto de *monte* (en germanía, mancebía), y el sufijo *-usar,* a veces negativo, como en el verbo *engatusar.*

114 *mulato:* metáfora por 'quemadito', homosexual (véase la nota que sigue, y el Índice).

116 *quemar:* morir quemado en la hoguera (era éste el castigo de los sodomitas o *putos,* v. 113); y también, malbaratar, vender a precio muy bajo. Por otra parte, alude de manera humorística a la luz de las llamas (v. 115), y al hecho de que en germanía se llamaba *quemado* al negro.

117 *Ene de palo:* la horca (porque se hacía ésta de palos, y tenía la forma de una «n» minúscula).

119 *Jinete de gaznates:* verdugo (cuando no se rompían en la horca las vértebras del gaznate del reo, el verdugo montaba sobre sus espaldas e intentaba hacerlo con su peso).

Tiénenos muy lastimadas
La justicia, sin pensar
Qué se hizo en nuestra Madre,
La vieja del arrabal,

Pues sin respetar las tocas   125
Ni las canas ni la edad,
A fuerza de cardenales
Ya la hicieron obispar.

Tras ella, de su motivo,
Se salían del hogar   130
Las ollas con sus legumbres;
No se vio en el mundo tal,

Pues cogió más berenjenas
En una hora, sin sembrar,
Que un hortelano morisco   135
En todo un año cabal.

---

123 *nuestra Madre:* la de la mancebía.

127 *cardenales:* la señal roja que deja el golpe o latigazo en el cuerpo; y también, en un sentido chistoso, príncipe de la Iglesia (lo sugiere *obispar*).

128 *obispar:* en un sentido vulgar y metafórico, significaba morirse; y en otro, encorozar, por la analogía entre la coroza y la mitra del obispo (a los que habían ofendido la religión o la moralidad, como, por ejemplo, los judíos, alcahuetes, hechiceros y casados dos veces, les castigaba la Inquisición, colocándoles una coroza sobre la cabeza, y paseándoles por las calles en señal de afrenta e infamia).

129 *de su motivo:* con su propia voluntad (lo dice Quevedo con suma ironía).

130-131 Se refiere a la costumbre de tirar objetos a los condenados que paseaba la Inquisición por las calles (a Pablos le dijo un amigo suyo: «Yo le tiré dos berenjenas a su madre cuando fue obispa», *Buscón,* ed. de Lázaro Carreter, lib. 1, cap. ii, pág. 22).

133-135 *berenjenas; morisco:* son nuevas alusiones peyorativas a la raza de la referida *Madre* (a los moriscos les gustaban mucho las berenjenas, que cultivaban en sus huertas; por otra parte, la gente creía que «engendraban melancolías y despertaban malos deseos», según dice Covarrubias, *Tesoro de la lengua castellana).*

Esta Cuaresma pasada
Se convirtió la Tomás
En el Sermón de los peces,
Siendo el pecado carnal.   140

Convirtióse a puros gritos,
Túvosele a liviandad,
Por no ser de los famosos,
Sino un pobre Sacristán.

137-138 *se convirtió:* durante la Cuaresma, se solía recoger a las prostitu-
tas, llevarlas en procesión pública a una iglesia, y predicarles un sermón, con
la intención de persuadirlas a renunciar a la vida pecaminosa (convertirlas).
Sin embargo, no debieron de dar buen ejemplo tales actos, según nos informa el testigo de uno, en Valladolid y en 1605: «no se convirtió ninguna [de
las mujeres], antes están haciendo muecas y descomposturas, que sirven de
escándalo más que de provecho... Ocurren en estas ocasiones farsas solemnes» (Tomé Pinheiro da Veiga, *Fastiginia,* pág. 12).

Tomás: alude este nombre al apóstol que dudaba de la divinidad de
Jesús, pero que fue *convertido* a la fe cuando después de la resurrección le
enseñó Jesús sus heridas (Juan, 20, 26-29).

139 Se solían poner títulos a los sermones predicados durante la Semana
Santa, como, por ejemplo, «Sermón del descendimiento de la cruz», «Sermón de la soledad de la Virgen», «Sermón del buen ladrón», etc. (Pinheiro,
en la referida obra y página). También es verdad que en el cuarto domingo de
la Cuaresma se leía en la misa la versión de san Juan del milagro de los cinco
panes y los dos peces, con los que alimentó Jesús a una muchedumbre de
cinco mil personas (Juan, 16, 1-15; muchos fueron «convertidos»).

140 *carnal:* se precisa el pecado de la prostituta, y se alude a la abstinencia
de la carne en ciertos días de la Cuaresma, y por antítesis, a los «peces» del
referido sermón.

141 *a puros gritos:* no sólo los de la mujer, motivados quizá por la hipocresía, o resultados de la *liviandad* (v. 142), sino también los del
predicador, según nos sugiere el mismo Tomé Pinheiro: «Son muy desau-
torizados en el púlpito y predican como comediantes; ... son charlatanes
muy sueltos en las palabras y mucho más en las razones» *(Fastiginia,*
pág. 13; habla otro testigo de la «vehemencia extremada» de los predicadores españoles, según se explica en nota a la pág. 13).

143 *los famosos:* los predicadores famosos.

144 *Sacristán:* los contemporáneos de Quevedo solían burlarse mucho
de los sacristanes, por su torpeza y su presunción, por sus amoríos fraca-
sados y por lo que hurtaban de las iglesias.

No aguardó que la sacase   145
Calavera o cosa tal,
Que se convirtió de miedo
Al primero «¡Satanás!».

No hay otra cosa de nuevo,
Que en el vestir y el calzar,   150
Caduca ropa me visto,
Y saya de mucha edad.

Acabado el decenario
Adonde ahora te vas,
Tuya seré, que tullida,   155
Ya no me puedo mudar.

Si acaso quisieres algo
O se te ofreciere acá,
Mándame, pues de bubosa
Yo no me puedo mandar.   160

Aunque no de Calatrava,
De Alcántara ni San Juan,

145-146 *la sacase Calavera:* durante los sermones, los predicadores solían «sacar» una calavera o cruz, y enseñársela a los oyentes con la intención de conmoverles (véase, por ejemplo, el relato del viajero portugués Tomé Pinheiro da Veiga, en la obra y página citadas en la nota al v. 137 anterior).

148 «Al primer grito de "¡Satanás!" por el predicador en el sermón».

153 *decenario:* Escarramán fue condenado a galeras por «diez años»; también se alude a una sarta de diez cuentas pequeñas y una mayorcita, que servían para rezar el rosario.

155 *tullida:* paralizada en uno o más de sus miembros; por otra parte, juega el poeta con la sílaba «tú».

159 *bubosa:* sifilítica.

160 *mandar:* moverse.

161-162 *Calatrava, Alcántara ni San Juan:* tres órdenes militares antiguas y prestigiosas, que gozaban de las rentas de diversas tierras y castillos (en este contexto satírico, omite Quevedo la Orden de Santiago, a la que pertenecía él).

Te envían sus encomiendas
La Téllez Caravajal,

La Collantes valerosa,   165
La golondrina Pascual,
La Enrique mal degollada,
La palomita torcaz.

Fecha en Toledo la rica,
Dentro del pobre Hospital,   170
Donde trabajos de entrambos
Empiezo ahora a sudar.

---

163 *encomiendas:* rentas que percibía un individuo, o una institución,
de un lugar u otra propiedad; recado o recuerdos cordiales que se envían
al que está ausente.

164 *la Téllez Caravajal:* son dos apellidos de la nobleza española, y
forman también un apellido doble que cuadra con las referencias a las
prestigiosas órdenes militares. Pero todo es parodia: las encomiendas
no son sino «recuerdos»; la mujer, compañera de rufianes; y los nombres no pueden pasar de lo más cómico y vulgar, como se ve en la estrofa que sigue.

165 *valerosa:* en un contexto de ironía y parodia, apenas es posible
entender de manera literal ni verídica tal adjetivo.

166 *golondrina:* si se refiere al pájaro de aspecto bello y vuelo ligero,
será por ironía. *Golondrinos* llamaban a los soldados desertores, y a las
personas que andaban de una parte en otra, cambiando de lugar con el
cambio de estaciones, como hacen los pájaros; en germanía esta palabra
quería decir 'soldado' en general.

168 *Palomita:* además de ser nombre propio, quería decir 'sábana' y
'ramera' (G).

torcaz: palabra derivada de *torques,* que significaba 'collar' (en un contexto rufianesco, alude al cuello). La *paloma torcaz* es ave silvestre de color gris o verdoso, con una especie de collar blanco en el cuello.

169 *Toledo la rica:* alusión a la riqueza señorial de esta ciudad, capital
del emperador Carlos V (siglo XVI).

170-172 En los hospitales, y mediante unos sudores muy fuertes, se
curaban los que padecían los estragos de la sífilis, contraída a raíz de los
trabajos sexuales.

333

95

[Relación que hace un Jaque de sí, y de otros]
[Jácara]*

Zampuzado en un banasto
Me tiene su Majestad,
En un callejón Noruega
Aprendiendo a gavilán.

Graduado de tinieblas   5
Pienso que me sacarán,
Para ser noche de invierno,
O en culto, algún Madrigal.

---

* *Jaque:* rufián.
Jácara: (véase el comentario al poema 93).
1 *zampuzado:* lanzado de golpe en parte donde no se vea.
banasto: cárcel (G); véase la nota al título del poema 93.
3 *Noruega:* imagen de la estrechez, por la frialdad y oscuridad de los
fiordos (cuadra con *callejón*).
4 *gavilán:* ladrón (G); también alude a las bolsas de cuero que se solía
colocar sobre la cabeza de las aves de cetrería para que no vieran a otras
aves hasta llegar al sitio donde estaba la presa.
5 Imagen del reo que ha adquirido experiencia y destreza *(Graduado)*,
pero en mala parte *(de tinieblas)*, y también del poeta igualmente diestro, pero culterano (alusión a las supuestas *tinieblas*, u oscuridad, del estilo culto del gran poeta Luis de Góngora). Dicha imagen sirve además
de escalón entre el rufián que *aprende* (v. 4) en la cárcel, el poeta que escribe *en culto* (v. 8), y el *Norte* o guía y maestro que *enseña a navegar*
(vv. 9-10).
8 En el lenguaje culto, una *noche de invierno* (tan oscura y fría como
las de *Noruega*, v. 3), se llamará *Madrigal*, o sea, poema delicado» (parodia Quevedo las metáforas exageradamente delicadas de la poesía de tipo
culterano, y alude otra vez a la supuesta oscuridad de la misma, objeto de
muchas burlas de los satíricos contemporáneos).

Yo que fui Norte de guros,
Enseñando a navegar   10
A las Godeñas en ansias,
A los buzos en afán.

Enmoheciendo mi vida,
Vivo en esta oscuridad,
Monje de zaquizamíes,   15
Ermitaño de un desván.

Un abanico de culpas
Fue principio de mi mal;
Un letrado de lo caro,
Grullo de la puridad.   20

---

9 *Norte:* guía (partiendo de la imagen de la noche en el v. 7, alude a la
Estrella Polar, que servía de guía a los navegantes).

guros: alguaciles y, también, rufianes (es característico de la germanía el
empleo humorístico de un solo sustantivo para dos personas o entidades
que en alguna manera son contradictorias entre sí).

10 *Navegar:* darse a la vida airada (G).

11 *Godeñas:* ricas, principales (G); alude a los godos como fundadores
de la raza y la nación españolas; y también, como contradicción parcial y
humorística, manceba principal (G).

ansia: agua, y el tormento de agua (G; véase el poema 94, nota al
v. 72); también alude a las preocupaciones del enamorado.

navegar en ansias: padecer los dolores del tormento de agua (G); vivir
los afanes del amor propios de los rufianes (G).

12 *buzos:* ladrones muy diestros, o de buena vista (G).

afán: robo (G).

13 *Enmoheciendo:* lo dice el narrador por la humedad en la que vive *(nave-*
gar, v. 10, *y buzos,* v. 12, cada uno en su sentido literal), así como por la *oscu-*
ridad (v. 14), e insinúa el desuso, condiciones todas que crían el moho.

15-16 La imagen del v. 15 se repite en el 16, salvo que a la suciedad
implícita en *zaquizamíes* se agrega la soledad de ermitaño.

17 *abanico:* soplón o delator (G; con su voz, mueve el aire; comp. el
poema 93, vv. 51-52).

19-20 «Un abogado de los que vendía caro, fue alguacil (G), o guardián, de mi secreto» (es decir, lo había comprado caro al delator, y lo
vendería igualmente caro al fiscal, quitándole al acusado la oportunidad
de entrar en el negocio; *puridad* significaba antiguamente fidelidad y
confidencia, y de allí, secreto).

Dios perdone al Padre Esquerra,
Pues fue su Paternidad
Mi suegro más de seis años
En la cuexca de Alcalá,

En el mesón de la ofensa,   25
En el Palacio mortal,
En la casa de más cuartos
De toda la Cristiandad.

Allí me lloró la Guanta,
Cuando por la Salazar   30
desporqueroné dos almas
Camino de Brañigal.

Por la Quijano, doncella
De perversa honestidad,
Nos mojamos yo y Vicioso,   35
Sin metedores de paz.

---

21 *Padre Esquerra:* el tal *Esquerra* era *padre* o jefe de la mancebía.

23 *Mi suegro:* Esquerra era *suegro* de los rufianes que visitaban a sus «hijas», que eran las rameras.

24 *cuexca:* casa (G), es decir, mancebía.

25 *mesón de la ofensa:* mancebía (G).
ofensa: pecado carnal (G).

26 *mortal:* del pecado mortal.

27 *cuartos:* habitación de una casa, y moneda antigua de cobre; también aludía a las cuatro partes en las que se podía dividir el cuerpo de un ser humano o un animal.

29 *la Guanta:* la mancebía (G).

31 *desporqueroné:* separé a uno de su cuerpo *(porquerón* significaba también *corchete,* o sea, el oficial de la justicia que prendía a los reos y los llevaba agarrados a la cárcel).

32 *Brañigal:* nombre de un lugar, al parecer imaginario.

35 *nos mojamos:* «nos mojamos en sangre»; «nos mojamos los pañales como si fuéramos niños».

36 *metedores:* aquí, «personas que se meten entre los que están riñendo», y «paño de lienzo que se pone a los niños pequeños debajo del pañal, para mantener limpio a éste».

En Sevilla el Árbol seco
Me prendió en el arenal,
Porque le afufé la vida
Al zaino de Santo Horcaz.   40

El zapatero de culpas
Luego me mandó calzar
Botinicos Viscaínos,
Martillado el cordobán.

Todo cañón, todo guro,   45
Todo mandil jayán,
Y toda iza con greña,
Y cuantos saben fuñar,

---

37 *Árbol seco:* corchete o alguacil (se decía por la vara de autoridad).
39 *le afufé la vida:* lo maté (le hice huir la vida, le ahuyenté la vida; G).
40 *zaino:* traidor (G).
Santo Horcaz: supuesto nombre de lugar o apellido, que alude a la horca mediante un arreglo gráfico de *San torcaz* (verdadero apellido y nombre de lugar).
41 «El verdugo que azote al reo por sus culpas» (el zapatero corta y horada la piel de los animales, y el verdugo, la de los condenados: los dos *martillan el cordobán,* v. 44).
42 *calzar:* echar grillos (G); también alude al trabajo de los zapateros.
43 *Grillos de hierro* (había *botines* hechos de *cordobán* para montar a caballo, pero los que supone Quevedo hechos en Vizcaya serían de hierro, por la industria de aquella región). El diminutivo es encarecimiento irónico.
44 «Después de haberle martillado al reo la piel» y «Después de haberle hecho caminar (G) al reo» son imágenes irónicas, ya que el cordobán es una piel muy fina, y se la martillaba o labraba para hacerla aún más fina.
45 *cañón:* pícaro, soplón (G).
guro: alguacil, y también rufián (G).
46 *mandil:* criado de rufián (G).
jayán: chulo respetado (G).
47 *iza:* ramera (G).
48 *fuñar:* revolver pendencias (G).

337

Me lloraron soga a soga
Con inmesa propiedad,
Porque llorar hilo a hilo
Es muy delgado llorar.

50

Porque me metí una noche
A Pascua de Navidad
Y libré todos los presos,
Me mandaron cercenar.

55

Dos veces me han condenado
Los Señores a trinchar,
Y la una el Maestresala
Tuvo aprestado sitial.

60

Los diez años de mi vida
Los he vivido hacia atrás,
Con más grillos que el Verano,
Cadenas que el Escorial.

---

51 *hilo a hilo:* con fluido suave pero continuo.

54 Por Navidades se solía liberar a ciertos presos.

56 *cercenar:* ceñir a uno la vida; rapar el cabello al reo condenado a azotes.

58 *Señores:* jueces.

trinchar: el sentido indicado es metafórico: descuartizar (castigo impuesto a veces a los ahorcados); pero a renglón seguido, las imágenes del *Maestresala* y del *sitial* imponen el sentido literal (partir en trozos la carne para servirla), pero de manera nuevamente metafórica, ya que se aplica a un hombre.

59 *Maestresala:* criado principal que asistía a la mesa de un señor, y presentaba y distribuía en ella la comida.

60 *sitial:* asiento de ceremonia, con un pequeño banco delante, que usan los príncipes y prelados en los actos solemnes.

63 *grillos:* los grilletes de la cárcel y los innumerables insectos del verano.

64 *Cadenas:* debe de ser imagen general del aspecto severo de clausura o prisión que tiene el enorme monasterio del Escorial.

Más Alcaides he tenido   65
Que el castillo de Milán;
Más guardas que Monumento,
Más hierros que el Alcorán,

Más sentencias que el Derecho,
Más causas que el no pagar,   70
Más autos que el día del Corpus,
Más registros que el Misal;

Más enemigos que el agua,
Más corchetes que un gabán,
Más soplos que lo caliente,   75
Más plumas que el tornear.

---

66 Otra referencia de tipo general, que compara las condiciones del
encierro del narrador con las del castillo de una capital (por otra parte,
cada cárcel o castillo tenía normalmente un solo alcaide).

68 *hierros:* «prisiones de hierro», y «errores del Alcorán».

69 *sentencias:* decisión del juez en una causa criminal, y dicho grave y
sucinto que encierra doctrina o moralidad (en el último sentido, todo el
«Derecho» se compone de sentencias).

70 *causas:* proceso criminal, y motivo o razón.

71 *autos:* decretos del juez en una causa criminal, y obras dramáticas
en verso, con «guras alegóricas, que se representaban en la fiesta del Corpus Christi.

72 *registros:* inspecciones policiacas; cordones y cintas colocados entre
las hojas de un misal para facilitar el uso.

73 Se refiere a los que no se bañan.

74 *corchetes:* oficiales de la justicia que prenden a los reos; especie de
broche, compuesto de macho y hembra, que se hace de alambre, y sirve
para abrochar alguna cosa.

gabán: capote con capilla y mangas, que usaba la gente del campo para
defenderse del frío (se cerraba con *broches*).

75 *soplos:* denuncias; soplos con los que intenta uno enfriar un líquido
caliente.

76 *plumas:* las del escribano que redactaba el proceso criminal, y las muchas y muy grandes que llevaban los caballeros en los torneos, como adornos
de sus sombreros. En germanía, *plumas* significa remos, pero no se dice que
el narrador fue condenado a galeras, sino prendido (vv. 38, 74 y 79), proce-
sado (vv. 57-58, 69-71) y encarcelado (vv. 1, 56, 63-68 y 81-108).

Bien se puede hallar persona
Más jarifa y más galán;
Empero más bien prendida
Yo dudo que se hallará.   80

Todo este mundo es prisiones,
Todo es cárcel y penar:
Los dineros están presos
En la bolsa donde están,

La cuba es cárcel de vino,   85
La troj es cárcel del pan,
La cáscara, de las frutas
Y la espina del rosal.

Las cercas y las murallas
Cárcel son de la ciudad;   90
El cuerpo es cárcel del Alma,
Y de la tierra la mar.

Del Mar es cárcel la orilla,
Y en el orden que hoy están,
Es un cielo de otro cielo   95
Una cárcel de cristal.

Del aire es cárcel el fuelle,
Y del fuego el pedernal;
Preso está el oro en la mina;
Preso el diamante en Ceilán.   100

---

78 *jarifa:* vistosa, bien compuesta.
79 *prendida:* adornada; detenida por la justicia.
85 *cuba:* barril.
86 *troj:* granero.
94-96 *un cielo de otro cielo:* «una de las esferas celestes de otra» (se creía
que el cosmos se componía de once esferas concéntricas, una *encarcelada*
en otra, y todas colocadas en cierto *orden;* véase el poema 27, nota al v. 6).
98 *pedernal: encarcela* o encierra el fuego, porque puede prenderlo.
100 *Ceilán:* antiguamente se extraían varios tipos de diamantes en Ceilán.

En la hermosura y donaire
Presa está la libertad,
En la vergüenza los gustos,
Todo el valor en la paz.

Pues si todos están presos,   105
Sobre mi mucha lealtad
Llueva cárceles mi cielo
Diez años sin escampar.

Lloverlas puede si quiere
Con el peine y con mirar,   110
Y hacerme en su Peralvillo
Aljaba de la Hermandad.

Mas volviendo a los amigos,
Todos barridos están,
Los más se fueron en uvas   115
Y los menos en agraz.

_____

102 *la libertad:* la del amante (comp. el v. 107; las imágenes de la ga-
lantería siguen hasta el v. 112 inclusive).

106 *lealtad:* la del amante a su dama.

107 *mi cielo:* metáfora para la amada.

110 *peine:* alusión al cabello de la dama, y también nombre de un
instrumento de tormento que tenía puntas aceradas.

mirar: no sólo la mirada de la dama, sino también alusión a la mira,
como pieza colocada en las armas de fuego para asegurar por su medio la
puntería (comp. Quevedo, «El mundo por de dentro», *Sueños,* ed. de
Maldonado, pág. 181).

111 *Peralvillo:* lugar de la provincia de Ciudad Real donde la Santa
Hermandad asaeteaba a gran número de reos; alude también al dios del
amor, Cupido, quien lanzaba flechas a sus víctimas.

112 Metáfora para «cuerpo lleno de saetas» (al reo condenado a morir
asaeteado, le tiraban los guardias gran cantidad de flechas, hasta que caía
muerto; comp. las imágenes de san Sebastián).

115 *en uvas:* «borrachos».

116 *en agraz:* malogrados antes de tiempo (el agraz es la uva verde).

341

Murió en Nápoles Zamora
Ahíto de pelear,
Lloró a cántaros su muerte
Eugenia la Escarramán.   120

El Limosnero a Zaguirre
Le desjarretó el tragar:
Con el Limosnero pienso
Que se descuidó San Blas.

Mató a Francisco Jiménez   125
Con una aguja un rapaz,
Y murió muerte de sastre,
Sin tijeras ni dedal.

Después que el Padre Perea
Acarició a Satanás   130
Con el alma del corchete,
Vaciada a lo Catalán,

---

122 «Le cortó la garganta con una desjarretadera» (en los mataderos,
se solía preparar los toros para la muerte cortándoles los tendones del
jarrete con un instrumento compuesto de una media luna de acero, muy
afilada, que se ponía en el extremo de una vara de grueso y de la longitud
de una pica).

124 *San Blas:* lo invocaban para curar las enfermedades de la garganta,
y también las del ganado vacuno.

127 *muerte de sastres:* se refiere a la aguja (comp. el poema 85, v. 38).
Los sastres eran muy mal vistos en tiempos de Quevedo, y más de una vez
dice él que sus almas iban directamente al infierno (véase el poema 93,
vv. 17-18, y también «Los que quisieren saber», *Poesía original,* ed. de
Blecua, núm. 786, vv. 73-76).

155 «Benefició a Satanás.»

132 *Vaciada:* «desprovista de su cuerpo» (comp. el v. 31, y la expresión
«limpiamos dos cuerpos de corchetes de sus malditas ánimas», *Buscón,*
ed. de Lázaro Carreter, lib. III, cap. x, págs. 278-279). En germanía, *vasir*
quiere decir matar.

a lo Catalán: «al estilo de los bandoleros catalanes» (comp. *Quijote,* II, lx).

A Roma se fue por todo,
En donde la enfermedad
Le ajustició en una cama,   135
Ahorrando de procesar.

Dios tenga en su santa gloria
A Bartolomé Román,
Que aun con Dios, si no le tiene,
Pienso que no querrá estar.   140

Con la grande polvareda
Perdimos a Don Beltrán,
Y porque paró en Galicia,
Se teme que paró en mal.

Jeldre está en Torre Bermeja;   145
Mal aposentado está,
Que torre de tan mal pelo
A Judas puede guardar.

Ciento por ciento llevaron
Los Inocentes de Orgaz,   150
Peonzas que a puro azote
Hizo el bederre bailar.

133-134 *A Roma... la enfermedad:* se alude a la sífilis (en aquel entonces, ningún país quería confesar haber sido el primero en sentirla y co-
municarla, y así cada uno la achacaba a otro, u otros; para los españoles,
se originó en Italia o en Francia; comp. los vv. 143-144 a continuación).

141-142 *polvareda:* metáfora para altercado o disputa. Los dos versos
son parodia de otros dos de unos romances sobre la muerte del caballero
Beltrán en la batalla de Roncesvalles: «Con la mucha polvareda / perdimos a don Beltrane» (*Romancero general,* ed. de A. Durán, Biblioteca de
Autores Españoles, t. X, págs. 263-264, núms. 396 y 397).

143-144 *paró en Galicia... paró en mal:* alusión a *Francia* (en latín,
Gallia, en donde los compañeros de Beltrán iban a enterrarle), y también
al *mal gálico,* o *mal francés* (es decir, la sífilis).

147 *de tan mal pelo:* se creía que Judas tenía el pelo de color bermejo.

151-152 «A puros azotes, el verdugo (*bederre,* G), hizo *bailar* a los *Inocentes,*
como los niños (que conocemos por inocentes) hacen bailar sus peonzas.»

Por pedigüeño en caminos,
El que llamándose Juan,
De noche, para las capas,   155
Se confirmaba en Tomás,

Hecho nadador de penca,
Desnudo fue la mitad,
Tocándole pasacalles
El músico de «Quien tal...».   160

Sólo vos habéis quedado,
¡Oh Cardoncha singular!,
Roído del «Sepan cuántos...»
Y mascado del varal.

Vos, Bernardo entre Franceses   165
Y entre Españoles Roldán,

---

154 *Juan:* partiendo del chiste anterior, alude a la inocencia mediante
frases hechas tan bien conocidas como «Es un buen Juan» y «Juan de
buen alma».

156 *Tomás:* «capeador», porque de *noche* robaba o *tomaba* las capas de
los paseantes.

157 *nadador:* alusión a los movimientos de quien *navegaba* o *bailaba*
(vv. 152 y 159) entre los azotes del verdugo, cabalgando en el asno (véase
el poema 93, vv. 53-66).

158 Los reos iban desnudos de medio cuerpo para arriba.

159 *pasacalles:* un *baile* de la época, que aquí es metáfora para el sonido y el ritmo, los azotes, los gritos del pregonero (v. 160), y los movimientos de la víctima.

160 *«Quien tal...»:* alusión al dicho, «Quien tal hace, que tal pague», y
a otras fórmulas que empleaban los pregoneros al anunciar los delitos de
los reos, como «A este hombre, por...», y «Sepan cuantos...» (v. 163).

162 *Cardoncha:* nombre de varón.

163 *Roído:* comido, gastado o atormentado.

mascado: partiendo de *Roído,* se sugiere que los golpes de la larga y
gruesa vara tenían el efecto de mascarle las espaldas al reo.

165-166 Imagen doble de la victoria y la derrota: el *español* Bernardo
del Carpio derrotó al *francés* Roldán, en la batalla de Roncesvalles.

344

Cuya espada es un Galeno
Y una botica la faz,

Pujamiento de garnachas
Pienso que os ha de acabar,   170
Si el avizor y el calcorro
Algún remedio no dan.

A Micaela de Castro
Favoreced y amparad,
Que se come de Gabachos   175
Y no se sabe espulgar.

A las hembras de la caja,
Si con la expulsión fatal
La desventurada Corte
No ha acabado de enviudar,   180

---

167 *Galeno:* matador (alusión al famoso médico griego del siglo II d.C., y a los médicos en general como matadores, tema muy frecuente en las sátiras contemporáneas).

168 *botica:* partiendo de la imagen del médico como matador, se agrega la del boticario, que tenía muy mala fama por su colaboración con los médicos, y por la malísima calidad de sus medicinas.

169 *Pujamiento:* «proliferación», con sus veces de hinchazón y de soberbia.

garnachas: vestidura larga con mangas, propia de los jueces (en tiempos de Quevedo, era tradicional la preocupación por la soberbia de los jueces).

171 *avizor:* el que observa y hace un relato a otro (G).

calcorro: zapato (G), como metáfora para los pies, que facilitan la huida.

175 «Que se lo están comiendo los Gabachos, como si fueran piojos o pulgas» (el *gabacho* era persona que tenía reputación de ser asquerosa, sucia y ruin, que vivía en los Pirineos de Francia, y entraba en Aragón para desempeñar los trabajos más bajos); también se alude al *mal gálico* o mal francés (es decir, la sífilis), que a Micaela le comunicarían los gabachos (véanse las notas a los vv. 133-134 y 143-144 anteriores).

177 *caja:* mancebía (G).

178 *la expulsión:* el 14 de febrero de 1623 mandó el Rey que se cerraran las mancebías de Madrid («Capítulos de reformación», artículo 23, reseñado por Faustino Gil Ayuso, *Noticia bibliográfica de textos y disposiciones legales...* (Madrid, 1935), pág. 204, núm. 802).

179 Metáfora para la «junta de rufianes», que con el cierre de las mancebías quedó sin mujeres, o sea, en condición de viudo.

Podéis dar mis encomiendas,
Que al fin es cosa de dar:
Besamanos a las niñas,
Saludes a las de edad.

En Vélez a dos de Marzo,   185
Que por los putos de allá
No quiere volver las ancas,
Y no me parece mal.

COMENTARIO

Este poema fue escrito entre 1623 y 1640 (véase mi estudio,
En torno a la poesía de Quevedo, pág. 165).

---

181 *encomiendas:* recado o recuerdos cordiales que se envían al que
está ausente (véase poema 94, nota al v. 163); aquí se dice por ironía,
porque el jaque o tenía ninguna propiedad; pero así se explica el chiste
del verso que sigue.

183 *Besamanos:* se dice con ironía, ya que normalmente se aplicaba a
los reyes y príncipes, y no a las *niñas, o sea, las rameras.*

184 *las de edad:* nueva ironía, ya que en las mancebías, las viejas eran
las alcahuetas.

185-187 Del mes de *Marzo* se decía en diversos refranes que «volvía el
rabo», y que era «ventoso» (Sebastián de Covarrubias, *Tesoro de la lengua
castellana,* Madrid, 1611, y Barcelona, 1943). El rabo, o las *ancas* (las nalgas, sitio de la ventosidad, o la flatulencia, y sitio en donde copulan casi
todos los animales), no las quiere Marzo *volver* ni ofrecer («darle el culo»,
como se dice) a los *putos de allá* (es decir, de allá en donde está Cardoncha,
a quien se dirige esta carta, según dice el «jaque» en los vv. 161-162).

96

[Las valentonas, y Destreza]*
[Baile]

Helas, helas por do vienen
La Corruja y la Carrasca,
A más no poder mujeres,
Hembros de la vida airada.

Mortales de miradura   5
Y ocasionadas de cara,
El andar a lo escocido,
El mirar a lo de l'Hampa.

---

* *Las valentonas:* además de su sentido literal (persona arrogante y jactanciosa; espadachín), y de la parodia implícita en el cambio del sexo (los valientes o valentones eran hombres), alude a un baile de la época que se llamaba «Las valientas», tal y como aluden a otros los nombres de la Corruja y la Carrasca (v. 2), y Santurde (vv. 57-76; véase dos bailes de Quevedo, «Todo se lo muque el tiempo» y «En los bailes de esta casa», *Poesía original,* ed. J. M. Blecua, núms. 865 y 870, págs. 1264, v. 119, y 1288, v. 39).

Destreza: la esgrima, a la cual hay numerosas referencias en este poema.

1 Nueva alusión a la valentía y a los valientes, en forma de parodia de un verso bien conocido del romancero antiguo, «Helo, helo por do viene», que se había hecho proverbial, y que había servido de principio a tres romances sobre caballeros valientes *(Romancero general,* ed. de A. Durán, Biblioteca de Autores Españoles, t. X. págs. 159 y 545, y el t. XVI, pág. 666).

2 *Corruja:* nombre de un baile de la época, y alusión a la *curuja,* o sea, la lechuza, pájaro de malísimo agüero; también, en germanía, «mujer mala e hipócrita».

Carrasca: nombre de otro baile de la época; nombre de una encina pequeña cuyas hojas están rodeadas de espinas.

3 «Mujeres 'por fuerza', sin poder excusarlo ni resistirlo.»

4 *Hembros:* nueva alusión a la valentía masculina de las dos mujeres (comp. los vv. 1 y 3).

la vida airada: la rufianesca, en germanía.

5 «Matan con su mirada» (parodia de un motivo tradicional de la poesía amorosa; comp. otra de Quevedo: «Los médicos con que miras, / los dos ojos con que matas», poema 122, vv. 1-2).

6 *ocasionadas:* provocativas; pendencieras; defectuosas.

8 *lo de ¡'Hampa:* a manera de bravata, o de valiente y rufián.

Llevan puñazos de ayuda
Como perrazos de Irlanda,   10
Avantales voladores,
Chapinitos de en volandas.

Sombreros aprisionados
Con porquerón en la falda,
Guedejitas de la tienda,
Colorcita de la plaza.   15

Mirándose a lo penoso,
Cercáronse a lo borrasca;
Hubo hocico retorcido,
Hubo agobiado de espaldas.   20

Ganaron la palmatoria
En el Corral de las armas,

9-10 «Llevan puños enormes, como los perros enormes de Irlanda, y
son *de ayuda*» (a manera del *perro de ayuda,* entrenado en socorrer y de-
fender a su amo, y a veces muy feroz).

11 *Avantales:* delantales.

11-12 *voladores; en volandas:* se alude a la rapidez de los movimientos
de las dos mujeres, a la altura de sus chapines, y en fin, a ellas como brujas (por lo de volar por el aire).

12 *Chapinitos:* suelas de corcho, de 8 a 10 cm de alto, que ajustaban las
mujeres a los zapatos para protegerse del lodo de las calles.

13-14 «Sombreros prendidos con broches en sus faldas» (por broches,
dice Quevedo *porquerones,* porque éstos eran los ministros de la justicia
que prendían o *aprisionaban* a los delincuentes).

15 *de la tienda:* postizas.

16 *Colorcita:* maquillaje.

17 *a lo penoso:* con dificultad; con presunción.

19 *hocico:* metáfora muy burlesca para la boca de una mujer.

21 *Ganaron la palmatoria:* llegaron ellas antes de los demás, y, como el
niño que llega primero a la escuela y gana el privilegio de castigar a los

348

             Y encaramando los hombros,
             Avalentaron las sayas.

Corruja: «De las de la hoja   25
             Soy flor y fruto,
                 Pues a los talegos
             Tiro de puño».

Carrasca: «Tretas de montante
             Son cuantas juego;   30
                 A diez manos tomo
             Y a dos peleo».

             Luego, acedada de rostro
             Y ahigadada de cara,
             Un tarazón de mujer,   35
             Una brizna de muchacha,

---

otros con la *palmeta* del maestro, les dieron a ellas la de este *Corral de las armas,* o *escuela del juego* (vv. 22 y 37).

24 *Avalentaron:* envalentonaron (con aplicación a las *sayas,* resulta ser imagen muy burlesca, que corresponde a las de los vv. 3-4).

25 *de la hoja:* del gremio (frase de espadachines y valentones, que alude a la *hoja* de la espada).

28 «Tiro de puño, esgrimiendo la espada.»

29 *Tretas:* artificio sutil para conseguir algún intento; engaño que ejecuta el diestro para desarmar a su contrario.

29-30 *montante:* la espada larga y ancha, copia de la antigua, que *jugaba* o manejaba el maestro de armas (*jugar* es término de esgrima).

31 «Robo a diez manos».

32 «Y peleo a dos manos, con el montante» (el *montante* se esgrimía a dos manos).

33 *acedada:* agria, disgustada.

34 *ahigadada de cara:* «con una cara valiente y briosa»; alude también a que «daba higas con la cara» (la *higa* era un gesto obsceno hecho con la mano, representando el miembro viril en señal de desprecio, o para librarse del mal de ojo).

Entró en la escuela del juego
Maripizca la Tamaña,
Por quien Ahorcaborricos
Murió de mal de garganta.   40

Presumida de ahorcados
Y preciada de gurapas,
Por tener dos en racimo
Y tres patos en el agua,

Con valentía crecida   45
Y con postura bizarra
Desembrazando a los dos,
En esta manera garla:

[*Maripizca:*]   «Llamo uñas arriba
A cuantos llamo,   50
      Y al recibo los hiero
Uñas abajo.

---

37 *escuela del juego:* la de la esgrima (comp. el v. 22), en la que también habían entrado la Corrija y la Carrasca (vv. 1-2).

38 *Tamaña:* parodia de los apodos rufianescos (Maripizca no era enorme, sino muy pequeña, como indica la voz *pizca,* de acuerdo con los vv. 35-36).

39 *Ahorcaborricos:* nueva parodia de nombre, que nos indica el sentido del verso que sigue.

40 «Murió ahorcado.»

42 *gurapas:* galeras (germanía).

43 *dos en racimo:* dos rufianes en la horca (de donde penden, como racimos).

44 *tres patos en el agua:* tres rufianes en galeras.

47 *a los dos:* a la Corruja y la Carrasca, *hembros, a más no poder mujeres* (vv. 3-4).

48 *garla:* habla sin interrupción.

49 *uñas arriba:* en la esgrima, la estocada tirada de abajo hacia arriba; también se alude al robo, del cual era símbolo satírico la *uña* (aquí imaginamos la mano abierta, como para recibir dinero, y en el v. 52, medio cerrada, como para agarrar; el contexto del robo se observa en los vv. 26-27 y 54-56).

50-51 *A cuantos llamo, / Tal recibo: llamo y recibo* parecen ser términos de la esgrima, y contrastivos; *recibo* es también nueva alusión al robo.

52 *uñas abajo:* la estocada que se tira hacia abajo.

350

»Para el que me embiste
Pobre y en cueros,
    Siempre es mi postura   55
Puerta de hierro».

Rebosando valentía
Entró Santurde el de Ocaña,
Zaino viene de bigotes
Y atraidorado de barba.   60

Un locutorio de monjas
Es guarnición de la daga,
Que en *puribus* trae al lado
Con más hierro que Vizcaya.

---

54 *Pobre y en cueros:* imagen de persona que no tiene nada (en contraste con los ricos, a quienes Maripizca puede robar).

56 *Puerta de hierro:* en un sentido literal, puerta hecha de hierro, por la que no puede entrar ningún pobre; alude también al hierro de la espada.

58 *Santurde:* nombre de un baile de la época (comp. las notas al título, y al v. 2).

59 *Zaino:* traidor, taimado (es adjetivo que se aplica a cierto tipo de caballo de color castaño oscuro, muy valiente, pero resabioso; también se aplica a cualquier caballo que da indicios de ser traicionero por no estar bien domado).

60 *atraidorado:* se repite la caracterización del verso anterior, y se insinúa que tenía la barba de color bermejo (tradicionalmente se decía que Judas, el máximo traidor, y muy citado en la sátira de la época, tenía la barba de aquel color).

61 *locutorio de monjas:* metáfora para el tamaño enorme de la guarnición de la daga (en los locutorios de los conventos de la época, se separaban las monjas de sus visitas por una reja grande y tupida).

63 *en puribus:* desnuda (de manera chistosa, Quevedo aplica esta expresión latina a la daga; normalmente se aplica a las personas).

64 Se refiere a la región de España en donde se extrae mucho hierro, y se fabrican artículos del mismo.

Capotico de Antemulas,   65
Sombrerico de la carda,
Coleto de por el vivo,
Más probado que la pava.

Entró de capa caída,
Como los valientes andan,   70
Azumbrada la cabeza
Y bebida la palabra:

[*Santurde:*]   «Tajo no le tiro,
Menos le bebo;
Estocadas de vino   75
Son cuantas pego».

---

65 *Capotico:* capotillo, capa corta que baja hasta la cintura.

Antemulas: mozo de mulas (palabra jocosa, inventada por Quevedo, con alusión al chico que va delante de las mulas).

66 *de la carda:* de jaque, de valentón (G).

67 *Coleto:* casaca o jubón de cuero fuerte, usado por los soldados para protegerse.

de por el vivo: de la piel de la propia persona. (A Quevedo le gustaba comparar la piel de una persona pobre a su ropa; aquí, corresponde este ejemplo a la capa corta del v. 65, y la caída del 69. Se basa en la expresión «el vivo» de una cosa, como lo más grueso y fuerte, donde tiene más resistencia: se aplicaba al metal y a las armas: «el vivo de los metales», «el vivo de los cañones de artillería».)

68 *probado:* herido por cuchilladas (al contrario, en la mesa se prueba con gusto la carne de pavo; en la cama, la de la pava).

69 *de capa caída:* frase hecha que emplea Quevedo en su sentido literal, con alusión al figurado («decadencia de bienes, fortuna o salud»).

71 *Azumbrada:* sumamente borracha (el *azumbre* era una medida de capacidad para líquidos, equivalente a poco más de dos litros).

72 *bebida:* alude al estado del borracho, y es parodia de la expresión «comerse las palabras».

73 *Tajo:* en la esgrima, corte que se da llevando el brazo de derecha a izquierda.

Una rueda se hicieron;
¿Quién duda que de navajas?
Los codos tiraron cozes,
Azogáronse las plantas;   80

Trastornáronse los cuerpos,
Desgoznáronse las arcas;
Los pies se volvieron locos,
Endiabláronse las plantas.

No suenan las castañetas,   85
Que de puro grandes, ladran,
Mientras al son se concomen,
Aunque ellos piensan que bailan.

Maripizca tomó el puesto,
Santurde tomó la espada,   90
Con el montante el Maestro
Dice que guarden las caras.

---

80 *Azogáronse:* moviéronse con sobresalto (como el *azogue* comp. los
vv. 83-84).

82 «Hubo tanto trastorno, que se quitaron a las arcas (donde se encerraba el dinero), los goznes o las bisagras» (en las imágenes y en la sintaxis, la construcción es paralela al verso anterior: el trastorno sugiere el
desgobierno, que es acepción figurada de *desgoznarse*).

86 *ladran:* ladran en señal de peligro, como los perros.

87-88 «Al son de las castañuelas, no bailan ellos, sino que se concomen, por las comezones de los bichos, o de la suciedad» (la construcción
es paralela a los dos versos anteriores: «no suenan, sino que ladran»).

91 *montante:* espada grande (véase la nota al v. 29), que solían emplear
los maestros para separar los encuentros de sus alumnos, como se hace en
el verso que sigue.

92 *guarden las caras:* que se separen y se sosieguen (este sentido lo indica el verso anterior: la significación normal de la expresión «guardar la
cara» es «esconderse» u «ocultarse»).

353

[*Maestro.*]   «De verdadera destreza
　　　　　Soy Carranza,
　　　　　　Pues con tocas y alfileres　　　　　　95
　　　　　Quito espadas.

　　　　　　»Que tengo muy buenos tajos
　　　　　Es lo cierto,
　　　　　　Y algunos malos reveses
　　　　　También tengo.　　　　　　　　　　100

　　　　　　»El que quisiere triunfar,
　　　　　Salga de oros,
　　　　　　Que el salir siempre de espadas
　　　　　Es de locos».

93-94 (Es probable que estos versos se refieran de manera burlesca a
los títulos de algunas de las obras del maestro de armas y teorista de la
esgrima Luis Pacheco de Narváez, contemporáneo de Quevedo. La frase
«verdadera destreza», repetida en el v. 140, la había empleado Pacheco en
el título de un libro suyo, además de presumir de ser el único que conocía
a fondo la materia; véanse las notas a los vv. 132 y 140. Por otra parte, en
un sentido satírico, no es difícil imaginárselo jactándose de *ser Carranza*
(v. 94), pues había sacado a la luz un *Compendio de la filosofía y destreza
de las armas de Jerónimo Carranza,* Madrid, 1612. Si podemos entender
estos versos como dirigidos contra Pacheco de Narváez, resulta ser que el
personaje del *Maestro* en este baile es caricatura del mismo.)

94 *Carranza:* Jerónimo de Carranza, sevillano y maestro de armas
muy famoso, autor de un estudio teórico sobre la esgrima: *Libro que
trata de la filosofía de las armas* (Sanlúcar de Barrameda, 1569 y 1582).

95-96 En un sentido literal, quitarle la espada al adversario sin otra
arma que unas tocas y alfileres; y en otro más alusivo, quitar la espada a
otra persona mediante engaños y corchetes (en germanía, *tocar* quiere
decir «engañar», y para Quevedo, los ministros de la justicia que prendían a la gente eran *alfileres*).

99 *malos reveses:* en la esgrima, el revés era lo contrario del tajo, o sea,
el corte que se daba llevando el brazo de izquierda a derecha. Pero aquí se
emplea en su sentido metafórico, «desgracia», «infortunio» o «contratiempo», y también en el germanesco: «traición».

102 *Salga de oros:* «Que pague» (se refiere al oro, o sea, al dinero, mediante
el léxico de los juegos de naipes, y la baraja española: *Salga con el palo de oros).*

103 *espadas:* se refiere a las de los diestros, y también al palo de *espadas*
en la baraja española.

354

Maestro:	«Siente ahora la Corruja».	105
Corruja:	«Aquesta venida vaya».	
Maestro:	«Jueguen destreza vuarcedes».	
Santurde:	«Somos amigos, y basta».	
Maestro:	«No es juego limpio brazal».	
Corruja:	«Si no es limpio, que no valga».	110
Maestro:	«Siente vuarced».	
Santurde:	«Que ya siento,	

Y siento pese a su alma».

Tornáronse a dividir
En diferentes escuadras,
Y denodadas de pies,   115
Todas juntas se barajan.

Cuchilladas no son buenas,
Puntas sí de las joyeras.

_____

107 *vuarcedes:* vuestras mercedes; ustedes.

109 «En la esgrima, no es juego limpio cubrir el brazo con armadura» (el *brazal* era una armadura antigua de hierro que cubría la parte inferior del brazo).

115 *denodadas:* osadas, feroces.

117 *Cuchilladas:* golpes que dan con el cuchillo o la espada los que riñen (el *acuchillador* era persona inquieta, impaciente y pendenciera).

118 *Puntas:* son las de las espadas (el diestro toca al adversario con la *punta* de la espada, y con arte, no da cuchilladas).

joyeras: se alude a las espadas, mediante la palabra *joyosa.* En germanía, «espada», derivada, como otras voces semejantes, del nombre de alguna espada famosa; en este caso, de la de Carlomagno, según explica Rafael Salillas, *El delincuente español: El lenguaje,* Madrid, 1896, págs. 198-200, núm. 1. También se alude al arte del esgrimidor, en contraste con el que da meras cuchilladas, mediante las imágenes de la *joyera* («mujer que bordaba adornos») y las *puntas,* como alusión a las «puntadas» de los bordados. Y por fin, se alude a la estafa (comp. los vv. 102, 119, 122-126 y 135), mediante el oficio de los *joyeros,* que para Quevedo y sus contemporáneos, eran gente desalmada que robaban a sus clientes (véase los *Sueños* de Quevedo, ed. de Maldonado, págs. 108, 219 y 234, así como el poema 125, vv. 97-98, y el romance «Deletreaba una niña», *Poesía original,* ed. Blecua, núm. 741, vv. 37-40).

[*Maestro:*]   «Entráronme con escudos,
                 Cansáronme con rodelas;   120
                 Cobardía es sacar pies,
                 Cordura sacar moneda.

                 »Aguardar es de valientes
                 Y guardar es de discretas,
                 La herida de conclusión   125
                 Es la de la faltriquera».

                 Cuchilladas no son buenas,
                 Puntas sí de las joyeras.

[*Maestro:*]   «Ángulo agudo es tomar,
                 No tomar, ángulo bestia;   130
                 Quien viene dando a mi casa,
                 Se viene por línea recta.

---

119 «Mis adversarios me acometieron protegiéndose con escudos» (es decir, con la conocida arma defensiva; comp. *rodelas*, v. 120), y también me acometieron con dinero (el *escudo* era una moneda antigua de oro).

125 *conclusión:* en la esgrima, la acción de concluir al adversario, ganándole la espada por el puño o guarnición, de suerte que no pueda usar de ella (se hacía con gran riesgo, con la mano izquierda, y exigía mucha destreza).

129 *Ángulo agudo:* en la esgrima, se llamaba *ángulo* el que formaban el brazo y la espada, por una parte, y por otra, el cuerpo del diestro; cuando bajaba éste el brazo y la espada, se formaba un *ángulo agudo* con la línea general del cuerpo, o del costado, y cuando lo levantaba, se formaba un *ángulo obtuso.*

agudo: además de su sentido literal, ya explicado, significa «ingenioso» o «astuto», como indica Quevedo con la aplicación de la palabra *tomar,* en el sentido de «robar».

130 *ángulo bestia:* estupidez (metáfora basada en el adjetivo *obtuso,* al que el poeta ha aludido mediante la expresión *ángulo agudo).*

131 *dando:* dando dinero.

132 *por línea recta:* «directamente y sin tropezar con obstáculos». (En esta estrofa y en la que sigue, se burla Quevedo de la aplicación de la geometría a la teoría de la esgrima. Tal aplicación la fomentó más que nadie el referido Luis Pacheco de Narváez, con su *Libro de las grandezas de la espada,* publicado en Madrid, 1600.)

356

>»La universal es el dar;
Cuarto círculo, cadena;
Atajo, todo dinero;   135
Rodeo, toda promesa».

    Cuchilladas no son buenas,
    Puntas sí de las joyeras.

[*Maestro:*]   «El que quisiere aprender
La destreza verdadera,   140
En este poco de cuerpo
Vive quien mejor la enseña».

---

133 *universal:* en la esgrima, y en un sentido literal, se aplica al ángulo recto, al tajo, y al movimiento de conclusión; aquí, se entiende también que «La treta, o el truco universal es el dar dinero».

134 *cuarto círculo:* nueva burla de las teorías de Pacheco de Narváez. *cadena:* metáfora para la cárcel.

135 «Todo dinero es atajo» (es decir, senda o paraje por donde se abrevia el camino; procedimiento o medio rápido; y en la esgrima, treta para herir al adversario por el camino más corto, esquivando la defensa).

136 *Rodeo:* (se contrapone humorísticamente al *atajo*).

140 *La destreza verdadera:* parodia de la fraseología de los títulos de algunos de los tratados del referido maestro Luis Pacheco de Narváez, a cuya expresión presuntuosa se podría aplicar de manera burlona toda la estrofa (he aquí algunos títulos: *Cien conclusiones o formas de saber la verdadera destreza fundada en ciencia,* Madrid, 1608; *Engaño y desengaño de los errores que se han querido introducir en la destreza de las armas,* Madrid, 1635).

141 *cuerpo:* se refiere no sólo al cuerpo del maestro, sino también al de sus libros.

Comentario

Un *baile* era una obra dramática que se representaba, o se imaginaba representada, con música. El escenario del baile presente es un *corral* o *escuela* de esgrima (vv. 23 y 27), en el que se encuentra el narrador, quien nos relata cómo van entrando sucesivamente diversas *valentonas* (vv. 1-2 y 37) y, por fin, un diestro (vv. 58 y 69). Una vez en el corral, cada una se jacta de su habilidad, y al bailar, se amenazan unas a otras. Finalmente, el Maestro habla (vv. 93-104 y 119-140) y el narrador nos revela mediante una serie de chistes alusivos que todos son rufianes y ladrones.

No es difícil entender este baile como caricatura del maestro de armas Luis Pacheco de Narváez (véanse las notas a los vv. 93, 132 y 140), de quien se había burlado Quevedo directamente en el *Buscón* (lib. II, cap. i), y de manera indirecta en los *Sueños* (ed. de Felipe Maldonado, págs. 77-78). De ser así, cobra nuevos matices la sátira de las mujeres como valentonas (véanse las notas a los vv. 1-4, y 47), y de todos como rufianes y ladrones.

De la fecha de su composición, sabemos tan sólo que fue publicado en 1643 (véase mi estudio, *En torno a la poesía de Quevedo*, pág. 173).

El Parnaso español (1648)

Talía: Musa VI

*Canta poesías jocoserias,
que llamó burlescas el autor;
esto es, descripciones graciosas,
sucesos de donaire, y censuras satíricas
de culpables costumbres, cuyo estilo
es todo templado de burlas y de veras*

Aftio de un cafado al tercero dia.

VI.   A Ntiier nos cafamos, hoi querria,
     Doña Perez, faber ciertas verdades:
     Decidme, quanto numero de edades
     Enfunda el Matrimonio en folo un dia?
     Vn antiier foltero fer folia,
     I hoi cafado, un fin fin de Navidades
     Han puefto dos marchitas voluntades,
     I mas de mil antaños en la mia.
     Efto de fer marido un año arreo,
     Aûn a los açacanes empalaga;
     Todo lo cotidiano es mucho, i feo.

Cafamiento ridiculo.

VII.   T Rataron de cafar a Dorotea
     Los vecinos con Iorge el eftrangero,
     De mofca en mafa gran fepulturero,
     I el que mejor pafteles aporrea.
     Ella, es verdad, que es vieja, pero fea;
     Docta en endurecer pelo, i fombrero;
     Faltó el ajuar, i no fobró dinero,
     Mas truxole tres dientes de librea.
     Porque Iorge defpues no fe alborote,
     I tabique ventanas, i desbanes,
     Hecho tiefto de cuernos el cogote:
     Con un guante, dos moños, tres refranes,
     I feis libras de çarça, llevó en dote
     Tres hijas, una fuegra, i dos galanes.

Pre

El Parnaso español (Madrid, 1648), ejemplar de mi propiedad,
con el último terceto del soneto «Antiyer nos casamos, hoy querría»,
tachado por la censura eclesiástica.

[A un hombre de gran nariz]

Érase un hombre a una nariz pegado,
Érase una nariz superlativa,
Érase una alquitara medio viva,
Érase un peje espada mal barbado;

Era un reloj de sol mal encarado,   5
Érase un elefante boca arriba,
Érase una nariz sayón y escriba,
Un Ovidio Nasón mal narigado.

Érase el espolón de una galera,
Érase una pirámide de Egito,   10
Los doce tribus de narices era;

Érase un naricísimo infinito,
Frisón archinariz, caratulera,
Sabañón garrafal morado y frito.

---

3 *alquitara:* alambique.

7 *sayón:* verdugo (alude a los judíos, por la crucifixión de Cristo).
escriba: doctor e intérprete de la ley de los hebreos.
Ovidio Nasón: Publius Ovidius Naso, autor romano de mucha fama
(43 a.C.-18 d.C.).

11 *los doce tribus:* el pueblo de Israel, dividido así desde el Génesis.

13 *Frisón:* enorme (alusión a los caballos fuertes y muy grandes que se
criaban en Frisia, en los Países Bajos).
caratulera: nariz que hace carátulas, o máscaras generalmente despro-
porcionadas, ridículas y feas.

14 *sabañón garrafal:* enorme ulceración hinchada.

Este soneto ha gustado mucho a los lectores de la poesía de Quevedo, y quizá más que cualquier otro poema satírico suyo. De él se conocen hoy en día diversas versiones, que en el último terceto nos enseñan de manera singularmente clara cierto tipo de revisión progresiva que hacía el poeta:

> «Érase un naricísimo infinito,
> Muchísimo nariz, nariz tan fiera
> Que en la cara de Anás fuera delito».

> «Érase un naricísimo infinito,
> Era protonariz, caratulera,
> Narizón garrafal morado y frito».

> «Érase un naricísimo infinito,
> Frisón archinariz, caratulera,
> Narigón garrafal morado y frito».

> «Érase un naricísimo infinito,
> Frisón archinariz, caratulera,
> Sabañón garrafal morado y frito».

En la sátira de las narices grandes, y en la pauta de las sucesivas imágenes grotescas, sigue este soneto la tradición de los satíricos de la *Antología griega,* así como en ciertas imágenes particulares, como son la del elefante boca arriba, la del reloj de sol mal encarado y la del hombre sujetado a una nariz enorme. Quevedo las repetía en diversas sátiras en prosa y verso, junto con otras de este soneto.

98

[A las sillas de manos, cuando acompañadas de muchos gentileshombres]

Ya los pícaros saben en Castilla
Cuál mujer es pesada y cuál liviana,
Y los bergantes sirven de Romana
Al cuerpo que con más diamantes brilla.

Ya llegó a Tabernáculo la silla,   5
Y cristalina el hábito profana
De la custodia, y temo que mañana
Añadirá a las hachas campanilla.

---

1 *pícaros:* se refiere a los que llevaban a las mujeres en las sillas de manos.

3 «Y los picarones sirven de balanza» (porque están situados en los dos extremos de los palos de la silla de manos, y también porque la mujer que llevan pesa tanto como ellos).

5 La *silla* pudo llegar a ser *Tabernáculo* por su forma (se sostenía entre dos varas paralelas y horizontales, como el tabernáculo portátil que construyeron los judíos y que llevaron en sus viajes, Éxodo, 25, 13-15 y 27-28; 36, 31-34), y por la ornamentación lujosa que llevaba (la analogía es muy irónica).

6 *cristalina:* se refiere a las lujosas ventanillas de vidrio de las sillas de manos, y al cristal transparente de las *custodias,* por el cual se veía la hostia.

8 Al viajero que caminaba de noche en una silla de manos le acompañaban unos pajes que llevaban *hachas* encendidas, que al poeta le recuerdan las de las ceremonias religiosas.

campanilla: la de las referidas ceremonias, que ahora de manera burlesca dice el poeta que pronto se añadirá al aparato de la silla de manos.

Al Trono en correones las banderas
Ceden en hacer gente, pues que toda   10
La juventud ocupan en hileras.

Una Silla es pobreza de una boda,
Pues empeñada en oro y vidrieras,
Antes la honra que el chapín se enloda.

---

9 *Trono en correones:* metáfora burlesca para silla de manos (los *correones* son correas grandes, o tiras de cuero, a manera de jaeces, con las que se llevaban algunas literas). *las banderas:* metáfora para comandantes de regimientos de infantería.

9-11 «Frente a la silla de manos, las banderas ceden en su empeño de reclutar a los jóvenes, pues la silla atrae y ocupa a toda la juventud, y en hileras, como si fueran soldados» (es decir, les atrae la riqueza de la ornamentación, y la de la mujer que lleva dentro, «cuerpo que con más diamantes brilla», v. 4).

14 *chapín:* suela alta de corcho que se solía poner bajo el calzado de las mujeres, para mantenerlo limpio del lodo de las calles. Dice. Covarrubias que «en muchas partes no ponen chapines a una mujer hasta el día que se casa» (*Tesoro de la lengua castellana;* véase poema 96, nota al v. 12).

99

[Mujer puntiaguda con enaguas]

Si eres Campana, ¿dónde está el badajo?
Si Pirámide andante, vete a Egito;
Si Peonza al revés, trae sobrescrito;
Si Pan de azúcar, en Motril te encajo.

Si Capitel, ¿qué haces acá abajo?   5
Si de disciplinante mal contrito
Eres el cucurucho y el delito,
Llámente los Cipreses arrendajo.

Si eres punzón, ¿por qué el estuche dejas?
Si cubilete, saca el testimonio;   10
Si eres coroza, encájate en las viejas.

---

3 *Peonza:* trompo de madera de figura cónica, al cual se enrolla una cuerda para lanzarlo y hacerlo bailar.

trae sobrescrito: trae rótulo (porque de otra forma, nadie le reconoce).

4 *Pan de azúcar:* azúcar derretido, y refundido en forma de cono.

Motril: lugar de la provincia de Granada donde se cultiva la caña de azúcar.

5 *Capitel:* remate de las torres que se levanta en figura piramidal.

6 *disciplinante:* penitente que seguía las procesiones de Cuaresma, azotándose con una disciplina.

contrito: que siente dolor y pesar por haber ofendido a Dios.

7 «*Eres el cucurucho* (por la forma cónica de éste), y el *delito* (porque él lo cometió contigo)» (el *cucurucho* era el cono de papel o cartón enrollado que servía de capirote a los disciplinantes).

8 *Que los Cipreses, que tienen forma cónica, te llamen arrendajo, porque los imitas en la forma* (el *arrendajo* es una especie de pájaro parecido al cuervo, pero más pequeño, que imita el canto de algunas aves para sorprenderlas, y luego destruir sus nidos; de ahí que se dé este nombre a las personas que imitan a otras, o se les parecen).

10 *cubilete:* especie de vaso redondo, más ancho por la boca que por la base, que se hacía de diversas materias, de acuerdo con el uso a que se destinaba.

Si büida visión de San Antonio,
Llámate Doña Embudo con guedejas;
Si mujer, da esas faldas al demonio.

COMENTARIO

Aquí se burla Quevedo de las enormes *faldas* (v. 14) o tontillos que llevaban las mujeres nobles de la época, que se ceñían apretadamente a la cintura, y tenían una armazón de aros de ballena o de otra materia que servía para ahuecar las faldas. Se llamaban «guardainfantes», y por su forma exterior de cono invertido, y por el aparato interior de soportes, dice González de Salas en su título que la mujer era *puntiaguda con enaguas.* En *La hora de todos,* cap. X, vulve Quevedo a burlarse de una «buscona piramidal», en un pasaje de suma agudeza que ha sido estudiado por el profesor A. A. Parker (véase el Apéndice A).

---

saca el testimonio: como el cubilete representa la figura de un cono con la punta abajo, al revés de la mujer, el poeta le pide a ésta que compruebe su identidad.

11 *coroza:* capirote de papel, de figura cónica, que en señal afrentosa se ponía por castigo en la cabeza de ciertos delincuentes, como, por ejemplo, las brujas y las alcahuetas.

encájate en las viejas: porque frecuentemente se las acusaba de las referidas ofensas.

12 *büida:* afilada, puntiaguda.

visión: representación o imagen fantástica y fea.

San Antonio: bien conocido por los ayunos que hacía en el desierto, por su delgadez, y por las *«visiones»* y alucinaciones que lo asaltaban en forma de tentaciones (véase el poema núm. 1).

13 *guedejas:* cabellera larga, melena.

100

[Hastío de un casado al tercero día]

Antiyer nos casamos; hoy querría,
Doña Pérez, saber ciertas verdades:
Decidme, ¿cuánto número de edades
Enfunda el Matrimonio en sólo un día?

Un antiyer soltero ser solía,   5
Y hoy casado, un sin fin de Navidades
Han puesto dos marchitas voluntades
Y más de mil antaños en la mía.

Esto de ser marido un año arreo,
Aun a los azacanes empalaga;   10
Todo lo cotidiano es mucho, y feo.

---

3 *edades:* épocas de la vida de una persona, o siglos de la historia del mundo.

6-8 «Dos marchitas voluntades y más de mil antaños han puesto un sin fin de Navidades en mi voluntad» (se repite la idea expresada en los vv. 3-4, y se previene la de 10-11).

9 *arreo:* seguido, sin interrupción, con el matiz de «carga pesada» (era voz vulgar).

10 *azacanes:* aguadores (solían llevar su carga por toda la ciudad, constantemente [*arreo*]; metafóricamente, se decía del pobrete mal vestido, que trabajaba mucho con poco provecho, sin dar descanso a su persona).

empalaga: normalmente se emplea con referencia a los efectos de la comida excesivamente dulce, lo cual recuerda la imagen del «sin fin de Navidades» (v. 6).

Mujer que dura un mes se vuelve plaga;
Aun con los diablos fue dichoso Orfeo,
Pues perdió la mujer que tuvo en paga.

13-14 Según las leyendas que anteceden a Homero, Orfeo fue músico y poeta cuyo canto era tan dulce que tranquilizaba a todos los que lo oían, y enamoraba a las mujeres, de manera que la suya la tenía «en paga de su canto», como observa González de Salas.

Fue dichoso con los diablos porque cuando le concedieron el permiso de bajar al trasmundo para rescatar a su mujer muerta, no logró cumplir con las condiciones del permiso, y la perdió definitivamente.

[Casamiento ridículo]

Trataron de casar a Dorotea
Los vecinos con Jorge el extranjero,
De mosca en masa gran sepulturero,
Y el que mejor pasteles aporrea.

Ella es verdad que es vieja, pero fea;   5
Docta en endurecer pelo y sombrero;
Faltó el ajuar, y no sobró dinero,
Mas trájole tres dientes de librea.

Porque Jorge después no se alborote,
Y tabique ventanas y desvanes,   10
Hecho tiesto de cuernos el cogote,

Con un guante, dos moños, tres refranes
Y seis libras de zarza, llevó en dote
Tres hijas, una suegra y dos galanes.

---

2 *Jorge el extranjero:* fuera de Castilla se veneraba mucho a san Jorge, como sabían los contemporáneos de Quevedo (en su *Tesoro de la lengua castellana,* menciona Covarrubias la devoción al santo de los aragoneses, los franceses y los ingleses).

3 *mosca en masa:* mosca en pastel. (Los satíricos contemporáneos se burlaban mucho de los pasteleros por los ingredientes asquerosos que metían en los pasteles; véase el poema 85, nota al v. 11. Por otra parte, los entierros en *masa* eran y siguen siendo repugnantes.)

6 *endurecer pelo y sombrero:* ponerle los cuernos al marido.

8 Los dientes los pudo *traer* porque le faltan en la boca; y a falta de ajuar, se los dio de *librea,* o sea, se los regaló, como los grandes señores regalaban libreas o uniformes a sus criados, vistiéndolos de los mismos colores de su escudo de armas (según Covarrubias, los criados que llevaban librea gozaban de ciertos privilegios).

13 *zarza:* la zarzaparrilla que se usaba para curar la sífilis.

[Epitafio de una Dueña, que Idea también puede ser de todas]*

Fue más larga que paga de tramposo,
Más gorda que mentira de Indiano,
Más sucia que pastel en el verano,
Más necia y presumida que un dichoso;

Más amiga de pícaros que el coso,   5
Más engañosa que el primer manzano,
Más que un coche alcahueta; por lo anciano,
Más pronosticadora que un potroso.

Más charló que una Azuda y una Aceña,
Y tuvo más enredos que una araña;   10
Más humos que seis mil hornos de leña.

---

* *Idea:* imagen.

2 *mentira de Indiano:* alusión a los relatos exagerados de los que volvían de las Indias.

3 Los satíricos solían acusar a los pasteleros de meter en los pasteles toda clase de ingredientes asquerosos (véase el poema 85, nota al v. 11 y poema 101, nota al v. 3).

5 *coso:* plaza donde se corren los toros.

7 *alcahueta:* como vehículo cerrado, el coche ofrecía a las rameras un sitio oportuno para sus negocios y, por tanto, Quevedo los llamaba alcahuetes repetidamente.

8 *potroso:* el que tiene potra, o hernia (tenían fama éstos de pronosticar el tiempo, porque los dolores les anunciaban los cambios de presión barométrica).

9 *Azuda:* máquina para sacar agua de los ríos (alude Quevedo al ruido continuo de la gran rueda de la máquina que, movida por la corriente, levanta el agua y la arroja fuera).

Aceña: molino movido por la corriente de un río.

11 *humos:* presunciones.

De mula de alquiler sirvió en España,
Que fue buen noviciado para Dueña,
Y muerta pide, y enterrada engaña.

COMENTARIO

Más que cualquier otro contemporáneo suyo, Quevedo se burlaba repetidamente de las dueñas, llamándolas «ranas», «sabandijas
perniabiertas», «lampreas sin diente ni muela», «abreviaciones del
otro mundo» y «túmulos vivos» («Sueño del Infierno» y «Sueño de
la Muerte», *Sueños y discursos,* ed. Maldonado, págs. 126 y 223).

---

12 *mula de alquiler:* tenían malísima fama en la España de Quevedo,
pero para muchos eran un medio de transporte indispensable.

13 *noviciado:* alude con ironía a la «profesión» de ser dueña, e insinúa
que su preparación profesional fue aprender a servir mal, como las referidas mulas (éstas servían en la carretera, aquéllas en palacio).

[Desnuda a la Mujer de la mayor parte
ajena que la compone]

Si no duerme su cara con Filena,
Ni con sus dientes come, y su vestido
Las tres partes le hurta a su marido,
Y la cuarta el afeite le cercena;

Si entera con él come y con él cena,   5
Mas debajo del lecho mal cumplido
Todo su bulto esconde, reducido
A Chapinzanco y Moño por almena,

¿Por qué te espantas, Fabio, que abrazado
A su mujer, la busque y la pregone,   10
Si, desnuda, se halla descasado?

Si cuentas por mujer lo que compone
A la mujer, no acuestes a tu lado
La mujer, sino el fardo que se pone.

5-8 «Si su mujer come con él y cena con él entera (o sea, con todos sus
afeites puestos), mas debajo del lecho, mal cumplido con sus deberes
sexuales, ella esconde todo su cuerpo (el cual no se compone sino de los
afeites, o sea, «el fardo que se pone», v. 14), reduciéndolo a chapinzanco
y moño por almena (es decir, por defensa),...» (en los vv. 9-11 y 12-14 se
repite la idea de que el marido se ha casado con los afeites de su mujer).

8 *Chapinzanco:* palabra compuesta por Quevedo de *chapín* (calzado de
corcho, propio de mujeres, de cuatro o más dedos de alto, que se ponía
sobre los zapatos para evitar el contacto con el lodo) y de *zanco*.

por almena: imagen muy paródica, ya que detrás de las almenas se esconden los defensores de un castillo, protegidos por el *bulto* sólido y fuerte de
las piedras; en cambio, esta mujer no tiene por *bulto* sino los afeites, y éstos
tienen *por almenas* el *Chapinzanco* (alto, pero artificial), y el Moño (situado
en un lugar correspondiente al de las almenas, pero sin bulto ni solidez).

104

[Bebe vino precioso con mosquitos dentro]*

Tudescos Moscos de los sorbos finos,
Caspa de las azumbres más sabrosas,
Que porque el fuego tiene mariposas,
Queréis que el mosto tenga marivinos;

Aves luquetes, átomos mezquinos,   5
Motas borrachas, pájaras vinosas,
Pelusas de los vinos envidiosas,
Abejas de la miel de los tocinos;

Liendres de la vendimia: yo os admito
En mi gaznate, pues tenéis por soga   10
Al nieto de la vid, licor bendito.

---

* *mosquitos:* tenían fama de criarse en el vino, y de gustarles mucho éste (recuérdese que antiguamente no todo el vino estaba embotellado ni refrigerado).
1 *Tudescos:* los alemanes tenían fama de bebedores en aquel entonces.
Moscos: aumentativo chistoso de «mosquito», que a su vez significaba, figuradamente, «bebedores».
2 *azumbres:* medida de líquidos, especialmente del vino (equivale a poco más de dos litros), y también el propio vino contenido en tal medida.
el fuego: se creía que el fuego atraía a las mariposas. *mosto:* zumo de la uva, y por extensión, del vino.
marivinos: invención de Quevedo, basada en «mari / posas».
5 *luquetes:* pedacitos de cáscara de limón o de naranja que se echaban en el vino.
envidiosas: codiciosas.
7 *la miel de los tocinos:* el vino que se ha quitado o separado del tocino (antiguamente se empleaba el vino para conservar y para cocinar la carne); o el vino que se solía beber en cantidad con el tocino blanco y salado.
9 *Liendres:* huevos de los piojos. *vendimia:* la cosecha de la uva.
Liendres de la vendimia: huevos o descendencia del vino (porque éste los cría, según indicamos en la nota al título); también, parásitos del vino, porque viven de éste.

Tomá en el trago hacia mi nuez la boga,
Que bebiéndoos a todos, me desquito
Del vino que bebistes y os ahoga.

9-11 «Yo os admito en mi garganta, porque os está ahogando la soga
del nieto de la vid, o sea, os acompaña el vino que bebo yo, y que es para
mí licor bendito» (el vino es hijo de la uva, la cual lo es de la vid; en el v. 14
vuelve a repetir Quevedo la idea de que las liendres o mosquitos están
ahogándose).
12 «En el trago, remad rumbo a mi nuez.»

[Al mosquito de la trompetilla]

Ministril de las ronchas y picadas,
Mosquito postillón, Mosca barbero,
Hecho me tienes el testuz harnero,
Y deshecha la cara a manotadas.

Trompetilla que toca a bofetadas,   5
Que vienes con rejón contra mi cuero,
Cupido pulga, Chinche trompetero
Que vuelas comezones amoladas,

---

* *trompetilla:* aguijón del mosquito.

1 *Ministril:* instrumento musical de boca (como la *trompetilla),* o el músico que tocaba instrumentos de boca (en este caso, su trompetilla levantaba *ronchas y picadas* en sus labios; comp. el v. 5); también el zumbido del mosquito, y *ronchas* y *picadas* que ocasiona; y por fin, el ministro de la justicia, a quien se le tenía poco respeto y que se ocupaba de las tareas ínfimas (como, por ejemplo, la de azotar a los reos, levantando así *ronchas* y *picadas).*

2 *postillón:* mozo que, tocando una corneta, guiaba a caballo a los que corrían la posta de correos; y también aumentativo de *postilla:* costra que se cría en las llagas cuando se van secando (corresponde a las imágenes de las *ronchas* y *picadas,* y a la del barbero como sangrador).

barbero: en tiempos de Quevedo sus oficios abarcaban el de músico y el de sangrador.

3 «El testuz me lo has acribillado a puñaladas» *(harnero:* criba, especie de colador grande de cuero que sirve para limpiar el trigo).

6 *rejón:* imagen aumentativa, como otras de este poema *(postillón, Mosca, trompetero),* que hacen juego con los diminutivos *(Ministril, Mosquito, Trompetilla).*

7 *Cupido:* flechero (era el dios del amor, que tiraba flechas a sus víctimas).

¿Por qué me avisas, si picarme quieres?
Que pues que das dolor a los que cantas,   10
De Casta y condición de potras eres.

Tú vuelas y tú picas y tú espantas,
Y aprendes del cuidado y las mujeres
A malquistar el sueño con las mantas.

ti induce ti evil

---

10 *cantas:* avisas con tu zumbido.
11 *potras:* especie de hernia, que anuncia con dolores los cambios de presión barométrica, o sea, que anuncia con un dolor que habrá más dolores, véase poema 102, nota al v. 8.
13 *cuidado:* la pasión amorosa.
14 *malquistar:* malmeter, enemistar.

106

[A un tratado impreso que un hablador espeluznado de prosa hizo en culto]*

Leí los rudimentos de la Aurora,
Los esplendores lánguidos del día,
La Pira y el construye y ascendía,
Y lo purpurizante de la hora;

El múrice y el Tirio y el colora,   5
El Sol cadáver, cuya luz yacía,
Y los borrones de la sombra fría,
Corusca Luna en ascua que el sol dora;

La piel del Cielo cóncavo arrollada,
El trémulo palor de enferma Estrella,   10
La fuente de cristal bien razonada.

---

* *un tratado impreso:* no sabemos a qué tratado se refiere González de
Salas. Entendemos que la prosa era clara y llana, así que el hablador, es-
peluznado, tradujo en culto lo que fue claro, o sea, lo tradujo en el lenguaje culterano de la época, que Quevedo tenía por artificial, rebuscado
y oscuro (véase el comentario a continuación). Es posible que el tratado haya versado precisamente sobre cómo escribir en culto, y que por
esto dice el poeta que, «Leí...» (v. 1).

1 *rudimentos:* entiéndase «nociones»; sigue una lista de las palabras
cultas que Quevedo leyó en el referido tratado, como *esplendores, lánguidos, Pira,* etc., y de las cuales se burla él.

4-5 *purpurizante; múrice; Tirio:* en la ciudad libanesa de Tiro, se extraía de cierto molusco un tinte de color rojo muy oscuro, que se preciaba mucho.

5 *colora:* matiza.

8 *Corusca:* resplandeciente.

9 *arrollada:* llevada por la furia del viento (entendemos que aquí la piel
del Cielo es las nubes, que están como sobre la concavidad del cielo, o
que lo cubren).

10 *palor:* palidez.

Y todo fue un entierro de doncella,
Doctrina muerta, letra no tocada,
Luces y flores, grita y zacapella.

COMENTARIO

En los vv. 1-11, Quevedo cita una serie de voces culteranas, de las que empleaban el gran poeta barroco Luis de Góngora y sus imitadores. La reacción contra la poesía culterana fue violenta, y suscitó una polémica que duró muchos años; participó Quevedo como crítico muy duro, aunque como casi todos los otros, de vez en cuando él mismo se permitió imitar a Góngora, como admite en el poema 132, v. 64 (para otras imitaciones y otras burlas, véase el Índice, *s.v.* culteranismo).

---

14 *grita:* confusión de voces, altas y desentonadas.
zacapella: «pelotera», palabra con la que Quevedo se refería a una riña o pelea a manos, generalmente entre muchas personas, o entre mujeres de la clase baja (de ahí la sátira del verso que comentamos).

[Pronuncia con sus nombres los trastos y miserias de la vida]

La vida empieza en lágrimas y caca
Luego viene la «mu», con «mama» y «coco»;
Síguense las viruelas, baba y moco,
Y luego llega el trompo y la matraca.

En creciendo, la amiga y la sonsaca   5
(Con ella embiste el apetito loco).
En subiendo a mancebo, todo es poco,
Y después la intención peca en bellaca.

Llega a ser hombre y todo lo trabuca:
Soltero sigue toda Perendeca,   10
Casado se convierte en mala cuca.

Viejo encanece, arrúgase y se seca;
Llega la muerte, todo lo bazuca,
Y lo que deja paga, y lo que peca.

---

2 *«mu»*: dice Quevedo que «La 'mu' llaman al sueño las mujeres [cuando intentan hacer dormir a los niños), y el 'mu' al que se duerme» («Discurso de todos los diablos», ed. de Fernández-Guerra, Biblioteca de Autores Españoles, t. XXIII, pág. 363, col. a).

4 *matraca*: juguete que hace ruido; pesadez o burla cruel.

5 *sonsaco*: robo que se hace con astucia y recato, sin que lo sepa la víctima.

9 *trabuco*: trastorna, ofusca, confude.

10 *Perendeca*: ramera joven que anda por las calles.

11 *cuca*: alusión al cucú, o sea, al cuclillo, y de ahí al cornudo.

13 *bazuca*: revuelve, confunde (dicho de líquidos).

[A Apolo, siguiendo a Dafne]*

Bermejazo Platero de las cumbres,
A cuya luz se espulga la canalla:
La Ninfa Dafne, que se afufa y calla,
Si la quieres gozar, paga y no alumbres.

Si quieres ahorrar de pesadumbres,   5
Ojo del Cielo, trata de compralla:
En confites gastó Marte la malla,
Y la espada en pasteles y en azumbres.

Volvióse en bolsa Júpiter severo;
Levantóse las faldas la doncella   10
Por recogerle en lluvia de dinero.

---

* Apolo, dios del Sol, se enamoró de la ninfa Dafne, y la persiguió;
para escapar del dios, ella pidió a Júpiter que la convirtiera en laurel, y así
se hizo (véase el poema 8).

1 *Bermejazo:* aumentativo despectivo, que alude no sólo al color rubio
del sol, sino también a Judas, «el peor de los hombres», que, como se ha
apuntado, y según la tradición tenía el pelo rubio rojizo («ni perro ni gato
de aquel color», decía Quevedo aludiendo a los judíos y ladrones, respectivamente).

Platero: nueva imagen visual del brillo de la luz del sol.

3 *se afufo:* huye (voz muy vulgar).

7 *malla:* armadura para la defensa personal hecha de un tejido de pequeños eslabones de metal.

7-8 El amorío más conocido de Marte, dios de la guerra, fue con Venus (lo relata Ovidio, *Metamorfosis,* IV, vv. 171 y ss.); Quevedo lo actua-
liza mediante las imágenes de los confites, los pasteles y los azumbres
(éstos fueron una medida líquida, pero la palabra se empleaba también
para significar «mucha cantidad de vino»).

9-11 Para gozar a la ninfa Dánae, Júpiter se convirtió en una lluvia de
oro, y ella consintió (Horacio, *Odas,* lib. III, oda xvi).

Astucia fue de alguna Dueña Estrella,
Que de Estrella sin Dueña no lo infiero:
Febo, pues eres Sol, sírvete de ella.

COMENTARIO

Quevedo escribió numerosas parodias muy duras de los mitos clásicos (véanse, por ejemplo, el poema que sigue, el 133, y para las versiones serias, el 8 y los que consignamos en el Índice).

---

12 Las dueñas ahuyentaban a los enamorados pobres y procuraban a los ricos (véase el poema 123, vv. 45-56).

13 *Estrella:* corresponde al contexto del cielo, del sol y de los dioses; también se entiende en su acepción de «hado», «destino», manipulado por una dueña.

14 *Febo: Apolo.*

Sol: en el sentido mitológico, rey de las estrellas, que puede *servirse* de ellas; y en el figurado, oro (por su color amarillo; comp. el poema 15).

sírvete de ella: (El poeta se burla de las dueñas como alcahuetas: el galán se servirá de ella como medianera o tercerona de sus amores. La idea del pago corresponde a los vv. 4, 6, 9 y 11; sobre las dueñas, véase el poema 102.)

109

[A Dafne, huyendo de Apolo]*

«Tras vos un Alquimista va corriendo,
Dafne, que llaman Sol, ¿y vos tan cruda?
Vos os volvéis murciélago sin duda,
Pues vais del Sol y de la luz huyendo.

»Él os quiere gozar, a lo que entiendo,   5
Si os coge en esta selva tosca y ruda.
Su aljaba suena, está su bolsa muda:
El perro, pues no ladra, está muriendo.

»Buhonero de signos y Planetas,
Viene haciendo ademanes y figuras,   10
Cargado de bochornos y Cometas».

---

* Véase la nota al título del poema anterior.

2 *Sol: Apolo* fue dios del Sol.

cruda: cruel, despiadada (para con el galán); sin cocinar (en relación
con el crisol y el horno del alquimista, y con el calor del sol, como nos
sugiere la imagen del murciélago en el verso siguiente).

6 *esta selva:* Dafne era cazadora y vivía a gusto en los bosques remotos.

7 *suena* su aljaba porque *va corriendo* tras ella (v. 1), y porque viene
haciendo *ademanes y figuras* (v. 10); pero *está muda* su bolsa porque él no
quiere darle dinero (comp. el poema anterior).

8 Basándose en el *sonar* y *enmudarse* del verso anterior, y del viejo refrán «Perro que mucho ladra, no muerde», saca Quevedo la conclusión
jocosa de que si ya no ladra el perro, debe de ser porque está muriéndose.

9 A la imagen del *Alquimista* (v. 1), agrega Quevedo la del astrólogo,
que lee los *signos y Planetas* (eran blancos predilectos de los satíricos de la
época).

10 *haciendo... figuras:* delineando las posiciones de los planetas, como
hacen los figureros, o astrólogos.

11 *bochornos:* aire caliente y molesto; encendimiento pasajero del rostro.

Cometas: astros; juguetes que hacen volar los niños; flechas (G; comp.
el *aljaba* del v. 7).

Esto la dije, y en cortezas duras
De Laurel se ingirió contra sus tretas,
Y en escabeche el Sol se quedó a oscuras.

12-13 Según el mito, Dafne pidió la ayuda de Júpiter y él la convirtió
en laurel.

14 *en escabeche:* alude al hecho de que se solía meter hojas de laurel en
el escabeche, y también al color negro del tinte del mismo nombre. Metafóricamente, cuando la muchacha se convirtió en laurel, el galán se
quedó a oscuras.

110

[Médico que para un Mal que no quita, receta muchos]

La losa en sortijón pronosticada,
Y por boca una sala de viuda,
La habla entre ventosas y entre ayuda,
Con el «Denle a cenar poquito, o nada».

---

1 Entiéndase que cuando el médico visitaba al enfermo, la enorme piedra de su anillo le presagiaba al segundo la losa o piedra de la tumba (los médicos solían llevar dicho anillo en el pulgar, y al palpar al enfermo, pesaba sobre la piel de éste).

2 *sala:* en el sentido del espacio, es metáfora para la boca; y en el contexto del verso anterior, la boca, o sea, las palabras del médico pronostican la viudez.

viuda: en el sentido personal, imagen del resultado de la actuación del médico, que mató al marido (en los entierros, la viuda solía reunirse en una sala de la casa con las plañideras, para llorar al difunto; a éstas les pagaban las lágrimas, y muchas veces las de la viuda eran también fingidas, como explica Quevedo en «El mundo por de dentro», *Sueños y discursos,* ed. de Maldonado, pág. 171).

3 *ventosas:* para «chuparle al enfermo los malos humores», se solía enrarecer el aire en el interior de un vaso o campana quemando una cerilla o estopa, y luego aplicar el vaso a la porción indicada de la piel, que se ponía colorada y se entumecía por el natural aflujo de los humores; «Pegar a uno una ventosa» es sacarle con engaño dinero u otra cosa; también alude Quevedo al flatulento.

entre... entre: no sólo «entre ventosas y ayuda», sino también «entre una y otra ventosa», y «entre una y otra ayuda»; y por fin, en un sentido cómico y creativo, «entre-ayuda», con alusión a otras expresiones afines (entresuelo, entretela, entrecubiertas, etc.).

ayuda: en un sentido literal, la lavativa introducida por el ano, y en otro fuertemente irónico, el auxilio del médico.

4 Receta corriente en la época, de la cual se burla Quevedo como uno de *mil males* (v. 10).

La mula en el zaguán, tumba enfrenada; 5
Y por Julio, un «Arrópenle si suda;
No beba vino; menos agua cruda;
La Hembra, ni por sueños, ni pintada».

Haz la cuenta conmigo, Doctorcillo:
Para quitarme un mal, ¿me das mil males? 10
¿Estudias Medicina, o Peralvillo?

De esta cura me pides ocho Reales;
Yo quiero Hembra y Vino y Tabardillo,
Y gasten tu salud los Hospitales.

---

5 *mula en el zaguán:* la mula de alquiler era el transporte tradicional
del médico, que se dejaba en el zaguán mientras éste visitaba al enfermo
de la casa.

tumba: para proteger al jinete de las salpicaduras del lodo, solían cubrir
las ancas de la mula con una gualdrapa, o cobertura larga de seda o lana; las
de los médicos eran negras. Basándose en la forma, tamaño y color de la
gualdrapa, construye Quevedo su metáfora visual: tumba por las ancas,
con freno delante.

6-7 Parodia Quevedo dos recetas corrientes, aunque sean contradicciones para el ser humano: en julio, sudar, y apenas beber nada.

8 *Hembra:* deshumanización de la esposa del enfermo y del acto sexual
de los dos, que recuerda la imagen de la mula y expresa el desprecio del
médico por el enfermo.

11 *Peralvillo:* metáfora para la matanza de un hombre (era un lugar de
la provincia de Ciudad Real donde la Santa Hermandad solía ajusticiar
con saetas a los condenados a muerte; véase poema 95, nota al vv. 111).

15 Corresponde cada imagen a otras tantas de las recetas parodiadas:
la *Hembra* al v. 8, el *Vino* al 7, y el *Tabardillo* al 6 (el tabardillo es cierta
fiebre muy maligna, que se manifiesta en la piel con unas manchas pequeñas de color rojo y negro, como picaduras de pulgas; muchas veces
era mortal).

111

[Vieja verde, compuesta y afeitada]

Vida fiambre, cuerpo de anascote,
¿Cuándo dirás al apetito, «¡Tate!»,
Si cuando el «Parce mihi» te da mate,
Empiezas a mirar por el virote?

---

1 *fiambre:* fría (como la comida que, después de cocinarse, se ha dejado enfriar).

cuerpo de anascote: cuerpo pintado (el *anascote* era cierta tela delgada de lana que estaba «asargada» por ambos lados, o sea, pintada al temple o al óleo, para adornar las paredes de las habitaciones). Alude también de manera despectiva a las religiosas, las dueñas y las mujeres de aldea, ya que eran ellas las que en tiempos de Quevedo se vestían de anascote (por otra parte, las religiosas y las dueñas llevaban lo que Quevedo llamaría «vidas fiambres»).

2 *¡Tate!:* ¡Deténte!

3 *«Parce mihi»:* en español, «Perdóname»; la frase latina era metáfora chistosa para la muerte (son las palabras iniciales de las lecciones del profeta Job que se cantan en el oficio católico de los difuntos, y designan esta oración ritual; Job, 7, 11).

te da mate: se burla de ti; alude también a la muerte, porque el mate es el lance que pone fin al juego de ajedrez.

4 *mirar por el virote:* como giro, esta expresión significa atender con cuidado y vigilancia a lo que importa (alude a los cazadores que en el campo buscaban con cuidado los virotes, o flechas con punta de hierro, para volverlos a usar). En un sentido figurado, la forma de la punta del virote dio lugar a que se entendiera esta voz como alusión al miembro viril, alusión que se nota en diversas acepciones (hierro largo que sube hacia arriba; punta que por broma solían formar en la capa de uno, introduciendo al descuido un anillo de esparto o de cuerda; hombre erguido y excesivamente serio; mozo soltero, ocioso, paseante y preciado de guapo). Por lo tanto, en el contexto de la «vida fiambre» de una mujer, y de su «apetito» (vv. 1 y 2), impone Quevedo un sentido literal en la frase «mirar por el virote»: «mirar por lo sexual».

Tú juntas en tu frente y tu cogote   5
Moño y mortaja sobre seso orate;
Pues siendo ya viviente disparate,
Untas la calavera en almodrote.

Vieja roñosa, pues te llevan, vete;
No vistas el gusano de confite,   10
Pues eres ya varilla de cohete.

---

6 *orate:* loco.

8 *Untas:* alude a las afeites; recuerda, con la imagen de la *calavera,* las
unciones de las brujas, y las calaveras y otros huesos que ellas recogían; y
parodia las unciones que se aplicaban los calvos en la cabeza con la esperanza de hacer crecer el cabello.

calavera: imagen de la calvicie, de la vejez, y del ser roma, si no falta de
narices (lo último se decía porque a las calaveras les faltan las narices; por
otra parte, el ser roma era tenido por rasgo físico muy feo).

almodrote: salsa hecha de aceite, ajos, queso y otras cosas, que se usaba
para sazonar las berenjenas.

9 *roñosa:* sarnosa; sucia, asquerosa; taimada; miserable.

te llevan: te llevan las diablas.

10 *gusano:* metáfora para el cuerpo podrido de la vieja.

confite: metáfora para los afeites (el confite es el bafio o capa de azúcar
y algún otro ingrediente, con el que se cubre o se *viste* un dulce).

11 *varilla de cohete:* metáfora para el cadáver enterrado en la tierra,
y para la persona gastada y consumida (después que el cohete vuela y
explota, sólo queda la varilla que cae a la tierra). Por otra parte, corresponde esta imagen a la anterior, ya que el cohete cubre la varilla y está
pegado a ella en forma de capa, tal y como cubre el confite al gusano.

Y pues hueles a cisco y alcrebite,
Y la podre te sirve de pebete,
Juega con tu pellejo al escondite.

---

12 *cisco:* polvo menudo de carbón (alude a los cohetes y al fuego del infierno, adonde llevan los diablos a la vieja, vv. 9 y 11).

alcrebite: azufre, nueva alusión al infierno y a los cohetes; por otra parte, se repite la imagen de la varilla con su capa, ya que en tiempos de Quevedo se solía majar en azufre los palillos de cáñamo que, una vez secos, servían para encender la lumbre, prendiéndolos primero con una chispa.

13 *podre:* pus, con alusión también a la putrefacción, o podredumbre del cuerpo de la vieja.

pebete: palillo de incienso; mecha impregnada de pólvora que se empleaba para encender los fuegos artificiales; y por antífrasis, cualquier cosa que tiene mal olor (queda clara su relación con los palillos de azufre, la varilla y el gusano, cada uno con su capa de pólvora o de confite, vv. 10-12).

14 *pellejo:* la piel del animal; el cuero adobado y preparado para contener líquidos, tales como el vino, el vinagre, etc.

388

112

[Pinta el «Aquí fue Troya» de la Hermosura]*

Rostro de blanca nieve, fondo en grajo,
La tizne presumida de ser ceja,
La piel que está en un tris de ser pelleja,
La plata que se trueca ya en cascajo;

Habla casi fregona de estropajo,   5
El aliño imitado a la corneja;

---

* *«Aquí fue Troya»:* expresión que señala alguna ruina presente, donde
había anteriormente edificios, prosperidad, fuerza o juventud (alude a la
destrucción de la ciudad de Troya por los griegos).

1 *fondo en:* base de, sobre un fondo de (imagen tomada de la industria
de la fabricación de paños).

grajo: pajarraco tan negro como el cuervo, y de igual negatividad en la
tradición literaria; charlatán; cascante, o sea, parlanchín (porque lo son los
grajos), o quebrantador (porque despedaza las cosas, dejándolas en trozos).

2 *tizne:* con ésta se hacían muchos maquillajes.

3 *pelleja:* la piel del animal; también era mote afrentoso que se daba a
las rameras.

4 *cascajo:* moneda de vellón (en comparación con la plata, imagen muy
despectiva, ya que en tiempos de Quevedo su valor fluctuaba de manera
caótica); alude también a los fragmentos de una olla o puchero de barro que
se ha quebrado, y a la vasija vieja, rota e inútil. Recuerda la imagen del
grajo mediante la del cascajo, y también la de la moneda de vellón, ya que
a este pájaro se lo solía llamar por otro nombre, *monédula,* porque se creía
que cuando hallaba él las monedas, las escondía (Covarrubias, *Tesoro de la
lengua castellana,* Madrid, 1611, y Barcelona, 1943, *s. v.* grajo).

5 *estropajo:* «lengua de estropajo» es apodo que se le da a los que hablan
con enunciación tan mala que apenas se les entiende lo que dicen; también
alude a esta mujer como persona muy desaseada y andrajosa, y que sirve en
los oficios más bajos; y también insinúa que quizá haya perdido los dientes.

6 *aliño:* (véase la nota siguiente).

corneja: una especie de cuervo, alga menor que éste, pero mayor que el
grajo, y de color negrísimo. Como imagen negativa, el *aliño* puede referirse a ciertos rasgos físicos de la corneja, muy feos, como son unas barbas
muy negras, a manera de cerdas gordas, que le nacen cerca de los ojos, y por
la parte de abajo de ellas, unos granillos negros a modo de cabezas de hormi-

Tez que con pringue y arrebol semeja
Clavel almidonado de gargajo.

En las guedejas vuelto el oro orujo,
Y ya merecedor de cola el ojo,   10
Sin esperar más beso que el del brujo.

Dos colmillos comidos de gorgojo,
Una boca con cámaras y pujo,
A la que Rosa fue, vuelven abrojo.

---

gas (Real Academia Española, *Diccionario de Autoridades*). También puede
referirse al hecho de que la corneja se tenía por ave de muy mal agüero, especialmente cuando aparecía a mano izquierda; o a la fama que tenían los cuervos y cornejas de ladrones, porque recogían objetos y los llevaban a sus nidos.

7 *con pringue:* untada con pringue (ésta es metáfora despectiva para los
afeites; en un sentido literal, es la grasa que sale del tocino u otra cosa
crasa al cocinarse, y por extensión, cualquier suciedad o porquería que se
pega a la ropa o a la persona).

arrebol: maquillaje rojizo.

8 *Clavel:* será de los rojos, por corresponder en el juego de los colores
al referido arrebol, y porque le manchan los *gargajos,* que son blancos o
amarillos.

almidonado: igual que *pringue,* se refiere a la índole de la sustancia, y
también al aspecto visual de su superficie (brilla la pringue, y también
brilla por lo liso la tela almidonada).

9 *guedejas:* mechones de pelo enredado.

orujo: residuo de la uva o de la aceituna después de ser prensadas;
juega Quevedo con el valor fonético de «oro» y «orujo», y al igual que
en el verso anterior, con una imagen bella y otra fea.

10 el *ojo* que merece *cola* es el ano, y cuando lo tenga, será porque la
persona se ha vuelto cabrón o diablo (en este caso, cabra hembra, o dia-
bla, trueque de sexo muy a gusto de Quevedo).

11 *beso:* los brujos y las brujas tenían fama de besar en el ano al cabrón
y al diablo.

12 *gorgojo:* gusanillo que corroe y daña el trigo (lo compara Quevedo
con el piojo, que se *come* al ser humano).

13 *cámaras:* diarrea repetida y dolorosa.

14 *Rosa:* imagen que pertenece al léxico de la poesía que lamenta lo pasajero de la belleza femenina, tradición que se remonta al poeta latino Horacio.

abrojo: yerba perjudicial a los sembrados, cuyo fruto, también llamado
abrojo, es redondo y armado de muchas y fuertes púas (es imagen que recuerda la tradición pastoril de la poesía castellana).

113

[Justifica su tintura un Tiñoso]*

La edad, que es lavandera de bigotes
Con las jabonaduras de los años,
Puso en mis barbas a enjugar sus paños,
Y dejó mis mostachos Escariotes.

Yo guiso mi niñez con almodrotes   5
Y mezclo pelos rojos y castaños,
Que la nieve que arrojan los antaños
Aún no parece bien en los cogotes.

Mejor es cuervo hechizo que canario;
Mi barba es el cienvinos todo entero,   10
Tinto y blanco y verdea y letuario.

---

* *Tiñoso:* en un sentido figurado, persona mezquina y asquerosa; alude a la tintura del pelo, a la lepra que se llama la tiña, y al diablo, que se solía llamar «el tiñoso».

4 *Escariotes:* de color bermejo o rojizo (alude a Judas Escariote, que según la tradición tenía el pelo de aquel color). También representa esta imagen la jugada o traición que la edad hizo al tiñoso, dejando rojizos sus bigotes.

5 *almodrote:* salsa con la que se *guisaba* (véase poema 111, nota al v. 8) no la supuesta *niñez,* sino las berenjenas (nueva alusión racial, ya que las berenjenas se tenían por manjar predilecto de los moriscos; véase poema 94, nota a los vv. 130-131).

9 «Mejor es el hombre de pelo hechizo, o sea, artificialmente negro, que de pelo blanco» (la metáfora del *cuervo* se basa en el color totalmente negro de este pájaro; la imagen *hechizo* se basa en la tintura artificial del pelo, en la creencia popular de que servían a este propósito los huevos del cuervo, y en los numerosos valores negativos que se solía asignar al cuervo; la del *canario* se basa en el color blanco de algunos de estos pájaros, y en el juego fonético de esta palabra con «canas»).

11 *verdea:* vino cuyo color tira a verde claro.

letuario: electuario (preparación farmacéutica, de consistencia de miel, hecho con ésta, o con azúcar, y otros ingredientes; había electuarios pur-

Negra fue siempre, negra fue primero,
Jalbególa después el tiempo vario:
Luego es restitución la del tintero.

gantes, astringentes o cordiales, pero Quevedo solía burlarse de los hombres que los tomaban para quitarse las canas).

13 *Jalbególa:* enjalbególa, o sea, la blanqueó con agua de cal (recuerdo de la blancura de las *jabonaduras* del v. 2); también alude al sentido figurado, afeitarse la cara con exceso (para el tiñoso, las canas son afeites artificiales del tiempo, porque su barba «Negra fue siempre»; comp. el v. 14).

tiempo: recuerda la *edad* y los *años* (vv. 1 y 2).

vario: mudable, traidor (recuerda la traición implícita en el v. 4).

[Sacamuelas que quería concluir
con la herramienta de una boca]

¡Oh Tú, que comes con ajenas muelas,
Mascando con los dientes que nos mascas,
Y con los dedos gomias y tarascas,
Las encías pellizcas y repelas;

Tú, que los mordiscones desconsuelas,   5
Pues en las mismas sopas los atascas,
Cuando en el migajón corren borrascas
Las quijadas que dejas bisabuelas:

---

1 *ajenas,* porque el sacamuelas vivía de las que extraía.

3 *gomias y tarascas:* ladrones (adjetivo que modifica a dedos; alude a los objetos o prendas de vestir que agarraban o robaban a los espectadores en la calle las gomias y tarascas, figuras enormes de serpientes que se llevaban en la procesión pública de la fiesta del Corpus Christi). Por otra parte, los dedos *gomias y tarascas* serían temibles, ya que las dos voces se empleaban para meterles miedo a los niños, al igual que el coco.

gomias: denomina también la persona voraz, que engulle cuanto se le pone delante; y de allí, en un sentido figurado, lo que una cosa consume, gasta y aniquila.

tarasca: en un sentido figurado, mujer fea, sacudida, desenvuelta y de mal natural (tarascar o atarascar quiere decir morder o herir con los dientes, y se dice generalmente de los perros).

4 *repelas:* sacar o arrancar el pelo; tomar una cosa poco a poco, por partes; podar la parte superior de la hierba, con las manos o con los dientes, como hace el ganado.

5 *desconsuelas:* molestas, obstruyes.

6 *sopas:* no sólo el caldo, sino también el pan desmenuzado que se echa en él, y también toda la comida que salía a la mesa.

atascas: impides, detienes (sin que puedan dar *mordiscón,* ni siquiera en las *sopas).*

7-8 «[Atascas los mordiscones], cuando las quijadas que confrontan un migajón en la boca tienen que correr o aguantar borrascas, porque las

Por ti reta las bocas la corteza;
Revienta la avellana de valiente,   10
Y su cáscara ostenta fortaleza!

Quitarnos el dolor, quitando el diente,
Es quitar el dolor de la cabeza
Quitando la cabeza que le siente.

---

han dejado tan sin dientes como los bisabuelos, o tan sin velas como los
barcos que corren la borrasca a árbol seco, con las velas amainadas o
quitadas del todo» (recuérdese que en aquel entonces la gente perdía los
dientes mucho más rápidamente que hoy, de manera que se entendería
que a un bisabuelo le quedarían muy pocos).

115

[Boda de Matadores y Mataduras, Esto es, Un boticario con la hija de un Albéitar]*

Viendo al Martirologio de la vida
Con música bailar, y viendo al Preste,
Dije: «Sin duda hay nuevas de la peste,
O la Epidemia viene bien podrida».

Supe que era una boda entretejida   5
De Albéitar y botica, en que la hueste
De Hipócrates unánime y conteste,
«Calavera» por «Himen» apellida.

---

* *Albéitar:* en un sentido literal, 'veterinario'; pero en este poema Quevedo llama a este individuo indistintamente *albéitar* (v. 6), y *médico* (v. 13), quizá para burlarse de él.

1 *Martirologio de la vida:* médico (porque lleva a cuestas el catálogo y calendario de los cristianos que ha matado).

2 *Preste:* sacerdote que celebra la misa cantada.

4 *bien podrida:* bien mala, bien fuerte (por esto se alegraba el albéitar, o médico, y estaba presente el sacerdote).

7 *Hipócrates:* famoso médico griego del siglo v a.C., conocido como el padre de la ciencia médica.

conteste: sin la menor discrepancia (término forense que se aplica al testigo cuya deposición concuerda exactamente con la de otro; la alusión a los testigos corresponde a su presencia y participación en cualquier boda, tanto en la época clásica como en la moderna).

8 En las bodas, los griegos solían cantar poemas festivos «(epitalamios»), invocando a gritos el nombre de *Himen,* o *Himeneo,* dios del matrimonio (pasó esta costumbre a los romanos, que invocaban a su dios, Talase, o Talasio; la referencia a Himen corresponde a la de Hipócrates en el verso anterior, pues los dos eran griegos).

«Calavera»: imagen de la muerte, que insinúa de manera chistosa que los médicos se alegraban tanto por una boda como por la muerte de un paciente.

apellida: aclama, proclama.

El barbero tocaba el punteado
De la lanceta en guitarrón parlero;   10
De bote en bote el Novio está atestado.

El dote es mataduras en dinero,
Y el Médico, de barbas enfaldado,
Bailaba el *rastro,* siendo el *matadero.*

9-10 Se alude a dos de los oficios de los barberos: según se ha dicho,
tocar la guitarra y sangrar a los enfermos (esto se hacía con sanguijuela o
con lanceta).

el punteado: lo que se toca con el plectro o los dedos en un instrumento de cuerda.

11 *De bote en bote:* lleno del todo, con alusión al vino de la boda, y a
los botes de la botica del Novio.

atestado: borracho, por estar lleno (además de su significación corriente, en Castilla esta palabra se aplicaba a las cubas de vino; también alude
a los referidos testigos de la boda, pues 'atestar' significa «testificar», y
recuerda de manera fonética la imagen «conteste» del v. 7).

13 *de barbas enfaldado:* con las barbas recogidas, que tan largas las tenía como si fueran faldas, y no podía bailar sin recogerlas (como se ha
apuntado, en tiempos de Quevedo, los médicos y los abogados llevaban
barbas muy largas, en señal de su autoridad y experiencia, y los satíricos
se burlaban mucho de ellas).

14 *rastro:* significa *matadero;* pero ambos eran también bailes diferentes de la época.

116

[Búrlase de todo Estilo Afectado]
[Décimas]

Con tres Estilos alanos
Quiero asirte de la oreja,
Porque te tenga mi queja,
Ya que no pueden mis manos.
La Habla de los cristianos   5
Es lenguaje de ramplón:
Por ello va la razón
De un circunloquio discreto
En retruécano y conceto,
Como en calzas y en jubón.   10

1-2 *alanos:* perros grandes y bravos, que servían en las corridas de toros
(sujetaban el toro prendiéndolo por las *orejas),* en la caza de los ciervos,
jabalíes y otras fieras.

6 *de ramplón:* tosco, simple (el ramplón es la pieza de hierro que tiene
las extremidades vueltas, como herradura ramplona; por extensión se
dice del zapato tosco, ancho y muy grueso de suela, y también se solía
aplicar a las personas de igual calidad, como, por ejemplo, «galán de
ramplón»).

7 *la razón:* la expresión verbal.

8 *circunloquio:* rodeo de palabras.

9 *retruécano:* juego de voces, especialmente con la inversión de los
términos para lograr algún contraste.

conceto: concepto, agudeza, juego de ideas.

10 *en calzas y en jubón:* «vestido sin compostura, o indecentemente»
(el *jubón* era una vestidura antigua, ceñida y ajustada al cuerpo, que cubría desde los hombros hasta la cintura; Quevedo aplica ta expresión a las
imágenes de los vv. 8-9, para negarlas).

Amar y no merecer,
Temer y desconfiar,
Dichas son para obligar,
Penas son para ofender.
Acobardar el querer,   15
Cuando más valor aplique,
Es hacer que multiplique
El miedo su calidad,
Para más seguridad.
Tómate ese tique mique.   20

Lágrimas desconsoladas
Son descanso sin sosiego
Y diligencias del fuego,
Más vivas cuando anegadas.
Las memorias olvidadas   25
En la voluntad sencilla
Son golfo que miente orilla,
Son tormenta lisonjera
En donde expira el que espera.
¡Qué linda recancanilla!   30

15-16 «Intimidar a la persona que quiere expresar el amor, cuando éste ha promovido y aumentado el valor personal...».

20 *tique mique:* tiquis miquis, expresión familiar que parodia de manera fonética las frases ridículamente afectadas o corteses, como las de esta estrofa.

23 *fuego:* metáfora tradicional para la pasión amorosa.

29 Parodia el poeta la aliteración.

30 *recancanilla:* metáfora por un tonillo afectado en el hablar, con rodeos y tergiversaciones (en el sentido literal, es un modo de andar de los muchachos, imitando la cojera; aquí el poeta parodia a otros que se felicitan por el mérito de sus propios versos).

El tener desconfianza
Es tener y presumir;
Y apetecer el morir
Mucho de grosero alcanza.
Quien osa tener mudanza,   35
Se culpa en el bien que asiste;
Y quien se precia de triste,
Goza con satisfacción
La pena por galardón.
Pues pápate aquese chiste.   40

*Vuelve a proseguir**

Pero siendo tú en la villa
Dama de demanda y trote,
Bien puede ser que del mote
No hayas visto la cartilla.
Va del estilo que brilla   45
En la Culterana Prosa,

---

35 *mudanza:* inconstancia afectiva.

39 Se burla el poeta del masoquismo motivado por el amor.

40 *pápate:* cómete, chúpate.

* *Vuelve a proseguir:* entre una y otra parodia de los tres estilos, intercala el poeta una décima de comentario y transición.

42 *trote:* metáfora chistosa para la ramera o alcahueta que va de un cliente a otro.

43 *el mote:* el mote o apodo lo ha expresado el poeta de manera irónica en las décimas del «Estilo Primero», e indirectamente, dándolo a entender en el verso anterior a ésta, o sea: puta.

44 *cartilla:* tras motejar a la dama de puta, ahora el poeta la llama analfabeta e ignorante (porque necesita ver la cartilla o cuaderno que contiene los primeros rudimentos para aprender a leer y a entender la razón del referido mote).

46 *Prosa:* demasía de palabras para decir cosas poco o nada importantes (también alude al lenguaje prosaico en la poesía, y al aspecto o parte de las cosas que se opone al ideal y a la perfección de ellas; lo último es burla fuerte del estilo culterano; total, que no *brilla* [v. 45], sino falla).

399

Grecizante y Latinosa;
Mucho será si me entiendes.
Yo vacio piras, y asciendes:
Culto va, Señora hermosa.　　　　　　50

Estilo Segundo

Si bien el palor ligustre
Desfallece los candores,
Cuando muchos esplendores
Conduce a poco palustre,

---

47 *Grecizante:* que da forma griega a palabras de otras lenguas (procurando de manera artificial lograr una expresión poética que sea prestigiosa), o que emplea palabras griegas afectadamente.

49 «Yo limpio y preparo para ti las piras, o sea, las hogueras ceremoniales y funerales, y asciendes tú adonde te honrará (porque *Culto va, señora hermosa,* v. 50), y te quemarás (porque *no me entiendes,* ni te das cuenta de tu situación, v. 48).» Resulta que el v. 50 es muy burlón.

vacio: normalmente lleva acento en la *i,* pero aquí se omite por las necesidades y la licencia de la métrica.

piras: hoguera en que los antiguos quemaban con ceremonias honoríficas los cuerpos de los muertos de las clases altas (pero no las víctimas de los sacrificios); para Quevedo, era palabra excesivamente culta, de la cual se burlaba él en «La culta latiniparla» *(Obras,* ed. de Fernández-Guerra, Biblioteca de Autores Españoles, t. XLVIII, pág. 420, col. a).

asciendes: las piras antiguas eran grandes y altas, y encima de ellas se colocaban muchos objetos en honor del muerto.

51-60 (Sobre esta parodia de la poesía culterana, véase el comentario al poema 106.)

51 *palor:* metáfora para blancura (y cultismo por palidez).

ligustre: del ligustro, o alheña, cuya flor es blanca.

52 *candores:* blancuras resplandecientes.

53-54 «Cuando [el palor ligustre] conduce muchos esplendores a poco palustre».

palustre: perteneciente a laguna o pantano (rima esta palabra con *ligustre,* pero no creo que tenga sentido en el contexto presente, ni concuerda con la sintaxis indicada, pues en tiempos de Quevedo no se empleaba como sustantivo sino como adjetivo; por lo tanto, parece que aquí paro-

Construye el aroma ilustre,   55
Víctima de tanto culto,
Presintiendo de tu vulto,
Que rayos fulmina horrendo.
Ni me entiendes, ni me entiendo:
Pues cátate, que soy culto.   60

Prosigue

No me va bien con lenguaje
Tan de grados y corona:
Hablemos prosa fregona
Que en las orejas se encaje.
Yo no escribo con plumaje   65
Sino con pluma, pues ya

---

dia Quevedo las sinrazones de la poesía culta, como, en efecto, nos indica él más de una vez, vv. 48 y 59).

55 *el aroma ilustre:* despiden las flores del alheña un olor suave, pero
son tan frágiles que si se arrancan, luego se marchitan, siendo así *víctimas*
de quien las arranca (también se alude a la molienda de las hojas de la
alheña, de cuyo polvo se hacía un tinte colorado muy sutil, que empleaban las mujeres en los cabellos y las uñas).

55-58 «[Si bien la blancura de la flor del ligustre desfallece... y conduce a poco...,] por lo menos el referido ligustre, o alheña, construye o crea
el conocido olor ilustre de sus flores, el cual es víctima de tanto poeta
culto, que coge las flores o las cita en sus poemas (prescindo aquí de las
víctimas aún más numerosas de la belleza de tu cara, que fulmina rayos
contra los amantes de manera horrenda)».

horrendo: Quevedo se burla del poeta culto que exagera tanto el efecto
destructivo de la belleza de una dama, que termina representándola
como fea y repulsiva.

60 *cátate:* mira, advierte.

63-64 Recuerdan los vv. 2 y 6.

65 *plumaje:* metáfora para la ornamentación ostentosa del lenguaje
culto de la estrofa anterior.

66 *pluma:* metáfora para la *prosa fregona* de la estrofa que sigue.

Tanto bien barbado da
En escribir al revés.
Óyeme tú dos por tres,
Lo que digo de pe a pa.   70

Estilo Tercero

Digo pues que yo te quiero,
Y que quiero que me quieras,
Sin dineros ni dineras,
Ni resabios de tendero.
De muy mala gana espero: 75
Date prisa, que si no,
Luego me cansaré yo,
Y perderás este lance.
¡Bien haya tan buen Romance
Y el Padre que le engendró!   80

67-68 «Tanto abogado de barba tan larga da en escribir al revés, o sea, enmarañar su lenguaje, forzando las razones y disfrazando el sentido de las palabras de tal manera que nadie lo entiende, tal y como lo hacen los poetas cultos» (Quevedo satirizaba, como se ha dicho, las largas barbas de los abogados de su época).

69 *dos por tres:* clara y libremente, sin miedo.

70 *de pe a pa:* desde el principio hasta el fin.

73 *dineros:* invención de Quevedo, como *dinerano, dinerismo y dinerista* (fruto de su gusto de jugar con el lenguaje, y de su preocupación intensa por el abuso del dinero).

78 *lance:* oportunidad.

117

[Boda y Acompañamiento del Campo]
[Romance]

Don Repollo y doña Berza,
De una sangre y de una casta,
Si no Caballeros Pardos,
Verdes hidalgos de España,

Casáronse, y a la Boda   5
De personas tan honradas,
Que sustentan ellos solos
A lo mejor de Vizcaya,

De los Solares del campo
Vino la Nobleza y Gala,   10
Que no todos los Solares
Han de ser de la Montaña.

---

3 *Caballeros Pardos:* ciertos individuos a quienes, en recompensa por servicios prestados, el Rey excusaba de pagar tributos y a quienes concedía privilegios de hidalgos, sin serlo.

7 8 *Sustentan a Vizcaya* porque el clima de aquella región permite el cultivo de las legumbres; y si sustentan ellos solos a *lo mejor* de Vizcaya, entendemos que se burla Quevedo de los vizcaínos, por no tener los más ricos otra cosa que corner sino legumbres (se burlaban de ellos los satíricos contemporáneos por coléricos, belicosos, soberbios, y por hablar muy mal el castellano, a pesar de ser cortos de palabras, como se ve, por ejemplo, en el *Quijote,* I, viii).

11-12 Aunque la expresión de este poema es burlesca, no deja de reflejar de vez en cuando ciertas realidades históricas, como, por ejemplo, el hecho de que durante mucho tiempo los reyes de España concedían a los vizcaínos, sólo por ser de Vizcaya, ciertas preeminencias de hidalgos, sin serlo. En este sentido, es verdad que no toda la nobleza tenía su origen en la región de la cordillera Cantábrica, o sea, *la Montaña,* donde primero resistió el rey Pelayo a los invasores árabes en el año de 713 d.C.

Vana y hermosa a la fiesta
Vino Doña Calabaza,
Que su merced no pudiera   15
Ser hermosa sin ser vana.

La Lechuga, que se viste
Sin aseo y con fanfarria,
Presumida, sin ser fea,
De frescona y de bizarra.   20

La Cebolla, a lo viudo,
Vino con sus tocas blancas
Y sus entresuelos verdes,
Que sin verdura no hay canas.

Para ser Dama, muy dulce   25
Vino la Lima gallarda
Al principio, que no es bueno
Ningún postre de las damas.

La Naranja a lo ministro
Llegó muy tiesa y cerrada,   30
Con su apariencia muy lisa
Y su condición muy agria;

A lo rico y lo tramposo
En su erizo la castaña,
Que la han de sacar la hacienda   35
Todos por punta de lanza;

---

20 *frescona:* muy gorda y desvergonzada (aumentativo inventado al
parecer por Quevedo, y que también alude a «fregona», oficio que los
satíricos tenían como de categoría ínfima; comp. el poema 116, v. 63).

22-24 *locas blancas; entresuelos verdes; verdura; canas:* alusión al conocido juego de colores en la cebolla, lo verde *entre* lo blanco; a las tocas
blancas que solían llevar las viudas por fuera, cuando por dentro eran
verdes sus pensamientos, o *entresuelos;* y por fin al hecho de que esta
viuda era una vieja verde, como se ve por sus canas y su verdura.

27-28 *principio; postre:* alude a la entrada de la lima; al principio y
postre de las comidas; ya la parte delantera y trasera de las mujeres.

404

La Granada deshonesta
A lo moza Cortesana,
Desembozo en la hermosura,
Descaramiento en la gracia;   40

Doña Mostaza menuda,
Muy briosa y atufada,
Que toda chica persona
Es gente de gran Mostaza;

A lo alindado la Guinda,   45
Muy agria cuando muchacha,
Pero ya entrada en edad,
Más tratable, dulce y blanda;

---

37 *deshonesta:* no sólo porque se trata de la conocida liviandad de la
gente de la corte (comp. el v. 38 y el poema 125), sino también por los
granos con punta de pus que les salen en la cara a los que por su trato
deshonesto han contraído la sífilis, y que al poeta le recuerdan la forma y
el color de la *Granada.*

39 *Desembozo:* descubrimiento de la cara; despejo, libertad (todavía
iban algunas mujeres por las calles con la cara tapada de medio ojo, costumbre árabe que en la España de Quevedo se prestaba a diversos abusos
por parte de las mujeres deshonestas).

40 *Descaramiento:* en su sentido literal, lleva un paso más adelante la libertad del referido desembozo; también alude al descubrimiento y a la cara.

42 *atufada:* enojada (antiguamente se creía que quien se enojaba
repetidamente, padecía de humos en la cabeza, porque se le había
subido el humo, o tufo, a las narices; y como *tufo* significa también el
olor activo y molesto que despide de sí una cosa, lo aplica Quevedo a
la mostaza; por otra parte, alude a expresiones como: *amostazarse,* o
subirse la mostaza a las narices, que significan enojarse; comp. el poema 118, vv. 39-42).

43-44 *chica persona... gran Mostaza:* se alude al tamaño muy pequeño
del grano de la mostaza, que en un sentido burlón, hace parecer grandes
a las personas chicas.

48-50 *La Cereza* supera en *hermosura* a la Guinda, porque es aún más
«tratable, dulce y blanda» que la guinda madura.

La Cereza, a lo hermosura,
Recién venida muy cara,   50
Pero con el tiempo todos
Se le atreven por barata;

Doña Alcachofa, compuesta
A imitación de las flacas,
Basquiñas y más basquiñas,   55
Carne poca y muchas faldas;

Don Melón, que es el retrato
De todos los que se casan:
Dios te la depare buena,
Que la vista al gusto engaña;   60

La Berenjena, mostrando
Su calavera morada,
Porque no llegó en el tiempo
Del socorro de las calvas;

Don Cohombro desvaído,   65
Largo de verde Esperanza,
Muy puesto en ser gentilhombre,
Siendo cargado de espaldas;

_____

50 *Recién venida:* alude a las legumbres que van llegando a la boda, pero
ya en el v. 52, incorpora el poeta una alusión al comercio de la fruta.

55 *Basquiñas:* saya que llevaban las mujeres desde la cintura al suelo,
con pliegues, y con mucho vuelo en la parte baja; se ponía encima del
resto de la ropa.

57-60 En diversos refranes contemporáneos, se ve que el *Melón* servía de
imagen humorística de la mujer y del *casamiento,* y de la dificultad para conocer a los dos y evitar el *engaño:* «El melón y el casar, todo es acertar»;
«Melón es el casamiento que sólo le caía el tiempo»; «El melón y la mujer,
por el rabo se han de conocer»; «El melón y la mujer, malos son de conocer».

59 Refrán contemporáneo, aplicado a diversas situaciones.

65 *desvaído:* alude al talle alto, flaco y sin gracia, y al color bajo y disipado.

66 *Largo:* alude al talle, y al tiempo de la *Esperanza.*

406

Don Pepino, muy picado
De amor de Doña Ensalada,   70
Gran compadre de Doctores,
Pensando en unas tercianas;

Don Durazno a lo envidioso,
Mostrando agradable cara,
Descubriendo con el trato   75
Malas y duras entrañas;

Persona de muy buen gusto,
Don Limón, de quien espanta
Lo sazonado y panzudo,
Que no hay discreto con panza;   80

De blanco, morado y verde,
Corta crin y cola larga,
Don Rábano, pareciendo
Moro de juego de Cañas.

Todo fanfarrones bríos,   85
Todo picantes bravatas,
Llegó el Señor Don Pimiento,
Vestidito de botarga;

---

verde: por el color, y por el vigor y fuerza de la juventud (se burla del *gentilhombre desvaído,* como se ve en los dos versos que siguen).

71 Se creía que los pepinos eran muy dañinos.

79 Se alude al sabor y a la forma del limón.

81-84 *juego de Cañas:* fiesta pública de la nobleza, introducida en España por los moros, en la que corrían, unas contra otras, diversas cuadrillas de jinetes, armados con lanzas de caña y adargas; recuerda Quevedo los caballos *(crin y cola),* y los vestidos muy lucidos de diferentes colores *(blanco, morado y verde).*

88 *botarga:* especie de calzón ancho, que cubría desde la cintura hasta el tobillo; las que vestían los payasos eran de muchos colores y de una sola pieza. Aquí representa lo colorado de la pimienta, y sus arrugas.

Don Nabo, que viento en popa
Navega con tal bonanza   90
Que viene a mandar el Mundo,
De gorrón de Salamanca.

Mas baste, por si el Lector
Objeciones desenvaina,
Que no hay boda sin malicias   95
Ni desposados sin tachas.

COMENTARIO

Este poema fue escrito antes de 1621 (véase mi estudio, *En torno a la poesía de Quevedo,* pág. 164).

---

90 *navega:* entiéndase, en la sopa (la de nabos era muy frecuente en los colegios de la época).

92 *gorrón:* el bonete redondo que solían llevar los estudiantes de universidad.

118

[Desmiente a un viejo por la barba]

Viejo verde, viejo verde,
Más negro vas que la tinta,
Pues a poder de borrones
La barba llevas escrita.

Recoger quiere la nieve,   5
Que tus edades ventiscan
En pozos de Cementerio
La calavera Charquías.

Sobre blanco capa negra
Es mocedad Dominica;   10
Hoy tinta y ayer papel,
Barba será escribanía.

1-2 Se burla Quevedo de los deseos del viejo, y de la tinta que empleaba para cubrir sus canas, mediante la parodia de los versos iniciales de un
antiguo romance de moros y cristianos: «Río verde, río verde, / más negro vas que la tinta» (ed. de A. Durán, Biblioteca de Autores Españoles,
t. XVI, pág. 101).

5-8 Léase «Recoger quiere Charquias la nieve, o sea, las canas, que tus
edades ventiscan sobre la calavera en pozos de cementerio» (Pablo Charquias fue quien inventó el comercio de la nieve en Madrid, entre 1607
y 1614; la empleaban para enfriar las bebidas).

9-10 Alusión a la *capa negra* que visten sobre el hábito blanco los religiosos de la orden de los dominicos.

10 *mocedad:* alude a la que finge el viejo que se tiñe.

Aunque la pongas tan negra
Que puedan llamarla prima,
Doña Blanca de Borbón   15
Está presa en tus mejillas.

Cabello que dio en Canario,
Muy mal a cuervo se aplica,
Ni es buen Jordán el tintero
Al que envejece la Pila.   20

Son refino de Meléndez
Los pelos de cotonía:
Busca Segovia de arrugas,
Y cátate que te aniñas.

---

14 *prima:* la parte de la noche entre las 8 y las 11.

15 *Blanca:* alude al color de las canas; a una moneda antigua de plata,
y otra de vellón; y a la reina de Castilla (1335-1361), esposa del rey Pedro I
el Cruel.

19 *Jordán:* antiguamente se creía que las aguas del río Jordán remoza-
ban a los hombres, y que en ellas se rejuvenecía el judío errante, que en
España se conocía por el nombre de Juan de Espera en Dios (comp. los
poemas 86 v. 11 y 88 v. 23).

20 «Al judío que no se deja bautizar, y hace envejecer a la Pila, espe-
rándolo».

21-22 «Los pelos de cotonía (tela de algodón, generalmente blanca), se
han vuelto hilos muy finos pintados de carboncillo negro» (*refino* se llama «lo que es muy fino, como paño refino de Segovia», según dice Covarrubias en su *Tesoro de la lengua castellana,* Madrid, 1611, y Barcelona,
1943; y *Meléndez,* el carboncillo negro con el que se pintan de negro las
cejas o la barba, según se infiere de lo que pide una mujer en el *Entremés
de la ropavejera,* de Quevedo: «Habrá un clavillo negro de melíndez, / y
dos dedos de bozo, / con que mi cara rasa / pueda engañar de hombre en
una casa?», *Poesía* de Quevedo, ed. F. Janer, Biblioteca de Autores Españoles, t. LXIX, pág. 277; comp. el poema 121, v. 35, donde se llama
«clavo» a un negro).

23 *Segovia:* tierras de Segovia (tenían fama de quitar las arrugas de la
piel).

24 *cátate:* advierte.

No puedes ser Mozo, dijo la niña,   25
Sin ser gato o Mozo de otro que sirvas.

Bigotes que amortajaron
En blanco lienzo los días,
El escabeche los cubre
Pero no los resucita.   30

Barbado de naterones
Te vieron, y ya te miran,
Por lo Pez, barba de Viernes,
Y por mostachos, sardinas.

Barba de *memento homo*,   35
A poder de las cenizas,
Hoy con sotana y manteo
La sobrepelliz cobija.

---

26 *gato:* ladrón.

Mozo: gato; criado; y en germanía, ladrón.

29 *escabeche:* tinta negra para las canas.

31 *naterones:* requesones.

33 *Pez:* la resma crasa del pino que se cuece hasta que se pone muy negra; el pescado, que se comía los *Viernes* (las dos imágenes corresponden al *escabeche,* que además del sentido referido, denomina también una salsa para el pescado).

34 *sardinas:* pez de lomo muy oscuro, pero que tiene el vientre plateado (como los mostachos del viejo).

35 «Barba de polvos» *(memento homo* son las palabras iniciales de las que dice el sacerdote a los fieles cuando les pone la ceniza en la frente el Miércoles de Ceniza: «Acuérdate, hombre, que polvo eres, y que en polvo te convertirás»; recuerdan las que dijo Dios a Adán cuando lo expulsó del Edén, Génesis, 3, 19).

37-38 Normalmente la *sobrepelliz* blanca *cobija la sotana* negra de los sacerdotes, tal y como en otras ocasiones la cobija el *manteo,* o capa larga y negra.

Enojado con los años
Se te subió muy aprisa   40
A los bigotes el humo,
Cuando a las narices iba.

Pues te quedaste *in albis*,
¿Qué importará que te tiñas,
Si las muchas Navidades   45
Contra el betún atestiguan?

Ya que salieron tus sienes
A las calles en camisa,
Cuando quieren acostarse,
¿De qué sirve que las vistas?   50

Pues no puedes ser mozo, dijo la niña,
Sin ser gato o mozo de otro que sirvas.

COMENTARIO

De la fecha de este poema sabemos tan sólo que fue escrito
después del año de 1607 (véase mi estudio *En torno a la poesía de
Quevedo*, pág. 107).

39-42 «Enojado con los años, el humo te iba, o te subía a las narices,
pero por ser él hollín, o sea, tizne del humo, te subió muy rápidamente a
los bigotes, tiñéndolos de negro».

43 *in albis:* con el pelo blanco, y también, frustradas las esperanzas de
teñirlo (como otras tantas imágenes de este poema, la frase tiene sabor
litúrgico).

46 *betún:* pomada compuesta de varios ingredientes que usaban las
mujeres para adornarse la cara y el cabello, y los hombres para teñirse la
barba.

119

[Cura una Moza en Antón Martín la tela que mantuvo]*

Tomando estaba sudores
Marica en el Hospital,
Que el tomar era costumbre,
Y el remedio es el sudar.

Sus desventuras confiesa,   5
Y los Hermanos la dan
A culpas *Escarramanes*,
Penitencias de «*¡Ay, ay, ay!*»

Lo Español de la muchacha
Traduce en Francés el mal,   10
Cata a Francia, Montesinos,
Si te pretendes pelar.

---

* *Antón Martín:* hospital de Madrid en el que se curaba la sífilis.
tela: enredo, maraña o embuste.
1 *sudores:* se solía tomar sudoríficos, que se llamaban sudores, para curar las enfermedades venéreas.
costumbre: ella era ramera.
6 *Hermanos:* los frailes que asistían a los enfermos en el hospital.
7 *culpas Escarramanes:* culpas enormes (en la literatura satírica contemporánea, Escarramán era un rufián muy grande; comp. el poema 93).
8 *¡Ay, ay, ay!:* los referidos sudores eran muy dolorosos; también éste y el *Escarramán* eran bailes de la época.
10 *mal Francés:* entre los españoles, se llamaba así la sífilis.
11-12 «Piensa en Francia, Montesinos, si te quieres pelar (porque allí te contagiarás del mal francés)». En el v. 11, cita Quevedo el principio de un romance antiguo sobre el héroe caballeresco español Montesinos (que se había divulgado en el refranero contemporáneo): «Cata Francia, Mon-

Por todas sus coyunturas
Anda encantado Roldán;
Los doce Pares y nones   15
No la dejan reposar.

Por no estar a la malicia
Labrada su voluntad,
Fue su huésped de aposento
Antón Martín el galán.   20

---

tesinos, / cata París la ciudad, / ... cata palacios del rey, / ... y aquella que
ves más alta / y que está en mejor lugar / es la casa de Tomillas, / mi
enemigo mortal» *(Romancero general,* ed. A. Durán, Biblioteca de Autores Españoles, t. X, págs. 257-258). En el v. 12, parodia Quevedo el referido verso, aludiendo a la *pérdida del cabello* como uno de los efectos de
la sífilis.

13 *coyunturas:* ocasiones u oportunidades (en este caso, las militares de
Roldán); articulaciones del cuerpo de la muchacha.

14 *encantado:* en un estado de encantamiento caballeresco (propio de
las leyendas de los magos); embelesado, cautivados los sentidos por la
belleza de la muchacha.

Roldán: Quevedo desarrolla el chiste sobre lo español y lo francés
(vv. 9-10): Rolando u Orlando, sobrino del emperador Carlomagno, fue
el héroe francés de la batalla de Roncesvalles, en los Pirineos (formaban él y
sus compañeros la retaguardia del ejército del emperador, y fueron ataca-
dos y matados por los vascos).

15 *Los doce Pares:* fueron doce caballeros franceses, iguales en nobleza,
en valor y en hechos de armas, escogidos por los reyes de Francia (el
grupo fue instituido por Carlomagno, tío de Roldán, a quien nombró
como uno de ellos).

nones: chiste inventado por Quevedo, basándose en *Pares.*

16 Aquí se convierten los *doce Paces* en imagen del referido *mal francés,*
cuyos estragos *no dejan reposar* a Marica.

17-20 «Por ser ella persona buena, se hospedó en el aposento, o sea, en
el hospital de Antón Martín el galán» (afirmación irónica, porque ella no
era buena, y porque se insinúa que convirtió el hospital en aposento con
galán).

414

Sus ojos son dos Monsiures
En limpieza y claridad,
Que están llorando gabachos
Hilo a hilo sin cesar;

Por la garganta y el pecho   25
Se ve, cuando quiere hablar,
Muchos siglos de capacha
En pocos años de edad.

Las perlas almorzadoras
Y el embeleco Oriental   30
Que atarazaban las bolsas,
Con respeto muerden pan.

---

21 *Monsiures:* franceses (epíteto despectivo empleado por los satíricos españoles).

23 *gabachos:* franceses (epíteto muy despectivo); personas sucias y asquerosas (se desdicen de manera humorística las imágenes del verso anterior).

24 *hilo a hilo:* poco a poco, continuamente.

27 *capacha:* metáfora para la mendicidad (la *capacha* era la esportilla de palma en la que los religiosos de la Orden de San Juan de Dios solían recoger la limosna que pedían para los pobres).

27-28 Parodia de dos versos muy conocidos con los que describió Luis de Góngora a una muchacha bellísima: «Muchos siglos de hermosura / en pocos años de edad» (romance «Apeóse el Caballero», *Obras,* ed. Juan e Isabel Millé y Giménez, Madrid, Aguilar, 1951, núm. 62, pág. 170).

29-30 Los *dientes* de esta mujer son *almorzadores,* y su *embeleco,* o embuste *Oriental,* está dirigido y encaminado a un fin determinado, trueque humorístico de las imágenes, ya que normalmente los dientes hermosos se calificaban de *perlas Orientales* por su blancura y brillantez, y las mujeres se valían del *embeleco* para picarles *almuerzos* a los galanes, como se decía en el *Lazarillo* (tratado tercero, del Escudero, ed. J. V. Ricapito, Madrid, Cátedra, 1976, pág. 160).

31 *atarazaban:* tronchaban, masticaban (vulgarismo).

32 *Con respeto:* con cuidado (a diferencia del verso anterior), ya que sus dientes estaban a punto de caérsele de la boca.

Su cabello es un cabello,
Que no le ha quedado más,
Y en postillas y no en postas   35
Se partió de su lugar.

Los labios de coral niegan
Secos su púrpura ya:
Ni de coral tienen gota,
Mucha sí gota coral.   40

Las Gangas que antes cazaba,
Las vuelve ahora en garlar,
Y su nariz y su boca
Trocaron oficios ya.

En cada canilla suya   45
Un Matemático está,
Y anda el Pronóstico nuevo
Por sus huesos sin parar.

---

34 Alusión a las consecuencias de la sífilis.

35 *postillas:* alusión a los granos que le salen en la cara al sifilítico.

postas: alusión a los caballos del antiguo servicio de correos, que partían con rapidez de donde se habían estacionado.

40 *gota coral:* epilepsia.

41 «Lo que sin trabajo, o inútilmente iba cazando»; «Los pájaros de canto gangoso que iba cazando» (la *ganga* es un pájaro del tamaño de la perdiz, y de color dorado).

42 *garlar:* hablar mucho y sin interrupción.

43-44 Mediante las imágenes de las *Gangas* y del *garlar,* se alude al *hablar gangoso,* o ganguear.

45 *canilla:* cualquiera de los huesos largos de la pierna o del brazo.

46-48 *Matemático:* astrólogo (por los *Pronósticos* o dolores con que anunciaban sus huesos los cambios de la presión barométrica; comp. Covarrubias, *Tesoro de la lengua castellana, s. v.* Matemático, y la estrofa que sigue).

Desde que salió de Virgo,
Venus entró en su lugar,   50
En el Cáncer sus narices
Y en Géminis lo demás.

Entre humores Maganceses
De maldita calidad,
Y dos viejas Galalonas,   55
Fue puesta en cautividad.

---

51 Imagen de la enfermedad, como otras tantas en este poema, y
uno de los doce signos o constelaciones del Zodiaco, igual que *Virgo*
y *Géminis* (pero no *Venus,* que era planeta, y entra aquí como diosa del
amor).

52 *Géminis:* alusión al amor y a la enfermedad (este signo del Zodiaco
se representaba por dos figuras humanas abrazadas; por otra parte, se
denominaba así un emplasto que se empleaba para resolver y cicatrizar las
apostemas, con lo que repite Quevedo el tema de las enfermedades que
padecía la muchacha, y presenta las consideraciones sobre ellas en las dos
estrofas que siguen).

53 *humores:* antiguamente llamaban asilos líquidos de que se nutren y
se mantienen los cuerpos vivientes, y que pertenecen a su constitución
física.

Maganceses: metáfora para traidores (en la historia de la batalla de
Roncesvalles, referida en la nota anterior al v. 14, Orlando fue traiciona-
do por su padrastro, Ganelón, conde de Mayence, a quien Quevedo y sus
contemporáneos llamaban Galalón, conde de Mangancés).

55 *viejas Galalonas:* viejas traidoras.

La grana se volvió en granos,
En Flor de Lis el Rosal;
Su Clavel, zarzaparrilla,
Unciones el Solimán.   60

Tienen baldados sus huesos,
Muchachos de poca edad,
Hombres malvados de vida,
Mucho Don, y poco dan.

Estas pues son de esta niña   65
Las partes y calidad,
Archivo de todo achaque
Y albergue de todo mal.

---

57 *La grana:* metáfora poética para el color rojo de los labios y las
mejillas (la grana era una tinta de color rojo muy encendido, que se
hacía con el polvo de ciertos gusanillos que se criaban dentro del fruto
de la coscoja, una especie de encina pequeña, que también se llamaba
la grana).

granos: los que tienen punta de pus, y le salen en la cara al sifilítico; se
llamaban también bubas.

58 *Flor de lis:* metáfora por el mal francés, o sea, la sífilis (la referida
flor era el emblema heráldico de Francia).

58-59 *Rosal; Clavel:* imágenes tradicionales de la belleza femenina, que
representan vivamente lo rojo y lo blanco.

59 *zarzaparrilla:* cocimiento de la raíz de la zarzaparrilla, que usaban
los sifilíticos como sudorífico y depurativo (véase la nota anterior al v. 1).

60 *Unciones:* untura que se hacía a los enfermos de la sífilis.

Solimán: azogue sublimado, que se solía emplear como afeite para cubrir las arrugas, y como ungüento para untar repetidamente a los enfermos de la sífilis (igual que en los tres versos anteriores, la muchacha ha
pasado de bella a enferma: antes se afeitaba, y ahora se unta).

61-64 «Mucha presunción, y poca utilidad (porque están *malvados* o
enviciados por la vida, y *baldados,* o inutilizados, por la enfermedad)».

Las que priváis en el Mundo
Con el pecado mortal,   70
Si no perdéis coyuntura,
Las vuestras se perderán.

COMENTARIO

Este poema fue escrito entre 1610 y 1628 (véase mi estudio,
En torno a la poesía de Quevedo, pág. 161).

_____

69 *priváis:* tenéis favor o familiaridad con algún príncipe.
71 *coyuntura:* oportunidades; articulaciones del cuerpo (comp. la
nota al v. 13).

120

[Refiere su Nacimiento, y las propiedades que le comunicó]*

«Parióme adrede mi Madre,
¡Ojalá no me pariera!,
Aunque estaba, cuando me hizo,
De gorja Naturaleza.

»Dos maravedís de Luna   5
Alumbraban a la tierra,
Que por ser yo el que nacía,
No quiso que un cuarto fuera.

»Nací tarde, porque el Sol
Tuvo de verme vergüenza,   10
En una noche templada,
Entre clara y entre yema.

---

* *su Nacimiento:* dudamos que un poema tan burlón lo haya intenta-
do Quevedo de manera autobiográfica; por otra parte, más de una vez
aplicó el nombre ficticio de Fabio a los amantes ridículos y desdichados
(comp. los vv. 133-136, y el poema 126, v. 6).
3-4 *estaba de gorja:* estaba de juerga, o de fiesta.
5-8 *Dos maravedís; un cuarto:* para menospreciar el momento en que
nació el que habla, juega el poeta con las fases de la luna y con los valores
de las monedas antiguas (en tiempos de Quevedo, dos maravedís valían
medio cuarto).
11-12 *templada:* «de temperatura moderada»; pero al aplicar a *templada* la imagen de la clara y la yema del huevo, viene a significar «de claridad moderada».
13-16 En un sentido literal, el que habla nació *la noche de martes*
(comp. el v. 11), pero era tan malo que *ni martes* (conocido además como
día aciago y de mal agüero), *ni miércoles* (primer día de Cuaresma, en el
que se reparte la ceniza) quisieron que él naciera en sus términos, o límites. En un sentido alusivo y astrológico, tampoco quisieron los planetas
Mercurio y Marte que él naciera en sus términos, o sea, en los grados y
límites en que se creía que cada planeta tenía mayor fuerza en sus influjos

»Un miércoles con un Martes
Tuvieron grande revuelta,
Sobre que ninguno quiso   15
Que en sus términos naciera.

»Nací debajo de Libra,
Tan inclinado a las pesas,
Que todo mi amor le fundo
En las madres vendederas.   20

»Diome el León su cuartana,
Diome el Escorpión su lengua,
Virgo, el deseo de hallarle,
Y el Carnero su paciencia.

»Murieron luego mis padres;   25
Dios en el Cielo los tenga,
Porque no vuelvan acá,
Y a engendrar más hijos vuelvan.

(en tiempos de Quevedo, se pensaba que los nombres de los referidos días se derivaban de los de los planetas, y no de los dioses romanos). Por otra parte, los planetas sirven para presentar las constelaciones en las estrofas que siguen inmediatamente.

17 *Libra:* constelación que para los astrólogos es el séptimo signo del Zodiaco, que el Sol empezaba a recorrer en el mes de septiembre (el mismo mes en que nació Quevedo, el día 17).

18 *pesas:* el símbolo astrológico de la constelación de Libra es un *peso* en forma de cruz, o sea, una balanza; y en ésta se pesa el oro al que se siente *inclinado* el que habla.

20 *madres vendederas:* madres que venden a sus hijas (quien tiene oro puede *fundar su amor* en ellas, porque *pesan* y venden a sus hijas).

21 *León:* quinto signo del Zodiaco, y constelación que empieza el Sol a recorrer a la mitad del mes de julio, o sea, en pleno verano, cuando la gente padecía más los ataques de la *cuartana,* calentura que entraba con frío, de cuatro en cuatro días.

22 *Escorpión:* alacrán; octavo signo del Zodiaco.

23 *Virgo:* virginidad; sexto signo del Zodiaco.

24 *Carnero:* imagen tradicional de la paciencia y la mansedumbre; primer signo del Zodiaco, que llaman los astrólogos Aries (en latín, carnero).

»Tal ventura desde entonces
Me dejaron los Planetas,   30
Que puede servir de tinta,
Según ha sido de negra,

»Porque es tan feliz mi suerte
Que no hay cosa mala o buena,
Que aunque la piense de tajo,   35
Al revés no me suceda.

»De estériles soy remedio,
Pues con mandarme su hacienda,
Les dará el cielo mil hijos
Por quitarme las herencias.   40

»Y para que vean los ciegos,
Pónganme a mí a la vergüenza;
Y para que cieguen todos,
Llévenme en coche o litera.

35-36 *de tajo; al revés:* en primer lugar, el *tajo* es el corte que se daba a las plumas de ave para escribir con ellas (imagen sugerida por la de la tinta, tan importante en la estrofa anterior, y también por la relación sintáctica entre las dos estrofas), y el *revés* es metáfora para cualquier infortunio, desgracia o contratiempo, y también para una vuelta o mudanza desfavorable en la suerte o *ventura* de uno (comp. el v. 29). En segundo lugar, *tajo* alude al corte o filo de una espada o cuchillo, *cuyo revés* es el canto opuesto, sin filo. Y en tercer lugar, el *tajo* es el corte que se da en la esgrima de derecha a izquierda, y el *revés* el que se da en sentido contrario.

38 *mandarme su hacienda:* dejarme su hacienda como herencia en su testamento.

39 *el cielo:* nueva alusión a la *ventura negra* que le dejaron los *Planetas* (vv. 29-32), en contraste con *mil hijos* que dará como *remedio* a los estériles.

41-44 «Y para que vean los ciegos (lo cual es al revés de la naturaleza), Pónganme a mí (que induzco los reveses) a la vergüenza, o sea, a la vista publica; Y, por consiguiente, para que se cieguen todos, llévenme en coche o litera (donde no me podrán ver)».

»Como a imagen de milagros   45
Me sacan por las aldeas,
Si quieren Sol, abrigado;
Y desnudo, porque llueva.

»Cuando alguno me convida
No es a banquetes ni a fiestas,   50
Sino a los misacantanos,
Para que yo les ofrezca.

»De noche soy parecido
A todos cuantos esperan
Para molerlos a palos,   55
Y así, inocente, me pegan.

»Aguarda hasta que yo pase,
Si ha de caerse una teja;
Aciértanme las pedradas,
Las curas sólo me yerran.   60

»Si a alguno pido prestado,
Me responde tan a secas
Que en vez de prestarme a mí,
Me hace prestar paciencia.

---

45 *milagros:* se califica de milagros los eventos de la estrofa anterior.

45-46 Cuando faltaba la lluvia en las *aldeas* agricultoras, se solía *sacar* en procesión pública a las imágenes o estatuas de ciertos santos, rogándoles que intercedieran ante Dios para lograrla.

47-48 Nuevas imágenes que están *al revés* de lo normal y corriente.

51-52 *misacantanos:* la misa que dice o canta por primera vez el sacerdote que acaba de recibir las órdenes; por costumbre, se le ofrecían regalos.

54-56 «De noche me parezco a todos los que esperan los rufianes profesionales para molerlos a palos» (tal desgracia le pasó a Pablos en el *Buscón,* lib, III, cap. 7, pág. 240).

423

»No hay necio que no me hable, 65
Ni vieja que no me quiera,
Ni pobre que no me pida,
Ni rico que no me ofenda.

»No hay camino que no yerre,
Ni juego donde no pierda, 70
Ni amigo que no me engañe,
Ni enemigo que no tenga.

»Agua me falta en el mar,
Y la hallo en las tabernas,
Que mis contentos y el vino 75
Son aguados donde quiera.

»Dejo de tomar oficio,
Porque sé por cosa cierta
Que en siendo yo calcetero,
Andarán todos en piernas. 80

»Si estudiara Medicina,
Aunque es socorrida Ciencia,
Porque no curara yo,
No hubiera persona enferma.

»Quise casarme estotro año 85
Por sosegar mi conciencia,
Y dábanme un dote al diablo
Con una mujer muy fea.

---

69 *que no yerre:* que no lo pierda yo.
74-76 El tema del tabernero que aguaba el vino era predilecto de los satíricos contemporáneos.
82 *socorrida Ciencia:* profesión que beneficia y socorre a su clientela; profesión muy acogida y concurrida por los que pretenden entrar en ella.
87 «Y me daban una dote digna de dársela al diablo».

»Si intentara ser cornudo
Por comer de mi cabeza,⠀⠀⠀⠀⠀⠀⠀90
Según soy de desgraciado,
Diera mi mujer en buena.

»Siempre fue mi vecindad
Mal casados que vocean,
Herradores que madrugan,⠀⠀⠀⠀⠀95
Herreros que me desvelan.

»Si yo camino con fieltro,
Se abrasa en fuego la tierra;
Y en llevando guardasol,
Está ya de Dios que llueva.⠀⠀⠀100

»Si hablo a alguna mujer
Y la digo mil ternezas,
O me pide o me despide,
Que en mí es una cosa mesma.

»En mí lo picado es roto,⠀⠀⠀⠀105
Ahorro cualquier limpieza,
Cualquiera bostezo es hambre,
Cualquiera color vergüenza.

---

90 «Por vivir del dinero y de las dádivas que regalan los amantes a mi mujer, estando yo con cuernos en la cabeza».

92 «Diera mi mujer en buena y fiel, de manera que ni me pondría cuernos, ni me daría dinero ni regalos».

94-96 Son tres imágenes del ruido estrepitoso (se incluye el del martillo y yunque que emplean tanto los *Herreros*, que labran y pulen el hierro, como los *Herradores*, que ajustan y clavan las herraduras a los pies y las manos de las cabalgaduras.

97 *fieltro:* capote o sobretodo que se hacía de fieltro para defensa del agua, la nieve o el mal tiempo.

99 *guardasol:* quitasol, sombrilla.

100 *Está ya de Dios:* está escrito; es inevitable.

105 «En mí, la ropa agujereada por la polilla, está rota» (en sus «Premáticas y aranceles generales», prohíbe Quevedo a los «hombres vaga-

»Fuera un hábito en mi pecho
Remiendo sin resistencia,   110
Y peor que besamanos
En mí cualquiera encomienda.

»Para que no estén en casa
Los que nunca salen de ella,
Buscarlos yo sólo basta,   115
Pues con eso estarán fuera.

»Si alguno quiere morirse
Sin ponzoña o pestilencia,
Proponga hacerme algún bien,
Y no vivirá hora y media.   120

»Y a tanto vino a llegar
La adversidad de mi Estrella,
Que me inclinó que adorase
Con mi humildad tu soberbia,

---

bundos... que ninguno llame picado a lo que verdaderamente es roto»,
Obras, ed. de A. Fernández-Guerra, Biblioteca de Autores Españoles,
t. XXIII, pág. 436a).

106 «Cualquier desinterés es mezquindad».

109-110 «En mi pecho, la insignia de cualquiera de las antiguas y
distinguidas órdenes militares no sería sino remiendo o recosido sin resistencia» (cada caballero de las órdenes llevaba cosido al lado izquierdo de
la capa o casaca la insignia que lo distinguía).

111-112 «Cualquiera encomienda (dignidad dotada de renta que beneficia al individuo, como las de las órdenes militares), en mí no sería
sino besamanos, o sea, obligación de llevar algún regalo al señor, en reconocimiento del vasallaje».

122 *Estrella:* inclinación, genio, suerte o destino.

124 *tu soberbia:* la de la dama a quien se dirige (v. 135).

»Y viendo que mi desgracia   125
No dio lugar a que fuera,
Como otros, tu pretendiente,
Vine a ser tu pretenmuela.

»Bien sé que apenas soy algo,
Mas tú, de puro discreta,   130
Viéndome con tantas faltas,
Que estoy preñado sospechas».

Aquesto Fabio cantaba
A los balcones y rejas
De Aminta, que aun de olvidarle   135
Le han dicho que no se acuerda.

COMENTARIO

Este poema fue escrito antes de 1627, y publicado en la primera edición de los *Sueños y discursos* de Quevedo (Barcelona, 1627).

---

128 *pretenmuela:* pretendiente de muy baja calidad (palabra inventada por Quevedo, y que deriva su sentido del poco prestigio de las muelas en comparación con los dientes: se caen primero que éstos, y no se ven, ni se llaman «perlas»).

131 *faltas:* defectos de carácter; supresión del menstruo de la mujer durante el embarazo.

133 *Fabio:* nombre ficticio que solían aplicar a los galanes (comp. el poema 126, v. 6).

121

[Boda de Negros]*
[Romance]

Vi, debe haber tres días,
En las gradas de San Pedro,
Una tenebrosa boda,
Porque era toda de Negros.

Parecía Matrimonio   5
Concertado en el infierno:
Negro esposo y negra esposa,
Y negro acompañamiento.

Sospecho yo que acostados
Parecerán sus dos cuerpos,   10
Junto el uno con el otro,
Algodones y tintero.

---

* *Boda de negros:* frase hecha tradicional que se aplica a cualquier función en que hay batahola, grita, confusión y bulla, y se huelga la gente sin entenderse.

2 *San Pedro:* la iglesia parroquial de San Pedro el Real, hoy llamada San Pedro el Viejo, en Madrid (hace esquina a la costanilla de San Pedro, con la vuelta a la calle de Segovia y costanilla del Nuncio; tiene una bella torre mudéjar, la única auténtica de la época medieval que se conserva en Madrid; en la sacristía de esta iglesia situó Quevedo la acción de su segundo *sueño*, «El alguacil endemoniado»).

5-8 Más de una vez se aprovechó Quevedo del color negro para representar valores infernales (de Plutón decía que era «dios dado a los diablos, con una cara afeitada con hollín y pez», *La hora de todos, Obras,* ed. de A. Fernández-Guerra, Biblioteca de Autores Españoles, tomo XXIII, pág. 384, col. a, Introducción a la obra).

12 *Algodones y tintero:* así se solían aplicar los tintes negros; también alude al refrán contemporáneo, «Sobre negro no hay tintura», con que se indica lo difícil que es corregir o mejorar el mal genio o natural, o excusar o disimular las malas y feas acciones.

Hundíase de estornudos
La calle por do volvieron,
Que una boda semejante   15
Hace dar más que un pimiento.

Iban los dos de las manos
Como pudieran dos cuervos;
Otros dicen como grajos,
Porque a grajos van oliendo.   20

Con humos van de vengarse
(Que siempre van de humos llenos)
De los que, por afrentarlos,
Hacen los labios traseros.

Iba afeitada la novia   25
Todo el tapetado gesto
Con hollín y con carbón,
Y con tinta de sombreros.

---

16 «Tal boda ocasiona más estornudos que un pimiento» (éste es el
árbol que produce la pimienta, especie que nos hace estornudar, y cuyos
granitos son de color negro).

18-20 *A grajos van oliendo:* tanto los cuervos como los grajos tienen el
plumaje totalmente negro; y grajo se llamaba también el olor desagrada-
ble que se desprende del sudor, y se decía especialmente de los negros.

21 *Con humor:* Con presunción vanidosa.

22 *humos:* vapor negro y espeso que exhala cualquier cosa que se está
quemando.

23-24 «De los que en la calle, por afrentar a los negros, les hinchan y
enseñan los labios en forma del trasero, o ano, y soplan».

25 *afeitada:* maquillada.

26 *tapetado:* color oscuro, que apenas se distingue del negro.

gesto: el rostro, y los movimientos suyos que expresan el gusto o pesar,
complacencia o desagrado de alguna cosa; el aspecto, disposición y apariencia de alguna cosa.

Tan pobres son que una blanca
No se halla entre todos ellos,   30
Y por tener un cornado
Casaron a este moreno.

Él se llamaba Tomé,
Y ella Francisca del Puerto;
Ella esclava, y él es clavo   35
Que quiere hincársele en medio.

Llegaron al negro patio
Donde está el negro aposento,
En donde la negra boda
Ha de tener negro efecto.   40

29-30 *blanca:* moneda antigua de muy poco valor, que, por otra parte, *no se halla entre todos ellos* porque son *negros.*

31 *cornado:* moneda antigua que ya no se usaba en el siglo XVII, y que había valido la tercera parte de una blanca; también alude a *cornudo,* símbolo del adulterio.

32 *moreno:* para Quevedo, los de color moreno eran de carácter muy negativo.

33-34 *Tomé:* alude a *toma,* en el sentido de conquista; y a *tomar* en su acepción sexual de cubrir el macho a la hembra; servía para motejar al negro de *perro,* ya que con la interjección *¡to! ¡to!,* que es como síncopa de *toma,* solían llamar a los perros (comp. el poema 125, v. 32).

Puerto: en su sentido literal, es lugar seguro donde puede entrar una nave; su valor como metáfora sexual para la vagina de una mujer se comprueba en el hecho de que «Puerto se llama también la boca de la madre en las mujeres» *(Diccionario de Autoridades;* entre las acepciones de *madre,* se encuentra «útero»).

35 *esclava; es clavo:* en la España de Quevedo, los negros eran generalmente esclavos, y sus dueños los herraban con el jeroglífico de una *ese* atravesada por un clavo, que significaba *esclavo* (véase también la nota que sigue).

35-36 *clavo* miembro viril (así entendemos, en un contexto sexual, el clavo macho que quiere *hincársele en medio* a la hembra, basándonos en la forma puntiaguda y a veces ligeramente encorvada de algunos clavos, y en el hecho de que pueden clavarse o entrarse en otra cosa, metiéndose con fuerza para que penetren *[Diccionario de Autoridades].* Por otra parte,

Era una caballeriza,
Y estaban todos inquietos,
Que los abrasaban pulgas,
Por perrengues o por perros.

A la mesa se sentaron,   45
Donde también les pusieron
Negros manteles y platos,
Negra sopa y manjar negro.

Echóles la bendición
Un negro veintidoseno,   50
Con un rostro de azabache
Y manos de terciopelo.

---

está relacionada esta imagen con el color negro, ya que clavillo se llamaba
el carboncillo negro con el que se pintaban de negro las cejas o la barba;
véase el poema 118, nota al v. 21).

44 *perrengues:* persona enojadiza, y por extensión, negro (porque tenían éstos la reputación de enojarse con facilidad, y porque con esta palabra se les podía motejar de *perros,* ya que de esta voz se deriva).

45 *manjar negro:* parodia de *manjar blanco* (guisado compuesto de
pechugas de gallina cocidas, deshechas y mezcladas con azúcar, leche, y
harina de arroz).

50 *veintidoseno:* parodia de *Veinticuatro,* o sea, regidor del Ayunta-
miento de una ciudad (se aprovecha Quevedo de la terminología de la
tejedura de los paños, en la que se calculaba el valor según el número
de hijos, expresado en centenares: el de 22 centenares valía menos que
el de 24).

52 *terciopelo:* de ínfima categoría (nuevo chiste a base del número
de pelos en el paño: el terciopelo se llamaba así porque regularmente
se hacía de tres pelos, y también lo había de dos, y aun de pelo y medio). Por otra parte, *pelo* significaba, en un sentido metafórico, cualquier cosa de muy poca importancia, y también, claro está, de color
negro.

431

Diéronles el vino, tinto,
Pan, entre mulato y prieto;
Carbonada hubo, por ser   55
Tizones los que comieron.

Hubo jetas en la mesa
Y en la boca de los dueños,
Y hongos, por ser la boda
De hongos, según sospecho.   60

Trajeron muchas morcillas,
Y hubo algunos que de miedo
No las comieron, pensando
Se comían a sí mesmos.

---

54 Pan de ínfima calidad, y también, regalos de boda de la misma calidad (se alude al «pan de la boda», expresión que significaba los «regalos
de la boda»).

55 *carbonada:* carne cocida, y después asada en las ascuas o en las parrillas, sobre carbón encendido.

56 *Tizones:* metáfora para los negros, con alusión a su color, y al referido carbón encendido (en un sentido literal, los tizones son palos a medio quemar).

57 *jetas:* las llamadas «hongos de puerco», u hongos de baja calidad;
significa también los labios abultados y salientes, como los de los negros
(comp. el verso que sigue).

59-60 *hongos:* son buenos, en comparación con las jetas; pero si *la
boda es de hongos,* resulta ser desdichada y pobrísima, según el refrán
contemporáneo: «No se hace la boda de hongos» (es decir, que en las
bodas hay que servir carne).

61 *morcillas:* tripa de puerco, carnero u otro animal, rellena de sangre
aliñada con especias y guisada; también alude a *morcillo,* adjetivo que se
aplica al caballo o yegua de color totalmente negro.

64 Aquí se emplea *morcillas* como metáfora para los negros (por su
color, por su forma y por la baja calidad de la carne que contiene).

Cuál por morder del mondongo,   65
Se atarazaba algún dedo,
Pues sólo diferenciaban
En la uña de lo negro.

Mas cuando llegó el tocino
Hubo grandes sentimientos,   70
Y pringados con pringadas
Un rato se enternecieron.

Acabaron de comer,
Y entró un ministro Guineo,
Para darles aguamanos   75
Con un coco y un caldero.

67-68 «Pues por ser negro el mondongo y negro el dedo, sólo se diferenciaban en la uña»; también se alude a la frase «lo negro de la uña», o sea,
la suciedad o porquería que se cría en la parte extrema de la uña, y en un
sentido metafórico, significa lo mínimo de cualquier cosa.

69-71 *tocino; pringados; pringadas:* en un sentido literal, el *tocino* es la
carne salada del puerco; la *pringue,* la grasa que suelta el tocino cuando se
somete al fuego; y las *pringadas,* las rebanadas de pan empapadas en pringue. Pero en el contexto de los esclavos negros, el *tocino* alude a los azotes,
y *pringados* y *pringadas* son los esclavos que una vez azotados, les remata-
ban el castigo echándoles encima lardo o *pringue* hirviendo.

74 *Guineo:* negro de la Guinea; cierto baile de los negros, «con movimientos prestos y acelerados, y gestos ridículos y poco decentes» *(Diccionario de Autoridades).*

75 *aguamanos:* agua para lavarse las manos.

76 *coco:* la nuez del coco, que tiene dentro un líquido (para darles
aguamanos), y que se usaba mucho en los ritos religiosos africanos (el
ministro es de aquel continente); gesto o mueca espantosa que se hacía
para asustar y contener a los niños; figura espantosa y negra (siendo de
Guinea, el ministro es negro); también se empleaba en frases vulgares
como «Guarda el coco», o «Es un coco», con las que se motejaba a otra
persona de morena, fea u horrible (comp. «Quítate allá, negro» y «Hazte
allá, culinegra»).

caldero: en un sentido literal, vaso de metal, grande y redondo, que
servía para cocer la comida a los soldados, o para almacenar aceite, tintes

433

Por toalla trujo al hombro
Las bayetas de un entierro;
Laváronse, y quedó el agua
Para ensuciar todo un Reino.   80

Negros de ellos se sentaron
Sobre unos negros asientos,
Y en voces negras cantaron
También denegridos versos:

«Negra es la ventura   85
De aquel casado
Cuya Novia es Negra
Y el dote en Blanco».

Comentario

En *La hora de todos,* Quevedo dedica todo un capítulo a satirizar a los negros (cap. xxxvii).

De la fecha de este poema, sabemos tan sólo que fue publicado en 1643 (véase mi estudio, *En torno a la poesía de Quevedo,* pág. 174).

---

y otros líquidos. El estar los calderos muchas veces cubiertos de hollín, dio origen al refrán, «Dijo la sartén a la caldera: "Tirte allá cal negra"». También servían las calderas de imagen vulgar y jocosa del infierno, de acuerdo con la frase, «La caldera de Pero Botero».

78 *bayeta:* adornos fúnebres de paño negro.

84 *denegridos:* oscurecidos; y en un sentido metafórico, deslucidos; también alude a lo *negro.*

434

122

[Quejas del abuso del dar a las mujeres]
[Romance]

Los Médicos con que miras,
Los dos ojos con que matas,
Bachilleres por Toledo,
Doctores por Salamanca;

Esa cárcel que te peinas,   5
Esos grillos que te calzas,
Que ni los ponen las culpas
Ni los quitarán las Pascuas;

La boca que a puras perlas
Dicen que come con sartas,   10
Y por labios colorados,
Dos búcaros de la Maya;

1-2 Parodia del tema antiguo de la mirada fatal de la dama hermosa,
en términos de la sátira de los médicos como matadores (éste era motivo
predilecto de Quevedo).

3-4 Se burla de los estudios de los médicos; en el «Sueño del Infierno»,
dice Quevedo que son «ponzoñas graduadas... que en las universidades estu-
dian para tósigos» (Sueños, ed. Maldonado, pág. 109; compárese pág. 189).

5-8 cárcel: grillos: nuevas parodias del léxico amatorio, como aclara el
poeta en seguida: no son de los que se ponían a los delincuentes por sus
culpas, ni de los que se quitaban cuando en la temporada de las Pascuas
indultaban a ciertos condenados.

9 perlas: metáfora tradicional para los dientes de una mujer hermosa.

12 Se refiere al barro que solían comer las damas para amortiguarse el
color de la piel (de acuerdo con su criterio de la hermosura), o para quitarse las opilaciones. (Se preciaba mucho cierta tierra colorada de Portugal, de la cual fabricaban allí una familia de alfareros de apellido Maia
unos vasos llamados búcaros, cuyo olor perfumaba el agua que se guardaba en ellos; también solían las damas comerse los búcaros).

Aquesos diez mandamientos,
Que así las manos se llaman,
De ejecución contra bolsas,   15
De apremio contra las arcas;

La sonsaca de tu risa,
La rapiña de tu habla,
Los halagos de tus niñas,
Los delitos de tu cara;   20

El talle de no dejar
Un ochavo en toda España,
Y el aire que en todo tiempo
Dicen que lleva las capas:

Buen provecho le hagan   25
A quien da su dinero
Porque le lleve Satanás el alma.

'Dame', 'cómprame' y 'envíame'
Tengo por malas palabras,
Que 'judío' ni 'azotado',   30
Pues que no cuestan, no agravian.

De muy buena gana pongo
En tus orejas mis ansias,
Dejando lugar a otros
Donde pongan arracadas.   35

13-14 Así se llaman en germanía.

17 *sonsaca:* robo furtivo y engañoso.

20 *delitos:* alusión al léxico amoroso (comp. las notas a los vv. 1-2 y 5-8).

21-22 *ochavo:* moneda antigua de cobre, que valía dos maravedís (en un sentido humorístico, se relaciona con *talle* porque igual que esta palabra, ochavo alude a las cosas que tienen forma *ochavada*, o sea, de ocho ángulos y ocho lados).

23-24 *el aire... lleva las capas:* el viento levanta las capas, pero el *aire* de esta mujer se las lleva, como capeador, o ladrón de capas.

35 *arracadas:* aretes.

436

Gastó el viejo Amor en viras,
Mas no en virillas de plata:
Brincos se daban saltando,
Y hoy se compran y se pagan.

Rascábanse con las uñas   40
En paz las antiguas Damas,
Y hoy con espadillas de oro
Dan en esgrimir la caspa.

---

36 *el viejo Amor:* Cupido, dios romano del amor.

viras: saeta delgada y puntiaguda (Cupido llevaba en su aljaba las saetas con las que prendía de amor a sus víctimas).

37 *virillas:* adornos de plata u oro en el zapato de las mujeres (servían también de refuerzo entre el cordobán y la suela).

38 *brincos:* joyel pequeño que colgaban las mujeres en los tocados (se llamaban también «trembleques», porque se movían y *brincaban).*

brincos; saltando: alusiones a los movimientos del cuerpo en las actividades sexuales, como, por ejemplo, *sobresaltos* (poema 150, v. 27).

40-41 Por una parte, se alude a la supuesta sencillez y paz de la sociedad antigua, en la que se empleaba la *uña* en vez de una espadilla de oro (comp. el poema 53); por otra parte, el reflexivo de *rascar,* y la expresión *en paz,* sugieren ciertos actos sexuales (comp. «dar paz a», en la frase «dar paz al cabrón», que quiere decir «besarle al cabrón», sea en los labios o en el ano, acto que se atribuye a las brujas).

42 *espadillas de oro:* agujas grandes de marfil, plata u otro metal, que usaban las mujeres para recogerse y sujetar el cabello.

42-43 En primer lugar, se completa la imagen positiva de la referida sociedad antigua, con otra negativa del lujo y de la inquietud de la moderna *(oro; espadas; esgrimir).* En segundo lugar, se lleva a cabo la alusión a los actos sexuales con la aportación de tres imágenes grotescas: la del empleo de un instrumento (la *espadilla),* en vez de la *uña;* la de *esgrimir;* y la de la *caspa.* La *espadilla* alude al miembro viril, o a algún sustituto, de acuerdo con otras imágenes afines *(espada; acero);* y el *oro* al dinero. Y por fin, *esgrimir la caspa* es metáfora por *rascarla* (v. 40), expresión cargada de matices sexuales, como se ve en unos versos intercalados en el *Quijote:* «¡Oh, quién se viera en tus brazos, / o si no, junto a tu cama, / rascándote la cabeza / y matándote la caspa!» (II, xliv, pág. 855; comp. los poemas 133, v. 36, y 160 v. 84, y las citas del *Libro de buen amor* de Juan Ruiz, recogidas por Corominas en su *Diccionario crítico etimológico, s. v.* rascar y *s. v.* escarbar). Posiblemente *rascarse, rascar la caspa* y *escarbar la*

Dineros cuesta, si comen;
Y dineros, si se rascan;   45
Todo cuesta, y sólo es llano
Dar, o irse noramala.

Halagos facinerosos,
Que acarician cuando estafan;
Brazos que enlazan el cuello   50
Y en la faltriquera paran,

Buen provecho le hagan
A quien da su dinero
Porque le lleve Satanás el alma.

COMENTARIO

En términos artísticos, éste es para mí quizá el mejor romance
satírico de Quevedo: coherente, reconcentrado, de ritmo consecuente y de un humor agudo. La preocupación satírico-moralis-
ta con la mujer y con el dinero es muy característica del autor.
De la fecha de su composición sabemos tan sólo que fue publicado en 1643 (véase mi estudio, *En torno a la poesía de Quevedo,*
pág. 173).

---

caspa aluden a rascar el pelo del pubis (los redactores del *Diccionario de
Autoridades* no se atrevieron sino a insinuar los matices sexuales mediante
los versos citados del *Quijote;* y ni ellos ni Covarrubias quisieron hacer
constar *escarbar,* palabra que «abundaba» ya en el siglo XVI, según afirma
Corominas; véanse los poemas 133, v. 36; 153. v. 29 y 160, vv. 83-84).

123

[Advertencias de una Dueña a un Galán pobre]
[Romance]

Una picaza de estrado,
Entre mujer y serpiente,
Pantasma de las doncellas
Y gomia de los billetes,

Tumba viva de una Sala,   5
Mortaja que se entremete,
Embeleco tinto y blanco
Que revienta quien le bebe;

---

1 *picaza:* metáfora para «mujer habladora» (la picaza es una especie de
urraca, algo menor que la paloma, con el pico largo como el del cuervo,
las patas largas, y la lengua ancha y harpada; tiene el vientre y parte de las
alas blancas, y el resto muy negro; camina dando saltos, su graznido a
menudo imita la voz humana, y es muy golosa, rasgos todos que pueden
entrar en una caricatura quevedesca de las dueñas; comp. los vv. 4, 7, 10,
11 y 15).

estrado: conjunto de muebles que servía para adornar el lugar o pieza
en que las señoras recibían las visitas.

2 *serpiente:* imagen de un animal de malísima condición; alusión a la
traición del jardín del Edén.

3 *Pantasma:* fantasma.

4 *gomia:* imagen de una vieja descabellada, muy negra y fea, con grandes colmillos, con la que las amas amenazaban a los niños, diciéndoles
que les comería la gomia (a este último rasgo se refiere Quevedo, al insinuar que la dueña, como gomia, comerá los *billetes* de los galanes y de las
damas).

7 *embeleco:* embuste.

tinto y blanco: comp. los colores de la picaza (nota al v. 1), y el poema 124
(vv. 42 y 44).

439

Una de aquestas que enviudan,
Y en un animal se vuelven,　　　　　　　10
Que ni es carne ni pescado:
Dueña —en buen hora se miente—,

Viendo cocer en suspiros
Dos rejas y unas paredes,
Con su lengua de escorpión　　　　　　15
Esto le dijo a un pobrete:

«Bien parecen los suspiros
En hombre que se arrepiente;
Guarde esas lágrimas, hijo,
Para cuando se confiese.　　　　　　　20

»Toda plegaria es parola
Y lenguaje diferente:
El Romance sin dineros
Es lengua que no se entiende.

---

11 Quevedo juega con el sentido figurado de esta expresión (persona inútil), y con el literal, haciéndola imagen de un ser grotesco (aquí, las dueñas son insectos, v. 67, o pajarracos, vv. 68 y 89; en el «Sueño del infierno», son ranas, *Sueños y discursos,* ed. Maldonado, pág. 126).

12 Parodia de una forma arcaica de *mentar* a una persona heroica o noble; la nota humorística abarca no sólo este verso, sino todos los antecedentes, que se convierten en otras tantas parodias de apodos encomiásticos.

13 *cocer:* metáfora para las penas y las frustraciones de los amantes separados como lo estaban muchos en aquella época por rejas y paredes; aquí, se refiere a los *suspiros* del *pobrete,* o *galán pobre* (comp. el título, y los vv. 16 y 17).

21 *parola:* labia, charla de poca sustancia.

22 *lenguaje diferente:* alusión al dinero, sin el cual *no se entiende* el lenguaje (v. 24), y a *parola* como palabra italiana.

23 *Romance:* imagen del lenguaje claro y de la expresión sin rodeos (comp. el poema 116, v. 79).

»Ser gentilhombre un Cristiano   25
Nada vale y bien parece;
La moneda es pantorrillas,
Ojos, cabellos y dientes.

»Dar Músicas es quitar
El sueño a la que ya duerme;   30
Que los tonos y las coplas
No hay platero que las pese.

»Pendencias y cuchilladas
No son raíces ni muebles,
Pues a la Justicia sola   35
Valen dinero las muertes.

»Pasear es ejercicio,
No dádiva ni presente,
Y el que lo hace a menudo,
Más que negocia, digiere.   40

»Promesa es cosa de niños
Y moneda de inocentes,
Que la malicia de agora
Lo que no palpa, no quiere.

»El pobre no aguarda a irse,   45
Para decir que está ausente,
Que en ninguna parte está
El que dinero no tiene.

»Quien no tiene, ya se fue;
Quien no da, se desparece: 50
Invisible es quien no gasta,
Pues ninguna puede verle.

---

29 Músicas: serenatas.
34 *raíces:* bienes raíces.
50 *desparece:* desaparece.

»El Rico está en toda parte,
Siempre a propósito viene;
No hay cosa que se le esconda,   55
No hay puerta que se le cierre.

»Doncella cuentan que fui,
El Señor sabe si mienten;
Quién me hizo Dueña, no supe,
Y pagáronmelo siete.   60

»Por vengarme de un vecino
Me casé con él adrede,
Hasta que enterré una mina
De tinteros en su frente.

»Fue Dios servido después   65
De que yo me convirtiese
En sabandija tocada,
En un lechuzo de réquiem.

53-56 *parte; cosa; puerta:* alusiones a los galanteos y la actividad sexual,
que sirven de introducción a los acontecimientos narrados en la estrofa
siguiente.

61-64 *tinteros:* cuernos (porque de este material se hacían los tinteros).
La dueña *se vengó* de su marido poniéndole cuernos.

67 *sabandija:* pequeño reptil o insecto molesto y asqueroso; persona
pequeña y despreciable.

tocada: en un sentido literal, resulta ser una ironía, porque nadie quiere *tocar* una sabandija; pero siendo ella *adúltera* (v. 64), resulta que muchos la habían *tocado* de manera sexual, y siendo *dueña,* llevaba una *toca*
en la cabeza.

65 *lechuzo de réquiem:* encargado de la muerte; agüero de la muerte. (La
misa de los difuntos se llama *réquiem,* y aquí la idea de la muerte se aplica a los estragos que hace la dueña en la salud y la bolsa de sus clientes [vv. 53-56, 70 y 73], y a ella misma, por ser tan vieja [vv. 3, 5 y 6].
A partir de la Antigüedad clásica, la *lechuza* se tenía por ave de muy mal
agüero y por símbolo de la muerte; en este verso, el género masculino
corresponde a la sátira del v. 11 sobre lo indefinido del sexo de la dueña,

»Pasadizo soy de cuerpos
Que se pagan y se venden;   70
Enflautadora de hombres
Y engarzadora de gentes.

»Lo que me pagan, informo;
Hijo, el Señor os remedie,
Que amante pobre y desnudo   75
Sólo da lástima verle.

»El que llora sus pecados,
Premio en otro mundo espere,
Que lágrimas en Madrid
Mojan, pero no merecen.   80

»Durmiendo está mi Señora,
Y no habrá quien la despierte,
Que los pobres dan modorra,
Y es sueño cuanto pretenden».

El mendigo que la oyó   85
El razonamiento aleve,
Hambriento y desesperado
Le dijo de aquesta suerte:

---

y pasa a incorporar el sentido literal de *lechuzo,* que es «hombre que anda
en comisiones y se envía a los lugares para ejecutar los despachos».) También se alude al *robo* (en germanía, *lechuzo* significa «ladrón que hurta de
noche; es decir, que en sus actividades sexuales, la dueña roba a sus clientes, de tal manera que, en un sentido metafórico o hiperbólico, necesitan
el réquiem).

69-70 «Soy vía o camino de cuerpos de personas que pagan y personas
que se venden».

71 *enflautadora:* alcahueta (porque induce y solicita a la gente a come-
ter torpezas).

72 *engarzadora:* alcahueta (porque traba una persona con otra).

74-76 Corresponden estos versos a los 53-56, sobre el poder del rico.

80 *no merecen:* no son dignas de premio.

443

«Descomulgado avechucho,
Caín de tantos Abeles, 90
Mula de alquiler con manto,
Chisme revestido en sierpe,

»Bien sé yo que contra ti,
Por ser entre sombra y duende,
No valen sino conjuros 95
Del Misal y de los Prestes.

»Yo traeré quien de estas casas,
Con Cruz y Estola y Asperges,
Saque, como los demonios,
La Dueña legión que tienen». 100

---

89 *avechucho:* ave de mala formación, fea y sucia.

91 *Mula de alquiler:* metáfora para «puta», y también «bestia infame» (tal era la reputación que tenían las mulas de alquiler, tan necesarias en tanto medio de transporte como odiadas).

con manto: el manto era prenda de vestir que la gente relacionaba con las dueñas (comp. el *Quijote,* II, lii y lvi, págs. 916 y 944).

92 *Chisme:* metáfora para la dueña, por su malicia y porque anda ella de una persona en otra, como el chisme.

revestido en sierpe: imagen de la actuación negativa de la dueña, que vuelve lo malo en peor (comp. otra imagen parecida en el poema 124, v. 47).

98 Equipo de exorcista; la *estola* es un ornamento sagrado que consiste en una banda larga de tela con tres cruces; el *asperges* es la rociadura con agua bendita.

100 *Dueña legión:* alusión a la frase «legión de diablos».

124

[Descubre Manzanares secretos de los que en él se bañan] [Romance]

«Manzanares, Manzanares,
Arroyo aprendiz de Río,
Practicante de Jarama,
Buena pesca de Maridos;

»Tú que gozas, tú que ves   5
En Verano y en Estío,
Las viejas en cueros muertos,
Las mozas en cueros vivos;

»Así derretidas canas
De las chollas de los riscos,   10
Remozándose los Puertos,
Den a tu flaqueza pistos.

---

1 *Manzanares:* río de poco caudal que pasa por lo que en tiempos de Quevedo eran las afueras de Madrid, adonde acudía la gente a bañarse y descansar.

3 *Jarama:* río grande que nace en la sierra de Guadarrama, pasa al este de Madrid, y recibe el Manzanares antes de desembocar en el Tajo.

7-8 *en cueros...:* juega Quevedo con el sentido literal de la expresión (desnudo), y alude a otro imaginado (la piel del ser humano, *muerta* en las *viejas* y *viva* en las *mozas*).

9 *canas:* metáfora para la nieve.

10 *chollas:* parte superior de la cabeza.

11 *Remozándose:* como se refiere al agua, hay alusión a la leyenda de las aguas del río Jordán, que, según se creía, tenían el poder de rejuvenecer la sexualidad.

Puertos: en el contexto de *los riscos* (v. 10), se refiere a la garganta que da paso entre montañas; pero en otro sexual, alude a las vaginas de las mujeres que se bañan en el río (comp. el poema 121, nota a los vv. 33-34).

12 *pistos:* jugo o sustancia de ave, especialmente de la gallina, que se suministra a los enfermos que no pueden tragar sólidos (en este caso, es

»Pues conoces mi secreto,
Que me digas como amigo,
Qué género de Sirenas   15
Corta tus lazos de vidro».

Muy ético de corriente,
Muy angosto y muy roído,
Con dos charcos por muletas,
En pie se levantó y dijo: 20

«Tiéneme del Sol la llama
Tan chupado y tan sorbido,
Que se me mueren de sed
Las ranas y los mosquitos.

»Yo soy el Río avariento   25
Que en estos infiernos frito,
Una gota de agua sola
Para remojarme pido.

»Estos pues andrajos de agua
Que en las arenas mendigo,   30
A poder de candelillas
Con trabajo los orino.

---

el agua: las *derretidas canas* de los riscos, que *remozan* a las vaginas de las nadadoras y alimentan al propio río, ayudándolo en su *flaqueza).*

13-14 Quevedo alude a una tradición popular del cambio de secretos entre amigos (comp. «El alguacil endemoniado»: «Le pedí que pues... él como mi confesor sabía mis cosas secretas, y yo como amigo las suyas...», *Sueños y discursos,* ed. de Maldonado, pág. 93).

26 *estos infiernos:* alusión al calor de Madrid en verano (comp. los vv. 21-22), y a las imaginadas llamas del infierno.

31 *candelillas:* catéter o instrumento delgado que sirve a los cirujanos para desembarazar la uretra.

446

»Hácenme de sus pecados
Confesor, y en este sitio
Las pantorrillas malparen   35
Cuerpos se acusan postizos.

»Entre mentiras de corcho
Y embelecos de vestidos,
La mujer casi se queda
A las orillas en lío.   40

»¿Qué cosa es ver a una Dueña,
Un Pésame Dominico,
Responso en caramanchones,
Medio nieve y medio cisco,

---

35 *malparen:* porque parecían estar encinta, de tan gruesas; pero no
eran sino *cuerpos postizos.*

37 *mentiras de corcho:* de *corcho* eran los chapines que fijaban las mujeres a los zapatos —a manera de suelas— para evitar mancharse con el
lodo de las calles; como eran de cuatro o más dedos de alto, mentían.

38 *embelecos:* se refiere a los vestidos aparatosos y ostentosos de la época, que, según decía Quevedo, disfrazaban de tal manera la mujer que, en
efecto, *casi se queda o las orillas en lío de ropa* (comp. el marido que no se
acuesta con su mujer, sino con «el fardo que se pone», porque «debajo del
lecho mal cumplido todo su bulto esconde», poema 103, vv. 6-7 y 14, así
como el poema 99, y los vv. 55-56 a continuación).

42 *Pésame:* a Quevedo le gustaba mucho representar a las dueñas mediante imágenes de la muerte (comp. el poema 123, vv. 3, 5, 6 y 68).

Dominico: blanco y negro (colores que solía Quevedo atribuir a las
dueñas: comp. el v. 44, y el poema 123, notas a los vv. 1 y 7; dice *Dominico* porque los monjes de esta orden vestían un hábito de los referidos
colores).

43 *Responso:* las oraciones para los difuntos.

caramanchones: a las dueñas les señalaban como dormitorio los desvanes *(camaranchones)* o los sótanos, según la queja satírica en el «Sueño del
infierno» *(Sueños,* ed. de Maldonado, pág. 225). Quevedo se aprovecha
del trastrueque de letras, lícito en aquel entonces, para aludir de manera
satírica a la *cara* fea de la dueña.

44 *cisco:* polvillo de carbón (sobre los colores de las dueñas, véase la
nota al v. 42).

>Desnudarse de un entierro,   45
La cecina de este Siglo,
Y bañar de ánima en pena
Un chisme con dominguillos?

>Enjuagaduras de culpas
Y caspa de los delitos   50
Son mis corrientes y arenas;
Yo lo sé, aunque no lo digo.

>Para muchas soy colada,
Y para muchos rastillo;
Vienen cornejas vestidas,   55
Y nadan después erizos:

45-46 «Despojarse o apartarse del entierro que le toca como cuerpo muerto, siendo, como es, la cecina de este Siglo.»

47-48 «Y revestir de ánima en pena, o sea, de persona condenada al infierno, a la que había sido chisme (dueña) con calzones interiores muy anchos.» (Sobre *chisme* como metáfora para dueña, y revestida por ella de nueva negatividad, comp. el poema 123, v. 92. *Ánima en pena* corresponde a las imágenes de la muerte que aplicaba Quevedo a las dueñas, y representa lo infernal, tal y como lo representa la «sierpe» del referido poema 123. En otras dos sátiras emplea Quevedo la palabra *dominguillos* en el sentido que hemos indicado: en el romance «viejecita, arredro vayas», *Poesía original,* ed. J. M. Blecua, núm. 748, pág. 962, v. 116; y en las «Gracias y desgracias del ojo del culo», *Obras en prosa,* ed. L. Astrana Marín, 1932, pág. 46a, y ed. F. Buendía, 1961, pág. 95b; quizá se llamaban *dominguillos* por analogía con «dominguero», adjetivo que también se aplicaba a la ropa.)

53-54 *colada; rastillo:* imágenes de las tareas de limpiar o mantener la casa (la *colada* es una lejía para blanquear la ropa, y el *rastillo* o rastrillo, una tabla con púas para limpiar y deshilachar la materia prima textil).

55-56 *cornejas vestidas; erizos:* nueva alusión a lo que encubren los vestidos de las mujeres (comp. la nota al v. 38).

»Mujeres, que cada día
Ponen con sumo artificio
Su cara como su olla,
Con su grasa y su tocino;   60

»Mancebito azul de cuello
Y mulato de entresijos,
Único de camisón,
Lavandero de sí mismo.

»No todas nadan en carnes   65
Las Señoras que publico,
Que en pescados abadejos
Han nadado más de cinco.

»Por saber muchas verdades,
Con muchas estoy malquisto: 70
De las lindas, si las callo;
De las feas, si las digo.

---

60 *grasa; tocino:* alusión a los afeites de la época (comp. el poema 103),
y también imágenes de la suciedad, que hacen juego con la de la *colada*
que limpia (v. 53).

61-63 *Mancebito:* diminutivo muy despectivo, que implica un carácter
afeminado y quizá hasta homosexual (en el cuadro de las mujeres que se
bañan en el Manzanares, éste es el *Único de camisón,* o sea, el único varón).

61 *azul de cuello:* en los grandes cuellos escarolados, se preciaba mucho
el color azul como artículo de lujo que era muy costoso (comp. el romance de Quevedo, «Yo, cuello azul pecador», *Poesía original,* ed. de J. M. Blecua, núm. 720, págs. 882-883, vv. 1-4 y 29-32).

62 «Y sucio *(mulato)* de la parte baja del vientre»; «Y quemadito, o sea,
homosexual *(mulato)* en su fuero interno» (sobre *mulato,* véase el Índice).

64 De nuevo Quevedo se burla del *Mancebito* como sucio y como
afeminado (en aquel entonces, las mujeres eran las que lavaban la ropa).

67-68 «Que en pescados abadejos, o sea, platos abadengos, han nadado
más de cinco de las tales señoras» *(pescado* es el pez comestible, o el plato de
pescado o, de manera privativa, el propio abadejo o bacalao, pez de carne
dura y seca; pero aquí se emplea *abadejo* como adjetivo, y así sugiere *abaden-
go,* otro adjetivo que se aplica a cualquier cosa que pertenece a un abad).

»Ya fuera muerto de asco,
Si no diera a mis martirios
Filis, de ayuda de costa,   75
Tanto Cielo cristalino.

»Río de las perlas soy,
Si con sus dientes me río;
Y Guadalquivir y Tajo
Por lo fértil y lo rico.   80

»Soy el Mar de las Sirenas,
Si canta dulces hechizos;
Y cuando se ve en mis aguas,
Soy la fuente de Narciso.

»A méritos y esperanzas   85
Soy el Lete, y las olvido;
Y en peligros y milagros,
Hace que parezca Nilo.

---

75 *ayuda de costa:* en un sentido literal, «socorro económico», el cual,
sin embargo, se entiende en un sentido metafórico, con referencia a los
martirios que ha sufrido la *costa* o la orilla del río, casi *muerta de asco* por
el espectáculo humano que acaba de describir.

77-78 *perlas; dientes:* parodia del léxico de la poesía amatoria de la
época, y de la supuesta hermosura de las mujeres que frecuentaban
este río.

80 *fértil; rico:* se alude a la vida social y sexual que se desenvolvía a las
orillas del Manzanares (río que por su poquísimo caudal no pudo nunca
compararse con el Guadalquivir ni con el Tajo; comp. el verso que sigue).

84 *Narciso:* joven que, enamorado de su propia imagen reflejada en la
superficie de una fuente, cayó en el agua y se ahogó.

86 *Lete:* uno de los ríos del trasmundo de los antiguos, cuyas aguas
inducían el olvido en los que las bebían.

87-88 *peligros y milagros:* se refiere probablemente a las inundaciones
periódicas del Nilo, tan peligrosas como milagrosas para la agricultura
antigua.

»A rayos, con su mirar,
Al Sol mismo desafío;   90
Y a las Esferas y Cielos,
A Planetas y Zafiros.

»Flor a flor y rosa a rosa,
Si Abril se precia de lindo,
De sus mejillas le espera   95
Cuerpo a cuerpo el Paraíso.

»Las desventuras que paso
Son estas que he referido,
Y éste el hartazgo de Gloria
Con que sólo me desquito».   100

125

[Instrucción y documentos para el Noviciado de la Corte]
[Romance]

A la Corte vas, Perico;
Niño, a la Corte te llevan
Tu mocedad y tus pies:
Dios de su mano te tenga.

Fiado vas en tu talle,   5
Caudal haces de tus piernas,
Dientes muestras, manos das,
Dulce miras, tieso huellas;

Mas si allá quieres holgarte,
Hazme merced que en la venta   10
Primera trueques tus gracias
Por cantidad de moneda.

No han menester ellas lindos,
Que harto lindas se son ellas,
La mejor facción de un hombre   15
Es la bolsa grande y llena.

Tus dientes, para comer
Te dirán que te los tengas,
Pues otros tienen mejores
Para mascar tus meriendas.   20

---

13 *ellas: las* mujeres de la corte, con las que *holgará* Perico, si tiene *cantidad de moneda.*

13-16 «Ellas no necesitan hombres lindos, o sea, guapos, sino ricos».

Tendrás muy hermosas manos,
Si dieres mucho con ellas:
Blancas son las que dan blancas,
Largas las que nada niegan.

Alabárante el andar,   25
Si anduvieres por las tiendas,
Y el mirar, si no mirares
En dar todo cuanto quieran.

Las mujeres de la Corte
Son, si bien lo consideras,   30
Todas de Santo Tomé,
Aunque no son todas negras.

Y si en todo el mundo hay caras,
Solas son caras de veras
Las de Madrid, por lo hermoso   35
Y por lo mucho que cuestan.

No hallarás nada de balde,
Aunque persigas las viejas,
Que ellas venden lo que fueron,
Y su donaire las feas.   40

---

23 *dan blancas:* dan dinero (como se ha dicho, la blanca era una moneda antigua de vellón, de muy poco valor).

27 *si no mirares:* si no pones reparo.

31 *Tomé:* (porque *toman,* o sea, roban).

32 *negras:* para motejar a los negros de *perros,* solían aplicarles el nombre de *Tomé,* que alude a la interjección ¡to! ¡to!, que es como síncopa de
toma, y servía para llamar a los perros (comp. el poema 121, v. 33).

40 Alusión a la caracterización tradicional de las *discretas* como *feas*
(comp. el poema 128).

453

Mientras tuvieres qué dar,
Hallarás quien te entretenga;
Y en expirando la bolsa,
Oirás el *Requiem aeternam.*

Cuando te abracen, advierte   45
Que segadores semejan:
Con una mano te abrazan,
Con otra te desjarretan.

Besaránte, como al jarro
Borracho bebedor besa,   50
Que en consumiendo le arrima
O en algún rincón le cuelga.

Tiene mil cosas de Nuncios,
Pues todas quieren que sean
Los que están Abreviadores,   55
Y Datarios los que entran.

---

44 *«Requiem aeternam»:* «Que descanse en paz eterna» (palabras latinas del oficio de difuntos).

48 «Con la otra mano te cortan la bolsa» (en la siega de las mieses, el segador *abraza* o agarra un brazado de trigo, y en seguida lo corta por abajo con la hoz, acto que representa Quevedo mediante la imagen de los mataderos que *desjarretan* las reses, cortándoles las piernas por el jarrete, para inmovilizarlas).

53 *Tiene:* «La corte tiene».

Nuncios: embajadores del Papa (alude al hecho de que el embajador suele llegar, presentar al monarca sus cartas credenciales y marcharse).

55 *Abreviadores:* abreviadores en las visitas (llegar, dar y marcharse; se alude al oficial de la Nunciatura Apostólica, o de la Cancillería Apostólica, que tiene a su cargo extractar los documentos).

56 *Datarios:* alusión al dar dinero (en un sentido literal, el *datario* es un prelado que preside y gobierna la *dataría,* tribunal de la Curia romana por medio del cual se despachaban ciertas provisiones de beneficios y de oficios vendibles).

Toman acero en verano,
Que ningún metal desprecian;
Dios ayuda al que madruga,
Mas no, si es a andar con ellas.   60

Pensóse escapar el Sol,
Por tener lejos su esfera,
Y el invierno, por tomarle,
Ocupan llanos y cuestas.

A ninguna parte irás   65
Que de ellas libre te veas,
Que se entrarán en tu casa
Por resquicios, si te cierras.

Cuantas tú no conocieres,
Tantas hallarás doncellas,   70
Que los Virgos y los Dones
Son de una misma manera.

---

57 *Toman acero:* se *tomaba,* o bebía, un líquido que contenía el referido metal, para curar las opilaciones.

en verano: parece que con el calor se empeoraban las opilaciones, o sea, las obstrucciones que impedían el paso de materias por las vías del cuerpo (comp. el poema 89, v. 3).

58 *metal:* alusión al oro (comp. el referido poema 89, vv. 3-4).

59 Reminiscencia del viejo refrán «A quien madruga, Dios lo ayuda».

63 «Y en el invierno, por tomar el Sol...» (quieren *tomar* o robar al Sol, porque, por su color, es de oro).

67-68 *entrarán... por resquicios:* se alude a una habilidad que se atribuía a las brujas.

69-70 «Todas las mujeres que no has conocido tú de manera sexual, hallarás que son *doncellas,* o sea, vírgenes, porque todas tienen el don, y los dones y los virgos son de una misma manera, o sea, postizos» *(conocer* se entiende en el sentido bíblico. Génesis, 4, 1).

71 *Virgos:* además del sentido sexual, aquí se burla de Virgo como signo astrológico (es el sexto del Zodiaco, y se refiere a la virginidad).

Dones: plural de don; Quevedo solía burlarse mucho de los que se ponían este título sin merecerlo, o sea, de manera postiza.

72 «Son postizos, y tan ridículos como los signos astrológicos».

Altas mujeres verás,
Pero son como colmenas:
La mitad huecas y corcho,   75
Y lo demás miel y cera.

Casamiento pedirán,
Si es que te huelen hacienda;
Guárdate de ser marido,
No te corran una fiesta.   80

Para prometer, te doy
Una general licencia:
Pues es todo el mundo tuyo,
Como sólo le prometas.

Ofrecimientos te sobren,   85
No haya cosa que no ofrezcas,
Que el prometer no empobrece,
Y el cumplir echa por puertas.

La víspera de tu Santo
Por ningún modo parezcas,   90
Pues con tu bolsón te ahorcan,
Cuando dicen que te cuelgan.

---

75 *huecas:* alusión a los vestidos anchos de la época, que disfrazaban el talle de la mujer (comp. el poema 99).

corcho: se alude a los *chapines* (chanclos de corcho que calzaban las mujeres, sobreponiéndolos a los zapatos, para protegerse del lodo de las calles, y que aumentaban la estatura aproximadamente cuatro dedos).

76 *miel y cera:* ingredientes de los afeites de la época.

80 «No te hagan alguna chanza pesada».

58 «Desentiéndete de cumplir».

90 *parezcas:* te aparezcas.

92 *te cuelgan:* alusión a la costumbre de dar un regalo al amigo en el día de su santo; como se ha indicado, antiguamente se regalaba a veces una cadena de oro o plata con algún joyel, que se *colgaba* al cuello del individuo.

456

Estarás malo en la cama
Los días todos de feria;
Por las ventanas, si hay toros,   95
Meteráste en una Iglesia.

Antes entres en un fuego
Que en casa de una joyera;
Y antes que a la platería
Vayas, irás a galeras.   100

Si entrar en alguna casa
Quieres, primero a la puerta
Oye si pregona alguno,
No te peguen con la deuda.

Y si por cuerdo y guardoso   105
No tuvieres quien te quiera,
Bien hechas y mal vestidas
Hallarás mil Irlandesas.

---

94 Los *días de feria* ofrecían a las mujeres muchas oportunidades para pedir dinero a los galanes.

95 «A causa de lo que piden por colocarse en una ventana cuando hay corrida de toros...».

97-100 *joyera; platería:* para Quevedo y sus contemporáneos, los joyeros y los plateros eran ladrones (comp. el poema 96, nota al v. 118, y sobre los plateros, los pasajes de los *Sueños* citados en dicha nota).

103 «Oye si publican en voz alta por las calles la deuda de alguno de la casa».

105 *guardoso:* mezquino.

108 *Irlandesas:* gozaban de muy mala fama en España (como indica Quevedo aquí, y en el romance «¡Vive cribas!, que he de echar», *Poesía original*, ed. de J. M. Blecua, núm. 768, pág. 1044, v. 21, y en la «Tasa de las hermanitas del pecar», *Obras en prosa*, ed. L. Astrana Marín, 1932, pág. 45b, y ed. Felicidad Buendía, 1961, pág. 94b, con el título «Pragmática que han de guardar las hermanitas del pecar»).

> Con un cuarto de turrón,
> Y con agua y con gragea,   110
> Goza un Píramo barata
> Cualquiera Tisbe Gallega.
>
> Si tomares mis consejos,
> Perico, que Dios mantenga,
> Vivirás contento y rico   115
> Sobre la haz de la tierra.
>
> Si no, veráste comido
> De Tías, Madres y Suegras;
> Sin narices y con parches,
> Con unciones y sin cejas.   120

109-111 Lo *barato* se nota en el tamaño pequeño de los dulces, y en la sustitución del vino por el *agua*.

110 *gragea:* dulces muy pequeños, de diversos colores (durante las Carnestolendas, servían para tirárselas unos a otros).

111-112 *Píramo y Tisbe:* amantes legendarios de Babilonia, que tenían que comunicarse en secreto (su historia se divulgó en las *Metamorfosis* de Ovidio, IV, vv. 55-165).

112 *Gallega:* en tiempos de Quevedo, las gallegas servían de criadas, y los satíricos se burlaban de ellas por considerarlas sucias, estúpidas y feas.

115-116 Quevedo alude al refrán *Vivir sobre la haz de la tierra,* que se solía aplicar no sólo a los que vivían sin preocuparse de las cosas, o de lo que diría la gente, sino también al cobarde.

118 *Tías, Madres y Suegras:* para Quevedo, esta «trinidad» se ocupaba de vender a las muchachas (en el «Sueño del Infierno», dice que topó con «Madres postizas, tías tenderas de sus sobrinas, y suegras terceras de sus nueras», *Sueños,* ed. Maldonado, pág. 158).

119-120 *sin narices:* alusión a los que nacen con la nariz casi totalmente chata, por falta del hueso de la misma, defecto ocasionado por la presencia de la sífilis en la madre durante el embarazo (digo «alusión» porque, por una parte, el contexto indica claramente que se trata de una enfermedad que Perico va a contraer, y no de un defecto de nacimiento; pero, por otra parte, los síntomas de la sífilis que afectan la nariz no son del tipo que dejan al individuo *sin* narices).

con parches y con unciones: se alude a los remedios sudoríficos de la época (comp. el poema 119, vv. 1-4).

sin cejas: síntoma de la sífilis, por la pérdida del pelo.

458

126

[En la simulada figura de unas prendas ridículas, burla de la vana estimación que hacen los amantes de semejantes favores]*
[Romance]

Cubriendo con cuatro cuernos
De su bonete de paño
Más de mil que tú, Benita,
Le has puesto con otros tantos,

Aquel sacristán famoso,　　　　　　　　　5
Aquel desdichado Fabio,
El que a tus torres de viento
Repicó los campanarios,

---

* *prendas:* se refiere a los regalos que se dan los enamorados en señal de amor; como aclaran los vv. 5 y 19-20, se trata de los que la muchacha había dado al galán.

1-2 *con cuatro cuernos de su bonete:* parodia del sombrero de los eclesiásticos, que tiene cuatro picos, uno en cada esquina, y éstos suben hacia lo alto (se alude al clero, y no a los graduados ni colegiales, en cuyos bonetes los picos salían hacia afuera).

2 *paño:* en la sátira de Quevedo, «tela de mala calidad» (comp. la «Tasa de las hermanitas del pecar», *Obras en prosa,* ed. L. Astrana Marín, 1932, pág. 45b, y ed. F. Buendía, 1961, pág. 94b).

3 «Más de mil cuernos».

5 *sacristán:* imagen doblemente satírica, ya que los sacristanes estaban relacionados con la Iglesia, pero es absurdo o grotesco retratar a uno con bonete; por lo tanto, Quevedo logra destacar así el contexto religioso, e implicar a los religiosos en la sátira de los versos iniciales.

6 *Fabio:* nombre ficticio que solían aplicar a los galanes (más de una vez lo aplicó Quevedo a los galanes ridículos y desdichados: poema 120, v. 133).

7 *torres de viento:* pensamientos vanos, invenciones locas y ostentosas.

8 *Repicó los campanarios:* «dio fe y publicidad a tus pensamientos vanos» (ahora entiende Quevedo de manera literal la imagen de las *torres,* y

Después que el manteo raído,
Ya que no desvergonzado,   10
Hizo asiento sobre un cerro
Para descansar un rato,

A la orilla de un arroyo,
Que no estaba murmurando
Como otros arroyos ruines,   15
Que éste era bien inclinado,

Desatando un borceguí
De una soguilla de esparto,
Comenzó a sacar las prendas
Que por favores le has dado.   20

---

las dota de *campanarios*). Por otra parte, y de manera aún más literal, se
alude a uno de los oficios de los sacristanes (el de tocar las campanas de
las torres de las iglesias).

9 *manteo raído:* metáfora para el sacristán, que se sentó sobre un cerro
(v. 11), y nueva alusión a los clérigos, ya que el manteo era capa propia
de ellos.

10 *desvergonzado:* roto del todo (se refiere a su manteo); también
se alude a los amoríos del sacristán, impropios para quien era «clé-
rigo».

13 Imitación de una imagen tradicional en la poesía pastoril de la
época, que resulta ser parodia por los contextos negativos (vv. 1-4, 9-10
y 14-15); Quevedo la parodió de manera directa en el primer verso de
tres poemas: «A la orilla de un brasero», «A la orilla de un marqués» y
«A la orilla de un pellejo» *(Poesía original,* ed. de J. M. Blecua, núms. 785,
802 y 858).

17-18 *borceguí:* bota morisca con soletilla de cuero, sobre la cual se
ponían chinelas o zapatos. Quevedo se burla del sacristán porque usaba
un borceguí como bolsa, y parodia el borceguí, diciendo que por correa
tenía una *soguilla de esparto* (hasta el diminutivo es burlesco, pues del
esparto se hacían sogas, no soguillas).

460

Lo primero y principal
Fue un reverendo zapato,
Con puntos de flux, muy propio
No al pie, sino al mismo banco.

Luego un lazo que tenía,   25
De no sé qué cendal pardo,
Que a la garganta de Judas
Pudiera servir de lazo.

Una liga muy peor
Que la de los Luteranos,   30
Recién convertida a liga
Del mal estado de trapo.

---

22 *reverendo:* parodia de los sentimientos amorosos, y nueva alusión al clero (a Quevedo le gustaba emplear esta imagen en contextos satíricos, como, por ejemplo, «el reverendo ojo del culo», «Gracias y desgracias del ojo del culo», *Obras en prosa,* ed. L. Astrana Marín, 1932, pág. 46a, y ed. F. Buendía, pág. 95b).

23 *puntos:* por puntos se mide la talla del zapato; y en los juegos de naipes, los puntos son los tantos que se van ganando, o los números de valor que se señala a cada carta de la baraja.

flux: concordancia absoluta y muy afortunada (en los juegos de naipes, es la circunstancia de ser de un mismo palo todas las cartas de un jugador).

24 *pie:* alude al referido zapato, y en los juegos de naipes se refiere al último jugador en orden de los que juegan.

banco: alude a la gran cantidad de dinero que gana el que tiene un flux, y también alude a la *banca,* que en el juego de la baceta es la cantidad de dinero al contado que pone el jugador que lleva siempre el naipe.

pie de banco: pata de banco, o pata de gallo (despropósito, impertinencia o necedad en la conversación); pata de gallo significa también «enredo, trampa».

25 *lazo:* en el contexto de un amorío, alude al engaño o ardid, y también a la unión o vínculo.

26 *cendal pardo:* probablemente una ayudita sexual (a juzgar por lo de pardo, indicación de la suciedad, y también por el tipo de castigo que merecen tales pecados, vv. 27-28).

27 *la garganta de Judas:* Judas se suicidó ahorcándose con una soga.

29-30 *liga:* se refiere a la cinta con que se aseguran las medias; en cambio, *la de los Luteranos* era una alianza.

Sacó luego unos cabellos
Entre robles y castaños,
Que a intercesión de unas bubas   35
Se te cayeron antaño,

Considere aquí el Letor,
Pío o Curioso o Cristiano,
Su gozo al ver que de liendres
Eran sarta los más largos.   40

Descubrió un retrato tuyo,
Y halló que tiene, al mirarlo,
Cosas de padre del yermo
Por lo amarillo y lo flaco;

---

34 *robles y castaños:* como adjetivos, *roble* significa «fuerte» y «duro» (lo cual es muy burlesco aquí), y *castaño,* el color de la castaña. Como sustantivos, son los nombres de dos árboles (nueva parodia de la poesía pastoril), y *roble* recuerda la imagen de la *liga,* que también es una enredadera que trepa por los robles.

35-36 Se alude a la caída del pelo como síntoma de la sífilis.

38 *Pío; Cristiano:* (nuevas alusiones a la religión).

Curioso: epíteto tradicional que aplicaban los autores a los lectores al principio del prólogo de un libro.

39-40 *liendres:* parodia de las joyas o perlas que componen una *sarta* o collar (las *liendres* son los huevos del piojo, que generalmente se agrupan en *sartas,* pegándose a los pelos del anfitrión).

43 *padre del yermo:* ermitaño que llevaba una vida de meditación, penitencia y ayuno en el desierto; también se aplicaba con ironía a los que vivían de manera licenciosa.

44 *amarillo y flaco:* se refieren a los ayunos del referido padre; a la fealdad de la muchacha (comp. el poema 10); y de acuerdo con el simbolismo tradicional de los colores, el amarillo indica la envidia y la desesperación.

La frente mucho más ancha   45
Que conciencia de escribano;
Las dos cejas en ballesta,
En lugar de estar en arco;

La nariz casi tan roma
Como la del Padre Santo,   50
Que parece que se esconde
Del mal olor de tus bajos;

Avecindados los ojos
En las honduras del casco,
Con dos abuelas por niñas,   55
De ceja y pestañas calvos;

Una bocaza de infierno,
Con sendos bordes por labios,
Donde hace la santa vida
Un solo diente ermitaño.   60

---

45 *ancha:* la *frente* o la cara ancha se tenía por rasgo muy feo (comp.
Quijote, I, xvi, pág. 143).

46 *escribano:* en tiempos de Quevedo los escribanos se tenían por ladrones desalmados que falsificaban los documentos, inventaban las acu-
saciones, y se prestaban fácilmente al soborno y a la estafa.

47-48 *ballesta; arco:* armas antiguas que se disparaban con un arco;
pero el de la ballesta era pesado, ancho y feo, como para tirar proyectiles,
y su cuerda se tensaba con un instrumento especial. El otro *arco* era una
varilla de madera, más ligera y bella que la ballesta, cuya cuerda la tensaba a mano el arquero.

49 *nariz roma:* rasgo muy feo.

52 *bajos:* ropa interior de la mujer.

55 Se burla de la edad de la muchacha mediante la imagen de sus
pupilas.

56 Nueva alusión a los síntomas de la sífilis (comp. el v. 35).

Halló al cabo un escarpín,
Que sin estar resfriado,
Tomando estuvo sudores
Seis meses en tus zancajos.

Miró las prendas el triste,   65
Y al momento suspirando,
A su retablo de duelos
Las puso por nuevo marco.

«Ay, despojos venturosos,
—dijo—, que entre estos guijarros   70
Me dejó aquella serpiente,
Que se enroscaba en mis brazos!

»No sé si os eche en el río,
Que de llevaros me canso;
Mas quien da llanto a Pisuerga,   75
No es justo que le dé asco.

---

61 *escarpín:* calzado interior para abrigo del pie contra el frío.

62-63 *resfriado:* alusión al referido frío, y a la cura mencionada en el v. 63;
además, quien toma sudores sin estar resfriado, los toma para curar la
sífilis.

64 *zancajos:* además de su sentido literal, alude al roto en el talón de
una media, y también a la persona de mala figura, o de mucha ignorancia.

67 *retablo de duelos:* metáfora que solía significar el conjunto de trabajos, miserias y pesares de la vida de una persona, desplegados y representados públicamente.

68 *nuevo marco: nuevo,* porque los retablos, como escenarios de guiñol,
tenían un marco.

70 *guijarros:* (son los del cerro en donde estaba sentado el sacristán [v. 11],
o los del arroyo cercano [v. 13]).

75 *Pisuerga:* río que pasa por la ciudad de Valladolid.

>>Quemaros será mejor,
Como favores nefandos;
Pues contra naturaleza
Los toma un hombre de un diablo>>.   80

Diciendo aquesto se fue,
Dejándolos en el campo
Por espantajo a las aves
Y por estiércol al prado.

Cubrióse con su manteo,   85
Que dicen que fue de paño;
Y partióse haciendo lodos
En la arena con el llanto.

COMENTARIO

Este poema fue escrito antes de 1637, fecha en que lo recogió
Jorge Pinto de Morales para una colección titulada *Maravillas
del Parnaso* (véase mi estudio, *En torno a la poesía de Quevedo*,
pág. 171).

77-78 *favores nefandos:* actos eróticos del tipo de la sodomía, que en la
España de Quevedo se castigaban *quemando* al individuo en la hoguera.

85-56 *Cubrióse; manteo; paño:* (recuerda la descripción del sacristán al
principio del poema, vv. 1, 2 y 9).

465

127

[Testamento de Don Quijote]*
[Romance]

De un molimiento de huesos
A puros palos y piedras,
Don Quijote de la Mancha
Yace doliente y sin fuerzas.

Tendido sobre un pavés,   5
Cubierto con su rodela,
Sacando como tortuga
De entre conchas la cabeza,

Con voz roída y chillando,
Viendo el escribano cerca,   10
Así por falta de dientes
Habló con él entre muelas:

«Escribid, buen Caballero,
Que Dios en quietud mantenga,
El Testamento que hago   15
Por voluntad postrimera,

---

* *Testamento:* Quevedo parodia el que hizo don Quijote al final de la novela (Parte II, cap. lxxiv): el Quijote de la novela murió cuerdo y consciente, no loco y ridículo como el de Quevedo.

5 *pavés:* escudo largo que protegía todo el cuerpo.

6 *rodela:* escudo redondo que cubría el pecho del guerrero.

5-9 Recuerdo de la batalla que dio fin al gobierno de Sancho Panza en la ínsula Barataria *(Quijote,* II, liii), en la que los isleños ataron a Sancho entre dos paveses y le sacaron a pelear, para luego castigarle de manera cruel (al relacionar a don Quijote con las burlas que sufrió Sancho, Quevedo parodia al Quijote de la novela).

10 *el escribano:* es el que le iba a tomar dictado de su testamento.

11 *por falta de dientes:* (a fuerza de muchas palizas, a don Quijote le quedaban muy pocos dientes: Parte I, cap. xviii, ed. Riquer, pág. 166).

>Y en lo de "su entero juicio",
Que ponéis a usanza vuesa,
Basta poner "decentado",
Cuando entero no le tenga.   20

>A la tierra mando el cuerpo;
Coma mi cuerpo la tierra,
Que según está de flaco,
Hay para un bocado apenas.

>En la vaina de mi espada   25
Mando que llevado sea
Mi cuerpo, que es ataúd
Capaz para su flaqueza.

>Que embalsamado me lleven
A reposar a la Iglesia,   30
Y que sobre mi sepulcro
Escriban esto en la piedra:

>"Aquí yace Don Quijote,
El que en Provincias diversas
Los tuertos vengó y los bizcos,   35
A puro vivir a ciegas".

---

19 *decentado:* palabra que aquí encierra diversas alusiones humorísticas: empezar a gastarse una cosa (don Quijote estaba ya «muy gastado»); empezar a hacer perder lo que se había conservado sano, como decentar la salud, o decentar el juicio (nueva ironía con respecto a la salud y el juicio del caballero); ulcerarse la piel del enfermo por estar echado mucho tiempo en la cama, o por la fuerza de la enfermedad o por los años (solía ser señal mortal). Claro que también alude a «decente» en sus acepciones.

34 *Provincias diversas:* recuerdo de la tercera salida de don Quijote, cuando entró en Aragón y en Cataluña.

35 *tuertos:* agravios, bizcos.

36 *vivir a ciegas:* recuerda cómo recobró don Quijote el juicio al fin de la novela, y desmintió y abominó de sus actividades caballerescas.

»A Sancho mando las Islas
Que gané con tanta guerra,
Con que, si no queda rico,
Aislado a lo menos queda.   40

»Ítem, al buen Rocinante
(Dejo los prados y selvas
Que crio el Señor del Cielo
Para alimentar las bestias),

»Mandóle mala ventura   45
Y mala vejez con ella,
Y duelos en que pensar
En vez de piensos y yerba.

»Mando que al Moro encantado
Que me maltrató en la venta,   50
Los puñetes que me dio,
Al momento se le vuelvan.

»Mando a los mozos de mulas
Volver las coces soberbias
Que me dieron, por descargo   55
De espaldas y de conciencia.

»De los palos que me han dado,
A mi linda Dulcinea,
Para que gaste el invierno,
Mando cien cargas de leña.   60

---

41 *Ítem:* palabra latina que señala el comienzo de un nuevo artículo en
los documentos legales.

42-44 Señalamos con paréntesis lo que es un inciso, como nos lo indica el
verbo *dejar,* y también la contradicción evidente con los vv. 45-48.

49-50 Se alude a las aventuras de Maritornes y el arriero, y a las del
cuadrillero, caps. xvi y xvii de la Primera Parte (págs. 152-153 de la ed.
de Martín de Riquer, Barcelona, Editorial Juventud, 1968).

53-55 Alude al castigo cruel de don Quijote por el mozo de mulas de
los mercaderes *(Quijote,* I, iv, págs. 60-61).

»Mi espada mando a una escarpia,
Pero desnuda la tenga,
Sin que a vestirla otro alguno,
Si no es el orín, se atreva.

»Mi lanza mando a una escoba,   65
Para que puedan con ella
Echar arañas del techo,
Cual si de San Jorge fuera.

»Peto, gola y espaldar,
Manopla y media visera,   70
Lo vinculo en Quijotico,
Mayorazgo de mi hacienda.

»Y lo demás de los bienes
Que en este Mundo se quedan,
Lo dejo para obras pías   75
De rescate de Princesas.

---

61 *escarpia:* clavo grande con cabeza en gancho.

63-64 La idea de que nadie debe atreverse a tocar las que fueron armas de un caballero valiente, se encuentra en el *Orlando furioso* de Ariosto, cuyos versos citó dos veces Cervantes en el *Quijote* (I, xiii, pág. 122,
y II, lxvi, pág. 1019).

67-68 Alusión al viejo refrán «San Jorge mata la araña», que se decía a
los miedosos y a los que pedían milagros para nonadas (san Jorge era
imagen tradicional del caballero armado de pies a cabeza).

69 *Peto:* armadura del pecho.

gola: armadura que protegía la garganta.

70 *media visera:* alusión chistosa a la visera de cartón que confeccionó
don Quijote y que ató con cintas verdes a su morrión; el narrador la llamó «media celada» (I, i, pág. 39, y ii, pág. 45).

71 *Quijotico:* parodia de don Quijote, ya que le relaciona con Sancho,
cuyos hijos se llamaban Sanchico y Sanchica (II, v, págs. 572 y 576).

76 Propósito que fue obsesión continua de don Quijote.

»Mando que, en lugar de Misas,
Justas, Batallas y Guerras
Me digan, pues saben todos
Que son mis Misas aquéstas.   80

»Dejo por Testamentarios
A Don Belianís de Grecia,
Al Caballero del Febo,
A Esplandián el de las Xergas».

Allí fabló Sancho Panza,   85
Bien oiréis lo que dijera,
Con tono duro y de espacio,
Y la voz de cuatro suelas:

«No es razón, buen Señor mío,
Que cuando vais a dar cuenta   90
Al Señor que vos crio,
Digáis sandeces tan fieras.

82-84 Son tres caballeros mencionados por don Quijote.

Esplandián: caballero andante, hijo del famoso caballero Amadís de Gaula; sus hazañas se narran en el quinto libro de las de Amadís, y se conocían con el título de *Las sergas del muy esforzado caballero Esplandián.*

Xergas: como *sergas,* son hazañas o proezas, y también los cuadros o tapices en los que se representan las hazañas de un héroe; como *jergas,* alude a cualquier lenguaje especial y familiar, y también a *jerigonza.*

85-86 *fabló; bien oiréis; dijera:* recuerdos del lenguaje arcaico de los poemas épicos, como, por ejemplo, el *Poema de Mio Cid.*

87 *de espacio:* lento (nuevo arcaísmo, igual que otros a continuación).

88 *de cuatro suelas:* fuerte, sólido; alude a la expresión «Tonto de cuatro suelas».

89-92 (Al final de la novela, Sancho no quería que don Quijote se deshiciera de sus *sandeces.)*

»Sancho es, Señor, quien vos fabla,
Que está a vuesa cabecera
Llorando a cántaros, triste,   95
Un turbión de lluvia y piedra.

»Dejad por Testamentarios
Al Cura que vos confiesa,
Al Regidor Per-Antón
Y al Cabrero Gil Panzueca,   100

»Y dejaos de Esplandianes,
Pues tanta inquietud nos cuestan,
Y llamad a un Religioso,
Que os ayude en esta brega».

«Bien dices» (le respondió   105
Don Quijote con voz tierna):
«Ve a la Peña Pobre, y dile
A Beltenebros que venga».

En esto la Extremaunción
Asomó ya por la puerta,   110
Pero él, que vio al Sacerdote
Con sobrepelliz y vela,

---

93 *vos fabla:* (hoy diríamos, «os habla»).

96 *turbión:* turbonada, aguacero fuerte con ventolera.

99 *Per-Antón:* imitación de nombre arcaico y rústico.

100 *Gil Panzueca:* nombre burlesco, que suena rústico y alude al *zueco* (zapato enteramente de madera, que se usaba entre la gente muy pobre).

107-108 *Peña Pobre:* allí se retiró Amadís de Gaula, tomando el nombre de *Beltenebros,* e hizo penitencia, como recuerda don Quijote dos veces (I, xv, pág. 142, y xxv, pág. 237).

109-110 *la Extremaunción Asomó:* personificación humorística que representa para don Quijote su propia muerte.

112 *sobrepelliz:* vestidura blanca, abierta por los costados y las mangas, que emplean los sacerdotes en funciones religiosas.

> Dijo que era el Sabio propio
> Del encanto de Niquea,
> Y levantó el buen Hidalgo   115
> Por hablarle la cabeza.

> Mas viendo que ya le faltan
> Juicio, vida, vista y lengua,
> El Escribano se fue,
> Y el Cura se salió afuera.   120

COMENTARIO

Las referencias que hace Quevedo a la Segunda Parte del *Quijote* indican que compuso este poema después de 1615, fecha de la publicación de aquel libro.

113-114 Quevedo se burla de don Quijote como persona que imaginaba que vivía en un mundo de sabios y magos caballerescos (el referido *Sabio* era en realidad la bruja Zirfea, que en la novela caballeresca *Amadís de Gaula* encantó a la heroína Niquea).

128

[Burla de los Eruditos de embeleco, que enamoran a feas cultas]
[Romance]

Muy discretas y muy feas,
Mala cara y buen lenguaje,
Pidan Cátedra y no Coche,
Tengan oyente, y no amante.

No las den sino atención, 5
Por más que pidan y garlen;
Y las joyas y el dinero,
Para las tontas se guarde.

Al que sabia y fea busca,
El Señor se la depare; 10
A malos conceptos muera,
Malos equívocos pase.

---

1 En aquel entonces, los satíricos gustaban mucho de burlarse de las discretas, o sea, de las mujeres tan inteligentes como feas (comp. el v. 9 y el comentario que sigue a estas notas).

3-4 *Cátedra; oyente:* imágenes de maestro y alumno (se *oía* la conferencia).

Coche; amante: se refiere al amor sexual (las damas cortesanas y las rameras solían reunirse con los galanes en los coches, que les ofrecían un sitio movible y cerrado a la vista del público).

6 *garlen:* hablar continuadamente y sin discreción.

8 *tontas:* alegaban los satíricos contemporáneos que a menudo las hermosas eran tontas (comp. el v. 1).

11-12 El poeta se burla del mal gusto del galán que se contenta con una mujer *fea,* porque ésta sabe hablar en *conceptos* y *equívocos.*

Aunque a su lado la tenga,
Y aunque más favor alcance,
Un Catedrático goza,   15
Y a Pitágoras en carnes.

Muy docta lujuria tiene,
Muy sabios pecados hace,
Gran cosa será de ver
Cuando a Platón requebrare.   20

En vez de una cara hermosa,
Una noche y una tarde,
¿Qué gusto darán a un hombre
Dos cláusulas elegantes?

¿Qué gracia puede tener   25
Mujer con fondos en fraile,
Que de Sermones y chismes
Sus razonamientos hace?

Quien deja lindas por necias,
Y busca feas que hablen,   30
Por sabias coma las Zorras,
Por simples deje las Aves.

Filósofos amarillos
Con barbas de Colegiales,
O duende Dama pretenda,   35
Que se escuche y no se halle.

15-16 Afirma el poeta que el amor del galán carece de cualquier elemento erótico (Pitágoras fue un célebre filósofo griego del siglo VI a.C.).

20 Alusión al amor homosexual, parte íntegra de la cultura de la Antigüedad griega.

26 *fondos en:* esencia o carácter de.

31-32 *Zorras; Aves:* se alude a la astucia tradicional del zorro (como,
por ejemplo, en la fábula de Esopo) y a la belleza de las aves.

33 *amarillos:* desesperados (según el simbolismo tradicional de los colores).

Échese luego a dormir
Entre Bártulos y Abades,
Y amanecerá abrazado
De Zenón y de Cleantes;   40

Que yo, para mi traer,
En tanto que argumentaren
Los Cultos con sus Arpías,
Algo buscaré que palpe.

touch

COMENTARIO

Aquí critica Quevedo a los que buscan mujeres *feas y sabias*
(vv. 9 y 30) o *feas y discretas* (v. 1), y no se dejan guiar por su
gusto sensual (v. 23), y buscar *lindas,* aunque sean *necias* (v. 29).
Afirma el poeta que en un sentido sexual, las mujeres son para
palpar (v. 44), tal y como lo dice en el poema 152 a continuación,
y lo había dicho Pablos en el *Buscón:* «Como yo no quiero las
mujeres para consejeras ni bufonas, sino para acostarme con ellas,
y si son feas y discretas es lo mismo que acostarse con Aristóteles
o Séneca o con un libro, procúrolas de buenas partes para el arte
de las ofensas» (lib. III, cap. vii, pág. 228 de la ed. de Fernando
Lázaro Carreter, Salamanca, Universidad de Salamanca, 1965).

———————

37-40 *Échese... Y amanecerá:* alusión al viejo refrán, «Quien con perros
se echa, con pulgas se levanta».

38 *Bártulos* y *Abades:* alusión a dos juristas italianos de la Edad Media,
autores de tratados voluminosos, que venían a ser imágenes de tal clase
de libro (Bartolo de Sassoferrato, siglo xiv, y Niccolò de' Tedeschi, o
Todeschi, abad de Santa María de Maniace, en Sicilia, siglo xv).

40 *Zenón y Cleantes:* se refiere al Zenón que fundó en Atenas la escuela de filosofía estoica (siglos iv a iii a.C.), y a su discípulo y sucesor,
Cleantes (siglo iii a.C.).

41 *para mi traer:* entiéndase «para mi gusto» o «mi uso» (expresión
basada en las acepciones de llevar puesta una cosa que sirve a la persona,
o de la que se hace uso).

En el «Sueño del Infierno» criticó Quevedo la represión del gusto natural y sensual del hombre y de la mujer: «Por la honra, sin saber qué es hombre ni qué es gusto, se pasa la doncella treinta años casada con sus deseos» *(Sueños y discursos,* ed. de Maldonado, pág. 124).

De la fecha de composición de este poema, sabemos tan sólo que fue publicado en 1643 (véase mi estudio, *En torno a la poesía de Quevedo,* pág. 173).

129

[Abomina de una vieja que quería ser
tercera de una niña]
[Romance]

La vieja que, por lunares,
Salpicada de bigotes
Tiene la cara, te vedo
Con Datanes y Avirones.

Ni conmigo ni sinmigo   5
Quiero que enrancie tu coche;
Ándese en un Ataúd
Con su tiro de Cabrones.

Pidamos el «Oxte» al puto,
Demos a la vieja el oxte;   10

---

3 *te vedo:* te prohíbo (a lo largo del poema, habla un galán a su dama,
y le prohíbe la compañía y amistad de una vieja).

3-4 *te vedo con Datanes y Arirones:* parodia de una fórmula de excomu-
nión (recuerda ésta la sedición de Coré, Datán y Abirón contra Moisés y
Aarón, y la orden de Dios de separar al pueblo de ellos; Números, 16, 24).

6 *que enrancie:* que ponga rancio, que descomponga o corrompa (alude a los comestibles).

7-8 *un Ataúd con su tiro de Cabrones:* metáfora para un coche (v. 6) con
su tiro de caballos; sirve para acusar a la mujer de vieja y de hechicera.

9 «Al punto pidamos el 'Oxte' que le solemos dar» (*Oxte* es interjección que significaba «Apártate, no te acerques», «Quítate», y que se
decía como refiriéndose al diablo. Se empleaba frecuentemente en la
frase «Oxte, puto», y también para ahuyentar a los animales y para expresar el sobresalto del que tomaba en sus manos una cosa que estaba
muy caliente).

De Satán el «Abrenuncio»,
Y el «Sal aquí» de los Gozques.

Pues el «Zape» de los gatos
También la viene de molde;
Que en el gruñir y cazar   15
Es susto de los ratones.

Tú ni yo no somos habas,
Que para echarnos importe
su visión; pues no hace falta,
Más fuerza será que sobre,   20

¿Para qué quieres conjuros,
Si tu siembra está en las trojes?

_____

11 *Abrenuncio:* renuncio a todo (voz culta del latín, *abrenuntio,* que
significa lo mismo; muchas veces lo empleaban los autores contemporáneos en relación a Satanás).

12 *Gozques:* perro pequeño, ladrador y muy molesto (según Covarrubias en su *Tesoro de la lengua castellana,* Madrid, 1611, y Barcelona, 1943,
«son unos perrillos que crían la gente pobre y baja; son cortos de piernas,
largos de cuerpo y de hocico, importunos a los vecinos, molestos a los
galanes, odiados de los ladrones; duermen todo el día, y con esto velan y
ladran toda la noche»).

17-18 *echar las habas:* adivinar el futuro (las viejas y las brujas solían
echar al suelo unas habas que representaban a diversas personas, junto
con granitos de carbón, sal, cera, azufre, pan y otras cosas, y citaban de
manera irreverente a los santos y los evangelios, conjurando a las habas a
que dijeran la verdad).

17-19 «Como no somos tú y yo habas, no nos importa la visión de ella
(su vista, su figura o su vaticinio) para echarnos (como habas, y como
hombre y mujer: acostarnos; nueva alusión a la vieja como alcahueta y
como bruja)».

21 *conjuros:* se refiere a los de la vieja al echar las habas.

22 *tu siembra:* metáfora para las habas (como semillas) y para el joven
amante, como hombre capaz de sembrar el amor y de fecundar a la mujer.

trojes: graneros limitados por tabiques, en los que se recogen y guardan
los granos y, por extensión, las habas.

478

Ándese tras los nublados,
Cuando granizan bodoques.

El juez de los Cimenterios   25
La publica con clamores
Por fugitiva en cien años
De cuatro extremas unciones.

En infusión de embelecos
Me dice quien la conoce   30
Que está siempre, y que a mentir
Puede apostar con los dotes.

Cuando quieres persuadirme,
Dices que es mujer de Porte;
Mucho tiene de estafeta;   35
Temo que de ti le cobre.

De doscientas leguas huele
Almuerzos y medias noches;

23-24 «Ya que tus habas están guardadas con seguridad en las trojes,
ándese ella tras los nublados, como bruja que es, ayudándonos cuando
nos tiran ellos, no tanto habas, sino balas de ballesta a manera de granizo»
(los *bodoques* eran pelotas o bolas de barro, del tamaño de una ciruela
pequeña, hechas en un molde y endurecidas al aire, como balas de mosquete; servían para tirar con ballesta de bodoques, con la cual se tiraba a
los pájaros).

31-32 *a mentir... los dotes:* «en cuanto a mentir, puede apostar sirvién-
dose de los dotes como tantos o puntos, y ganar la apuesta».

34 *de Porte:* de ascendencia noble.

35 Ella tiene *mucho de estafeta* porque es mujer *de Porte,* frase que
alude a la cantidad que se paga a la estafeta por llevar una cosa de una
parte a otra.

38 *medias noches:* bollos pequeños rellenos de carne (se deriva de la
expresión «Hacer media noche», que significaba, «Aguardar a que dieran
las doce de la noche del viernes para comer mucho, o comer carne»).

479

Lo que come, bien lo sé;
Mas no sé con qué lo come.   40

Es gorra de los manteles,
Coroza de los colchones;
Quiere encajarme en la testa
El bonete de los bosques.

En saliendo tú con ella,   45
Llama la Lujuria a Cortes,
Y andan sobre hablar primero
Burgos y Toledo a voces.

---

40 No se sabe *con qué,* porque ella no tiene dientes.

41 *gorra:* persona que come a costa ajena (se deriva de la gorra de estudiante, que se ponían los pícaros para entrar a comer sin pagar en los
antiguos colegios de las universidades).

42 *coroza:* afrenta, infamia, con alusión a algún delito grave y sexual (por los
colchones), y al capirote que, igual que la *gorra* en su sentido literal, se llevaba en
la cabeza (la *coroza* era el capirote de papel engrudado y de figura cónica, de
menos de un metro, que, en castigo y como señal afrentosa y de infamia, se
ponía en la cabeza de ciertos delincuentes, como los judíos, herejes, hechiceros
y embusteros; llevaba pintadas diversas figuras alusivas al delito).

43 *testa:* la cabeza, o la frente.

44 «Un gran bonete en señal de tonto, tan alto como un árbol» (se
alude al mote «Gran bonete» o «Bravo bonete», que se solía aplicar de
manera irónica a los tontos o los idiotas; el mote se derivaba en parte del
contexto intelectual de la palabra *bonete,* como prenda de vestir que llevaban, entre otros, los letrados, doctores y eclesiásticos colegiales y graduados; por otra parte, la nota de afrenta queda clara por la analogía
entre la coroza y el bonete como coberturas de la cabeza, y por la construcción paralela de los vv. 41, 42 y 44).

46 «A manera de procurador, la Lujuria convoca las Cortes del Reino,
en las que citará a las dos por el mismo vicio.»

48 *Burgos* y *Toledo:* ciudades en las que tradicionalmente se solía llamar a cortes.

Desde que el diablo la trujo,
Hierve esta calle de Condes;   50
Por muchos títulos debo
Echarla a palos y a coces.

Parece mala Comedia,
Con los silbos que se oyen,
Esta casa; y el catarro   55
es seña, y parece toses.

Ella te lleva y te trae,
No sé dónde y sí sé dónde,
Pues te doy lo necesario
Y tú me das madrugones.   60

En casa no hemos de estar
Yo y la Vieja de los conques;
Tú quieres que te enagüele,
Yo temo que me encarroñe.

---

51 «Por muchos títulos nobles de conde o marqués»; «Por muchas causas o motivos».

53-56 *silbos; toses:* señales que hacían los galanes a las damas.

60 «Y tú me obligas a levantarme muy temprano, por la preocupación».

62 *los conques:* sustantivo que quiere decir los peros, las dificultades, o los obstáculos.

63 *que te enagüele:* que yo te dé nietos (es verbo jocoso inventado por Quevedo a base de en + *agüela,* o *abuela*).

130

[Pavura de los Condes de Carrión]*
[Romance]

Mediodía era por filo,
Que rapar podía la barba,
Cuando, después de mascar,
El Cid sosiega la panza.

La gorra sobre los ojos   5
Y floja la martingala,
Boquiabierto y cabizbajo,
Roncando como una vaca.

Guárdale el sueño Bermudo
Y sus dos yernos le guardan,   10
Apartándole las moscas
Del pescuezo y de la cara,

---

* *Pavura:* pavor, terror.
Condes de Carrión: Diego y Fernando, con quienes casó el Cid a sus dos hijas.
1 *por filo:* en punto.
6 *martingala:* antiguamente significaba «fondo de una especie de calzas, la cual se ataba por detrás para ayudar a los viejos incontinentes en sus apuros» («apropiada para personas viejas que tienen súbitas necesidades fisiológicas... la martingala se echaba abajo rápidamente,... sacando así de apuro al incontinente», según explica Joan Corominas en su *Diccionario crítico etimológico de la lengua castellana,* Madrid, 1954-1957; comp. el poema 149, v. 14).
9 *Bermudo:* se refiere a Pedro Bermúdez, sobrino del Cid, a quien ayudaba en muchas ocasiones; como personaje, está presente a lo largo del poema épico.
10-21 *dos yernos; Diego y Fernando:* son los referidos condes de Carrión.

Cuando unas voces, salidas
Por fuerza de la garganta,
No dichas de voluntad   15
Sino de miedo pujadas,

Se oyeron en el Palacio,
Se escucharon en la cuadra,
Diciendo, «¡Guardá: el León!»,
Y en esto entró por la sala.   20

Apenas Diego y Fernando
Le vieron tender la zarpa,
Cuando hicieron sabidoras
De su temor a sus bragas.

El mal olor de los dos   25
Al pobre León engaña,
Y por cuerpos muertos deja
Los que tal perfume lanzan.

A venir acatarrado
El León, a los dos mata;   30
Pues de miedo del perfume
No les siguió las espaldas.

El menor, Fernán González,
Detrás de un escaño a gatas,
Por esconderse, abrumó   35
Sus costillas con las tablas.

---

24 *bragas:* calzones (palabra que se tenía por vulgar).
29-30 *acatarrado:* alude al hecho de que el *catarro* suele impedir el oler.
32 *siguió las espaldas:* parodia de la expresión «seguir los pasos», con la cual alude Quevedo a que el olor les salía a los condes de atrás.
34 *escaño:* banco largo con espaldar grande.

483

Diego, más determinado,
Por un boquerón se ensarta
A esconderse, donde van
De retorno las viandas.   40

Bermudo, que vió el León,
Revuelta al brazo la capa,
Y sacando un asador
Que tiene humos de espada,

En la defensa se puso.   45
Despertó al Cid la borrasca,
Y abriendo entrambos los ojos
Empedrados de lagañas,

Tal grito le dio al León
Que le aturde y le acobarda,   50
Que hay Leones enemigos
De voces y de palabras.

Envióle a su Leonera
Sin que le diese fianzas;
Por sus yernos preguntó,   55
Receloso de desgracia.

Allí respondió Bermudo,
«Señor, no receléis nada,
Pues se guardan vuesos yernos
En Castilla, como Pascua».   60

---

40 Se alude al retrete, donde vuelven o *retornan* al salir del cuerpo las
viandas, o comestibles (comp. los vv. 97-98).
59-60 *se guardan como Pascua:* se guardan con toda seguridad (alusión
a la expresión «guardar las fiestas» conforme los preceptos de la Iglesia).

Y remeciendo el escaño,
A Fernán González hallan
Devanado en su bohemio,
Hecho ovillo en la botarga.

Las narices del buen Cid   65
A saberlo se adelantan,
Que le trajeron las nuevas
Los vapores de sus calzas.

Salió cubierto de tierra
Y lleno de telarañas;   70
Corrióse el Cid de mirarlo,
Y en esta guisa le fabla:

«Agachado estabais, Conde,
Y tenéis mucha más traza
De home que aguardó jeringa   75
Que del que espera batalla.

»Connusco habedes yantado,
¡Oh, que mala pro vos faga,
Pues tan presto bajó el miedo
Los yantares a las ancas!   80

---

61 *remeciendo:* moviendo de un lado a otro.

63 *bohemio:* capa corta.

64 *botarga:* parte de la vestimenta antigua, que cubría el muslo y la pierna, y era ancha; por cubrir la pierna, recuerda las *bragas* en que los condes se habían embolsado (vv. 23-24); también alude a cierto vestido ridículo de una pieza, que servía de disfraz.

72 *guisa:* modo, manera (arcaísmo).

74 *traza:* aspecto.

75 *home:* hombre (arcaísmo).

75 *jeringa:* (con ella se mete el enema al enfermo).

77 *Connusco:* con nosotros (arcaísmo).

habedes yantado: habéis comido (arcaísmos).

78 *pro:* provecho (arcaísmo).

80 *los yantares:* la comida.

las ancas: las nalgas (alude también a las de los animales).

485

>Sacárades a Tizona,
Que ella vos asegurara,
Pues en vos no es rabiseca,
Según la humedad que anda».

Gil Díaz, el Escudero,   85
Que al Cid contino acompaña,
Con la mano en las narices
Todo sepultado en bascas,

Trayendo detrás de sí
A Diego, el yerno que falta,   90
Con una mano le enseña,
Mientras con otra se tapa.

«Vedes aquí, Señor mío,
Un fijo de vuesa casa,
El Conde de Carrión,   95
Que esconde mal su crianza.

---

81 *Sacáredes:* sacarais (arcaísmo).

Tizona: una de las dos espadas del Cid (para Covarrubias en su *Tesoro de la lengua castellana,* este nombre reflejaba su calidad de ser ardiente).

83 *rabiseca:* cobarde, flaca.

85 *Gil Díaz:* no es personaje del *Cantar de Mio Cid.*

86 *contino:* continuamente.

88 *en bascas:* en náuseas.

91 *le enseña:* (señal de vergüenza, muy ofensivo).

94 *fijo:* hijo (arcaísmo).

96 «Que disfraza mal, o sin éxito, su mala crianza».

esconde: alusión jocosa a otras dos palabras: *es conde* (el resultado es llamar la atención del lector al contraste entre el título de nobleza del referido conde, y a su comportamiento, indigno de tal título; fue González de Salas quien primero llamó la atención a esta alusión).

486

»De dónde yo le he sacado,
Sus vestidos vos lo parlan;
Y a voces sus palominos
Chillan, Señor, lo que pasa.   100

»Más cedo podréis tomar
A Valencia y sus murallas,
Que de ningún cabo al Conde
Por no haber de do le asgan.

»Si no merece de yerno   105
El nombre por esta causa,
Tenga el de servidor vueso,
Pues tanta parte le alcanza».

Sañudo le mira el Cid,
Con mal talante le encara: 110
«De esta vez, amigos Condes,
Descubierto habéis la caca.

»¿Pavor de un león hobistes,
Estando con vuesas armas,
Fincando en compaña mía,   115
Que para seguro basta?

---

97 El Conde se había «ensartado por un boquerón donde iban de retorno las viandas» (vv. 38-40).

99 *palominos:* manchas de excremento que quedan en la camisa por la
prisa o descuido.

101 *cedo:* presto, rápidamente (arcaísmo).

101-102 *tomar a Valencia:* la reconquista de Valencia fue una de las
hazañas más grandes del Cid.

104 *do:* dónde.

107 *servidor:* alusión a los *servicios* (vaso que sirve para excrementos
mayores).

108 *tanta parte:* tal cualidad.

109-110 Repetición que recuerda el estilo épico.

113 *hobistes:* hubisteis (arcaísmo).

115 *Fincando:* hincando: permaneciendo, quedándote (arcaísmo en la
forma y en el sentido).

»Por San Millán que me corro,
Mirándovos de esa traza,
Y que de lástima y asco
Me revolvéis las entrañas.   120

»El que de infanzón se precia,
Face en el pavor y el ansia
De las tripas corazón,
Ansí el refrán vos lo canta.

»Mas vos en esta presura,   125
Sin acatar vuesa casta,
Hacéis del corazón tripas,
Que el puro temor vos vacia.

»Ya que Colada no os fizo
Valiente aquesta vegada,   130
Fágavos colada limpio:
Echaos, buen Conde, en colada.»

«Calledes, el Cid, calledes»
—Dijo, con la voz muy baja—,
«Y la cosa que es secreta,   135
Tan pública no se faga.

---

117 *San Millán:* santo de los siglos V y VI, objeto de devoción tradicional en España, cuya fiesta se celebra el 12 de noviembre.

118 *traza:* aspecto.

121 *infanzón:* caballero noble de sangre; señor de vasallos.

122-123 Dice un refrán antiguo: «Hacer de las tripas corazón»; también alude Quevedo al sentido literal de *tripas,* como lugar donde está el excremento.

129 *Colada:* la otra espada del Cid (comp. el v. 81; dice Covarrubias en su *Tesoro de la lengua castellana* que se llamó así «porque se debió de forjar de finísimo acero colado»).

130 *vegada:* vez (arcaísmo).

131-132 *colada; colada:* lejía para blanquear la ropa cuando se lava (se refiere a la ropa sucia del conde).

133 *Calledes:* callad.

135-138 *secreta; necesaria:* letrina.

488

»Si non fice valentía,
Fice cosa necesaria;
Y si probáis lo que fice,
Lo tendredes por fazaña.   140

»Más ánimo es menester
Para echarse en la privada,
Que para vencer a Búcar
Ni a mil Leones que salgan:

»Ánimo sobrado tuve».   145
Mas en esto el Cid le ataja,
Porque, sin un incensario,
Ninguno a escuchar le aguarda:

«Id, Infante, a Doña Sol,
Vuesa esposa desdichada,   150
Y decidla que vos limpie,
Mientras vos busco un ama.

»Y non habléis ende más;
Y obedeced, si os agrada,
Aquel refrán que aconseja: 155
La caca, Conde, callarla».

_____

141-142 Juega Quevedo con dos clases de situación que piden *ánimo:*
la suma asquerosidad de una letrina, o el gran peligro de una batalla caballeresca.

143 *Búcar:* rey de Marruecos, a quien el Cid derrotó y mató en Valencia, ganando así la espada *Tizona.*

149-152 *Infante:* se alude a la nobleza del conde (un *infante* era pariente del Rey, y alude al título de *infanzón,* v. 121), y a la condición que
le hace parecer niño (ha ensuciado su ropa, y el Cid le manda decir a la
mujer, *que vos limpie, mientras vos busco un ama).*

149 *Doña Sol:* una de las dos hijas del Cid.

153 *ende:* de esto (arcaísmo).

155-156 Del refrán hay diversas versiones antiguas: «La caca, callarla»,
«La caca peor es hurgarla» y «La mierda, dejarla estar queda».

COMENTARIO

Este poema es una versión burlesca de un romance de fines del siglo XVI, sobre el mismo episodio (véase el estudio de De Ley y Crosby, citado en la Bibliografía). La parodia no se limita a los condes de Carrión, como malhechores, sino que abarca también al mismo Cid (vv. 2-12 y 47-48), a quien, por cierto, se alaba en otros momentos. El humor lingüístico se encuentra en las imágenes vulgares y plebeyas *(mascar, panza, gorra, roncando, vaca,* etc.), y en la imitación del lenguaje antiguo en el diálogo *(home, connusco, faga, vedes,* etc.).

Por algunos detalles del texto, sabemos que este poema se basa en una edición del referido romance publicada en 1612 (véase mi estudio, *En torno a la poesía de Quevedo,* pág. 117).

131

[Califica a Orfeo para Idea de Maridos dichosos]
[Romance]

Orfeo por su Mujer,
Cuentan que bajó al Infierno;
Y por su Mujer no pudo
Bajar a otra parte Orfeo.

Dicen que bajó cantando,   5
Y por sin duda lo tengo,
Pues en tanto que iba viudo,
Cantaría de contento.

Montañas, riscos y piedras
Su armonía iban siguiendo,   10
Y si cantara muy mal,
Le sucediera lo mesmo.

Cesó el Penar en llegando
Y en escuchando su intento,
Que pena no deja a nadie   15
Quien es casado tan necio.

Al fin pudo con la voz
Persuadir los sordos Reinos;
Aunque el darle a su Mujer
Fue más castigo que premio.   20

---

13 *el Penar:* se refiere al de las almas en el Infierno.

18 *sordos Reinos:* para los griegos, el trasmundo era el *reino* de Plutón, o Hades, enemigo de la vida, y odiado por los hombres. En un sentido más amplio, se decía que los que castigaban cruelmente a los hombres estaban *sordos* a las quejas de sus víctimas.

Diéronsela lastimados,
Pero con Ley se la dieron:
Que la lleve, y no la mire,
Ambos muy duros preceptos.

Iba él delante guiando,   25
Al subir; porque es muy cierto
Que al bajar, son las mujeres
Las que nos conducen, ciegos.

Volvió la cabeza el triste;
Si fue adrede, fue bien hecho;   30
Si acaso, pues la perdió,
Acertó esta vez por yerro.

Esta Conseja nos dice
Que si en algún Casamiento
Se acierta, ha de ser errando,   35
Como errarse por aciertos.

Dichoso es cualquier Casado
Que una vez queda soltero;
Mas de una Mujer dos veces,
Es ya de la dicha extremo.   40

---

22 *Ley:* condición impuesta por una de las partes de un acuerdo.

33 *Conseja:* cuento o fábula ridículo y antiguo.

35 *acertar errando:* expresión que indica que la casualidad ha dado lo que no pudo lograr ni el ingenio ni el discurso.

36 *errarse:* equivocarse al hablar, diciendo una cosa por otra sin querer, como, por ejemplo, al casarse, decir «no» en vez de «sí».

errarse por aciertos: lo contrario de *acertar errando;* en términos del *Casamiento,* Quevedo equipara los dos actos referidos, pues uno y otro son a manera de torpezas, en contraste con el *acierto* o acto que ha logrado felizmente el fin deseado.

132

[Funeral a los huesos de una Fortaleza
que gritan mudos desengaños]
[Romance]

Son las Torres de Joray
Calavera de unos Muros,
En el Esqueleto informe
De un ya Castillo difunto.

Hoy las esconden guijarros   5
Y ayer coronaron nublos;
Si dieron temor armadas,
Precipitadas dan susto.

Sobre ellas opaco un Monte
Pálido amanece y turbio   10
Al Día, porque las sombras
Vistan su tumba de luto.

---

1 *Torres de Joray:* son las de un castillo antiguo y arruinado cerca del
pueblo de la Torre de Juan Abad, donde tenía Quevedo una casa que
solía ocupar por largos periodos de tiempo; este poema fue escrito cuando estuvo encarcelado en dicha casa (comp. el v. 43).

4 *un ya Castillo difunto:* bella construcción adverbial que expresa
el paso del tiempo, y que perfeccionaría mucho más tarde Jorge
Guillén.

6 *coronaron nublos:* «las torres fueron coronas de las nubes».

9-11 «Sobre ellas un Monte opaco amanece, pálido y turbio, al día...».

9 *Monte:* el paisaje alrededor del castillo abarca un *Monte* (v. 9) o cerro
(38), el campo labrado (23), las *yerbas* (27), unos árboles (34), y el río
Guadalén, que *dobla por el Escollo* (37-40).

Las dentelladas del año,
Grande comedor de Mundos,
Almorzaron sus almenas   15
Y cenaron sus trabucos.

Donde admiró su Homenaje,
Hoy amenaza su bulto;
Fue fábrica, y es cadáver;
Tuvo Alcaides, tiene búhos.   20

Certificóme un cimiento,
Que está enfadando unos surcos,
Que al que hoy desprecia un arado,
Era del Fuerte un reducto.

Sobre un Alcázar en pena,   25
Un Baluarte desnudo
Mortaja pide a las yerbas,
Al cerro pide sepulcro.

---

13 *del año:* del tiempo.

16 *trabucos:* especie de mosquete, de gran calibre y de cañón muy corto.

17 *admiró:* causó admiración.

Homenaje: torre de homenaje (así se llamaba la torre más alta de cada castillo, por el hecho de que en ella tenía lugar la ceremonia en la que se juraba solemne fidelidad al señor o alcaide del castillo).

18 *bulto:* masa informe (comp. el v. 3); túmulo, tumba.

19 *fábrica:* edificio suntuoso.

24 *Fuerte:* castillo.

reducto: fortificación secundaria, sujeta a otra mayor, que es la principal.

25 *en pena:* alude a la expresión «alma en pena», que se aplica a las que no pueden descansar porque no tienen sepultura propia o por alguna otra desazón.

25-27 *Baluarte:* amparo y defensa adicional de la fortificación, construido contra el exterior de la muralla en una de sus esquinas (de esta forma está *sobre* el *Alcázar* o castillo, y queda más cerca de las *yerbas* que el resto de la muralla).

28 *cerro:* es el referido monte (véase la nota al v. 9).

Como herederos monteses,
Pájaros le hacen nocturnos   30
Las exequias, y los grajos
Le endechan los contrapuntos.

Quedaron por albaceas
Un chaparro y un saúco;
Pantasmas que a Primavera   35
Espantan flores y fruto.

Guadalén, que los juanetes
Del pie del Escollo duro
Sabe los puntos que calzan,
Dobla por él, importuno.   40

Este Cimenterio verde,
Este Monumento bruto
Me señalaron por cárcel;
Yo le tomé por estudio.

---

30 «Pájaros nocturnos le hacen...»

31 *grajos:* pájaro semejante al cuervo, muy negro y muy parlero (por su color y por su voz, puede participar en las *exequias* del castillo).

32 *endechan:* cantan endechas o canciones tristes y lamentables que se dicen sobre los muertos en los funerales.

contrapuntos: concordancias armoniosas de voces contrapuestas.

33 *albaceas:* testamentarios.

34 *chaparro:* encina joven y silvestre.

saúco: arbusto o arbolillo de muchas ramas, común en España.

35 *Pantasmas:* fantasmas.

36 *Espantan:* echan bruscamente.

flores y fruto: la encina tiene bellotas, y el saúco flores blandas y fruto en bayas negruzcas.

37 *Guadalén:* río de las provincias de Ciudad Real y Jaén.

juanetes: hueso del nacimiento del dedo grueso del pie, cuando sobresale demasiado.

38 *Escollo:* metáfora para el castillo.

39 «Sabe el tamaño.»

41-43 A Quevedo tres veces le *señalaron por cárcel* el pueblo de la Torre de Juan Abad, donde tenía él una casa y rentas (en 1621, en 1622 y en 1628); el pueblo queda muy cerca de las torres de Joray.

Aquí, en Cátedra de muertos,   45
Atento le oí discursos
Del Bachiller Desengaño
Contra Sofísticos gustos.

Yo, que mis ojos tenía,
Floris taimada, en los tuyos,   50
Presumiendo eternidades
Entre Cielos y Coluros,

En tu boca hallando perlas
Y en tu aliento calambucos,
Aprendiendo en tus Claveles   55
A despreciar los Carbunclos,

En donde una Primavera
Mostró mil Abriles juntos,
Gastando en sólo guedejas
Más Soles que doce Lustros,   60

---

48 *Sofísticos:* aparentes, fingidos con sutileza (calificación importante, pues se aplica a los gustos descritos en los vv. 51-60; comp. la nota que sigue).

49-52 La presentación de la dama no es tan imprevista como pudiera parecer, pues las ruinas del castillo le han enseñado al poeta-galán que él *presume eternidades* (v. 51), y el *Bachiller Desengaño* le ha hecho *discursos contra los gustos fingidos,* o sea, contra las perlas, los claveles, los abriles y las guedejas (vv. 53-59). Y por fin, él lloró versos de sumo desengaño (65-66, como estribillo) sobre «la eternidad que imaginas: Aprende de estas ruinas; Si no a vivir, a caer» (68-70). Comp. también la nota al v. 62.

52 *Coluros:* imagen cósmica de la esfera celestial (en la astronomía, son los dos círculos que dividen dicha esfera, y que tienen su intersección en los dos polos).

53 *perlas:* metáfora tradicional para los dientes.

54 *calambucos:* se refiere al olor fragante de las flores blancas de un árbol americano.

55 *Claveles:* metáfora tradicional para los labios.

56 *Carbunclos:* rubíes.

57 *una Primavera:* metáfora para la dama.

60 *Lustros:* periodos de cinco años cada uno.

Con tono clamoreado
Que la Ausencia me compuso,
Lloré los Versos siguientes,
Más renegados que cultos:

«*Las glorias de este Mundo*   65
Llaman con luz, para pagar con humo.

»Tú, que te das a entender
La eternidad que imaginas,
Aprende de estas ruinas,
Si no a vivir, a caer: 70
El Mandar y Enriquecer
Dos Encantadores son
Que te turban la Razón,
Sagrado de que presumo.

»*Las glorias de este Mundo*   75
Llaman con luz, para pagar con humo.

---

61 *clamoreado:* clamorear es doblar las campanas a muerto; también significa implorar.

62 *Ausencia:* la ausencia se suma al desengaño profundo del amante (véase la nota a los vv. 49-52).

64 *renegados:* así caracteriza Quevedo con ironía su rebelión contra *la eternidad que imaginas* (v. 68), *el mandar y enriquecer* (71), *el mundo engañabobos, engaitador de sentidos* (77-78; comp. 51-60), *y los lobos, los robos, los insultos y los lisonjeros* (80-83).

cultos: Quevedo reconoce abiertamente los rasgos cultos de este poema, que se notan en el léxico (por ejemplo, *nocturnos*, v. 30, y *lustros*, 60), en la omisión de algún artículo *(coronaron nublos, 6),* y en la inversión del orden de las palabras (vv. 9-10, 27 y 30); compárese con el orden tan sencillo de las palabras en los vv. 13-16 y 41-44 (para otros ejemplos del culteranismo y de la sátira del mismo por Quevedo, véase el Índice).

74 *Sagrado:* asilo seguro (lo *presume* el poeta-amante, tal y como *presumió eternidades*, v. 51, y las *imaginó* la dama, v. 68).

>»Este Mundo engañabobos,
Engaitador de sentidos,
En muy Corderos Validos
Anda disfrazando lobos.   80

Sus Patrimonios son robos,
Su Caudal insultos fieros,
Y en trampas de lisonjeros
Cae después su Imperio sumo.

>»*Las glorias de este Mundo*   85
Llaman con luz para pagar con humo».

COMENTARIO

Los vv. 17-20 nos recuerdan los sonetos de Quevedo sobre la
brevedad de la vida y la muerte, y nos enseñan el entronque entre
el poema presente y aquéllos. Véase, por ejemplo, el poema 42,
que empieza con el verso, «Fue sueño ayer, mañana será tierra»,
en el que también se preocupa el poeta por la presunción del
hombre, expresada aquí en los vv. 49-52, 67-70, y en el estribillo
(véase la nota a los vv. 49-52).

El bello tema de *oír discursos* en la *Cátedra de los muertos*
(vv. 44-48), como imagen de las lecturas del poeta en la villa de
la Torre de Juan Abad, lo repetiría él en un soneto «excelente» (así

---

78 *Engaitador:* que halaga con sonidos y engaña con palabras (se alude
al son de la gaita; por otra parte, corresponde a los atractivos sensuales
representados en los vv. 51-60).

79 *muy Corderos Validos:* privados poderosos que gozan el favor de los
príncipes, y parecen ser tan mansos y humildes como los corderos (Quevedo los criticó repetidamente, especialmente en *su Política de Dios*).

81 *Patrimonios:* bienes y hacienda heredados.

84 *Cae:* recuerda la enseñanza de las *ruinas: Aprende... si no a vivir, a
caer* (v. 70), y también la suerte que corrieron éstas: *Si dieron temor armadas, precipitadas dan susto* (vv. 7-8).

lo califica González de Salas), en donde dice que en la Torre, «Vivo en conversación con los difuntos, / Y escucho con mis ojos a los muertos» (poema 52). En la silva «Al pincel», aplica este tema a la pintura (poema 148, vv. 7-9 y 17-18).

Quevedo escribió poemas muy bellos sobre edificios desiertos o arruinados, y se preocupaba mucho por el tema de lo deshabitado, sea edificio o persona (véase el comentario al poema 31, y el Índice).

133

[Hero y Leandro en paños menores]*
[Romance de versos cortos]

Señor don Leandro,
Vaya en hora mala,
Que no puede en buena
Quien tan mal se trata.

   ¿Qué imagina cuando   5
De Bajel se zarpa,
Hecho por la Hero
Aprendiz de rana?

   ¿Pescado se vuelve
El hijo de cabra,   10
Para quien mondongo
Quiere más que escamas?

---

* *Hero y Leandro* eran amantes; vivía ella en Sesto, y él en Abido, al otro lado del estrecho del Helesponto. Cada noche él cruzaba el estrecho a nado, hasta que una noche se ahogó en una tormenta, y ella, desesperada, se tiró del precipicio abajo. Esta versión es burlesca, pero no lo es así la anterior (poema 69).

9-12 Alusión a diversos refranes despectivos: *«El hijo de la cabra* siempre ha de ser cabrito», «El hijo de la cabra de una hora a otra bala», «Cuanto todos te digan que eres cabra, bala», y con referencia a las rameras, «Por do salta la cabra, salta la que la mama». Los parodia Quevedo dos veces: la una, porque, contra la naturaleza, este hijo *se vuelve Pescado*, y la otra, porque Hero prefiere el *mondongo* a las *escamas* (son dos metáforas despectivas: las *escamas*, porque nadie quiere comerlas, y el *mondongo* porque se refiere a los intestinos y panza de las reses; también es burlesca la metáfora implícita, *comer* por amar).

Ya no hará en sorberse
El Mar mucha hazaña
Un amante huevo   15
Pasado por agua.

Bracear, y a ello,
Por ver la muchacha,
Una perla toda
Que a menudo ensartan,   20

Moza de una Venta,
Que la Torre llaman
Navegantes cuervos,
Porque en ella paran.

---

16 *Pasado:* se refiere no sólo a cocinar los huevos, sino también a atravesar el agua del estrecho; a morir, y a tragarse un objeto por otro.

Pasado por agua: véase nuestro comentario.

17 *Bracear:* mover los brazos; nadar; obrar esforzadamente contra alguna adversidad; desplegar las velas de un navío.

a ello: manos a la obra.

20 *ensartan:* metáfora para el acto sexual (se ensartan o enhebran las *perlas* metiendo la aguja o el hilo por el agujero que tiene cada una; *ensartar:* significa también «meterse en parte estrecha y apretada», como se ve en el poema 40, v. 38).

21 Las *Mozas de las Ventas* tenían fama de echarse con los que allí se hospedaban (comp. Maritornes, en el *Quijote,* I, xvi).

23 *cuervos:* negros (atributo muy despectivo, y que recae sobre la muchacha).

24 *en ella paran:* paran en la venta; y paran en la muchacha.

Chicota muy limpia,   25
No de polvo y paja,
Que hace camas bien,
Y deshace camas.

Corita en cogote,
Y Gallega en ancas;   30
Gran mujer de pullas
Para los que pasan.

Piernas de ramplón
Fornida de panza;
Las uñas con cejas,   35
De rascar la caspa.

---

25 *Chicota:* muchacha pequeña, pero fornida y bien hecha (es trata-
miento cariñoso).

muy limpia: Quevedo acaba de explicarnos cómo ella no era nada limpia en el sentido moral (la ironía humorística de la presente afirmación
sirve para reforzar la contraria).

26 *polvo y paja:* de la caballeriza, donde se reunía ella de noche con los
hombres, y se echaba *de espaldas* (v. 40).

29 «vizcaína o asturiana de cogote», o sea, «Descogotada» (*corito* era
nombre burlesco aplicado a los vizcaínos y asturianos, que tenían fama
de ser «llanos de cogote», como lo era la moza asturiana Maritornes en
el *Quijote,* Parte I, cap. xvi, pág. 143; comp. el romance «Madres, las
que tenéis hijas», de Quevedo, *Poesía original,* ed. de Blecua, núm. 703,
v. 56).

30 «Ancha de caderas» (se burlaban mucho de la fealdad de las *gallegas;*
comp. el poema 125, v. 112).

ancas: palabra que alude tanto a los animales como a las personas.

31 *pullas:* burlas obscenas que hacían los que pasaban por las ventas a
la gente que veían.

32 *los que pasan:* comp. el v. 24.

33 *de ramplón:* grandes, fuertes y toscas.

36 *rascar la caspa:* además del sentido literal, alude, en el contexto de
las *piernas fornidas de panza,* a rascar el pelo del pubis (véase el poema 122,
nota a los vv. 42-43).

Rolliza y muy Rollo
Donde cuelgan bragas;
Derribada de hombros,
Pero más de espaldas,   40

Que aunque del Futuro
Con nombre la llaman
del buen *Sum, es, fui*,
Cumple sus palabras.

Bien en puros cueros   45
Va, pues, a esta Dama,
Que los apetece
Más que las enaguas.

Y rema contento
Mirando su cara,   50
Estrellón de Venta,
Norte con quijadas.

---

37 *Rollo:* desvergonzada (alude al rollo o columna de piedra a la entrada de los pueblos, en el que se exponían las cabezas de los ajusticiados, en señal de vergüenza pública).

38 *bragas:* pantalones (voz vulgar).

40 *de espaldas:* alusión chistosa a la postura de la mujer en el acto sexual.

41-43 *El Futuro del buen 'Sum':* es 'Ero', o sea, Hero.

44 *Cumple sus palabras,* como las muchachas que se citan con los hombres (la referida Maritornes «jamás dio semejantes palabras que no las cumpliese», *Quijote,* I, xvi, págs. 145-146).

45-56 *va; apetece:* el sujeto es Leandro.

45-48 *en cueros... enaguas:* además del sentido literal (desnudo; enaguas), Hero *apetece más los cueros* de vino (y los de Leandro), que las aguas y la ropa.

49 *rema* Leandro como *Bajel* (v. 6), o como galeote condenado por una mujer (comp. el poema 96, vv. 41-44). Por lo tanto, *contento* se entiende de manera burlesca, porque este amante *se trata tan mal* (v. 4).

51-52 *Estrellón:* metáfora para la Estrella Polar que sirve de Norte o guía a los navegantes; y también, de manera irónica, metáfora para una mujer muy bella (ésta es moza fea *de Venta*).

52 *con quijadas:* rasgo muy vulgar que se agrega a la imagen de la *cara* de Hero (v. 50; comp. la nota anterior).

Un candil le asoma
Por una ventana,
Farol de cocina   55
Que el viento le apaga,

Tan mal prevenida
Que unas hojarascas
Ardiendo aun no tiene
Con que se enjugara.   60

Del candil la mecha
Es toda su llama,
Y con mechas tales
No cura sus llagas,

Pero ir sin gregüescos   65
No es muy mala traza,
Para disculparse
Del no darle blanca.

57-60 «Tan mal preparada estaba ella, que ni siquiera tenía unas hojarascas ardiendo con las que se hubiera podido secar las lágrimas.»

61-62 «La mecha del candil es todo lo que tiene ella de llama» (y es
muy poco en comparación con la llama de un hombre, cuya mecha es
su pene).

63-64 En un sentido literal, «Con mechas tan pequeñas, no cura Hero
sus llagas» (*mechas* se emplea aquí en su acepción de «clavos de hilos
torcidos que meten los cirujanos en las llagas para chupar los líquidos del
cuerpo»). En un sentido figurado, «Con un miembro viril tan pequeño,
no remedia Hero sus dolores eróticos».

65 *sin gregüescos*: (se refiere ahora a Leandro, que va a Hero *en cueros*,
v. 45).

68 *blanca*: moneda de vellón de poquísimo valor.

Si así fueran todos
A ver a sus daifas,   70
Fueran ahorrados,
Y horros de la paga,

Que aunque de sus uñas
Hicieran tenazas,
Estuvieran libres   75
Que los desnudaran.

Si como va, vuelve,
Buena dicha alcanza;
Y si por las costas
El Mar no le embarga.   80

Guarde que le dé
Por cárcel la casa,
Pues son calabozos
Sus mejores salas.

_____

70 *daifas:* ramera a quien uno sustenta y regala (como Leandro a Hero, según los vv. 65-68, tan irónicos); también alude a la anfitriona a quien se trata con regalo y cariño (a Leandro le hospeda Hero cada noche en su torre).

71 *ahorrados:* esclavos del amor ya liberados (la palabra se aplicaba a los esclavos liberados).

72 *horros:* libres (aquí precisa el poeta, *de la paga,* porque horros se aplicaba a los que habían sido esclavos).

73 *sus uñas:* son las de las daifas (la *uña* era símbolo satírico del robo).

75-76 «Los hombres estuvieron libres para que sus daifas los desnudaran, sin tener que regalarles nada a ellas» (por no tener ellos ni una blanca [v. 68] y, por lo tanto, estar *horros de la paga* [72]).

77 *va, vuelve:* (el sujeto es Leandro).

78 *Buena dicha:* se refiere a la de no tener que pagar *blanca* (v. 68).

79 *costas:* orillas del mar; gastos judiciales.

80 *embarga:* impide, detiene; retiene o secuestra los bienes o hacienda por orden del juez competente.

82-84 *la casa:* la del mar, en cuyas *salas* muere ahogado el prisionero.

505

Mancebito, aguije,　　　　　　　　85
Que los vientos braman
Y la luz dormita
Ya en trémulas pausas;

Para cuando vuelva
Pida las borrascas,　　　　　　　90
Que a un arrepentido
No serán ingratas.

Si el nadar despacio
Para entonces guarda,
Andará entendido,　　　　　　　95
Ya que necio hoy anda,

Porque de la moza
La limpieza es tanta,
Que al hondo a lavarse
Entrará de gana.　　　　　　　100

Pero ¿qué le ha dado?
Sin duda es, que traga
A la engendradora
De las cucarachas.

---

92 *No serán ingratas,* porque a un *arrepentido* le parecerán justo
castigo.

98 *limpieza:* entiéndase, suciedad (comp. la nota al v. 25).

101 Se refiere a Leandro.

102-104 «Sin duda es, que traga agua» (o sea, que traga cosa líquida, y
húmeda; en aquel entonces observaban que las cucarachas se criaban «debajo de las tinajas del agua y de las piedras, donde hay humedad», según
dice Covarrubias en su *Tesoro de la lengua castellana*).

¿Juega al escondite?   105
Si danza, sea la *Alta,*
Que en el Mar no es bueno
El danzar la *Baja.*

¿Se ahoga de veras?
¿O finge las bascas,   110
Por hacer reír
A la desollada?

Pero ya dio al traste.
¿Hay tan gran desgracia,
Que a vista del puerto   115
No llegue a la playa?

No habrá habido ahogado
Que mejor lo haga,
Ni con menos gestos
Ni con mayor gracia.   120

La Hero lo ha visto,
Y por él se arranca
Todos los cabellos,
Y se mete a calva.

106-108 *Alta; Baja:* dos danzas que se bailaban en la corte de España a partir del siglo XV, si no antes (E. Cotarelo, *Colección de entremeses,* tomo I, págs. ccxxxiii-ccxxxiv y clxviii-clxx). Afirma Covarrubias en su *Tesoro de la lengua castellana* que los dos nombres responden a que provinieron las danzas de Alemania la Alta y de Alemania la Baja —o sea, de Flandes—, respectivamente.

112 *desollada:* descarada, desvergonzada.

113 *dio al traste:* naufragó en la costa y se deshizo (se decía de los barcos, a los que ya se ha comparado Leandro, vv. 6 y 49).

115 *el puerto:* metáfora para Hero y alusión a la vagina (comp. el poema 121, nota a los vv. 33-34).

A diluvios llora,   125
No en forma ordinaria,
La nariz moquitas,
Los ojos lagañas.

«¡Ay Leandro!» —dijo—,
«Grítelo la Fama,   130
Que muerto el efecto,
No vivió la causa.

»Mas ya que desnudo
A morir te echabas,
Mucho tus vestidos   135
Hoy me consolaran.

»Mas pues todo amores
Fue ese pecho, y nada,
A nadar contigo
Este mío vaya.   140

»Desde este desván
A ese Mar de plata,
Dar conmigo quiero
Una zaparrada,

---

130 *la Fama:* divinidad alegórica en la Antigüedad clásica que divulgaba las noticias, figura tradicional a lo largo del Renacimiento.

131-132 *el efecto; la causa:* Leandro y Hero, respectivamente.

135-136 Decía un refrán antiguo, «Si te vas y me dejas, déjame unas cabras viejas»; no sabemos si también era contemporánea de Quevedo una versión recogida posteriormente: «Si te vas y me dejas, déjame unas calzas viejas».

144 *zaparrada:* golpe grande y con estruendo, que se da al caer de un lugar alto; figuradamente significa «desgracia» o «caída de la fortuna».

508

>Por si a los dos juntos   145
Piadoso nos traga,
Como caperuzas,
Algún pez tarasca,

»Y en sepulcro vivo,
Por Tálamo zampa   150
Estos dos Amargos
De una vez la Parca.

»Que para memoria,
En las peñas pardas,
Que este dolor miran   155
Casi lastimadas,

»Escribirá Amor
Con letra bastarda,
Cortando una pluma
De sus propias alas: 160

146-148 Se alude a la expresión «Echar caperuzas a la tarasca», que significa «tragar o engullir de manera excesiva», y alude también a los que hacen las cosas sin pensarlas (la *tarasca* era una figura de sierpe monstruosa que se solía sacar durante la procesión de la fiesta del Corpus Christi; tenía una boca enorme, y engullía o amenazaba con engullir todo lo que podía alcanzar).

150 *zampa:* meter una cosa en otra con prisa; tragarse con prisa.

151 *Amargos:* se remonta al siglo xv, por lo menos, el empleo de la imagen de la amargura para representar el desamor, o el infortunio en el amor; también se expresaba este tipo de amargura mediante diversos símbolos, como, por ejemplo, la adelfa, cuya flor era muy bella, pero sus hojas de sabor amargo y también venenosas (comp. Covarrubias, *s. v.* adelfa; *Quijote,* I, xiii, pág. 116 y II, xxxix, pág. 820; y en nuestro siglo, el «Diálogo del Amargo» de Federico García Lorca, quien también emplea *Amargo* como nombre propio).

152 *la Parca:* las tres Parcas eran deidades que regían la vida del hombre; la tercera, Átropo, llamada «la Parca», terminaba la vida.

158 *letra bastarda:* letra cursiva; también «ilegítima», como caracterización satírica del amor de Hero y Leandro; y en el sentido literal, descendencia del Amor (porque corto éste la pluma *de sus propias alas,* v. 160).

160 *alas:* las tenía Cupido, dios romano del amor.

»"Cual huevos murieron
Tonto y Mentecata;
Satanás los cene,
Buen provecho le hagan"».

Calló, y lo primero,   165
El candil dispara;
Y por no mancharse,
Las olas se apartan;

Y deshecha en llanto,
Como la que vacia,   170
Echándose, dijo,
«¡Agua va!» a las aguas.

Hízose allá el Mar,
Por no sustentarla,
Y porque la arena   175
Era menos blanda.

---

161 *Cual huevos:* es decir, «estrellados», o «fritos» (se alude también al acto de arrojar una cosa contra otra con violencia, haciéndola
pedazos).

162-163 *Tonto; Mentecata; Satanás:* nuevas alusiones burlescas al carácter ilegítimo del amor de los dos.

170 «Como la moza de venta o criada de casa, que tira las aguas sucias
a la calle.»

172 *«¡agua va!»:* el *agua* que *va* es la sucia de la casa, y como *va abajo*
de la misma manera que Hero, resulta ser metáfora para ella (antes de
tirar las aguas de la casa, era preciso gritar «¡Agua va!» en señal de aviso a
los que pasaban por la calle, para que éstos pudieran refugiarse a toda
prisa en algún portal).

173 «El Mar se apartó», claro está, para evitar el contacto con
tanta suciedad, tal y como las olas se habían apartado anteriormente
(v. 168).

175-176 (Por lo visto, procuraba el mar castigar a Hero.)

510

Dio sobre el aceite
Del candil de patas,
Y en aceite puro
Se quedó estrellada.   180

La verdad es ésta,
Que no es patarata,
Aunque más jarifa
Museo la canta.

COMENTARIO

En 1589 escribió Luis de Góngora una parodia de la historia de
Hero y Leandro («Arrojóse el mancebito», *Obras,* ed. J. e I. Millé y
Giménez, romance núm. 27). En comparación con la versión de
Quevedo, la de Góngora es más narrativa; en cambio, Quevedo
aviva el relato mediante diversos recursos dramáticos, como, por
ejemplo, el diálogo, el lenguaje vulgar, las repetidas preguntas del
narrador al lector y las palabras que el narrador dirige a los personajes. La imitación directa por parte de Quevedo se limita a dos
imágenes que aparecen muy al final del romance de Góngora: la
de Leandro como huevo pasado por agua (Quevedo, v. 16), y la de
Hero como huevo estrellado (Quevedo, v. 180). Estos chistes se
habían hecho populares, pues los repitió Mateo Vázquez de Leca

---

177-178 *Dio... de patas:* Ella cayó de pies, o sea, pasó bien el peligro.
179-180 *estrellada:* en un sentido literal, «hecha pedazos por la violencia
del golpe»; pero en otro figurado, *quedó* bien, porque *cual huevo* (v. 161),
quedó frita, y además, *en aceite puro.*
182 *patarata:* ficción o mentira; demostración afectada de algún sentimiento; exceso de cortesías y cumplidos (lo dice Quevedo con suma
ironía humorística, pues cada acepción demuestra la falsedad de la afirmación del verso).
183 *jarifa:* delicada, graciosa o amable.
184 *Museo:* poeta y gramático griego del siglo VI d.C., autor de la
versión más extensa de la historia de Hero y Leandro.

en 1605, en el último terceto de su soneto «Cuerpo de Dios, Leandro enternecido»: «Buen aliño tuvieron tus amores: / Tú pasado por agua, Hero en tortilla, / Y cenóse el diablo el par de huevos» *(Flores de poetas ilustres,* editado por Pedro Espinosa, Valladolid, 1605, ff. 47v-48r [= 51v-52r]). En 1610 escribió Góngora otro romance que sirve de presentación o prólogo literario al primero («Aunque entiendo poco griego», romance núm. 64).

Las tres musas
últimas castellanas (1670)

Euterpe: Musa VII

Poesías amorosas

134

[A Lisi, que en su cabello rubio tenía sembrados claveles carmesíes, y por el cuello] [Soneto]

Rizas en ondas ricas del Rey Midas,
Lisi, el tacto precioso, cuanto avaro;
arden claveles en su cerco claro,
flagrante sangre, espléndidas heridas.

Minas ardientes al jardín unidas   5
Son milagro de amor, portento raro,
cuando Hibla matiza el mármol Paro,
y en su dureza flores ve encendidas.

1-2 «El tacto tan precioso como codicioso de tu amante, Lisi, lo rizas tú en las ondas ricas de tu cabello rubio, ensortijándolo» (la imagen es bellamente recíproca: el pelo rizado de Lisi riza o ensortija a su vez los dedos del amante, cuando lo acaricia él).

1 *el Rey Midas:* metáfora para el cabello rubio de Lisi, ya que este rey tenía el don de volver en oro todo lo que tocaba.

5-8 «Cuando la miel de Hibla matiza el mármol de Paro, y en su dureza ve flores encendidas, minas ardientes unidas al jardín son milagro del amor, portento raro».

5 *Minas:* el cabello rubio, color del oro.

ardientes: se refiere a los claveles rojos que *arden en el cerco claro* del cabello (v. 3).

jardín: el conjunto de la belleza de la dama.

7 *Hibla:* se refiere a la miel, como metáfora para el color rubio y la suavidad del cabello (en la Antigüedad clásica era muy famosa por su miel la villa de *Hibla mayor,* situada en la vertiente sur del monte Etna, en Sicilia).

mármol Paro: metáfora para la blancura y finura de la piel de la dama (era de primerísima calidad y suma belleza el mármol blanco que sacaban los antiguos de las minas de la isla de *Paros,* situada al oeste de Naxos, en el mar Egeo).

Esos, que en tu cabeza generosa
son cruenta hermosura, y son agravio   10
a la melena rica y victoriosa,

Dan al claustro de perlas en tu labio
elocuente rubí, púrpura hermosa,
ya sonoro clavel, ya coral sabio.

COMENTARIO

Sobre la serie de poemas dedicados a Lisi, tan importante en la
obra poética de Quevedo, véase el comentario al poema 71.

---

9 *Esos:* se refiere a los claveles, que arden (vv. 3 y 5) y están encendidos
(v. 8).

10-11 Los claveles *son agravio* a la melena porque su hermosura desafía
a la de la melena (pero ésta sale *victoriosa*).

12 «Los claveles dan a la boca, en correspondencia con sus dientes
blancos y sus labios colorados...» (pueden corresponder a la boca porque
están cerca de ella: la *melena* es larga (v. 11) y, como entendió González
de Salas en el título que le puso a este poema, algunos de los claveles estaban a la altura del *cuello* de la dama).

claustro: metáfora que describe la disposición o distribución de los
dientes en la boca: éstos están en posición vertical, cada uno en forma de
pequeño arco, y tan unidos los unos a los otros que componen una especie de muro o cerco alrededor del interior de la boca.

13-14 *Elocuente; púrpura; sonoro; sabio:* imágenes que expresan de
nuevo la reciprocidad, ya que los claveles devuelven a la boca, a manera
de eco, algunos atributos del discurso verbal de la dama que la boca había
emitido y prestado a los claveles: la *elocuencia,* la *dignidad* (alude la
púrpura a la de los reyes y cardenales), la *sonoridad* y la *sabiduría.* Por otra
parte, son imágenes delicadamente sinestéticas, ya que expresan la belleza
visual en términos auditivos.

[Definiendo el amor]
[Soneto amoroso]

Es hielo abrasador, es fuego helado,
es herida que duele y no se siente,
es un soñado bien, un mal presente,
es un breve descanso muy cansado.

Es un descuido que nos da cuidado,   5
un cobarde con nombre de valiente,
un andar solitario entre la gente,
un amar solamente ser amado.

Es una libertad encarcelada
que dura hasta el postrero parasismo,   10
enfermedad que crece si es curada.

Éste es el niño amor, éste es su abismo:
¡mirad cuál amistad tendrá con nada
el que en todo es contrario de sí mismo!

COMENTARIO

Otro soneto de Quevedo sobre el mismo tema es el que empieza, «Osar, temer, amar y aborrecerse» *(Poesía original,* ed. Blecua, núm. 367); los dos responden a la pauta del de Lope de Vega: «Ir y quedarse y con quedar partirse», publicado en 1602 en las *Rimas humanas (Poesías líricas,* ed. de José F. Montesinos, Clásicos Castellanos, t. I, pág. 129, soneto lxi).

---

12 *el niño amor:* a Cupido, dios romano del amor, se le representaba como niño.

136

[Romance satírico]

Pues me hacéis casamentero,
Ángela de Mondragón,
escuchad de vuestro esposo
las grandezas y el valor.

Él es un Médico honrado,   5
por la gracia del Señor,
que tiene muy buenas letras
en el cambio y el bolsón.

Quien os lo pintó cobarde
no lo conoce, y mintió,   10
que ha muerto más hombres vivos
que mató el Cid Campeador.

En entrando en una casa
tiene tal reputación,
que luego dicen los niños: 15
«Dios perdone al que murió».

Y con ser todos mortales
los Médicos, pienso yo
que son todos veniales
comparados al Dotor.   20

7-8 *letras:* las de su ciencia y erudición, y las otras de *cambio* y *bolsón,*
síntomas de su codicia.

11 A partir de la época clásica, gustaban los satíricos de acusar a los
médicos de matar a sus pacientes; quien se divertía más con este tema en
la España del Siglo de Oro era Quevedo.

17-19 *mortales; veniales:* alusiones a las dos clases de pecados en la
Iglesia católica.

Al caminante en los pueblos
se le pide información,
temiéndole más que a la peste
de si le conoce, o no.

De Médicos semejantes   25
hace el Rey nuestro Señor
bombardas a sus castillos,
mosquetes a su escuadrón.

Si a alguno cura, y no muere,
piensa que resucitó,   30
y por milagro le ofrece
la mortaja y el cordón.

Si acaso estando en su casa
oye dar algún clamor,
tomando papel y tinta   35
escribe: Ante mí pasó.

No se le ha muerto ninguno
de los que cura hasta hoy,
porque antes que se mueran
los mata sin confesión.   40

23-24 «Temiéndole al caminante más que a la peste, por si acaso ha
conocido al doctor, y comunique al pueblo las consecuencias fatales de
tal contacto».

34 *clamor:* voces y gritos lastimosos por los difuntos, o toque de campanas por ellos.

36 *Ante mí pasó:* murió en mi presencia y bajo mi cuidado (parodia de
la fórmula que empleaban los escribanos para firmar y dar fe de un documento oficial).

De envidia de los verdugos
maldice al Corregidor,
que sobre los ahorcados
no le quiere dar pensión.

Piensan que es la muerte algunos;   45
otros, viendo su rigor,
le llaman el día del juicio,
pues es total perdición.

No come por engordar,
ni por el dulce sabor,   50
sino por matar la hambre,
que es matar su inclinación.

Por matar mata las luces,
y si no le alumbra el sol,
como murciélago vive   55
a la sombra de un rincón.

Su mula, aunque no está muerta,
no penséis que se escapó,
que está matada de suerte
que le viene a ser peor.   60

Él, que se ve tan famoso
y en tan buena estimación,
atento a vuestra belleza,
se ha enamorado de vos.

---

42 *Corregidor:* alcalde.
44 *pensión:* renta, o derechos económicos.

No pide le deis más dote   65
de ver que matéis de amor,
que en matando de algún modo
para en uno sois los dos.

Casaos con él, y jamás
viuda tendréis pasión,   70
que nunca la misma muerte
se oyó decir que murió.

Si lo hacéis, a Dios le ruego
que os gocéis con bendición;
pero si no, que nos libre   75
de conocer al Dotor.

COMENTARIO

Además de ser sátira de los médicos, este poema es parodia de
la propaganda que solían hacer los casamenteros por los galanes,
como se indica en los vv. 3-4: «escuchad... las grandezas...». De
los casamenteros decía Quevedo en «El sueño de la muerte», que
en conjunto con los sastres, «son la gente más maldita del mundo» *(Sueños y discursos,* ed. de Maldonado, pág. 199).

66 *matéis de amor:* parodia de la imagen tradicional de la mujer hermosa que mataba de amor al galán.
71 *la misma muerte:* metáfora humorística para el doctor.

Las tres musas
últimas castellanas (1670)

Calíope: Musa VIII

[Letrillas satíricas y
silvas morales]

137

[Letrilla satírica]

Que le preste el Genovés
al casado su hacienda;
que al dar su mujer por prenda
preste él paciencia después;
que la cabeza y los pies   5
le vista el dinero ajeno,
    bueno;

Mas que venga a suceder,
que sus reales y ducados
se los vuelvan en cornados   10
los cuartos de su mujer;
que se venga rico a ver
con semejante regalo,
    malo.

---

1 En la España de Quevedo, los genoveses gozaban de muy mala reputación como prestamistas (la monarquía española vivía de los préstamos de los banqueros de Génova, y apenas podía pagar los intereses, lo cual era motivo de fastidio continuo para los españoles).

4 *paciencia:* se refiere a la del cornudo.

6 Se refiere al hecho de que los amantes de las casadas solían darles regalos y dinero, de los cuales vivía el matrimonio (véase el poema 85, nota al v. 20).

10 *cornados:* alusión al dinero, y a la *cornamenta* que pone la mujer en la frente de su marido (el cornado era una moneda antigua de mucho menos valor que los *reales* y *ducados).*

11 *cuartos:* alusión a las habitaciones de la casa, donde recibe la mujer al galán; a los miembros del cuerpo de la mujer (en un sentido literal alude a los de un animal) y al dinero (el cuarto era una moneda antigua de poco valor).

Que el mancebo principal   15
aplique, por la pobreza,
a ser ladrón su nobleza,
por ser arte liberal;
que sea podenco del real
más escondido en el seno,   20
        bueno;

Mas que en tales desatinos
venga el pobre desdichado
de puro descaminado
a parar por los caminos;   25
que conozca los Teatinos
por intercesión de un palo,
        malo.

Que el hidalgo por grandeza
muestre, cuando riñe a solas,   30
en la multitud de olas
tormentas en la cabeza;
que disfrace su pobreza
con rostro grave y sereno
        bueno;   35

15-17 «Que el mancebo principal, a causa de la pobreza, aplique su nobleza a ser ladrón...».

18 *arte liberal:* los satíricos contemporáneos solían burlarse de los ladrones, diciendo que robar no era «arte mecánico (es decir, manual), sino liberal» *(Buscón,* I, i, pág. 18).

19 *podenco:* perro de caza, muy ligero, y de buen olfato y aguda vista.

23 *el pobre desdichado:* se refiere al mancebo y ladrón.

24 *descaminado:* sacar o apartar a uno del camino del bien, induciéndolo a errar; también alude al castigo descrito en la nota que sigue.

25 *parar por los caminos:* alude al castigo de ahorcar al reo, descuartizarle, y luego arrojar los miembros de su cuerpo por los caminos.

26 *Teatinos:* orden de frailes que solían acompañar al reo en los últimos momentos antes de sufrir la pena de la horca.

27 *palo:* horca (porque se hacía de uno o más palos de madera).

526

Mas que haciendo tanta estima
de sus deudos principales,
coma las ollas nabales
como batalla marina;
que la haga cristalina   40
a su capa el pelo ralo,
            malo.

---

38 *ollas nabales:* la olla a base de nabos era plato más pobre que la que
contenía carne.

39 *batalla marina:* se alude al líquido de la olla; a los nabos que flotan
en ella, como barcos pequeños; y al juego fonético, nabal-naval.

40-41 *cristalina:* transparente, porque los pelos están *ralos,* o sea, separados por el uso.

138

[El Sueño]
[Silva]

  ¿Con qué culpa tan grave,
Sueño blando y suave,
pude en largo destierro merecerte
que se aparte de mí tu olvido manso?,
pues no te busco yo por ser descanso,   5
sino por muda imagen de la muerte.
Cuidados veladores
hacen inobedientes mis dos ojos
a la ley de las horas:
no han podido vencer a mis dolores   10
las noches, ni dar paz a mis enojos.
Madrugan más en mí, que en las Auroras
lágrimas a este llano,
que amanece a mi mal siempre temprano;
y tanto, que persuade la tristeza   15
a mis dos ojos, que nacieron antes
para llorar que para verte, Sueño.
De sosiego los tienes ignorantes,
de tal manera que al morir el día
con luz enferma, vi que permitía   20
el Sol que le mirasen en Poniente.
Con pies torpes, al punto, ciega y fría,
cayó de las estrellas blandamente
la noche, tras las pardas sombras mudas
que el sueño persuadieron a la gente.   25

---

6 La idea del sueño como imagen de la muerte se halla en Cicerón, en Ovidio y en Tertuliano.

Escondieron las galas a los prados,
y quedaron desnudas
estas laderas, y sus peñas solas
duermen ya entre tus montes recostados.
Los mares y las olas,   30
si con algún acento
ofenden las orejas,
es que entre sueños dan al cielo quejas.
Del yerto lecho y duro acogimiento
que blandos hallan en los cerros duros,   35
los arroyuelos puros
se adormecen al son del llanto mío,
y, a su modo, también se duerme el río.
Con sosiego agradable
se dejan poseer de ti las flores;   40
mudos están los males;
no hay cuidado que hable:
faltan lenguas y voz a los dolores,
y en todos los mortales
yace la vida envuelta en alto olvido.   45
Tan sólo mi gemido
pierde el respeto a tu silencio santo:
yo tu quietud molesto con mi llanto,
y te desacredito
el nombre de callado con mi grito.   50
Dame, cortés mancebo, algún reposo;
no seas digno del nombre de avariento
en el más desdichado y firme amante,
que lo merece ser por dueño hermoso:
débate alguna pausa mi tormento.   55
Gózante en las cabañas
y debajo del cielo
los ásperos villanos;
hállate en el rigor de los pantanos
y encuéntrate en las nieves y en el hielo   60
el soldado valiente:

y yo no puedo hallarte, aunque lo intente,
entre mi pensamiento y mi deseo.
Ya, pues, con dolor creo
que eres más riguroso que la tierra,   65
más duro que la roca,
pues te alcanza el soldado envuelto en guerra,
y en ella mi alma por jamás te toca.
Mira que es gran rigor; dame siquiera
lo que de ti desprecia tanto avaro,   70
por el oro en que alegre considera
hasta que da la vuelta el tiempo claro;
lo que había de dormir en blando lecho,
y da el enamorado a su señora,
y a ti se te debía de derecho.   75
Dame lo que desprecia de ti ahora,
por robar, el ladrón: lo que desecha
el que envidiosos celos tuvo, y llora.
Quede en parte mi queja satisfecha:
tócame con el cuento de tu vara;   80
oirán siquiera el ruido de tus plumas
mis desventuras sumas,
que yo no quiero verte cara a cara,
ni que hagas más caso
de mí que hasta pasar por mí de paso;   85
o que a tu sombra negra por lo menos,
si fueres a otra parte peregrino,
se le haga camino
por estos ojos de sosiego ajenos.

---

70 *lo que de ti desprecia:* se refiere al sosiego y paz del sueño (tradicionalmente criticaban a los avarientos por sus desvelos desmedidos y sus
inquietudes).

73 Léase «Dame lo que había...».

74 Léase «Dame lo que da...».

80 *cuento:* contera (pieza de metal que se ponía en el extremo de la
vara).

Quítame, blando Sueño, este desvelo,   90
o de él alguna parte,
y te prometo, mientras viere el cielo,
de desvelarme sólo en celebrarte.

COMENTARIO

El poeta, como «el más desdichado y firme amante», pide al
Sueño que le conceda su «olvido manso»: «Dame, cortés mancebo, algún reposo» (vv. 53, 4 y 51, respectivamente).

En los vv. 1-4, Quevedo plantea su preocupación principal: el
insomnio, que luego caracteriza como *tormento* del cual ni *llanto*
ni *grito* ni *gemido* han logrado ablandar sus *dolores* y *enojos* (vv. 55;
37 y 48; 50; 46; 10, 43 y 64; y 11, respectivamente).

Tradicionalmente, en una *silva* se desahogaba el poeta, liberado de muchas de las convenciones de la métrica. Como dicen los
redactores del *Diccionario de Autoridades,* una *silva* es una «composición métrica que sale como de un golpe, y de un impulso del
furor poético, sin mucha meditación ni cuidado, cuyos versos son
voluntarios» (por «voluntarios», entiéndase, «libres», pero no en
el sentido absoluto). Dicha libertad, mucho más moderna que las
normas rigurosas del Renacimiento, se nota en la rima, en la al-
ternación sin orden de versos de once y siete sílabas, y en la mar-
cada diversidad de la medida y extensión de las oraciones.

Todo esto apoya y corresponde a una expresión poética que
«sale como de un golpe», «sin mucha meditación ni cuidado»,
cualidades estéticas que observamos repetidamente en las silvas
de Quevedo, tal y como otros lectores las habían observado en las
silvas del referido poeta romano, Estacio (son las más conocidas
de la Antigüedad). También corresponden a la referida expresión
poética de las silvas ciertos motivos dolorosos e íntimamente personales que Quevedo dio a entender a un amigo suyo: «Yo volve-
ré por mi melancolía con las *Silvas,* donde el sentimiento y el estudio hacen algún esfuerzo por mí» (Carta a Juan de la Sal, obispo de Bona, 17 de junio, 1624).

Para el lector moderno, el resultado literario es un poema sin
grandes dificultades de léxico, pero que pide una lectura atenta al
ritmo rápido de las palabras y a la irregularidad en la extensión de

las oraciones. Al editor le pide suma delicadeza en la puntuación, y un oído atento a lo que pueda ser para cada lector el ritmo de pensamiento y la encadenación de las ideas.

En *Las tres musas últimas* de Quevedo se publicó una serie de 31 silvas, número que casi corresponde a las 32 de la conocida serie de Estacio. De ellas, hemos seleccionado tres, numerándolas 138, 139 y 140 (corresponden a la segunda, la séptima y la última de la serie original, que no se conserva íntegra en las ediciones modernas de la poesía de Quevedo). Los textos de las silvas en *Las tres musas* representan las últimas revisiones por el poeta, posteriores a un manuscrito autógrafo de la Biblioteca Nacional de Nápoles (éste ha sido objeto de un estudio minucioso por Henry Ettinghausen, pero no en su relación con los textos ni el orden de las silvas en *Las tres musas,* que difieren de los del manuscrito). También editamos la silva 25, pero en este caso la versión revisada se encuentra en un manuscrito y, por lo tanto, la colocamos en nuestra sección de manuscritos (núm. 148). Otro tanto ocurre con la 18, que hemos colocado al final de nuestra antología (numerada 161), por razones de cronología, según explicamos en la Introducción.

El presente poema fue escrito antes de 1611, fecha en que lo recogió Juan Antonio Calderón para una colección que tituló *Flores de poetas* (véase el comentario al poema 140). Está basado en una *silva* al «Sueño» escrita por el poeta romano Estacio (siglo i d.C.), famoso por este tipo de composición. Sigue una traducción de dicha silva (es el número iv del libro V de Estacio; a la profesora Lía S. Lerner le agradezco sus numerosas sugerencias con respecto a la traducción):

Al Sueño

¡Oh Sueño!, joven y el más apacible de los dioses: ¿por qué ofensa, o por qué error mío, merecí, mísero, que tus dádivas me faltaran a mí solo?

Todo el ganado se calla, y las aves y las fieras. Las cumbres de las montañas simulan, encorvadas, cansado sueño y los violentos ríos no tienen el sonido acostumbrado. La furia del oleaje ha declinado, y los mares descansan arrimándose a la tierra.

Siete veces ha vuelto ya la Luna a mirar mis párpados enfermos e inmóviles; otras tantas veces han vuelto a visitarme las estrellas vespertinas y matutinas; y otras tantas la Aurora ha pasado ante mis gemidos, rociándome piadosa con su fresco látigo.

¿Cómo me resistiré? Ni siquiera teniendo los mil ojos del sagrado Argos, que alternos mantenía abiertos y nunca velaba con todo el cuerpo.

¡Ay de mí! Si alguien durante larga noche tiene entrelazados los brazos de una muchacha, y a ti, Sueño, te rechaza, ven entonces; y no te obligo a esparcir tus plumas sobre mis pupilas (¡que suplique esto la turba más afortunada!): tócame con la punta de tu vara y bastará; o pasa ante mí con leve pisada.

139

[El reloj de arena]
[Silva]

¿Qué tienes que contar, Reloj molesto,
en un soplo de vida desdichada,
que se pasa tan presto?,
¿en un camino que es una jornada
breve y estrecha, de éste al otro Polo,   5
siendo jornada que es un paso sólo?
Que si son mis trabajos y mis penas,
no alcanzarás allá, si capaz vaso
fueses de las arenas
en donde el alto mar detiene el paso.   10
Deja pasar las horas sin sentirlas,
que no quiero medirlas,
ni que me notifiques de esta suerte
los términos forzosos de la muerte.
No me hagas más guerra: 15
déjame, y nombre de piadoso cobra,
que harto tiempo me sobra
para dormir debajo de la tierra.
Pero si acaso por oficio tienes
el contarme la vida,   20
presto descansarás, que los cuidados
mal acondicionados
que alimenta lloroso
el corazón cuitado y lastimoso,
y la llama atrevida   25
que Amor, ¡triste de mí!, arde en mis venas
(menos de sangre que de fuego llenas),

_____

5 *de éste al otro Polo:* figuradamente, del nacer al morir.

no sólo me apresura
la muerte, pero abréviame el camino,
pues con pie doloroso,   30
mísero peregrino,
doy cercos a la negra sepultura.
Bien sé que soy aliento fugitivo;
ya sé, ya temo, ya también espero
que he de ser polvo, como tú, si muero;   35
y que soy vidrio, como tú, si vivo.

COMENTARIO

Para mí, es bellísima la representación del tema de la brevedad
de la vida al principio de esta silva, como también la de la llama
viva del amor y la proximidad de la muerte a partir del v. 25, y la
imagen final de la vida y la muerte representadas en el polvo y el
vidrio del pequeño reloj de arena (compárese el famoso soneto
«Cerrar podrá mis ojos la postrera», núm. 78, y véase el comentario al 74).

Este poema fue escrito antes de 1611, fecha en que fue recogido por Juan Antonio Calderón para una colección que tituló *Flores de poetas* (véase el comentario al poema que sigue).

28-29 *me apresura:... abréviame: el* sujeto de cada verbo es *los cuidados... y la llama atrevida* (vv. 21 y 25; en el Siglo de Oro no se desconoce
el sujeto plural y el compuesto, con verbo singular).

140

[A una fuente]
[Silva]

¡Qué alegre que recibes
con toda tu corriente
al Sol, en cuya luz bulles y vives,
hija de antiguo bosque, sacra fuente!
¡Ay, cómo de sus rubios rayos fías   5
tu secreto caudal, tus aguas frías!
Blasonas confiada en el verano,
y haces bravata al invierno cano;
no le maltrates, porque en tal camino
ha de volver, aunque se va enojado;   10
y mira que tu nuevo Sol dorado
también se ha de volver como se vino.
De paso va por ti la Primavera
y el invierno; ley es de la alta esfera:
huéspedes son, no son habitadores   15
en ti los meses que revuelve el cielo.
Seca con el calor amas el hielo,
y presa con el hielo, los calores;
confieso que su lumbre te desata
de cárcel transparente,   20
que es cristal suelto, y pareció de plata;
pero temo que, ardiente,
viene más a beberte que a librarte;
y más debes quejarte
del que empobrece tu corriente clara,   25
que no del hielo que, piadoso, viendo
que te fatigas de ir siempre corriendo,
porque descanses, te congela y para.

Este poema fue escrito antes de 1611, fecha en la cual fue recogido por Juan Antonio Calderón para una colección que tituló *Flores de poetas*, y que posteriormente se publicó como la *Segunda parte de las Flores de poetas ilustres de España* (véase mi estudio *En torno a la poesía de Quevedo*, pág. 161).

Las tres musas
últimas castellanas (1670)

Urania: Musa IX

Poesías sagradas

141

[En la muerte de Cristo, contra la dureza del corazón del hombre]
[Soneto sacro]

Pues hoy derrama noche el sentimiento
por todo el cerco de la lumbre pura,
y amortecido el sol en sombra oscura,
da lágrimas al fuego y voz al viento;

Pues de la muerte el negro encerramiento   5
descubre con temblor la sepultura,
y el monte, que embaraza la llanura
del mar cercano, se divide atento:

De piedra es, hombre duro, de diamante
tu corazón, pues muerte tan severa   10
no anega con tus ojos tu semblante.

Mas no es de piedra, no, que si lo fuera,
de lástima de ver a Dios amante,
entre las otras piedras se rompiera.

COMENTARIO

De los 43 sonetos sacros publicados en *Las tres musas últimas,*
hemos seleccionado tres (núms. 141, 142 y 143). No cabe duda
de la expresión de sentimientos de gran devoción religiosa.

1-8 Entre un cuarteto y otro, sigue Quevedo el orden general de los
acontecimientos según los relatos de los evangelistas: primero se oscure-
ció el sol y sobrevinieron las tinieblas (Mateo, 17, 45; Marcos, 15, 33, y
Lucas, 23, 44-45); luego tembló la tierra, se hendieron las piedras y se
abrieron los sepulcros (Mateo, 27, 51-52 y 54).

[Sobre las propias palabras de S. Marcos, aconsejando a los Reyes imiten en esta acción a Cristo]*
[Soneto sacro]

Llámanle Rey, y véndanle los ojos,
y quieren que adivine y que no vea;
cetro le dan que el viento le menea;
la corona de juncos y de abrojos.

Con tales ceremonias y despojos   5
quiere su Rey el Reino de Judea:
que mande en caña, que dolor posea,
y que ciego padezca sus enojos.

Mas el Señor, que en vara bien armada
de hierro su gobierno justo cierra,   10
muestra en su amor clemencia coronada:

La paz compra a su pueblo con su guerra,
en sí gasta las puntas y la espada:
aprended de Él los que regís la tierra.

---

* Las *propias palabras de san Marcos* son las que cita González de Salas en una nota al soneto que precede a éste, con un comentario breve: «Muestra [el poeta] cuán antiguo es tapar a los reyes los ojos, con el texto de san Marcos, 14: "Y empezaron algunos a escupirle [a Cristo], y taparle la cara y apuñarle, y a decirle: —¡Profetiza!"».
14 Ésta era idea predilecta de Quevedo, y en gran parte está basado en ella su extenso tratado sobre el arte de gobernar, la *Política de Dios y gobierno de Cristo*.

[A una iglesia muy pobre y obscura, con una lámpara de barro] [Soneto sacro]

Pura, sedienta y mal alimentada,
medrosa luz, que en trémulos ardores
hace apenas visibles los horrores
en religiosa noche derramada,

Arde ante ti, que un tiempo, de la nada,   5
encendiste a la Aurora resplandores,
y pobre y Dios, en Templo de Pastores,
barata y fácil devoción te agrada.

Piadosas almas, no ruego logrero
aprecia tu justicia con metales,   10
que falta aliento contra ti al dinero.

Crezcan en tu pobreza los raudales
que den alegre luz a Dios severo,
y se verá en tu afecto cuánto vales.

---

3 *horrores:* los de la crucifixión de Jesucristo, representada en alguna estatua en el altar de la iglesia.

4 *religiosa noche:* la de la iglesia pobre, *apenas* iluminada por la *medrosa luz* de la lámpara de barro; y también la oscuridad cósmica que acompañó a la crucifixión de Jesucristo, según el relato de los evangelios.

5 *Arde ante ti:* lámpara arde ante una representación de la crucifixión.

5-6 *un tiempo, de la nada, encendiste... resplandores:* «en el momento de la creación del mundo, encendiste la luz» (siguiendo la doctrina católica, Quevedo entiende que Jesucristo y Dios son una misma entidad).

9-11 «Tu justicia aprecia piadosas almas, no ruego logrero con metales, que al dinero le falta aliento contra ti».

12 *tu pobreza:* se refiere a la de la lámpara de barro y a la iglesia pobre.

[Recuerdo y consuelo en lo mísero de esta vida] [Redondilla]

Si soy pobre en mi vivir
y de mil males cautivo,
más pobre nací que vivo,
y más pobre he de morir.

COMENTARIO

Este poema se halla en una versión del «Heráclito cristiano»
que comentamos en relación con el que sigue.

145

[Salmo]

Bien te veo correr, Tiempo ligero,
cual por mar ancho despalmada nave,
a más volar como saeta o ave
que pasa sin dejar rastro o sendero.

Yo dormido en mis daños persevero, 5
tinto de manchas, y de culpas grave;
aunque es forzoso que me limpie y lave
llanto y dolor, aguardo el día postrero.

Éste no sé cuándo vendrá; confío
que ha de tardar, y es ya quizá llegado, 10
y antes será pasado que creído.

Señor, tu soplo aliente mi albedrío
y limpie el alma, el corazón llagado
cure, y ablande el pecho endurecido.

COMENTARIO

Este poema y el que sigue pertenecen a una serie titulada «Lágrimas de un penitente», impresa en *Las tres musas últimas castellanas* (1670), págs. 244-255. Se trata de cierta versión del «Heráclito cristiano» que omite doce salmos, y agrega dos nuevos más una redondilla (todavía no se han estudiado las relaciones entre una y otra versión). Reproducimos la redondilla (núm. 144) y los dos salmos nuevos (145 y 146), en el orden original (son los últimos poemas de la versión de las «Lágrimas»).

---

2 *despalmada:* calafateada y embreada de nuevo (preparada así para partir de viaje).

146

[Salmo]

Amor me tuvo alegre el pensamiento,
y en el tormento lleno de esperanza,
cargándome con vana confianza
los ojos claros del entendimiento.

Ya del error pasado me arrepiento,   5
pues cuando llegue al puerto con bonanza,
de cuanta gloria y bienaventuranza
el mundo puede darme, toda es viento.

Corrido estoy de los pasados años,
que reducir pudiera a mejor uso   10
buscando paz, y no siguiendo engaños.

Y así, mi Dios, a ti vuelvo confuso,
cierto que has de librarme de estos daños,
pues conozco mi culpa, y no la excuso.

---

13 *cierto:* seguro, sabedor.
Véase el comentario al poema anterior.

*Diversos poemas
conservados en copias
manuscritas*

Nota preliminar
sobre las atribuciones

Fuera de los poemas cuya atribución está atestiguada por Josef Antonio González de Salas en su edición de *El Parnaso español* (1648), y en las secciones de *Las tres musas últimas castellanas* basadas en los originales que preparó Salas, la atribución de los poemas de Quevedo ofrece a veces problemas tan delicados como difíciles. No tenemos ningún manuscrito autorizado por el poeta, y falta el tipo de estudio bibliográfico corriente en otras literaturas (tal estudio lo está pidiendo, por ejemplo, el manuscrito 108 de la Biblioteca de Menéndez Pelayo, de Santander, tan importante en su contenido como problemático en las atribuciones). Por lo tanto, el editor se encuentra limitado a los criterios del estilo, de los temas o de su propia experiencia e inclinación. Pero el estilo de Quevedo fue muy popular y superficialmente fácil de imitar, y hoy en día no tenemos ninguna definición ni de su estilo ni de la temática de su poesía. Aunque éste no sea el lugar de entrar en cuestiones científicas, interesa confesar al lector lo problemático de las atribuciones de varios poemas que se encuentran en textos manuscritos.

En una colección de la poesía de Quevedo, importa incluir poemas de este tipo, porque algunos difieren mucho de los que fueron impresos y, por lo tanto, sometidos a la censura eclesiástica. Otros son de alta calidad literaria, y todos componen un elemento importante en la formación

549

de la tradición viva hoy en día de la obra de Quevedo. Mi selección refleja el hecho de que esta tradición, y la de los manuscritos, coinciden en reproducir en su gran mayoría poemas burlescos, no poemas serios.

Los textos que reproduzco son los de la *Obra poética* de Quevedo, editada por J. M. Blecua, salvo en el caso del poema número 150, sacado de un manuscrito de mi propiedad.

De los poemas que siguen, los dos iniciales son de tipo serio, y dentro de las limitaciones muy severas que expresamos, no hay motivos para dudar de su atribución (el segundo aparece también en *Las tres musas,* y en un manuscrito parcialmente autógrafo de Quevedo). Los dos que siguen, numerados 149 y 150, nos parecen ostentar rasgos sumamente característicos del estilo de Quevedo, por la reconcentración, por la intensidad alusiva de la expresión, por el ritmo constante e invariable de tal expresión y por lo temas de la vieja y la mujer inmoral. El 151 es poema que también versa sobre un tema predilecto de Quevedo (los cornudos), y al profesor Blecua le parece que su atribución es de las más seguras (hay que insistir en que la seguridad de las atribuciones varía mucho de poema en poema: clasificar todo como genuino o apócrifo no responde a la realidad de nuestros conocimientos, que pide una sección de «poemas atribuibles» o «dudosos», como hicieron los Millé para la poesía de Góngora).

El poema 152 expresa un tema que Quevedo ha repetido en prosa (en el *Buscón)* y en verso (poema 128 de nuestra antología): el de la sensualidad sexual palpable, y el rechazo del gusto «tarde y mental» (véase el comentario al poema 152). Menos destacadamente característicos son los poemas 153 y 154, pero comparten con el 152 una actitud fuertemente moral, como observamos en el referido comentario.

Los poemas 155-158 representan el tipo de poema escabroso que la tradición ha gustado siempre atribuir a Quevedo, con o sin razón; de todas maneras, forman parte importante del lugar tan bien conocido que ocupa él en toda la cultura popular hispánica.

El 159 representa la guerra literaria entre Quevedo y Góngora, tan intensa y tan personal.

[Al ruiseñor]
[Décima]

Flor con voz, volante flor,
silbo alado, voz pintada,
lira de pluma animada
y ramillete cantor;
di, átomo volador,   5
florido acento de pluma,
bella organizada suma
de lo hermoso y lo süave:
¿cómo cabe en sola un ave
cuanto el contrapunto suma?   10

COMENTARIO

En este poema, Quevedo imita una descripción del ruiseñor
por el poeta italiano Giambattista Marino (véase el comentario al
poema 92).

---

10 *contrapunto:* en la música, concordancia armoniosa de voces contrapuestas.

148

[Al pincel]

Tú, si en cuerpo pequeño,
eres, pincel, competidor valiente
de la Naturaleza:
hácete el Arte dueño
de cuanto crece y siente.   5
Tuya es la gala, el precio y la belleza;
tú enmiendas de la muerte
la envidia, y restituyes ingenioso
cuanto borra cruel. Eres tan fuerte,
eres tan poderoso,   10
que en desprecio del Tiempo y de sus leyes,
y de la antigüedad ciega y oscura,
del seno de la edad más apartada
restituyes los príncipes y reyes,
la ilustre majestad y la hermosura   15
que huyó de la memoria sepultada.

Por ti, por tus conciertos
comunican los vivos con los muertos;
y a lo que fue en el día,
a quien para volver niega la Hora   20
camino y paso, eres pies y guía,
con que la ley del mundo se mejora.
Por ti el breve presente,
que aun ve apenas la espalda del pasado,
que huye de la vida arrebatado,   25
le comunica y trata frente a frente.

Los Césares se fueron
a no volver; los reyes y monarcas

el postrer paso irrevocable dieron;
y siendo ya desprecio de las Parcas, 30
en manos de Protógenes y Apeles,
con nuevo parto de ingeniosa vida,
segundos padres fueron los pinceles.
¿Qué ciudad tan remota y escondida
dividen altos mares, 35
que por merced, pincel, de tus colores,
no la miren los ojos,
gozando su hermosura en sus despojos,
que en todos los lugares
son, con sólo mirar, habitadores? 40
Y los golfos temidos,
que hacen oír al cielo sus bramidos,
sin estrella navegan,
y a todas partes sin tormenta llegan.

Tú dispensas las leguas y jornadas, 45
pues todas las provincias apartadas,
con blando movimiento
en sus círculos breves
las camina la vista en un momento;
y tú solo te atreves 50
a engañar los mortales de manera
que del lienzo y la tabla lisonjera
aguardan los sentidos que les quitas,
cuando hermosas cautelas acreditas.
Viose más de una vez Naturaleza 55
de animar lo pintado codiciosa;
confesóse envidiosa

_____

29 *Parcas:* las tres diosas griegas del destino; la tercera, llamada Atropos, y más tarde, la Parca, cortaba el hilo de la vida de cada hombre (véase poema 133, nota al v. 152).

30 *Protógenes y Apeles:* célebres pintores griegos, contemporáneos de Alejandro Magno (356-323 a.C.).

54 *cautelas:* actos prudentes.

de ti, docto pincel, que la enseñaste,
en sutil lino estrecho,
cómo hiciera mejor lo que había hecho.   60
Tú solo despreciaste
los conciertos del año y su gobierno,
y las leyes del día,
pues las flores de abril das en invierno,
y en mayo, con la nieve blanca y fría,   65
los montes encaneces.

Ya se vio muchas veces,
¡oh pincel poderoso!, en docta mano
mentir almas los lienzos de Ticiano.
Entre sus dedos vimos   70
nacer segunda vez, y más hermosa,
aquella sin igual gallarda Rosa,
que tantas veces de la fama oímos.
Dos le hizo de una,
y dobló lisonjero su cuidado   75
al que, fiado en bárbara fortuna,
traía, por diadema, media luna
del cielo, a quien ofende coronado.

Contigo Urbino y Ángel tales fueron,
que hasta sus pensamientos engendraron,   80

---

69 *Ticiano:* Tiziano Vecellio (1490-1576), pintor veneciano de primerísima categoría, que tuvo una influencia enorme en el arte del Renacimiento.

72 *Rosa:* alude Quevedo a un retrato de Ticiano, hoy perdido, de una
mujer muy bella que se llamaba Rosa, o Rossa (es decir, «rusa», por su
origen), y a veces Roxolana o Rosa Solimana (porque era «favorecida del
Turco», o sea, del sultán, como dijo Lope de Vega en *La Dorotea,* acto III,
escena iv; véase la nota del editor E. S. Morby, pág. 238, nota 74 de la ed.
de Berkeley, California, y Madrid, 1968).

79 *Urbino:* alusión a Rafael (Raffaello Santi, 1483-1520), pintor italiano de gran influencia en el Renacimiento, nacido en Urbino, ciudad
que fue un centro muy importante de actividad artística.

Ángel: Michelangelo Buonarroti (1475-1574), quizá el pintor más famoso de todo el Renacimiento.

pues cuando los pintaron,
vida y alma les dieron;
y el famoso español que no hablaba,
por dar su voz al lienzo que pintaba.
Por ti Richi ha podido,   85
docto cuanto ingenioso,
en el rostro de Lísida hermoso,
con un naipe nacido,
criar en sus cabellos
oro, y estrellas en sus ojos bellos;   90
en sus mejillas flores,
primavera y jardín de los amores;
y en su boca las perlas,
riendo de quien piensa merecerlas.
Así que fue su mano,   95
con trenzas, ojos, dientes y mejillas,
Indias, cielo y verano,
escondiendo aún más altas maravillas,
o de envidioso de ellas
o de piedad del que llegase a vellas.   100

    Por ti el lienzo suspira
y sin sentidos mira.
Tú sabes sacar risa, miedo y llanto
de la ruda madera, y puedes tanto,
que cercas de ira negra las entrañas   105
de Aquiles, y amenazas con sus manos
de nuevo a los troyanos,
que sin peligro y con ingenio engañas.

---

83 Se refiere a Juan Fernández Navarrete (1526-1579), pintor español
a quien Felipe II encargó muchos cuadros de temas religiosos.

85 *Richi:* Juan Bautista Ricci (1545-1620), pintor italiano.

105-108 *Aquiles:* héroe del ejército griego que puso sitio a la ciudad de
Troya. Dicho sitio es el asunto de la *Ilíada* de Homero, poema épico que
empieza con la descripción de la tremenda *ira negra* de Aquiles, y que relata
el *engaño* del caballo de madera que emplearon los griegos para entrar en
la ciudad y rendirla.

Vemos por ti en Lucrecia
la desesperación, que el honor precia;   110
de su sangre cubierto
el pecho, sin dolor alguno abierto.
Por ti el que ausente de su bien se aleja
lleva (¡oh piedad inmensa!) lo que deja.
En ti se deposita   115
lo que la ausencia y lo que el tiempo quita.

Ya fue tiempo que hablaste,
y fuiste a los egipcios lengua muda.
Tú también enseñaste
en la primera edad, sencilla y ruda,   120
alta filosofía
en doctos jeroglíficos obscuros;
y los misterios puros
de ti la religión ciega aprendía.
Y tanto osaste (bien que fue dichoso   125
atrevimiento el tuyo, y religioso),
que de aquel Ser, que sin principio empieza
todas las cosas a que presta vida,
siendo solo capaz de su grandeza,
sin que fuera de sí tenga medida;   130
de Aquel que siendo padre
de único parto con fecunda mente,
sin que en sustancia división le cuadre,
expirando igualmente
de amor correspondido: 135
el espíritu ardiente procedido
de éste, pues, te atreviste
a examinar hurtada semejanza,
que de la devoción santa aprendiste.

---

109 *Lucrecia:* noble romana, véase poema 94, nota al v. 43.

Tú animas la esperanza 140
y con la sombra la alientas,
cuando lo que ella busca representas.
Y a la fe verdadera,
que mueve al cielo las veloces plantas,
la vista le adelantas 145
de lo que cree y espera.
Con imágenes santas
la caridad sus actos ejercita
en la deidad que tu artificio imita.

A ti deben los ojos 150
poder gozar mezclados
los que presentes son, y los pasados:
tuya la gloria es y los despojos,
pues, breve punta, en los colores crías
cuanto el sol en el suelo, 155
y cuanto en él los días,
y cuanto en ellos trae y lleva el cielo.

COMENTARIO

Sobre la idea del pincel como medio por el cual los muertos se comunican con nosotros, véase el comentario al poema 52.

149

[A una vieja]
[Soneto]

En cuévanos, sin cejas y pestañas,
ojos de vendimiar tenéis, abuela;
cuero de Fregenal, muslos de suela;
piernas y coño son toros y cañas.

Las nalgas son dos porras de espadañas;   5
afeitáis la caraza de chinela

---

1 *cuévanos:* cestos muy grandes de mimbre, usados para llevar la uva en
tiempo de vendimia.

2 *vendimiar:* 'cosechar la uva'; como metáfora, 'aprovecharse demasiado de algo, con violencia o injusticia'; en un contexto satírico, 'matar' o
'quitar la vida'.

3 *Fregenal:* Fregenal de la Sierra, cerca de Badajoz, en una región ganadera.
suela: cuero fuerte y adobado.

4 *toros y cañas:* metáfora para el acto sexual como lucha y juego *(toros*
se refiere a correr toros, lo cual se hacía en el siglo XVII a caballo; *cañas* es
el juego de cañas, según se ha dicho, espectáculo en el que diversas cuadrillas de jinetes se embestían unas a otras, armadas con cañas).

En un sentido visual, y con referencia al movimiento, *piernas* corresponde a *toros.* También se corresponden *coño* y *cañas,* por el sonido, y por
ser canales los dos, y cada uno con un orificio.

5 *porras:* clavas o cachiporras (imagen de la forma de la nalga en conjunto con la pierna, que se parece a la de la cachiporra, como palo ente-
rizo que tiene en un extremo una bola o cabeza abultada).

espadañas: alusión a la flaqueza de la vieja (su flaqueza se comprueba
en las imágenes del *diaquilón* y *la cecina,* vv. 7 y 13; hay cierta contradicción humorística entre la delgadez de la espadaña y lo grueso y pesado de
la porra, tal y como se ve en las imágenes de los *muslos de suela* y la *coraza
de chinela,* vv. 3 y 6).

6 *de chinela:* de cuero, como las suelas de las chinelas, y roma, como
las puntas de las mismas (la chinela es una zapatilla sin talón, con dos o
tres suelas; por cubrir sólo el medio pie delantero, cuadra de manera
humorística con la colocación de la cara en el cuerpo humano).

con diaquilón y humo de vela,
y luego dais la teta a las arañas.

No es tiempo de guardar a niños, tía:
guardad los mandamientos, noramala,   10
no os dé San Jorge una lanzada un día.

Tumba os está mejor que estrado y sala;
cecina sois en hábito de arpía,
y toda gala en vos es martingala.

---

7 *diaquilón:* alude a la cara como herida, como tumor, y como flaca y
reseca (el *diaquilón* era cierto emplasto o cerote que se ponía sobre las
heridas para enjugarlas y cerrarlas, o sobre los tumores para ablandarlos;
resulta ser parodia de afeite).

humo de vela: nueva parodia de los afeites (para ennegrecer cejas y
pestañas, empleaban las mujeres el antimonio, o el alcohol, polvo finísimo hecho del antimonio o de la galena).

8 *dais la teta a las arañas:* parodia de la expresión «dar la teta al asno»,
(imagen de la desproporción o inutilidad de una acción), y en el sentido
literal, acusación indirecta de bruja (tradicionalmente se creía que las
brujas guardaban objetos y animales asquerosos, y que se daban a actos
sexuales igualmente repugnantes).

9 *guardar a niños:* nueva alusión a los actos repugnantes y crueles que
atribuían a las brujas para con los niños, como, por ejemplo, el de chuparles la sangre por el ano.

tía: mote aplicado a las alcahuetas y a las brujas entradas en años
(como se ve repetidamente en *La Celestina*).

10 *noramala:* enhoramala.

11 *San Jorge:* alusión a la leyenda alegórica según la cual san Jorge
mató al mal, en forma de un dragón, y salvó al bien en forma de una
doncella.

12 *estrado:* como se ha explicado, conjunto de muebles que adornaban
la *sala* de la casa en donde recibían las señoras las visitas.

3 *cecina:* carne salada, enjuta y seca; figuradamente se aplicaba a las
personas.

14 *martingala:* antiguamente significaba 'fondo de una especie de calzas, la cual se ataba por detrás' para ayudar a los viejos incontinentes en
sus apuros (comp. el poema 130, nota al v. 6).

150

[A la perla de la mancebía de las Soleras]* [Romance]

Antoñuela la Pelada,
el vivo colchón del sexto,
cosmógrafa que consigo
medía a estados el suelo;

La que tan interesada   5
eligió por juramento
(por no dar nada de gracia)
esto de «¿A mí, que las vendo?»;

---

* *Las Soleras:* no sabemos si se refiere a algún lugar o casa en particular. Lo cierto es que la palabra tiene diversas significaciones que aluden a
otras tantas actividades o posturas de una ramera, como, por ejemplo, «la
piedra plana que ponen en el suelo, para sostener los pies derechos,
u otras cosas semejantes» (comp. vv. 2, 4, 39 y 56); «la muela o piedra
redonda que en los molinos está debajo de la volandera, y sobre la que se
muele el grano u otras cosas» (comp. v. 27).

1 *Antoñuela:* en algunos lugares se dice «¡Antonio!» para suavizar la
interjección «¡coño!», pero no sabemos si existía esta costumbre en tiempos de Quevedo (en el v. 25 el poeta la llama *Antonia,* y en el 73 la envían
al hospital de *Antón* Martín).

Pelada: alusión a los estragos de la sífilis.

2 *del sexto:* del sexto mandamiento de Dios («No fornicarás»).

4 *estados:* medida de la estatura normal de un hombre.

7 *nada de gracia:* nada gratis (alusión al hecho de que ella *vende* sus
favores).

8 *«A mí, que las vendo?»:* «¿A mí me intentas engañar? Conozco la trampa, porque vendo la materia» (expresión tomada del lenguaje de los vende-
dores, que conocen las cualidades y defectos de sus mercancías).

La que en un zas de mantilla
y en un calar de sombrero,   10
al talego más hinchado
le volvía en esqueleto,

Dejó los jaques, y dijo,
por no echar por esos cerros,
que era virtud su ganancia,   15
pues consistía en el medio.

Si faltaba embarcación,
a todos los marineros
la daba, porque tenía
vaso para todos ellos.   20

Nunca les pidió prestado
a sus tíos ni a sus deudos,
que por no torcer su brazo,
a torcer daba su cuerpo.

Sin ser Antonia cobarde,   25
ha dado en decir el pueblo
que tuvo mil sobresaltos,
sin ser de susto ni miedo.

---

9 *zas: voz* que expresa el sonido que hace un golpe.

10 *calar:* ponerse (el sombrero); en germanía, meter la mano en un
bolso para robar (se alude a los versos que siguen).

13 *jaques:* rufianes.

14 *echar por esos cerros:* andar descaminado, sin orden ni razón.

16 *el medio:* en un sentido literal, la moderación entre dos extremos; pero
en un contexto sexual, alude al *medio* de su cuerpo, entre sus piernas.

17 *embarcación:* metáfora para el cuerpo de Antoñuela en la postura
del acto sexual, debajo del *marinero.*

20 *vaso:* en un sentido literal, embarcación; y en otro metafórico, la vagina,
como receptáculo del semen de los marineros (por analogía a los orinales, y
también a las venas y las arterias por las que pasan los líquidos del cuerpo).

27 *sobresaltos:* los que tiene el cuerpo durante la actividad sexual.

Por ser tan caritativa,
dicen que se va al infierno,   30
y que se va por lo suyo,
como otros van por lo ajeno.

Es por sus pasos contados,
aunque son pasos sin cuento,
más echada que un alano,   35
más hojeada que un pleito,

Más arrimada que un barco,
más raída que lo viejo,
más tendida que una alfombra,
más subida que los cerros,   40

Más flaca que olla de pobre,
más desgarrada que el mesmo.
Mas por todos estos mases,
que en la Pelada es lo menos,

Por ser ella tan liviana   45
(no me admiro del exceso),
desde su casa en la cárcel
con un soplo la metieron.

Entró saludando a todos;
mas sus saludes no entiendo,   50
que sólo ella en un verano
pobló el hospital de enfermos.

---

33 *pasos contados:* modo de vivir y de actuar; lances y sucesos; alusión
a la expresión *contar los pasos,* 'relatar algún suceso'.
35 *echada:* les *echaban* los *alanos* a los toros o a los jabalíes, y se *echa* el
macho a la hembra (el alano era perro de caza, grande y fuerte), como ya
se ha anotado.
45-48 *liviana: un soplo:* siendo ella de poco peso, bastaba un soplo
pequeño de aire; y siendo lasciva, la delataron.
52 *el hospital:* será el de Antón Martín, donde se curaba a los sifilíticos
(comp. el v. 73).

Asentáronla en el libro,
y no hicieron poco en esto,
porque ésta es la vez primera   55
que Antoñuela tuvo asiento.

Al tomarla el escribano
confesión de lo que ha hecho,
ella niega a pies juntillas
lo que pecó a pies abiertos.   60

Envíanla a la galera,
dándola un jabón por remo,
porque lave de los pobres
lo que ensució en otro tiempo.

Salieron a recibirla   65
la Mellada y la Cabreros,
marcas viejas, que ellas mismas
al diablo se dan por tercios.

De no usarse la Pelada,
se opiló luego al momento,   70
que es para ella comer barro
cualquier ejercicio honesto.

---

56 *tuvo asiento:* estuvo sentada (porque siempre había estado en el *suelo, echada y arrimada,* vv. 35 y 37); tuvo cordura o prudencia.

59 *a pies juntillas:* con los pies juntos; firmemente, con gran porfía.

62 *dándola un jabón:* castigándola y reprendiéndola ásperamente.

62-64 *por remo, porque lave:* al sentido figurado de la expresión *dar un jabón,* le impone Quevedo otro literal, el de lavar lo que está sucio.

63 *los pobres:* los galeotes, pobres porque están condenados a galeras y porque han sido ensuciados por Antoñuela (a veces las mujeres de mala vida causaban el castigo de los rufianes; comp. el poema 96, vv. 41-44).

67 *marcas:* rameras (G).

68 «Se entregan al diablo por los miembros respectivos de sus cuerpos» (comp. el v. 31; Quevedo juega con el sentido literal de *darse al diablo*). *por tercios:* por raciones.

69-72 «Por falta de actividad sexual, o sea, de no usarse, la Pelada se opiló (contrajo las obstrucciones de las mujeres); y a ella le faltó el reme-

Envianla a Antón Martín,
donde yace, y donde creo
que purga la humana escoria
en una fragua de lienzo.

dio acostumbrado (comer barro), porque para ella, cualquier ejercicio
honesto es como morirse y estar enterrado (mascar barro).» En aquel
entonces, las mujeres que padecían las opilaciones solían mascar ciertos
barros.

73 *Antón Martín:* el hospital de Madrid en donde se curaban los sifilíticos.

76 *fragua de lienzo:* metáfora para sudadero (los lienzos habrán servido
de alguna manera al aparato sudorífico, ya mencionado, con que se curaba la sífilis).

151

[A un hombre casado y pobre]
[Soneto]

Ésta es la información, éste el proceso
del hombre que ha de ser canonizado;
en quien, si advierte el mundo algún pecado,
admiró penitencia con exceso.

Diez años en su suegra estuvo preso,   5
a doncella, y sin sueldo, condenado;
padeció so el poder de su cuñado;
tuvo un hijo no más, tonto y travieso.

Nunca rico se vio con oro o cobre;
siempre vivió contento, aunque desnudo;   10
no hay descomodidad que no le sobre.

Vivió entre un herrador y un tartamudo;
fue mártir, porque fue casado y pobre;
hizo un milagro, y fue no ser cornudo.

---

7 *so:* bajo, debajo de (frecuente en las escrituras legales).

152

[Soneto]

Quiero gozar, Gutiérrez; que no quiero
tener gusto mental tarde y mañana;
primor quiero atisbar, y no ventana,
y asistir al placer, y no al cochero.

Hacérselo es mejor que no terrero;   5
más me agrada de balde que galana:
por una sierpe dejaré a Diana,
si el dármelo es a gotas sin dinero.

No pido calidades ni linajes;
que no es mi pija libro del becerro,   10
ni muda el coño, por el don, visajes.

---

3 *primor:* cosas de primer orden (entiéndase, el cuerpo desnudo de la mujer).

atisbar: mirar o reconocer con particular cuidado y atención, como en acecho, desde alguna parte oculta, sin ser visto.

4 *cochero:* los coches ofrecían a los amantes un lugar secreto; el cochero quedaba afuera (comp. la imagen del que miraba por la ventana, v. 3, así como la nota que sigue).

5 *terrero:* hacer terrero (cortejar o galantear a una dama desde fuera de su casa).

6 *de balde:* gratis; sin necesidad de compensar a la mujer.

galana: mujer a quien hay que pagar.

7 *sierpe:* metáfora para una mujer muy fea (comp. el poema 123, v. 92).

Diana: diosa hermosísima.

10 *pija:* pene.

libro del becerro: libro en donde están asentados los actos y ordenanzas públicas de una comunidad (aquí lo emplea Quevedo en el contexto del verso anterior; se llamaba *becerro* porque solían encuadernar tales libros en piel de becerro).

11 «Con o sin el título de don, el aspecto visual del coño no cambia» (es la misma afirmación que se lee en el verso anterior).

Puta sin daca es gusto sin cencerro,
que al no pagar, los necios, los salvajes,
siendo paloma, le llamaron perro.

COMENTARIO

Aparte de su humor, este poema, y los dos que siguen, versan
sobre un problema moral tan antiguo como contemporáneo: la
relación entre el amor o la complacencia sexual que pide el hombre a la mujer, por una parte, y por otra, el dinero o la compensación que espera o exige la mujer. Para Quevedo, los *necios* del
poema presente (v. 13) han caído en una trampa armada por una
sociedad que pone precio económico a las relaciones humanas
más bellas y más íntimas.

Sobre el tema del gusto sensual en las relaciones sexuales, véase
nuestro comentario al poema 128.

---

12 «Puta sin pedir dinero es gusto sin destemplanza, o sin tacha» (figuradamente, se llamaba *cencerro* a todo instrumento musical destemplado; de ahí que Quevedo aluda a la imagen de «templar», que se aplicaba
tanto a los instrumentos de cuerda, como a la mujer en el sentido sexual).

13-14 *perro:* perro, *perro muerto* o *dar perro muerto* significaba hacer
una burla a otra persona o engañarla, especialmente tomar a una mujer y
después no pagarle (dice el poeta que cuando una mujer da su amor sin
pedir dinero, los necios creen que la han burlado, porque son incapaces
de creer en el cariño, la amistad o el deseo mutuo entre hombre y mujer).

153

[Letra satírica a diversos estados]*

Hay mil doncellas maduras
que guardan virgos fiambres,
hasta que a fuerza de hambres
se les van en cataduras.
Todas son vírgenes puras,   5
por más aguadas que estén.
A ninguno quieren bien,
si no las calza y las viste:
    Lindo chiste.

Hay viuda que, por sus pies,   10
suele hacer con bizarría
más cabalgadas un día

---

* *estados:* aquí se refiere, por orden, a la virgen, la viuda, el galán y el casado.

2 *fiambres:* pasadas de tiempo, viejos y fríos *(fiambre* se dice de la comida que se ha enfriado).

3 *hambres:* la sexual, y la gastronómica (por tratarse de la referida comida).

4 *cataduras:* pruebas, ensayos o tanteos (se decía de los vinos y de la fruta; aquí se refiere también al virgo, consumido o agotado por los muchos tanteos por la *doncella* «hambrienta», que desea la actividad sexual, pero que se limita a la masturbación).

5-6 *puras; aguadas:* nuevas alusiones a los vinos (claro que las vírgenes son todavía *puras* porque no han tenido contacto con ningún hombre, pero aguadas por las repetidas *cataduras).*

chiste: burla, chanza.

10 *por sus pies:* imagen de las andanzas o recorridos que tradicionalmente hacían a pie las alcahuetas y las rameras por las calles de una ciudad, cumpliendo con las citas y en busca de clientes.

11 *bizarría:* gallardía, generosidad (dicho con ironía); figuradamente significaba desorden o licencia.

12 *cabalgadas:* imagen de los daños que hacían los moros como jinetes guerreros, y también de los otros, sexuales y económicos, que hacía la viuda con sus negocios.

que los moros en un mes;
no son tocas las que ves,
que aunque traerlas profesa,   15
son manteles de una mesa
que a nadie el manjar resiste:
    Lindo chiste.

Cásase en hora menguada
el galán sin plata o cobre,   20
y viene a cenar el pobre,
con salva, la desposada;
del dote, que es poco o nada,
calzas de obra se labra;
pero luego, aun de palabra,   25
no tiene calzas el triste:
    Lindo chiste.

Cásase con bendición
el que las leyes escarba,
por añadir a su barba   30

---

14 *tocas:* prenda de tela para cubrir la cabeza, que usaban las viejas y las dueñas.

19 *hora menguada:* tiempo desgraciado o fatal.

21-22 *cenar con salva:* en un sentido literal, comer lo que otro ha probado (la *salva* era la prueba que hacia algún criado de la comida de su amo, para ver si estaba buena de sazón, o envenenada); en un sentido metafórico, el marido gozaba a una desposada que otros habían probado ya.

24 *calzas de obra:* zapatos finos o nuevos (tal era, en la zapatería, la llamada *obra prima*). Por implicación, el marido viene a ser zapatero, oficio despreciado en aquel entonces; también es humorística la contradicción entre la referida finura y el zapato, como producto de un oficio despreciado.

25-26 *aun de palabra, no tiene calzas:* «ni siquiera de palabra tiene las calzas o los pantalones» (porque es su mujer quien los tiene puestos: es ella quien manda en la casa).

29 *escarba:* investiga, o inquiere.

30 *su barba:* según se ha explicado, los abogados se conocían por sus barbas enormes, objeto de mucha sátira.

aderezos de cabrón;
luego, con satisfacción,
un corregimiento afana;
viénensele a dar de plana;
vuelve en sayas el limiste: 35
        Lindo chiste.

COMENTARIO

En la primera estrofa de esta letrilla, Quevedo critica de nuevo
a la mujer tomajona, que no se da sin pedir compensación: «A
ninguno quieren bien, / si no las calza y las viste» (vv. 7-8; comp.
el comentario al poema anterior).

---

31 «Cuernos.» (El contexto sexual de *cásese* y *cabrón* indica claramente
que se ha de entender a *escarba* en su matiz sexual de rascar el pelo, especialmente el del pubis [véanse el poema 122, nota a los vv. 42-43, y el
160, 53-84]. Pero este abogado no *escarba* a su mujer, sino a las leyes y,
por lo tanto, otros la escarban a ella y le ponen a él, quien ya tiene
barba, los otros *aderezos* de la cabeza del cabrón, que son sus cuernos.
Y como el cornudo «contento» del dicho tradicional, el abogado queda
satisfecho [v. 32].)

33 *un corregimiento:* un puesto de corregidor (alcalde de una ciudad, y
representante del Rey).

34 *dar de plana:* alusión al título de corregidor (la *plana* es la cara de
una hoja de papel) y a la expresión *de plano* ('enteramente', 'con llaneza'
y, como término legal, 'dispensando de las formalidades usuales, para
apurar el trámite'), y también a la de *dar de plano* ('dar un golpe con lo
ancho de un instrumento cortante').

35 Nuevo chiste sobre la mujer que manda: «El *limiste* (paño de primerísima calidad) se convierte no tanto en los *sayos* que vestían los abogados, sino en las *sayas* de la mujer».

154

[Desengaño de las mujeres]
[Soneto]

Puto es el hombre que de putas fía,
y puto el que sus gustos apetece;
puto es el estipendio que se ofrece
en pago de su puta compañía.

Puto es el gusto, y puta la alegría   5
que el rato putaril nos encarece;
y yo diré que es puto a quien parece
que no sois puta vos, señora mía.

Mas llámenme a mí puto enamorado,
si al cabo para puta no os dejare;   10
y como puto muera yo quemado

si de otras tales putas me pagare,
porque las putas graves son costosas,
y las putillas viles, afrentosas.

---

1 *putas:* no se limita a las rameras, sino que abarca cualquier mujer
tomajona, que pide o espera recibir favores materiales de sus amantes
(comp. los vv. 3, 4, 7, 12 y 13).

3 *estipendio:* pago.

6 *putaril:* invención de Quevedo.

10 *para puta no os dejare:* 'dejarlo para quien es' quiere decir 'evitar la
mala compañía'.

11 *quemado:* se refiere al castigo de los homosexuales.

12 *me pagare:* me diera gusto.

13 *graves:* grandes, altivas.

Aparte del humor y de la invención verbal, aquí procura Quevedo explicar cómo es puta cualquier mujer tomajona, que pide o espera recibir favores materiales por su amor, a manera de *estipendio que se ofrece en pago* (véanse los vv. 3-4, 7, 12 y 13, y comp. el comentario al poema 152). Tal amor no sería necesariamente fingido: se trata de una sociedad que le ha hecho creer a la mujer que si ella no exige cierta compensación material (que puede ser los emolumentos del casamiento), su amor propio quedaría ofendido (comp. los vv. 6, 8 y 12 del poema 152, y también el título del presente).

155

[A un ermitaño mulato]

¿Ermitaño tú? ¡El mulato,
oh pasajero, habita
en esta soledad la pobre ermita!
Si no eres mentecato,
pon en recaudo el culo y arrodea   5
primero que te huela o que te vea;
que cabalgando reses del ganado,
entre pastores hizo el noviciado.
Y haciendo la puñeta,
estuvo amancebado con su mano   10
seis años retirado en una isleta,
y después fue hortelano,
donde llevó su honra a dos mastines.
Graduó sus cojones de bacines.
Mas si acaso no quieres   15
arrodear, y por la ermita fueres
llevado de tu antojo,
alerta y abre el ojo.
Mas no le abras, antes has tapiarle,
que abrirle, para él será brindarle.   20

---

1 *mulato*: «quemado», homosexual (comp. el v. 5, la nota al v. 114 al
poema 94 y el Índice).

5 *arrodea*: rodea.

7 *cabalgando*: alusión a las posturas de los que hacen actos sexuales, especialmente con animales, u homosexuales (comp. el poema 157, v. 9).

7-8 *reses; pastores*: entiéndase que el referido *mulato* hizo su noviciado
sexual con los animales o con los pastores.

9 *haciendo la puñeta*: masturbándose.

13 *mastines*: perros grandes y fornidos que servían para guardar el ganado; hombre feamente robusto y tosco.

14 *bacines*: orinales.

18 *el ojo*: el de la cara.

19 *no le abras*: el que no tiene niña (el ano).

156

[Epitafio a un italiano llamado Julio]*

Yace en aqueste llano
Julio el italiano,
que a marzo parecía
en el volver de rabo cada día.
Tú, que caminas la campaña rasa,   5
cósete el culo, viandante, y pasa.

Murióse el triste mozo malogrado
de enfermedad de mula de alquileres,
que es decir que murió de cabalgado.
Con palma le enterraron las mujeres;   10
y si el caso se advierte,
como es hembra la Muerte,
celosa y ofendida,
siempre a los putos deja corta vida.

---

* *italiano:* en tiempos de Quevedo, los españoles se burlaban de los italianos por afeminados y por homosexuales.

Julio: en un manuscrito se le identifica como «Julio el librero» (oficio que Quevedo solía criticar); en otro, que fue «un caballero italiano... Julio Bolti, y era muy inclinado al mal vicio, que lo son los demás de su nación italiana».

3-4 Del mes de *marzo* se decía en diversos refranes que *volvía el rabo* y que era ventoso (se alude a los actos homosexuales; comp. el poema 95, nota al v. 185).

6 *viandante:* caminante o vagabundo.

9 *cabalgado:* metáfora para los actos sexuales (más de una vez lo empleaba así Quevedo); aquí se refiere especialmente a los homosexuales.

10 *Con palma:* en señal tradicional de triunfo (se alude a que las mujeres y la Muerte tenían celos de él y le temían, por sus relaciones sexuales con los hombres, y su muerte representaba para ellas un alivio y una especie de triunfo; comp. el v. 14).

     Luego que le enterraron,   15
del cuerpo corrompido
gusanos se criaron
a él tan parecidos,
que en diversos montones
eran, unos con otros, bujarrones.   20

---

20 *bujarrones:* homosexual «activo».

157

[A un bujarrón]
[Epitafio]

Aquí yace Misser de la Florida,
y dicen que le hizo buen provecho
a Satanás su vida.
Ningún coño le vio jamás arrecho.
De Herodes fue enemigo, y de sus gentes,   5
no porque degolló los inocentes,
mas porque, siendo niños, y tan bellos,
los mandó degollar, y no jodellos,
pues tanto amó los niños, y de suerte
(inmenso bujarrón hasta la muerte)   10
que si él en Babilonia se hallara,
por los tres niños en el horno entrara.

---

1 *Misser:* título que alude al origen italiano del individuo, y de ahí a que él sea homosexual. (Por 'señor', se decía *messer* en italiano, y dialectalmente *misser*, que pasó al castellano en el siglo XV como *micer*, según explica Joan Corominas en su *Diccionario crítico etimológico de la lengua castellana*, Madrid, 1954-1957, 4 tomos. Quevedo prefirió el italianismo *misser*, para insinuar así el carácter homosexual del individuo; sobre este punto, véase el poema 156, nota al título.)

4 «Ninguna vagina le vio jamás con su miembro viril erecto» (porque no hizo nunca ningún acto sexual con una mujer).

5 *Herodes:* rey de Judea, que mandó degollar a todos los niños varones, intentando así matar al Niño Jesús.

8 *jodellos:* poseerlos sexualmente *(joder* es palabra vulgar, pero muy antigua, como explica Joan Corominas en su referido *Diccionario crítico etimológico).*

11-12 El rey de Babilonia, Nabucodonosor, tiró en un horno a tres judíos que se habían negado a adorar una estatua de oro (Daniel, 3. 14-15, 21; se trata de Sadrak, Mesak y Abed-Negó, a quienes Quevedo llama *niños).*

¡Oh tú, cualquiera cosa que te seas,
pues por su sepultura te paseas,
o niño o sabandija,   15
o perro o lagartija,
o mico o gallo o mulo,
o sierpe o animal que tengas cosa
que de mil leguas se parezca a culo:
Guárdate del varón que aquí reposa,   20
que tras un rabo, bujarrón profundo,
si le dejan, vendrá del otro mundo!

No en tormentos eternos
condenaron su alma a los infiernos;
mas los infiernos fueron condenados   25
a que tengan su alma y sus pecados.
Pero si honrar pretendes su memoria,
di que goce de mierda, y no de gloria;
y pues tanta lisonja se le hace,
di: «*Requiescat* in culo, mas no *in pace*».   30

_____

17 *mico:* mono de cola larga.
30 *Requiescat... in pace:* palabras de la misa de difuntos: alusión a la
expresión *dar paz,* con referencia a los actos sexuales.

158

[Enigma]

Las dos somos hermanas producidas
de un parto, y por extremo parecidas;
no hay vida cual la nuestra penitente:
siempre andamos de embozo entre la gente,
que a indecencia juzgara   5
vernos un ojo, cuanto más la cara.
Necesidad precisa
nos tiene muchas veces sin camisa;
gormamos siempre lo que no comemos;
y otro mayor trabajo padecemos: 10
que por culpas ajenas
somos el dedo malo de las penas.
Un eco es nuestra voz, de que, ofendidos
y con razón, se muestran dos sentidos;
y así la urbanidad, aunque forzadas,   15
nos tiene a soliloquios condenadas;
es al fin nuestra vida,
por recoleta, siempre desabrida.

---

9 *gormanos:* vomitamos; figuradamente, devolvemos a la fuerza.
12 *el dedo malo:* figuradamente, aquel que ya ha caído en desgracia, y
por eso se le atribuye todo lo mal hecho (alude al dedo que ha padecido
una herida, y por más que el paciente procure protegerlo, todo tropieza
con él).
14 *dos sentidos:* el oído y el olfato.
18 *recoleta:* se decía de los religiosos que observaban la regla de manera
más estrecha de lo que comúnmente se guardaba; el hombre que vive con
algún retiro y modestia, al modo de los religiosos.

[Explicación]

Si no quieres trabajar
el ingenio, bella Clori,   20
orinal somos sin ori,
y Vargas, quitado el var.

---

19 *trabajar:* molestar, inquietar.
22 *Vargas:* en un manuscrito se lee este comentario: «Vargas, llamado por antonomasia "El sucio", es un poeta celebrado por ello en Madrid, tan puerco como las nalgas».

159

[Soneto]

Yo te untaré mis obras con tocino
porque no me las muerdas, Gongorilla,
perro de los ingenios de Castilla,
docto en pullas, cual mozo de camino;

Apenas hombre, sacerdote indino,   5
que aprendiste sin cristus la cartilla;
chocarrero de Córdoba y Sevilla,
y en la Corte bufón a lo divino.

---

1 *Con tocino:* Quevedo moteja a Góngora de judío (no se ha comprobado nunca que lo fuera).

2 *no me las muerdas:* Góngora había atacado las obras de Quevedo.

3 *perro:* mote afrentoso que solían aplicar a los judíos y a los moros.

perro de los ingenios: parodia de la expresión «príncipe de los ingenios», «príncipe de los poetas», etc.

4 *pullas:* frases obscenas y ofensivas con que se divertían los caminantes al encontrarse de paso con cualquier desconocido (comp. el poema 133, v. 31).

mozo de camino: (igual que el moza de mulas, era persona de ínfima categoría en la jerarquía social de aquel entonces).

5 *sacerdote indino:* en 1577 Góngora había recibido las órdenes menores, y en Salamanca estudió Cánones, pero no obtuvo ningún título. Con *indigno* se refiere Quevedo a su escasísima dedicación a las ocupaciones de sacerdote (la grafía *indino* responde a la pronunciación y como rima, es muy frecuente en el Siglo de Oro).

6 *sin cristus:* sin ser cristiano, y con ignorancia (el *cristus* era una cruz que precedía al abecedario y al alfabeto en las cartillas, señalando que se empezaría el estudio en el nombre de Cristo; «No saber el cristus» significaba «Ser del todo ignorante»).

7 *chocarrero:* bufón, truhán y placentero, que siempre habla de burlas para hacer reír a otros, sin tener otro empleo.

Córdoba: patria de Góngora, quien residía allí largos periodos de su vida, y donde murió en 1627.

Sevilla: parece que la menciona Quevedo simplemente como otro centro de Andalucía, con alusión a la fama de chistosos (y de gente poco

¿Por qué censuras tú la lengua griega
siendo sólo rabí de la judía,   10
cosa que tu nariz aun no lo niega?

No escribas versos más, por vida mía;
aunque aquesto de escribas se te pega,
por tener de sayón la rebeldía.

COMENTARIO

Este soneto es ejemplo del tipo de invectiva que intercambia-
ban Quevedo y sus enemigos literarios, de manera mutua.

---

seria en general) que en España han tenido los sevillanos y cordobeses, y
los andaluces en general.

8 *en la Corte:* como otras tantas personas, pasaba Góngora algunos
periodos de tiempo en la corte, primero en Valladolid y luego en Madrid,
donde pretendía diversos cargos.

9 Alusión a un soneto de Góngora contra una traducción de la poesía
de Anacreón que había hecho Quevedo en 1609.

11 *nariz:* de ella decía Góngora, en un romancillo burlesco, que «es
corva, / tal que bien podría / servir de alquitara / en una botica» («Hanme
dicho, hermanas», *Obras,* ed. J. e I. Millé y Giménez, Madrid, Aguilar,
1951, pág. 88, núm. 24). De hecho, así parece su nariz en el famoso retrato que le hizo Velázquez (Boston Museum of Fine Arts).

aun no: ni siquiera.

13 *escribas:* secta judía, activa en la persecución de Cristo.

14 *sayón:* metáfora hecha por «judío» (su sentido literal es «verdugos»,
y para los españoles de aquel entonces, los judíos habían sido los verdugos de Cristo).

Epílogo poético (1643-1645)

Nota preliminar

Sobre esta sección, véase el último párrafo de nuestra Introducción. El poema 160 fue publicado por González de Salas en *El Parnaso español,* y el 161 por Pedro Aldrete en *Las tres musas últimas castellanas.*

160

[Describe el río Manzanares, cuando concurren en el Verano a bañarse en él]*
[Romance]

Llorando está Manzanares,
Al instante que lo digo,
Por los ojos de su puente
Pocas hebras hilo a hilo,

Cuando por ojos de agujas   5
Pudiera enhebrar lo mismo
Como Arroyo vergonzante,
Vocablo sin ejercicio.

Más agua trae en un jarro
Cualquier cuartillo de vino   10
De la taberna, que lleva
Con todo su argamandijo.

---

* *Manzanares:* pequeño río en las afueras de Madrid, cuyas orillas eran lugar de recreo (comp. el poema 124).

4-7 *Pocas hebras hilo a hilo; por ojos de agujas; Arroyo vergonzante:* con cada imagen se burla Quevedo del poco caudal del Manzanares (*vergonzante* es metáfora para lo que apenas se ve: literalmente se aplicaba al que tenía vergüenza o pedía limosna encubriéndose).

8 «Palabra que no se emplea hoy» (porque nadie tiene vergüenza: todos son sinvergüenzas).

10 *cuartillo:* medida antigua, equivalente a poco más de medio litro.

9-10 *agua... vino:* la costumbre de aguar el vino era blanco predilecto de los satíricos de la época.

12 *argamandijo:* ruido de cosas menudas.

Pide a la Fuente del Ángel,
Como en el Infierno el Rico,
Que con una gota de agua   15
A su rescoldo dé alivio.

No llueve Dios sobre cosa
Suya, a lo que yo colijo,
Pues que de calientes queman
Las Migas de su Molino.   20

En Verano es un guiñapo,
Hecho pedazos y añicos;
Y con remiendos de Arena,
Arroyuelo Capuchino;

---

14 La tradición de que el *Rico* para en el *Infierno* se remonta al Nuevo
Testamento (Mateo, 19, 23-24, y Lucas, 16, 22).

16 *rescoldo:* brasa menuda cubierta por la ceniza.

17 Alusión paródica al refrán «Cuando Dios quiere, con todos los
vientos llueve» o «en sereno llueve» o «raso está y llueve» (insinúa Quevedo que nunca quiere Dios llover sobre el Manzanares, nueva alusión a la
falta de caudal del río).

18 *colijo:* deduzco, infiero.

20 «Las piedras pequeñas y menudas del cauce del río» (entendemos
que *molino* es metáfora para el cauce del río, y que las *migas* lo son para
la porción pequeña y menuda del cauce o para su sustancia principal,
sobre la que corre el agua; en un sentido literal, el río mueve el molino y
el molino muele con sus piedras la harina, de la cual se hace el pan, a
cuyas migas se alude).

21 *guiñapo:* andrajo.

22 *añicos:* fragmentos pequeños.

24 *Capuchino:* metáfora para 'pobre y descalzo' (de acuerdo con los
votos de los monjes de la orden franciscana de los capuchinos).

Florida toda la margen   25
De jamugas y borricos
De Damas, que con carpetas
Hacen estrado el pollino.

Al revés de los Gotosos,
Ya no se mueve, estantío,   30
Pues de no gota es el mal
De que lo vemos tullido.

No alcanza a la sed el Agua
En su Madre a los Estíos,
Que facistol de Chicharras   35
Es la Solfa de lo frito.

Pues no aprende lo aguanoso
De tan húmedos resquicios,
No saldrá, de puro rudo,
En su vida de Charquillos.   40

---

26 *jamugas:* silla que ponían con correones sobre la caballería, especialmente para las mujeres.

27 *carpetas:* alfombrillas.

28 *estrado:* conjunto de muebles que adornaban el lugar de la casa en que recibían las señoras las visitas, ya citado.

29-30 Los que padecen la *gota* tienen que intentar siempre mover las articulaciones pequeñas de las extremidades,, por doloroso que sea el intento.

30 *estantío:* parado, estancado.

34 *Madre:* cauce de un río.

34-35 *facistol:* en un sentido literal, atril en el coro de las iglesias; pero para Quevedo, significaba 'alcahueta', y corresponde a la referida *Madre* como gerente de una mancebía.

Chicharras: cigarras, insectos a los que los árboles les sirven de *facistoles,* y que cantan mucho en los días calurosos del *Estío.* También se alude a la expresión «cantar la chicharra» (hacer mucho calor).

36 «Es el canto de lo que se ha quemado (es decir, achicharrado), o de una persona a quien han engañado» (*freírsela* a alguno significa 'engañarlo'; aquí, por el contexto, lo entendemos en el sentido sexual).

37-40 «Pues de resquicios tan húmedos, el Manzanares no aprende a estar aguanoso, o lleno de agua, y en su vida no saldrá jamás, de puro tosco y sin educación, de ser pequeños charcos».

Suenan tragos y bocados
Entre matracas y silbos,
Y llevan el Contrapunto
Las Gormonas y Zollipos.

Con poco temor de Dios   45
Los Mondongos, por lo limpio,
Pretenden para las pruebas
El ser Actos positivos.

Por haber faltado el Ante
Con las Levas que se han visto,   50
Todas las Meriendas llevan
Sus Coletos de Pepinos.

41-64 Se refiere a las *meriendas* (v. 51) de la gente que ha acudido a las orillas del río.

42 *matracas:* burla y chasco que se daba a uno, reprendiéndole alguna cosa que había hecho; importunación o insistencia molesta; también se parodia el sonido que hacen los religiosos con ciertas tablas (en lugar de campanas), para convocar a maitines y en Semana Santa.

43 *Contrapunto:* concordancia armoniosa de voces contrapuestas.

44 *Gormonas:* vómitos.

Zollipos: sollozos con hipo.

46 *Mondongos:* los comían los pobres, y eran los intestinos y panza de las reses, rellenos aquéllos de la sangre y cortada ésta en trozos.

46-47 *limpio; pruebas:* se refieren a la comida y a las pruebas de limpieza de sangre de la época.

48 *Actos positivos:* nueva alusión a la comida y a la limpieza de sangre (ésta se podría comprobar en un antepasado si el individuo había hecho tres *actos positivos,* como haber llevado el hábito de una orden militar, haber presentado pruebas a la Inquisición y haber cursado en un colegio mayor de las universidades de Salamanca, Alcalá o Valladolid).

49 *Ante:* plato con que empezaban la comida; cuero de ante, preparado de manera que quedara muy duro y sirviera de protección contra las armas blancas.

50 *Levas:* engaños encubiertos; robos hechos rápidamente (G); reclutas de jóvenes para servir en el ejército.

52 *Coletos:* jubón hecho de piel de ante, que llevaban los soldados para protegerse.

Pepinos: se creía que eran muy dañinos para la salud (contradicción humorística del propósito de los *coletos*).

592

Los más en los Salpicones
De carrera dan de hocicos;
En disciplina del sorbo   55
Son abrojos los chorizos.

En camisa, por ir presto,
Van no pocos Palominos;
Y sin Marta algunos Pollos,
Ya de ser suyos ahítos.   60

Rábanos y Queso y Bota,
En la gente del gordillo,
Dan más trabajo al gaznate
Que Copones Cristalinos.

---

53 *Salpicones:* fiambre de carne picada y adobada; cualquier cosa hecha
pedazos; también se alude a las *salpicaduras* del agua de los charcos del río.

55-56 «Con más disciplina que mostraba la referida carrera, los que
sorben o beben el agua o el vino, comen los chorizos picantes como si
fueran abrojos de una disciplina» (los *abrojos* del campo picaban a quien
los pisaba; y los penitentes solían colocar abrojos o púas de plata en sus
disciplinas, o azotes, para sacarse la sangre).

57 *En camisa:* a medio vestir, por la prisa; malvestido y roto (la camisa
era la vestidura mínima del hombre).

58-59 *Palominos: pollo* de la paloma silvestre; manchas de excremento
que quedan en la *camisa* del que se limpia descuidadamente o deprisa,
por ir presto.

59-60 Los *Pollos* están *ahítos de ser de Marta,* porque como decía el
refrán, con alusión a las personas impertinentes, «Marta, la que los pollos
hartas».

61 Alusión paródica al refrán, «Rábanos y queso tienen la corte en
peso» (es decir, se debe atender a las cosas de poca consecuencia, para el
buen logro de las más importantes).

Bota: alusión al vino (Quevedo lo agrega de manera gratuita al refrán).

62 *Gente del gordillo:* la gente más baja y, por lo tanto, la más despreciable en una sociedad jerárquica (hay contraste humorístico con la corte,
a la que alude el refrán parodiado en el verso anterior).

63 *gaznate:* garganta.

64 *Copones Cristalinos:* (imagen aristocrática, en contraste directo con la
de la *bota;* también recuerda la alusión a la corte en el refrán parodiado).

Agora se está una Dueña   65
Desnudando el *Ab initio,*
Haciéndoles encreyentes
Que es el Jordán a sus siglos.

Yo le considero aquí
Muy poblado de bullicio,   70
Coche acá, Coche acullá,
Y metido a porquerizo.

Tres Carrozas de Tusonas
Perdiendo van los estribos,
Con pecosas y bermejas,   75
Nariz chata y ojos bizcos.

---

66 *Ab initio:* cosa antiquísima (es locución latina que significa 'desde el principio', con referencia al principio del mundo). Quevedo solía aplicar esta imagen a alguna parte del cuerpo, como, por ejemplo, la cara; sin embargo, aquí la imagen *Desnudando* no sugiere la cara (la cual normalmente se «descubre»), sino otra parte del cuerpo; quizá todo él o sólo las partes pudendas.

67 «Intentando persuadir a los que la miran, de lo que no pueden creer» (se trata de una frase hecha).

68 «Que el río Manzanares es el Jordán, que renovará los siglos de edad que ella tiene.»

69 *le:* se refiere al Manzanares.

71 *Coche:* en aquel entonces, la nobleza apreciaba mucho los coches como símbolo de la riqueza que se prestaba fácilmente a la ostentación; también se prestaban a las citas con mujeres.

72 *porquerizo:* porquero (a la gente que acude al río, Quevedo los moteja de puercos).

73 *Tusonas:* cortesanas, rameras (se alude a *tusar* o *atusar,* 'cortar el pelo con igualdad y muy bajo', castigo que solían imponer a las rameras; también se alude a la pérdida del pelo por la sífilis).

74 «Van dejándose llevar por la pasión» (también se alude al sentido literal, ya que las *Tusonas* van en *Carrozas,* tiradas por unos caballos).

75 *pecosas:* alusión burlesca a 'pecaminosas' y también a las pecas de la cara (a las rameras les solían marcar la cara en señal de castigo).

bermejas: color del pelo que tradicionalmente se relacionaba con las personas malísimas (se creía que Judas tenía el pelo bermejo).

76 *Nariz chata:* (rasgo tenido por muy feo).

594

Aguardando están la Noche
Un Potroso y un Podrido,
Para sacar a volar
Uno Parches, otro el Lío.   80

Una doncella que sabe
Que se le ahoga su virgo
En poca agua, le salpica,
Escarbándola a pellizcos.

Aun en Carnes, una Flaca   85
Es el Miércoles Corvillo;
Una Gorda, el Carnaval
Con mazas del entresijo.

Dos Piaras de Fregonas
Renuevan el Adanismo,   90
Compitiendo sus perniles
Los blasones del Tocino.

---

78 «Un herniado y un sifilítico».

80 *Parches; Lío: los* emplastos y vendas que delatan enfermedades tan negativas.

82-83 *se le ahoga su virgo en poca agua:* en un sentido literal, entra ella en la poca agua que hay en el Manzanares y moja su virgo; pero esto es parodia de una frase hecha: 'ahogarse en poca agua' es 'acongojarse por poca razón', que también tiene aplicación a la doncella.

83-84 «Salpica su virgo con agua, rascándola a pellizcos» (entendemos que para salpicar el virgo, la doncella cogía puñados de agua, escarbando o rascando la superficie; pero también se alude a rascarse ella a sí misma o rascar el pelo del pubis, como indicamos en la nota a los vv. 42-43 al poema 122).

86 *Miércoles Corvillo:* Miércoles de Ceniza (metáfora para la falta de la carne).

88 *entresijo:* la parte baja del vientre.

89 *Piaras:* manadas de cerdos.

90 *Adanismo:* nudismo; grupo de gente desnuda.

91 *perniles:* ancas y muslos de un animal, especialmente del puerco.

91-92 «Compitiendo sus piernas con la belleza de los adornos del tronco del cuerpo» (como son, por ejemplo, los senos, la cintura, etc.; el *Tocino* alude al tronco, porque se saca mayormente de esta parte del cuerpo del puerco).

Dos Estudiantes sarnosos,
Más granados que los trigos,
Con Manzanares se muestran   95
Si no Clementes, Benignos.

El barbón y los bigotes
Se enfalda un jurisperito,
Por no sacarlos después
Con cazcarrias en racimo.   100

Una Vieja con enaguas
Va salpicando de hechizos,
Con dos pocilgas por ojos,
Por espinazo un rastillo,

---

94 *granados:* alusión a los *granos* de trigo y a los que salen con pus en
la piel de los sarnosos.

96 *Benignos:* los que tenían la sarna, pero no de manera muy activa ni
dañosa, o los que la habían padecido (comp. el romance de Quevedo,
«Ya que descansan las uñas», *Poesía original,* ed. Blecua, núm. 780,
pág. 1092, v. 80; «El alguacil endemoniado», Prólogo al lector, y «El mundo por de dentro», Prólogo al lector, en los *Sueños y discursos,* ed. Maldonado, págs. 89 y 161).

Clementes: como la sarna era enfermedad contagiosa, los sarnosos cari-
tativos procurarían evitar el contacto con personas sanas. También se
alude a san *Clemente* de Alejandría, el maestro de Orígenes, y a los papas
que tomaban este nombre, y a san *Benigno,* apóstol de Borgoña en el siglo II.

97-98 En tiempos de Quevedo, como ya se ha mencionado, los abogados solían llevar unas barbas enormes en señal de su experiencia y
autoridad; eran objeto de muchas burlas por parte de los satíricos.

100 *cazcarrias:* lodo que se pega a las partes de la ropa que van cerca
del suelo, y que se seca.

101 *enaguas:* se dice por el vestido y por el *agua*.

104 *rastillo:* (imagen de la flaqueza de la vieja: se le ven los huesos).

Por piernas un tenedor   105
Y por copete un erizo,
Por tetas unas bizazas
Y por cara el Anticristo.

Una Fea amortajada
En su sábana de lino,   110
A lo difunto se muestra
Marimanta de los niños.

Con azadones y espuertas,
Son gabachos y coritos
Sepultureros del agua   115
En telarañas de vidro.

Con sus capas en los hombros,
Y en piernas, algunos Mizos
Pescan de los nadadores
En la orilla los vestidos.   120

---

105 *tenedor:* (imagen de la flaqueza y de ser zamba, como la curva del
cubierto).

107 *bizazas:* alforjas de cuero.

108 *Anticristo:* imagen de lo perverso y repugnante (se suponía que el
Anticristo sería hijo de un sacerdote y una monja).

112 *Marimanta:* coco (figura espantosa con que se daba miedo a los
niños).

113-116 «Los gabachos y los coritos, con azadas grandes y cestos para
llevar la tierra que cavan, parecen ser sepultureros del agua cuando la re-
mueven; y el agua parece ser telarañas de vidrio».

azadones: azadas grandes a manera de palas, que usaban los sepultureros (Quevedo continúa el contexto de la muerte que presentó en la estrofa anterior).

gabachos: peones que hacían las labores más pesadas y entraban en
España desde el Pirineo francés.

coritos: vizcaínos y asturianos, despreciados por los castellanos de aquel
entonces (véase el poema 133, v. 29).

118 *Mizos:* gatos, que a su vez es metáfora para 'ladrones'.

119 *Pescan:* coger o tomar cualquier cosa; también alude a la predilección
de los gatos por el pescado y, en general, al agua en la que nadan los peces.

En redrojos de rocines,
Entre Caballeros finos,
Con sombreros de color
Andan Hidalgos postizos.

Prebendados en sus mulas,   125
Galameros del atisbo,
Echan el ojo tan largo,
Galosmeando descuidos.

Anda en Menudos Pilatos,
Repartido en cuatro o cinco   130
Alguaciles, que avizoran
Pendencias y desafíos.

---

121 *redrojos:* racimos de uvas tan pequeños que los vendimiadores no las recogen.

rocines: caballos de mala figura, toscos y bajos.

123 *sombreros de color:* (es decir, no los negros que distinguían a la nobleza).

125 *Prebendados:* canónigo que recibe una prebenda, o sea, una pensión que le da su oficio eclesiástico.

126 *Galameros:* golosos.

atisbo: mirada hecha con particular cuidado y atención, como en acecho (se burla Quevedo de las miradas lujuriosas de los referidos canónigos).

127 *Echan el ojo:* metáfora que describe con humor la intensidad de las referidas miradas.

128 «Rastreando con la vista, y golosamente, los descuidos de las damas bañistas, que entre un vestido y otro, dejan ver la carne» (no siempre son descuidos sin intención).

Galosmeando: no consta en los repertorios; puede ser palabra humorística compuesta de *galos,* como recuerdo de *Galameros,* y de *husmeando* (rastrear con el olfato alguna cosa; andar indagando una cosa con disimulo). El sentido queda claro, y también la aplicación a la vista.

129-132 «Pilatos, juez que condena a la gente, anda hecho monedas y repartido entre cuatro o cinco alguaciles, que acechan y observan pendencias y desafíos, para luego avisar al juez» (en germanía, *pendencias* quiere decir «rufianes»).

598

Un médico, de rebozo,
Va tomando por escrito
Los nombres de los que cenan   135
Fiambrera y beben frío.

Acuérdome que ha tres años
Que dejó de ser Narciso,
Por falta de agua en que verse,
La Zagala por quien vivo: *making* 140
                                   Petrarchan
                                   clichés

En el ampo de la nieve
Dos Orientes encendidos,
Portento de hielo y fuego,
Non plus ultra de lo lindo,

Sobredorada su frente   145
Con las minas de los Indios,
De las Pechugas del Sol
Las guedejas y los rizos.

---

sneaky

133 *de rebozo:* solapadamente.

137 *ha tres años:* véase la nota al v. 175.

138 *Narciso:* imagen satírica de una persona que contempla y admira su propia cara (se refiere a la leyenda griega del joven que se cayó en una fuente).

140 *Zagala:* moza doncella, pastora joven.

141 *ampo de la niete:* blancura intensa de la nieve.

nieve: metáfora para la piel blanquísima de una mujer hermosa.

142 *Dos Orientes:* dos ojos.

143 *hielo:* desdén.

fuego: pasión del galán (en esta estrofa se burla Quevedo del léxico de la poesía amatoria).

144 *Non plus ultra:* el grado superlativo de cualquier cualidad (locución latina).

145-148 «La frente de la zagala está dorada con su cabello rubio (oro puro de las minas de los indios), y dicho oro sirve de guedejas y de rizos a los senos de la zagala, que brillan como el sol».

De llamas y nieve en paz
Era todo su edificio;   150
El hielo le vi Volcán,
El Volcán le vi florido.

Con tocarla tomó el agua
Cantáridas; note el Pío
Lector, estando con ella,   155
Lo que tomaba este indigno.

Ella gastó todo el charco
En escarpín de un tobillo,
Y por subir más arriba,
La corriente daba brincos.   160

Bailar el agua delante
Sólo con ella lo he visto,
Mas al son de su meneo
Los muertos darán respingos.

Mas hoy, de lo que en él hay,   165
Y de cuanto en él he visto,
Sin los Cielos de Clarinda
Nada apetezco ni envidio.

153-154 *tomó el agua Cantáridas:* se incitó el agua como si hubiera tomado cantáridas (líquido afrodisiaco que se sacaba del insecto de aquel nombre).

156 *este indigno:* este amante indigno (el poeta se refiere a sí mismo, cuando la *tocaba* a ella).

157 *gastó:* absorbió.

158 *escarpín:* la media.

161 *Bailar el agua delante:* lo entiende Quevedo de manera literal *(la corriente daba brincos,* según dice el verso anterior), y también en su sentido figurado: 'servir con gran diligencia y prontitud' (expresión tomada de la costumbre que tenían las criadas en tiempo de verano, cuando sus amos volvían a entrar en la casa, de rociar con agua los patios de la casa, para refrescarlos; se hacía con prisa, y el agua saltaba y bailaba delante).

167-168 *los Cielos:* metáfora para los ojos azules (que son lo único que al poeta le apetece del río, y quizá lo único azul).

600

Arrebócese sus baños
Y cálese un papahígo,   170
Y séquese, pues le falta
La Fuente del Paraíso.

Yo considero estas cosas,
Cuando estoy, el susodicho,
Tres años ha, sobre doce,   175
Entre Cadenas y Grillos.

Aquí donde es Año Enero,
Con remudar apellidos,
Tan Capona Primavera
Que no puede abrir un Lirio.   180

---

169 «Que se quede el río con los baños que pretende ofrecernos»
(«Arrebócese con eso» es expresión dicha por quien rechaza de manera
muy despectiva algo que se le ofrece tardíamente, o que se le niega).

170 «Y póngase un gorro que se pueda bajar para cubrirse la cara» (el
papahígo era la extensión del gorro, que se podía bajar hasta los hombros
cuando hacía frío).

172 «El agua» (alude también a los cuatro ríos con los que Dios dotó
al Paraíso (Génesis, 2, 10-14).

175-176 Como indicamos en nuestro comentario, Quevedo escribió
este poema en la cárcel, y recuerda en este verso otras prisiones que había
sufrido (total: doce años).

177 Como tenían a Quevedo en un calabozo subterráneo cerca del
río, donde había mucha humedad, bien podía ser *Enero* el *Año*.

179-180 *Capona:* castrada (imagen de la impotencia, según se ve en el
verso que sigue; por otra parte, el verbo *abrir* alude a otra significación de
capona, que aquí no entra de manera directa: 'llave maestra').

A modo de Cachidiablos
Me cercan tres Cachirríos,
Orbigo, el Castro y Vernesga,
Que son de Duero Meninos,

Con Mujeres en talega,   185
Que calzan, por zapatillos,
Artesas del Cordobán
De los robles de estos riscos [...]

COMENTARIO

Nos informa González de Salas que Quevedo escribió este poema en la primera mitad del año 1643, cuando estaba preso en el convento de San Marcos de León. En esta época tenía 62 años de edad, y llevaba tres en los calabozos subterráneos y sumamente húmedos del convento, donde tenía que cauterizarse él mismo las postemas que se le formaban en las piernas. El humor del poema es ejemplo vivo de su ánimo y valentía, y apoya lo que había dicho Quevedo en 1624 sobre la consolación que le ofrecía la composición literaria (véase el comentario al poema 138).

181-182 *Cachidiablos:* en algunas fiestas, como la del Corpus Christi, se disfrazaban algunos y andaban en grupos, *cercando* a la gente y fingiendo atacarla, en broma.

182-184 En un sentido literal, los tres pequeños ríos desaguan en el Duero, pero lejos de la ciudad de León, en cuyo convento de San Marcos estaba preso Quevedo; en otro sentido mucho más humano y doloroso, le perseguían todos ellos con la humedad (véase la nota al v. 177).

185 *talega:* especie de bolsa en que las mujeres meten el pelo después de peinado, para que no se enrede.

187 *Artesas:* metáfora muy despectiva para los zuecos o chanclos que calzaban las mujeres pobres en las aldeas (en su sentido literal, una *artesa* es un cajón grande, hecho de un solo madero cavado).

187-188 *Cordobán de los robles:* contradicción que resulta ser una metáfora sumamente despectiva para la madera de la que se han fabricado los referidos zuecos (el *cordobán* es la piel muy fina del macho cabrío o de la cabra, adobada y aderezada).

188 *riscos* [...]: nos explica González de Salas que «Hasta aquí llegó [el poeta], sin pasar adelante, asegurándolo el mismo original que yo tuve».

161
[El escarmiento]
[Canción]

¡Oh tú, que inadvertido peregrinas
de osado monte cumbres desdeñosas,
que igualmente vecinas
tienen a las estrellas sospechosas,
o ya confuso vayas   5
buscando el Cielo, que robustas hayas
te esconde en las hojas,
o alma aprisionada de congojas
alivies y consueles,
o con el vario pensamiento vueles   10
delante de esta peña tosca y dura,
que de naturaleza aborrecida
envidia de aquel prado la hermosura:
detén el paso y tu camino olvida,
y el duro intento, que te arrastra, deja,   15
mientras vivo escarmiento te aconseja!

En la que oscura ves, cueva espantosa,
sepulcro de los tiempos que han pasado,
mi espíritu reposa,
dentro en mi propio cuerpo sepultado,   20
pues mis bienes perdidos
sólo han dejado en mí fuego y gemidos,
victorias de aquel ceño
que, con la muerte, me libró del sueño
de bienes de la tierra,   25

---

7 *esconde:* el sujeto es *robustas hayas* (construcción admitida en aquella época).

y gozo blanda paz tras dura guerra,
hurtado para siempre a la grandeza,
al envidioso polvo Cortesano,
al inicuo poder de la riqueza,
al lisonjero adulador tirano.   30
¡Dichoso yo, que fuera de este abismo,
vivo me soy sepulcro de mí mismo!

    Estas mojadas, nunca enjutas ropas,
estas no escarmentadas y deshechas
velas, proas y popas,   35
estos hierros molestos, estas flechas,
estos lazos y redes
que me visten de miedo las paredes,
lamentables despojos,
desprecio del naufragio de mis ojos,   40
recuerdos despreciados,
son para más dolor bienes pasados.
Fue tiempo que me vio, quien hoy me llora,
burlar de la verdad y el escarmiento,
y ya, quiérelo Dios, llegó la hora,   45
que debo mi discurso a mi tormento:
ved cómo y cuán en breve el gusto acaba,
pues suspira por mí quien me envidiaba.

    Aun a la muerte vine por rodeos,
que se hace de rogar, o da sus veces   50
a mis propios deseos;
mas ya que son mis desengaños jueces,
aquí solo conmigo
la angosta senda de los sabios sigo,
donde gloriosamente   55
desprecio la ambición de lo presente.

---

29 *inicuo*: malvado, injusto, sin razón.

No lloro lo pasado,
ni lo que ha de venir me da cuidado,
y mi loca esperanza siempre verde,
que sobre el pensamiento voló ufana,   60
de puro vieja aquí su color pierde,
y blanca puede estar de puro cana.
Aquí, del primer hombre despojado,
descanso ya de andar de mí cargado.

Estos que han de beber, fresnos hojosos,   65
la roja sangre de la dura guerra;
estos olmos hermosos,
a quien esposa vid abraza y cierra
de la sed de los días,
guardan con sombras las corrientes frías;   70
y en esta dura sierra,
los agradecimientos de la tierra,
con mi labor cansada,
me entretienen la vida fatigada.
Orfeo del aire el Ruiseñor parece,   75
y ramillete músico el jilguero;
consuelo aquél en su dolor me ofrece;
éste, a mi mal, se muestra lisonjero;
duermo, por cama, en este suelo duro,
si menos blando sueño, más seguro.   80

No solicito el mar con remo y vela,
ni temo al Turco la ambición armada;
no en larga centinela,
al sueño inobediente, con pagada
sangre y salud vendida,   85
soy, por un pobre sueldo, mi homicida;
ni a fortuna me entrego

---

83 *centinela*: metáfora para velada.

con la codicia y la esperanza ciego,
por acabar diligente
los peligros precisos del Oriente;   90
no de mi gula amenazada vive
la Fénix en Arabia temerosa,
ni a ultraje de mis leños apercibe
el mar su inobediencia peligrosa:
vivo como hombre, que viviendo muero   95
por desembarazar el día postrero.

Llenos de paz serena mis sentidos,
y la Corte del alma sosegada,
sujetos y vencidos
apetitos de la ley desordenada,   100
por límite a mis penas
aguardo que desate de mis venas
la muerte, prevenida
la alma que anudada está en la vida,
disimulando horrores   105
a esta prisión de miedos y dolores,
a este polvo soberbio y presumido,
ambiciosa ceniza, sepultura
portátil que conmigo la he traído,
sin dejarme contra hora segura.   110
Nací muriendo, y he vivido ciego,
y nunca al cabo de mi muerte llego.

_____

88-90 *codicia; esperanza; Oriente:* se alude a la mercancía valiosísima
que, corriendo gran riesgo, se traía del Oriente.

92 La *Fénix* era un ave grande, que según creían los antiguos, vivía en
Arabia y que de tarde en tarde se encendía en llamas, para luego renacer
de nuevo de sus propias cenizas, como ya se ha indicado.

93 *a ultraje de mis leños:* alusión a la idea clásica de que los hombres
que viajaban por el mar en barcos *(leños),* lo ofendían.

110 *hora segura:* metáfora para la muerte.

115 *monstruo con quien luchas:* se refiere a la vida.

606

Tú, pues, oh caminante que me escuchas,
si pretendes salir con la victoria
del monstruo con quien luchas,   115
harás que se adelante tu memoria
a recibir la muerte,
que oscura y muda viene a deshacerte.
No hagas de otro caso,
pues se huye la vida paso a paso;   120
y en mentidos placeres
muriendo naces, y viviendo mueres.
Cánsate ya, oh mortal, de fatigarte
en adquirir riquezas y tesoro,
que últimamente el tiempo ha de heredarte,   125
y al fin te dejarán la plata y oro:
vive para ti solo, si pudieres,
pues sólo para ti, si mueres, mueres.

COMENTARIO

El *espíritu* del poeta *reposa* en una *cueva oscura y espantosa*, o
sepulcro de los tiempos que han pasado (vv. 17-19). Desde allí habla
a una persona que *peregrina, inadvertido,* por la vida, a manera de
caminante, y quien *escucha* las palabras del poeta (vv. 1 y 113). Tal
presentación recuerda los epitafios de la Antigüedad clásica, colocados en tumbas situadas en los bordes de las calzadas, fuera
de las ciudades (comp. el poema 3). Pero en el caso presente, el
muerto vive aún: *mi espíritu reposa, / dentro de mi propio cuerpo
sepultado:* [...] *vivo me soy sepulcro de mí mismo* (19-20 y 32). El
desdoblamiento se repite, extendiéndose hasta abarcar diversos
puntos de vista: hubo un *primer hombre* que andaba *cargado de sí,*
inquieto, codicioso y preso de la *gula* y de la *ambición* (25-26, 56,
63-64, 81-82, 88 y 91). Sin embargo, el que nos habla se ha *despojado* de aquel primer hombre, liberándose de quien en efecto lo
mataba (como *homicida*), para *descansar y reposar* ahora en blanda
paz, tras dura guerra (63, 86, 64, 19, 26, 66 y 97, respectivamente). ¿Y aquel caminante que peregrinaba por la vida? El referido
espíritu del poeta lo observa andando por *cumbres desdeñosas, bus-*

cando confuso el cielo, luchando con un monstruo, su *alma aprisio-*
nada de congojas y *volando con vario pensamiento,* y le ofrece *vivo*
escarmiento, aconsejándole que deje el duro intento que le arrastra
(2, 5-6, 8, 10, 15-16 y 115).

De poema tan bello y tan personal, fruto de una mente y una
sensibilidad conscientes de lo que las rodeaba, nos dice el sobrino
de Quevedo que éste lo escribió en la Torre de Juan Abad, después de volver de la prisión de San Marcos, y tan sólo ocho meses
antes de morir. Más exacta es la hipótesis de Henry Ettinghausen de
que lo escribió Quevedo años antes y lo revisó en el año de 1645
(véase su estudio «Un nuevo manuscrito...», pág. 218).

Apéndices

A) Lista de estudios sobre poemas determinados que constan en esta colección

A cada ficha se agrega el primer verso del poema. Véase además el apartado D) de la Bibliografía sobre crítica general.

ALATORRE, Antonio, «Fortuna varia de un chisme gongorino», *Nueva Revista de Filología Hispánica,* XV, El Colegio de México (1961), págs. 483-502. Sobre Quevedo, las págs. 487-489, con referencia a «Esforzóse pobre luz» y «Señor don Leandro».

ALONSO, Amado, «Sentimiento e intuición en la lírica», *La Nación,* núm. 24.654, 2.ª sección, Buenos Aires, 3 de marzo de 1940, págs. 1-2. También en Alonso, *Materia y forma en poesía,* Madrid, Gredos, 1955, págs. 1-20, con el mismo título (en las págs. 15-20 se estudia el soneto «Cerrar podrá mis ojos la postrera»). Más adelante, en el mismo libro y en un ensayo titulado «La interpretación de los textos literarios», se repiten en otro contexto algunas de las consideraciones sobre el referido soneto, págs. 127-132.

ANDREWS, J. Richard y SILVERMAN, Joseph H., «A New Anthology of Spanish Poetry», *Modern Language Forum,* XLI (1956), págs. 99-107. En las págs. 104-106, comentan los autores los sonetos «Ah de la vida...» y «Miré los muros...».

AYALA, Francisco, «Sueño y realidad en el barroco: un soneto de Quevedo», *Ínsula,* XVII, núm. 184, Madrid, marzo, 1962, págs. 1, 7. También en su libro *Realidad y ensueño,* Madrid, Gredos, 1963, págs. 7-19. Sobre «¡Ay, Floralba! Soñé que te... ¿dirélo?».

BERSHAS, Henry N., «A Possible Source for Quevedo», *Modern Languages Notes*, LXXXI (1966), págs. 232-233. Sobre «Parióme adrede mi madre».

BLANCO AGUINAGA, Carlos, «"Cerrar podrá mis ojos...": Tradición y originalidad», *Filología*, VIII, Buenos Aires, 1962, publicado en 1964, págs. 57-78. Recogido por Gonzalo Sobejano en su libro, *Francisco de Quevedo*, págs. 300-318.

— «Dos sonetos del siglo XVII: Amor-locura en Quevedo y Sor Juana», *Modern Language Notes*, LXXVII (1962), págs. 145-162. Sobre «Cerrar podrá mis ojos la postrera».

BLECUA, José Manuel, «Sobre un célebre soneto de Quevedo», *Ínsula*, III, núm. 31, Madrid, julio de 1948, pág. 3. Acerca de «Miré los muros de la patria mía». Recogido por Gonzalo Sobejano en su libro *Francisco de Quevedo*, páginas 287-290.

BORGES, Jorge Luis, «Un soneto de don Francisco de Quevedo», en su libro *El idioma de los argentinos*, Buenos Aires, M. Gleizer, 1928, págs. 75-82. Apareció también en *La Prensa*, Buenos Aires, el 15 de mayo de 1927, 2.ª ed., pág. 4. Sobre «Cerrar podrá mis ojos la postrera».

BUCHANAN, Milton A., «A neglected version of Quevedo's "romance" on Orpheus», en *Modern Language Notes*, XX, Baltimore (1905), págs. 116-118. Sobre «Orfeo por su mujer»; contesta a Camille Pitollet.

CABAÑAS, Pablo, *El mito de Orfeo en la literatura española*, Madrid, Consejo Superior de Investigaciones Científicas, 1948, 408 págs. Sobre Quevedo y su «Orfeo por su mujer», véanse las págs. 135-142.

CARBALLO PICAZO, Alfredo, «Notas para un comentario de textos: Un soneto de Quevedo», *Revista de Educación*, LII, núm. 150, Madrid (1963), págs. 182-189 (o págs. 14-21 del mismo número, pues lleva doble paginación). Sobre «Cerrar podrá mis ojos la postrera».

CORTINA GÓMEZ, Rodolfo, «Bécquer y Quevedo», *Papers on Language and Literature*, t. XII, núm. 2, Southern Illinois University, primavera de 1976, págs. 205-208. Compara «Cerrar podrá mis ojos la postrera» con un poema de Bécquer.

CROSBY, James O., *En torno a la poesía de Quevedo*, Madrid, Castalia, 1967, 268 págs. Véase el capítulo I, sobre las revisiones autógrafas a «Diez años de mi vida se ha llevado», «Al bastón que le vistes en la mano» y a «Retirado en la paz de estos desiertos».

— «Quevedo, the Greek Anthology and Horace», *Romance Philology,* XIX, University of California (1965-1966), págs. 435-439. Sobre el soneto «Érase un hombre a una nariz pegado». Hay traducción al español por Gonzalo Sobejano en su libro *Francisco de Quevedo,* Madrid, Taurus, 1978, págs. 269-286.

— y DE LEY, Margo (véase De Ley, Margo).

— y HOLMAN, Alvin F., «Nuevos manuscritos de la obra de Quevedo», *Revista de Archivos, Bibliotecas y Museos,* LXVII, Madrid, 1959, págs. 165-174. Sobre un manuscrito que contiene un texto de «Antoñuela la Pelada».

CUERVO, Rufino J., «Dos poesías de Quevedo a Roma», *Revue Hispanique,* XVIII (1908), págs. 432-438. También en su libro *Disquisiciones sobre filología castellana,* Bogotá, 1950, págs. 496-502; y en *Escritos literarios de Rufino J. Cuervo,* Bogotá, 1939, pág. 95. Sobre las fuentes del soneto «Buscas en Roma a Roma, ¡oh peregrino!».

DA COSTA RAMALHO, Américo, «Un epigrama em latim, imitado por vários», *Humanistas,* IV (Nueva serie, I), Coimbra, 1952, págs. 60-65, y V-VI (Nueva serie, II-III), 1953-1954, páginas 442-443. En relación con el soneto «Buscas en Roma a Roma, ¡oh peregrino!».

DALMASSO, O. B., «El soneto "En los claustros de l'alma la herida" de Quevedo», *Comunicaciones de Literatura Española,* I, Buenos Aires, 1972, págs. 14-18.

DARST, David H., «Quevedo's "Miré los muros de la patria mía"», *Neuphilologische Mitteilungen,* LXXVII, Helsinki, 1976, págs. 334-336.

DAVIS, Elizabeth B., *The Religious Poetry of Francisco de Quevedo.* Tesis doctoral inédita de Yale University, New Haven, 1975, 294 págs. Sobre el «Heráclito», véase el capítulo II. Hay resumen en *Dissertation Abstracts International,* XXXVI, núm. 11A (1975), pág. 8093, núm. 76-13706.

DE LEY, Margo y CROSBY, James O., «Originality, Imitation and Parody in Quevedo's Ballad of the Cid and the Lion ("Medio día era por filo")», *Studies in Philology,* LXVI (1969), págs. 155-167.

ETTINGHAUSEN, Henry, *Francisco de Quevedo and the Neostoic Movement,* Oxford, Oxford University Press, 1972, 178 págs. Véanse las págs. 15-16 con referencia al «Heráclito cristiano».

613

— «Un nuevo manuscrito autógrafo de Quevedo», *Boletín de la Real Academia Española,* LII, Madrid, págs. 211-284. Estudio y edición de un manuscrito parcialmente autógrafo de las «Silvas» de Quevedo.

FERRATÉ, J., «El tema de la poesía», *Cuadernos Hispanoamericanos,* XXXII bis, Madrid, 1957, págs. 78-84. También está en su libro *Teoría del poema,* Barcelona, 1956. Sobre el soneto «Buscas en Roma a Roma, ¡oh peregrino!», págs. 81-84.

FRÄNKEL, Hans H., «Quevedo's *Letrilla,* "Flor que cantas Flor que vuelas"», *Romance Philology,* IV, núm. 4, Universidad de California, mayo de 1953, págs. 259-264.

FUCILLA, Joseph G., «La fortuna d'un madrigale di Luigi Groto», *La Bibliofilia,* LVII, Florencia, págs. 42-46. Estudia sobre todo la imitación de Quevedo «Un famoso escultor, Lisis esquiva».

— «Riflessi dell' *Adone* di O. B. Marino nelle poesie di Quevedo», *Romania, Scritti offerti a Francesco Piccolo,* Nápoles, 1962, págs. 279-287. Sobre la letrilla «Dime, Cantor ramillete».

— «Some Imitations of Quevedo and Some Poems Wrongly Atributed to Him», *Romanic Review,* XXI, Nueva York, 1930, págs. 228-235. Compara «Un famoso escultor, Lisis esquiva» y «Lo que me quita en fuego me da en nieve» con los poemas originales de Luigi Groto, que reproduce.

GALLEGOS VALDÉS, Luis, «Del plagio literario», *Cultura,* núm. 14, San Salvador, 1958, págs. 116-122. Sobre «Es hielo abrasador, es fuego helado».

GARCÍA LORCA, Francisco, «Dos sonetos y una canción», *Revista Hispánica Moderna,* XXXIV, Nueva York, 1968, págs. 276-287. El soneto de Quevedo es «Miré los muros de la patria mía», págs. 283-287.

GIRAUD, Ives F.-A., *La Fable de Daphné,* Ginebra, Librairie Droz, 1968. Sobre Quevedo y sus «Delante del Sol venía» y «Bermejazo Platero de las cumbres», véanse las págs. 364-371.

GUILLÓN, Germán, «En torno a un soneto de Quevedo», *Explicación de Textos Literarios,* III, núm. 1, Sacramento, California, 1974, págs. 25-30. Sobre «Fuego a quien tanto Mar ha respetado».

HOLMAN, Alvin F. (véase Crosby, J. O., «Nuevos manuscritos...»).

KELLERMANN, Wilhelm, «Denken und Dichten bei Quevedo», en el *Gedächtnisschrif für Adalbert Hämel, 1885-1952,* Würzburg, Konrad Triltsch Verlag, 1953, págs. 121-154. Para «Es hielo abrasador, es fuego helado», «Flor con voz, volante flor» y otros poemas en general.

LÁZARO CARRETER, Fernando, «Quevedo, entre el amor y la muerte», *Papeles de Son Armadans*, I, núm. 2, Palma de Mallorca, 1956, págs. 145-160. Sobre el soneto «Cerrar podrá mis ojos la postrera». Recogido por Gonzalo Sobejano en su libro *Francisco de Quevedo*, págs. 291-299.

— «Sobre la dificultad conceptista», *Estudios dedicados a Menéndez Pidal*, t. VI, Madrid, Consejo Superior de Investigaciones Científicas, 1956, págs. 355-386. Sobre Quevedo y su soneto «Érase un hombre a una nariz pegado», véanse las págs. 374-380.

LIDA, María Rosa, «Para las fuentes de Quevedo», en la *Revista de Filología Hispánica*, tomo I, Buenos Aires, 1939, págs. 369-375. Para «Buscas a Roma en Roma, ¡oh peregrino!», «Érase un hombre a una nariz pegado» y «Cerrar podrá mis ojos la postrera».

LOWELL, Robert, «The Ruins of Time», en su libro de poemas *Near the Ocean*, Nueva York, Farrar, Strauss and Giroux, 1968, págs. 119-125. Hay dos poemas quevedescos, a manera de traducciones: «Rome in the Sixteenth Century» («Buscas a Roma en Roma, ¡oh peregrino!») y «Spain Lost» («Miré los muros de la Patria mía»). Posteriormente refundió Lowell estos poemas y los publicó en la colección titulada *History*, Nueva York, Farrar, Strauss and Giraud, 1973, págs. 51 y 68.

LYTLE, Evelyn P., «The Coimbra ms. 362 of Quevedo's "Manzanares, Manzanares"», *Romance Notes*, XVII (1977), págs. 298-301. Correcciones importantes de errores de transcripción de textos en la edición de la *Obra poética* de Quevedo por J. M. Blecua.

MANLEY, Joseph P., «Quevedo's *Heráclito cristiano* as a Poetic Cycle», *Kentucky Romance Quarterly*, XXIV, núm. 1 (1977), págs. 25-34. Estudia la forma del «Heráclito» en los manuscritos originales, en relación con las ediciones de Blecua.

MOLHO, Maurice, «Sobre un soneto de Quevedo: "En crespa tempestad de oro undoso". Ensayo de análisis intratextual», en el capítulo «Dos sonetos» de su libro *Semántica y poética (Góngora y Quevedo)*, Barcelona, Editorial Crítica, 1977, págs. 168-216. También apareció en los *Mélanges offerts à C. V. Aubrun*, París, 1975. La versión de 1977 fue revisada por el autor y recogida por Gonzalo Sobejano en su libro *Francisco de Quevedo,* págs. 343-377.

Moore, Roger, «Conceptual Unity and Associated Field in Two of Quevedo's Sonnets», *Renaissance and Reformation,* XIV (1978), págs. 55-63. Compara la versión primitiva «Un famoso pintor, Lisarda esquiva» con la final. Estudia también «Al oro de tu frente unos claveles».

Morley, S. Griswold, «New Interpretations of Spanish Poetry: A Sonnet of Quevedo», *Bulletin of Spanish Studies,* XVIII, Liverpool, 1941, págs. 226-228. Sobre «Miré los muros de la patria mía».

Muñoz González, Luis, «La navegación de Quevedo», *Cuadernos Hispanoamericanos,* XCII, Madrid, 1973, págs. 115-137. Analiza los poemas «"Ah de la vida!"... ¿Nadie me responde?», «Cerrar podrá mis ojos la postrera», «¡Cómo de entre mis manos te resbalas!», «¡Fue sueño ayer, mañana será tierra!» y «Vivir es caminar breve jornada».

Navarro de Kelley, Emilia, «El "concepto metafísico" en la poesía de Francisco de Quevedo», *Cuadernos Hispanoamericanos,* LXXXVIII, Madrid, 1972, págs. 142-150. Para «Si hija de mi amor mi muerte fuese».

Neruda, Pablo, «Quevedo», *Cruz y Raya,* año III, núm. 33, Madrid, 1935, págs. 83-101. Tras unos párrafos escogidos de las cartas de Quevedo, Neruda selecciona y reproduce los sonetos «"¡Ah de la vida!"...», «Cargado voy de mí: veo adelante», «¡Cómo de entre mis manos...!», «Fue sueño ayer...», «Miré los muros...», «Qué perezosos pies...», «Si hija de mi amor mi muerte fuese», «Todo tras sí...», «Vivir es caminar...» y otros.

Parker, Alexander A., «La buscona piramidal: Aspects of Quevedo's Conceptism», *Iberoromania,* I, Múnich (1969), págs. 228-234. Para «Si eres Campana, ¿dónde está el badajo?».

— «La "agudeza" en algunos sonetos de Quevedo», *Estudios dedicados a Menéndez Pidal,* III, Madrid, Consejo Superior de Investigaciones Científicas, 1952, págs. 345-360. Analiza las imágenes «conceptistas» de «En crespa tempestad del oro undoso», págs. 351-355.

Pérez Gómez, Antonio, «A propósito de un romance de Quevedo: "Orfeo en los Infiernos"», *Bibliografía Hispánica,* IX, Madrid (1951), págs. 89-90. Sobre «Orfeo por su mujer».

616

Pitollet, Camille, «À propos d'un *romance* de Quevedo», *Bulletin Hispanique,* tomo VI (1904), págs. 332-346. Sobre «Orfeo por su mujer».

— «Un écho oublié du *romance* de Quevedo: "Orfeo"», *Bulletin Hispanique,* VIII (1906), págs. 392-393. Añadidura al otro artículo de Pitollet y comentario al de Buchanan.

Price, R. M., «A Note on the Sources and Structure of "Miré los muros de la patria mía"», *Modern Language Notes,* LXXVIII (1963), págs. 194-199. Hay traducción al español por Gonzalo Sobejano, en su libro *Francisco de Quevedo,* págs. 319-325.

Ritter, Otto, «Quevedos Orpheus-Gedichte in England», *Archiv für das Studium der Neueren Sprachen und Literaturen,* Braunschweig Druck und Verlag von George Westermann, 1903, págs. 178-179. Sobre «Orfeo por su mujer».

Sabat de Rivers, Georgina, «Quevedo, Floralba y el Padre Tablares», *Modern Language Notes,* XCIII (1978), págs. 320-328. Sobre «¡Ay, Floralba! Soñé que te...».

Salinas, Pedro, «Una metáfora en tres tiempos», en su libro *Ensayos de literatura hispánica,* ed. de Juan Marichal, Madrid, Aguilar, 1967, págs. 177-192. Sobre la metáfora de la vida como un río que desemboca a la mar «que es el morir», en relación con el soneto «Todo tras sí lo lleva el año breve», págs. 188-192.

Sánchez, Alberto, «Explicación de un soneto de Quevedo para alumnos de bachillerato», *Revista de Educación,* XV, núm. 45, Madrid, 1956, págs. 4-5. Sobre «Érase un hombre a una nariz pegado».

Sánchez Alonso, B., «Los satíricos latinos y la sátira de Quevedo», *Revista de filología española,* tomo XI, Madrid, 1924, págs. 33-62, y las págs. 113-153. Para «Lágrimas alquiladas del Contento», «Yacen de un home en esta piedra dura», «Ya está guardado en la trena», «Si la prosa que gasté», «Los médicos con que miras», «Oh tú, que inadvertido peregrinas!», «No he de callar, por más que con el dedo» y otros textos.

Sanhueza Luco, Ana M., «La muerte en tres sonetos de Quevedo», *Boletín de Filología,* XXII, Santiago de Chile, 1971, págs. 117-127. Sobre los sonetos «Cerrar podrá mis ojos la

617

postrera», «Miré los muros de la patria mía» y «Señor don Juan, pues con la fiebre apenas».

SEBOLD, Russell P., «Un "padrón inmortal" de la grandeza romana: En torno a un soneto de Gabriel Álvarez de Toledo», en *Studia Hispanica in Honorem R. Lapesa,* tomo 1, Madrid, Gredos y Cátedra-Seminario Menéndez Pidal, 1973, págs. 525-530. Para «Buscas en Roma a Roma...».

SHEPPARD, Douglas C., «Resonancias de Quevedo en la poesía española del siglo veinte», *Kentucky Foreign Language Quarterly,* IX (1962), págs. 105-113. Cita «"Ah de la vida!"...», «Todo tras sí lo lleva el año breve», «No he de callar, por más que con el dedo» y otros, en relación con la poesía *engagée* de nuestros días.

SOBRÉ, J. M., «Quevedo's "Afectos varios"», *The Explicator,* XXXIV, núm. 8, Virginia, Virginia Commonwealth University, Richmond, abril de 1976, artículo núm. 59 (sin paginar). Sobre «En crespa tempestad del oro undoso».

TAMAYO, Juan Antonio, «Cinco notas a *Los sueños*», en *Mediterráneo,* IV, Valencia, 1946, págs. 143-160. Véase especialmente la nota quinta, sobre un paralelo entre el «Sueño del Juicio final» y «No os espantáis Señora Notomía».

TERRY, Arthur, *Two Views of Poetry,* Belfast, Irlanda, The Queen's University, 1964. Sobre «Cerrar podrá mis ojos la postrera», págs. 13-15.

— «Quevedo and the Metaphysical Conceit», *Bulletin of Hispanic Studies,* XXXV, Liverpool, 1958, págs. págs. 211-222. Basado en «En crespa tempestad del oro undoso» y en «Cerrar podrá mis ojos la postrera».

WALTERS, D. G., «The Theme of Love in the "romances" of Quevedo», en *Studies of the Spanish and Portuguese Ballad,* Londres, Tamesis Books and University of Wales, 1972, págs. 95-110. Compara «¡Ay, Floralba! Soñé que te...» con un romance, y estudia «Después que te conocí».

WILSON, Edward M., «Modern Spanish Poems. 1. Guillén and Quevedo on Death», *Atlante,* I, Londres, 1953, págs. 22-26. Sobre los sonetos «Miré los muros de la patria mía» y «Todo tras sí lo lleva el año breve».

B) Lista de poemas que han sido objeto de diversos estudios críticos

Esta lista remite al lector a la anterior, salvo en el caso del estudio general de Dámaso Alonso, «El desgarrón afectivo en la poesía de Quevedo», del cual señalo aquí la página en la que comenta Alonso cualquier poema de la presente colección.

«A todas partes que me vuelvo veo» (Alonso, Dámaso, «El desgarrón...», pág. 609).

«"¡Ah de la vida!"... ¿Nadie me responde?» (Alonso, Dámaso, «El desgarrón», págs. 580-581; Andrews y Silverman, «A New Anthology ...»; Muñoz González, «La navegación...»; Neruda, «España no ha muerto...»; y Sheppard, «Resonancias de Quevedo...»).

«Al bastón que le vistes en la mano» (Crosby, *En torno...*).

«Al oro de tu frente unos claveles» (Moore, «Conceptual Unity...»).

«Antoñuela la Pelada» (Giraud, *La fable de Daphné*).

«¡Ay, Floralba! Soñé que te... ¿dirélo?» (Ayala, «Sueño y realidad...»; Sabat de Rivers, «Quevedo, Floralba...»; y Walters, «The Theme of Love...»).

«Bermejazo platero de las cumbres» (Alonso, Dámaso, «El desgarrón...», pág. 566; Giraud, *La Fable de Daphné*).

«Bostezó Floris, y su mano hermosa» (Alonso, Dámaso, «El desgarrón...», pág. 546).

«Buscas en Roma a Roma, ¡oh peregrino!» (Cuervo, «Dos poesías...»; Da Costa, «Um epigrama...»; Ferraté, «El tema...»; Lida, María Rosa, «Para las fuentes...»; Lowell, «The Ruins...», y Sebold, «Un "padrón inmortal"...»).

«Cargado voy de mí: veo delante» (Alonso, Dámaso, «El desgarrón...», pág. 609; Neruda, «Quevedo»).

«Cerrar podrá mis ojos la postrera» (Alonso, Amado, «Sentimiento e intuición en la lírica»; Alonso, Dámaso, «El desgarrón...», pág. 562; Blanco Aguinaga, «"Cerrar podrá..."», y también «Dos sonetos...»; Borges, «Un soneto...»; Carballo Picazo, «Notas para un comentario...»; Cortina Gómez, «Bécquer...»; Lázaro Carreter, «Quevedo, entre el amor...»; Lida, María Rosa, «Para las fuentes...»; Muñoz González, «La navegación...»; Neruda, «Quevedo»; Sanhueza Luco, «La muerte...»; Terry, «Quevedo and the Metaphysical Conceit», y también *Two Views of Poetry*.

«¡Cómo de entre mis manos te resbalas!» (Muñoz González, «La navegación...»; Neruda, «Quevedo»).

«Delante del sol venía» (Giraud, La *Fable de Daphne*).

«Después que te conocí» (Walters, «The Theme of Love...»).

«Diez años de mi vida se ha llevado» (Alonso, Dámaso, «El desgarrón...», pág. 543; Crosby, *En torno...*).

«Dime, Cantor ramillete» (Fränkel, «Quevedo's *letrilla*, "Flor que cantas, Flor que vuelas»).

«En breve cárcel traigo aprisionado» (Alonso, Dámaso, «El desgarrón...», pág. 547).

«En crespa tempestad del oro undoso» (Molho, «Sobre un soneto...»; Parker, «La "agudeza"...»; Sobré, «Quevedo's "Afectos varios"»; Terry, «Quevedo and the Metaphysical Conceit»).

«En los claustros del alma la herida» (Alonso, Dámaso, «El desgarrón...», págs. 608 y 613; Dalmasso, «El soneto "En los claustros..."»; Sobejano, «En los claustros del alma..»).

«Érase un hombre a una nariz pegado» (Crosby, «Quevedo, the Greek Anthology...»; Lázaro Carreter, «Sobre la dificultad conceptista»; Lida, María Rosa, «Para las fuentes...»; Sánchez, Alberto, «Explicación de un soneto...»).

«Es hielo abrasador, es fuego helado» (Gallegos Valdés, «Del plagio...»; Kellermann, «Denken und Dichten...»).

«Esforzóse pobre luz» (Alatorre, «Los romances de Hero y Leandro»).

«Faltar pudo a Scipión Roma opulenta» (Alonso, Dámaso, «El desgarrón...», pág. 594).

«Faltar pudo su patria al grande Osuna» (Alonso, Dámaso, «El desgarrón...», págs. 594-595).

«Flor con voz, volante flor» (Kellermann, «Denken und Dichten...»).

«Fue sueño ayer, mañana será tierra» (Muñoz González, «La navegación...»; Neruda, «España no ha muerto..»).

«Fuego a quien tanto Mar ha respetado» (Gullón, «En torno a un soneto...»).

«Heráclito cristiano» en general (Davis, *The Religious Poetry...*; Manley, «Quevedo's "Heráclito cristiano"...»).

«Lágrimas alquiladas del contento» (Sánchez Alonso, «Los satíricos latinos..»).

«Lo que me quita en fuego, me da en nieve» (Fucilla, «Some Imitations...»).

«Los médicos con que miras» (Sánchez Alonso, «Los satíricos latinos..»).

«Manzanares, Manzanares» (Lytle, «The Coimbra ms. 362...»).

«Medio día era por filo» (Crosby y De Ley, «Originality, Imitation...»).

«Ministril de las ronchas y picadas» (Alonso, Dámaso, «El desgarrón...», pág. 573).

«Miré los muros de la patria mía» (Alonso, Dámaso, «El desgarrón...», pág. 618; Andrews y Silverman, «A New Anthology...»; Blecua, J. M., «Sobre un célebre soneto...»; Darst, «Quevedo's "Miré los muros..."»; García Lorca, Francisco, «Dos sonetos...»; Lowell, «The Ruins...»; Morley, S. G., «New Interpretations...»; Neruda, «Quevedo»; Price, «A Note on the Sources...»; Sanhueza Luco, «La muerte...»; Wilson, E. M., «Modern Spanish Poems...»).

«No he de callar, por más que con el dedo» (Alonso, Dámaso, «El desgarrón...», pág. 617; Sánchez Alonso, «Los satíricos latinos...»; Sheppard, «Resonancias...»).

«No os espantéis, señora Notomía» (Tamayo, «Cinco notas...»).

«¡Oh tu, que inadvertido peregrinas» (Sánchez Alonso, «Los satíricos latinos...»).

«Orfeo por su mujer» (Buchanan, «A Neglected Version...»; Cabañas, *El mito de Orfeo...*; Pérez Gómez, «A propósito de un romance...»; Pitollet, «À propos d'un *romance...*», y también «Un écho oublié...»; Ritter, «Quevedos Orpheus-Gedichte...»).

«Parióme adrede mi madre» (Bershas, «A Possible Source...»).

«¡Qué perezosos pies, qué entretenidos» (Neruda, «Quevedo»).

«Retirado en la paz de estos desiertos» (Crosby, *En torno...*).

«Rizas en ondas ricas del rey Midas» (Alonso, Dámaso, «El desgarrón...», pág. 547).

«Señor don Juan, pues con la fiebre apenas» (Sanhueza Luco, «La muerte...»).

«Señor don Leandro» (Alatorre, «Fortuna varia...», y también «Los romances de Hero y Leandro»).

«Si eres campana, ¿dónde está el badajo?» (Parker, «La buscona piramidal...»).

«Si fuere que despés al postrer día» (Alonso, Dámaso, «El desgarrón...», págs. 542-543).

«Si hija de mi amor mi muerte fuese» (Alonso, Dámaso, «El desgarrón...», pág. 561; Navarro de Kelley, «El "concepto metafísico"...»; Neruda, «Quevedo»).

«Si la prosa que gasté» (Sánchez Alonso, «Los satíricos latinos...»).

«Silvas» en general (Ettinghausen, «Un nuevo manuscrito...»).

«Todo tras sí lo lleva el año breve» (Alonso, Dámaso, «El desgarrón...», pág. 561; Neruda, «Quevedo»; Salinas, Pedro, «Una metáfora en tres tiempos»; Sheppard, «Resonancias...»; Wilson, Edward M., «Modem Spanish Poems...»).

«Tras vos un alquimista va corriendo» (Alonso, Dámaso, «El desgarrón...», pág. 572).

«Un famoso escultor, Lisis esquiva» (Fucilla, «La fortuna...», y también «Some lmitations...»; Moore, «Conceptual Unity...»).

«Un godo que en una cueva en la montaña» (Alonso, Dámaso, «El desgarrón...», pág. 535).

«Ven ya, miedo de fuertes y de sabios» (Alonso, Dámaso, «El desgarrón...», pág. 561).

«Vivir es caminar breve jornada» (Muñoz González, «La navegación...»; Neruda, «Quevedo»).

«Ya está guardado en la trena» (Sánchez Alonso, «Los satíricos latinos...»).

«Ya formidable y espantoso suena» (Alonso, Dámaso, «El desgarrón...», pág. 560).

«Yacen de un home en esta piedra dura» (Sánchez Alonso, «Los satíricos latinos...»).

Índices

Índice de primeros versos
y de estribillos,
por orden alfabético

627

628

Índice de palabras comentadas en las notas, y de los personajes y oficios satirizados por Quevedo*

---

* He eliminado ciertas palabras de poca importancia, para que el libro no saliera más ancho que largo.

631

634

637

645

648

649

653

Índice de ilustraciones

Índice de ilustraciones

Colección Letras Hispánicas